FIFTH EDITION

Imagina

Español sin barreras

Curso intermedio de lengua española

José A. Blanco

C. Cecilia Tocaimaza-Hatch

Martín Gaspar

VISTA®
HIGHER LEARNING

Boston, Massachusetts

Creative Director: José A. Blanco
Senior Editorial Director: Judith Bach
Editorial Development: Armando Brito, Jo Hanna Kurth, Sarah Wu
Project Management: Harold Chester, Tiffany Kayes
Rights Management: Annie Pickert Fuller, Kristine Janssens, Juan Esteban Mora
Technology Production: Egle Gutiérrez, Lauren Krolick, Sandra Rojas
Design: Paula Díaz, Daniela Hoyos, José Alejandro Jiménez, Radoslav Mateev, Gabriel Noreña, Andrés Vanegas
Production: Oscar Díez, Sebastián Díez, Andrés Escobar, Daniel Lopera, Daniela Peláez, Juliana Tobón

Student Text (Casebound SMIRA-compliant): 978-1-54335-761-5
Student Text (Perfectbound): 978-1-54335-762-2
Student Text (Loose-Leaf): 978-1-54335-763-9

Instructor's Annotated Edition ISBN: 978-1-54335-764-6

Library of Congress Control Number: 2021936017

1 2 3 4 5 6 7 8 9 WC 26 25 24 23 22 21

Introduction

Welcome to **Imagina**, an exciting intermediate Spanish program designed to provide you with an active and rewarding learning experience as you continue to strengthen your language skills and develop cultural competency.

Here are some of the key features you will find in **Imagina**:

- A cultural focus integrated throughout the entire lesson

- **Flash cultura** video, **Cultura en pantalla** TV clips, and dramatic short films by contemporary Hispanic filmmakers that carefully tie in the lesson theme and grammar structures

- A fresh, magazine-like design and lesson organization that both support and facilitate language learning

- A highly structured, easy-to-navigate design, based on spreads of two facing pages

- An abundance of illustrations, photos, charts, and graphs, all specifically chosen or created to help you learn

- An emphasis on authentic language and practical vocabulary for communicating in real-life situations

- Abundant guided and communicative activities

- Clear and well-organized grammar explanations that highlight the most important concepts in intermediate Spanish

- Short and comprehensible literary and cultural readings that recognize and celebrate the diversity of the Spanish-speaking world

- A built-in **Manual de gramática** for reference, review, and additional practice

- A complete set of print and technology program components to equip you with the materials you need to make learning Spanish easier

CONTENIDO

	PARA EMPEZAR	CORTOMETRAJE	IMAGINA
Lección 1 **Sentir y vivir**	**Las relaciones personales** . . .4 los estados civiles los estados emocionales las personalidades las relaciones los sentimientos	*Café para llevar* (13 min) . . . . .6 España 2014 Directora: Patricia Font	Estados Unidos . . . . .12 GALERÍA DE CREADORES: Julia Álvarez, Carmen Lomas Garza, Lin-Manuel Miranda, Narciso Rodríguez. . . . . .14 FLASH CULTURA: Las relaciones personales. 17
Lección 2 **Vivir en la ciudad**	**En la ciudad** . . . . .42 las actividades la gente las indicaciones los lugares	*Adiós mamá* (8 min) . . . . . . .44 México 1997 Director: Ariel Gordon	México. . . . . .50 GALERÍA DE CREADORES: Gael García Bernal, Frida Kahlo, Diego Rivera, Julieta Venegas . . . .52 FLASH CULTURA: El metro del D.F.. 55
Lección 3 **Un mundo conectado**	**Los medios de** **comunicación**. . . . . .82 el cine y la televisión los medios la prensa los profesionales de los medios	*Desconexión* (19 min) . . . . . . .84 Bolivia 2011 Director: Yecid Benavides	El Caribe: Cuba, Puerto Rico y la República Dominicana . . . . . . .90 GALERÍA DE CREADORES: Julia de Burgos, Rosario Ferré, Juan Luis Guerra, Wifredo Lam . .92 FLASH CULTURA: El cine mexicano 95
Lección 4 **Generaciones** **en movimiento**	**En familia** . . . . .122 las etapas de la vida las generaciones los parientes la personalidad la vida familiar	*Sin palabras* (13 min) . . . . . .124 España 2010 Directora: Bel Armenteros	Centroamérica: Costa Rica, El Salvador, Guatemala, Honduras, Nicaragua y Panamá. . . . . .130 GALERÍA DE CREADORES: Erika Ender, Armando Morales, Mauricio Puente, Isabella Springmühl Tejada . . . . .132 FLASH CULTURA: De compras en Barcelona. 135

ESTRUCTURAS	MANUAL DE GRAMÁTICA Optional Sequence	CULTURA	LITERATURA
1.1 The present tense......18 1.2 **Ser** and **estar** ....22 1.3 **Gustar** and similar verbs. .26	1.4 Nouns and articles .....380 1.5 Adjectives 382	*Corriente latina* ....31 **Cultura en pantalla:** Hispanos e inmigración en los Estados Unidos	*Poema 20* ....35 Pablo Neruda, Chile poesía
2.1 The preterite ....56 2.2 The imperfect ....60 2.3 The preterite vs. the imperfect 64	2.4 Progressive forms......384 2.5 Telling time 386	*Juchitán: La ciudad de las mujeres* ....69 **Cultura en pantalla:** Mujeres triquis de Oaxaca	*Una lucha muy personal*.....73 Mercè Sarrias, España obra de teatro
3.1 The subjunctive in noun clauses ....96 3.2 Object pronouns ....102 3.3 Commands 106	3.4 Possessive adjectives and pronouns ....388 3.5 Demonstrative adjectives and pronouns 390	*Ritmos del Caribe* ....111 **Cultura en pantalla:** Festival de merengue en la República Dominicana	*La desesperación de las letras* ....115 Ginés S. Cutillas, España cuento
4.1 The subjunctive in adjective clauses ......136 4.2 Reflexive verbs ....140 4.3 **Por** and **para** 144	4.4 *To become:* **hacerse, ponerse, volverse,** and **llegar a ser** 392	*Sonia Sotomayor: la niña que soñaba* ....149 **Cultura en pantalla:** Sonia Sotomayor habla sobre su condición de latina	*Las fiebres de la memoria* . .153 Gioconda Belli, Nicaragua prólogo de novela

CONTENIDO

	PARA EMPEZAR	CORTOMETRAJE	IMAGINA
Lección 5 **Las riquezas naturales**	**Nuestro mundo**. . . . .**160** los animales la ecología los fenómenos naturales la naturaleza	*Eclipse* (10 min) . . . .**162** España 2016 Director: Santi Planet	Colombia, Ecuador y Venezuela .**168** GALERÍA DE CREADORES: Gustavo Dudamel, Marisol Escobar, Oswaldo Guayasamín, Shakira . .**170** FLASH CULTURA: Un bosque tropical **173**
Lección 6 **El valor de las ideas**	**Creencias e ideologías** . . . .**198** la gente las leyes y los derechos la política la seguridad y la amenaza	*Justo* (13 min). . . . .**200** Argentina 2019 Directora: Paula Romero Levit	Chile . . . .**206** GALERÍA DE CREADORES: Isabel Allende, Miguel Littín, Roberto Matta, Violeta Parra. . . .**208** FLASH CULTURA: Puerto Rico: ¿nación o estado?. **211**
Lección 7 **Perspectivas laborales**	**El trabajo y las finanzas** . . .**236** la economía la gente en el trabajo el mundo laboral	*La jaula* (11 min). . . . .**238** España 2016 Director: Nacho Solana	Bolivia y Paraguay . . . .**244** GALERÍA DE CREADORES: Ernesto Cavour Aramayo, Josefina Plá, Augusto Roa Bastos, Graciela Rodo Boulanger. . . . .**246** FLASH CULTURA: El mundo del trabajo **249**
Lección 8 **Ciencia y tecnología**	**La tecnología y la ciencia** . .**272** los científicos los inventos y la ciencia la tecnología el universo y la astronomía	*El clon* (12 min). . . . .**274** España 2010 Director: Mateo Ramírez Louit	Perú. . . . .**280** GALERÍA DE CREADORES: Tania Libertad, Claudia Llosa, Los Hermanos Santa Cruz, Mario Vargas Llosa . . . .**282** FLASH CULTURA: Inventos argentinos **285**

ESTRUCTURAS	MANUAL DE GRAMÁTICA Optional Sequence	CULTURA	LITERATURA
5.1 The future . . . . .174 5.2 The conditional . . . . . . .178 5.3 Relative pronouns 182	5.4 Qué vs. cuál . . . . .394 5.5 The neuter lo. 396	La selva amazónica: biodiversidad curativa. . . . . .187 **Cultura en pantalla:** Plantas medicinales	La Luna . . . . .191 Jaime Sabines, México poesía
6.1 The subjunctive in adverbial clauses . . . . . .212 6.2 The past subjunctive. . . .216 6.3 Comparatives and superlatives. 220	6.4 Adverbs . . . . .398 6.5 Diminutives and augmentatives 400	Chile: dictadura y democracia . . . . .225 **Cultura en pantalla:** Chile y la Operación Cóndor	Caso Gaspar . . . . .229 Elsa Bornemann, Argentina cuento
7.1 The present perfect. . . . .250 7.2 The present perfect subjunctive . . . . .254 7.3 Uses of se 256	7.4 Past participles used as adjectives . . . . .402 7.5 Time expressions with hacer. 404	Recursos naturales: una salida al mundo. . . . . .261 **Cultura en pantalla:** Indígenas bolivianos y el negocio de los hidrocarburos	El carretillero. . . . . .265 Nila López, Paraguay cuento
8.1 The past perfect . . . . . . .286 8.2 The past perfect subjunctive . . . . .288 8.3 Uses of the infinitive 290	8.4 Prepositions: a, hacia, and con . . . . .406 8.5 Prepositions: de, desde, en, entre, hasta, and sin 408	Delicias peruanas . . . . .295 **Cultura en pantalla:** Central Before Central	La intrusa . . . . .299 Pedro Orgambide, Argentina cuento

CONTENIDO

	PARA EMPEZAR	CORTOMETRAJE	IMAGINA
Lección 9 **Escapar y divertirse**	**Las diversiones** . . . .**306** los deportes el tiempo libre	*No me ama* (15 min). . . . . . .**308** Argentina 2009 Director: Martín Piroyanski	Argentina y Uruguay . . . .**314** GALERÍA DE CREADORES: Jorge Luis Borges, Soledad Pastorutti, Julio Sosa, Cristina Peri Rossi . . . .**316** FLASH CULTURA: Lo mejor de Argentina. **319**
Lección 10 **Herencia y destino**	**Nuestro futuro** . . . .**340** los cambios los problemas y las soluciones las tendencias	*La boda* (12 min) . . . .**342** España 2012 Directora: Marina Seresesky	España. . . . .**348** GALERÍA DE CREADORES: Santiago Calatrava, Isabel Coixet, Enrique Iglesias, Ana María Matute . . . .**350** FLASH CULTURA: Machu Picchu: encanto y misterio **353**

REFERENCE

Manual de gramática **377**

Verb Conjugation Tables **414**

Vocabulary

    Español–Inglés **425**

    English–Spanish **445**

Index **465**

Credits **467**

ESTRUCTURAS	MANUAL DE GRAMÁTICA Optional Sequence	CULTURA	LITERATURA
9.1 The future perfect......320 **9.2** The conditional perfect..322 **9.3 Si** clauses 324	**9.4** Transitional expressions..410	*Fin de semana en Buenos Aires............329* **Cultura en pantalla:** Cruzar la 9 de julio	*La mancha de humedad....333* Juana de Ibarbourou, Uruguay cuento
10.1 The passive voice.....354 **10.2** Negative and affirmative expressions ....356 **10.3** Summary of the indicative and the subjunctive... 360	**10.4 Pero** vs. **sino** 412	*España: emigración e inmigración.............367* **Cultura en pantalla:** Lavapiés: un barrio de inmigrantes en medio de Madrid	*Algo muy grave va a suceder en este pueblo ....371* Gabriel García Márquez, Colombia cuento

Icons

Familiarize yourself with these icons that appear throughout **Imagina**.

 Presentational content for this section available online

 Textbook activity available online

 Pair activity

 Group activity

 Partner Chat activity

Additional practice on the Supersite, not included in the textbook, is indicated with this icon feature:

 Practice more at **vhlcentral.com**.

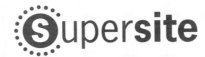

Each section of the textbook comes with resources and activities on the **Imagina** Supersite, many of which are auto-graded with immediate feedback. Plus, the Supersite can be accessed on the go! Visit **vhlcentral.com** to explore this wealth of exciting resources.

PARA EMPEZAR
- Audio of the **Vocabulary**
- Textbook and extra practice activities
- Partner Chat and Video Virtual Chat activities for increased oral practice

CORTOMETRAJE
- Streaming video of the short film with instructor-controlled options for subtitles
- Interactive videos of films with integrated viewing activities
- Pre- and post-viewing activities
- Partner Chat and Video Virtual Chat activities for increased oral practice

IMAGINA
- Audio-synced readings of the main **Imagina** and **Galería de creadores** texts
- Streaming video of **Flash cultura** cultural video
- Auto-graded textbook and extra practice activities
- Video Virtual Chat activity for increased oral practice

ESTRUCTURAS
- Interactive grammar tutorials
- Textbook and extra practice activities
- Partner Chat activities for increased oral practice

CULTURA
- Audio-synced reading of the main **Cultura** text
- Textbook and extra practice activities
- Partner Chat and Video Virtual Chat activities for increased oral practice
- Streaming video of **Cultura en pantalla** TV clips

LITERATURA
- Audio-synced reading of the literary text
- Textbook and extra practice activities
- Partner Chat and Video Virtual Chat activities for increased oral practice
- **Plan de redacción** composition activity

VOCABULARIO
- Vocabulary list with audio
- Vocabulary Tools: customizable word lists, flashcards with audio

MANUAL DE GRAMÁTICA
- Interactive grammar tutorials
- Practice activities with immediate feedback

Plus! Also found on the Supersite:

- Lab audio MP3 files
- Forums for oral assignments, group presentations, and projects
- Live Chat to connect with students in real time, without leaving your browser (instant messaging, audio chat, video chat)
- Communication center for instructor notifications and feedback
- A single gradebook for all Supersite activities
- WebSAM online Student Activities Manual (Workbook, Lab Manual)
- **v̂Text** online, interactive student edition with access to Supersite activities, audio, and video.

Program Components

Student Edition vText

This virtual, interactive student edition provides a digital text, plus links to Supersite activities and media.

Student Activities Manual (SAM): available in Secondary only

The **Student Activities Manual** consists of two parts: the **Workbook** and the **Lab Manual**.

- **Workbook**

  The **Workbook** activities provide additional practice of the vocabulary and grammar for each textbook lesson. They also reinforce the content of the **Imagina** section.

- **Lab Manual**

  The **Lab Manual** activities focus on building your pronunciation and listening skills in Spanish. They provide additional practice of the vocabulary and grammar of each lesson. They also revisit the **Literatura** reading with dramatic recordings and activities.

WebSAM

Completely integrated with the Supersite, the **WebSAM** provides access to online **Workbook** and **Lab Manual** activities with instant feedback and grading for select activities. The complete audio program is accessible online in the **Lab Manual** and features record-submit functionality for select activities. The MP3 files can be downloaded from the Supersite and can be played on your computer or mobile device.

Supersite

Included with the purchase of every new student edition, the passcode to the Supersite (**vhlcentral.com**) gives you access to a wide variety of interactive activities for each section of every lesson of the student text, including auto-graded activities for extra practice with vocabulary, grammar, video, and cultural content; reference tools; the **Cultura en pantalla** TV clips; the short films, **Flash cultura** videos; News and Cultural Updates; the Lab Program MP3 files, and more.

CONTENIDO

outlines the content and themes of each lesson.

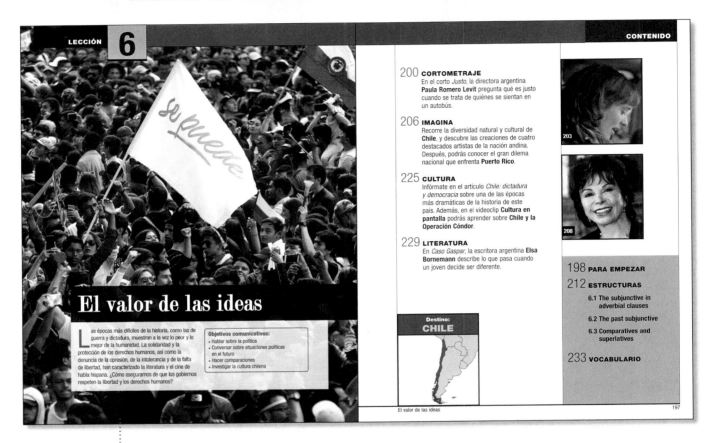

Lesson opener The first two pages introduce the lesson theme. Dynamic photos and brief descriptions of the theme's film, culture topics, and readings serve as a springboard for class discussion. The communicative goals for the lesson are listed.

Lesson overview A lesson outline lists the linguistic and cultural topics in the lesson.

ⓢupersite

Supersite resources are available for every section of the lesson at **vhlcentral.com.** Icons show which textbook activities are also available online, and where additional practice activities are available. The description next to the ⓢ icon indicates what additional resources are available for each section: videos, audio recordings, and more!

PARA EMPEZAR

practices the lesson vocabulary with thematic activities.

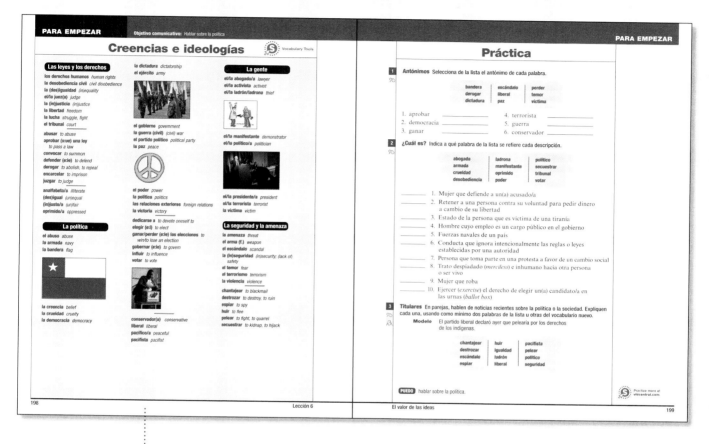

Objetivo comunicativo There is a communicative goal for this section.

Vocabulary Easy-to-study thematic lists present useful vocabulary.

Photos and illustrations Dynamic, full-color photos and art illustrate selected vocabulary terms.

Práctica This set of activities practices vocabulary in diverse formats and engaging contexts.

Puedo This section concludes with a Can-Do Statement.

⦿upersite

- Audio recordings of all vocabulary items
- All textbook activities including Partner Chat activities
- Additional online-only Video Virtual Chat activities and practice activities

CORTOMETRAJE

features award-winning short films by contemporary Hispanic filmmakers.

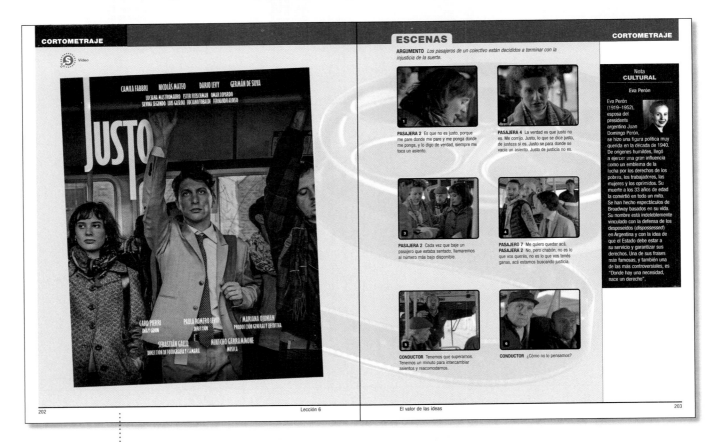

Films Compelling short films from four different countries let students see and hear Spanish in its authentic contexts. Films are thematically linked to the lessons.

Escenas Video stills with captions from the film prepare students for the film and introduce some of the expressions they will encounter.

Notas culturales These sidebars with cultural information related to the **Cortometraje** help students understand the cultural context and background surrounding the film.

Ⓢupersite

• Streaming video of short films with instructor-controlled subtitle options

PREPARACIÓN and ANÁLISIS

provide pre- and post-viewing support for each film.

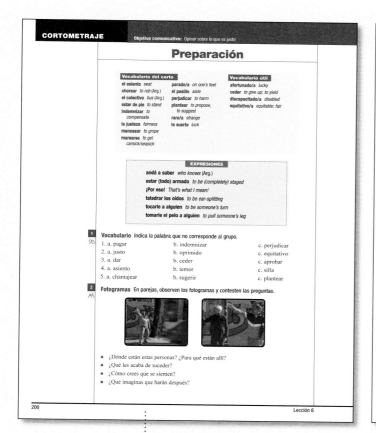

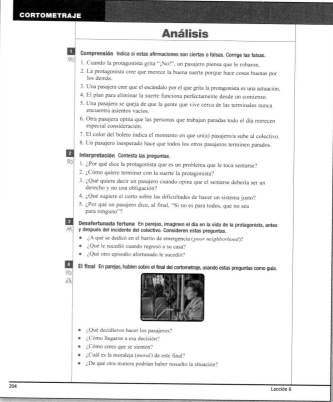

Objetivo comunicativo There is a communicative goal for this section.

Preparación Pre-viewing activities set the stage for the film by providing vocabulary support, background information, and opportunities to anticipate the film content.

Análisis Post-viewing activities check comprehension and allow for the exploration of broader themes from the film in a personalized way.

Puedo This section concludes with a Can-Do Statement.

Supersite

- Interactive videos of films with integrated viewing activities
- All textbook activities including Partner Chat activities
- Additional online-only Video Virtual Chat and practice activities

IMAGINA

simulates a voyage to the featured country or region.

Objetivo comunicativo There is a communicative goal for this section.

Magazine-like design Each reading is presented in the attention-grabbing visual style one would expect from a magazine.

Readings Dynamic readings draw attention to culturally significant locations, traditions, and monuments of the country or region.

El español de… Terms and expressions specific to the country or region are highlighted in easy-to-reference lists.

Supersite

- Audio-sync technology for the readings that highlights text as it is being read

GALERÍA DE CREADORES

profiles important cultural and artistic figures from the region.

Profiles and images Brief descriptions provide a synopsis of the featured person's life and cultural importance. Colorful photos show their faces and artistic creations.

Activities **¿Qué aprendiste?** activities check comprehension of the **Imagina** and **Galería de creadores** readings and lead to further exploration.

Flash cultura Each lesson features a video shot in the form of a news broadcast. Comprehension and expansion activities help maximize the benefit.

Puedo This section concludes with a Can-Do Statement.

Supersite

- Audio-sync technology for the readings that highlights text as it is being read
- Streaming video of **Flash cultura**
- Textbook activities and online-only Video Virtual Chat and comprehension activities

ESTRUCTURAS

presents key intermediate grammar topics
with detailed visual support.

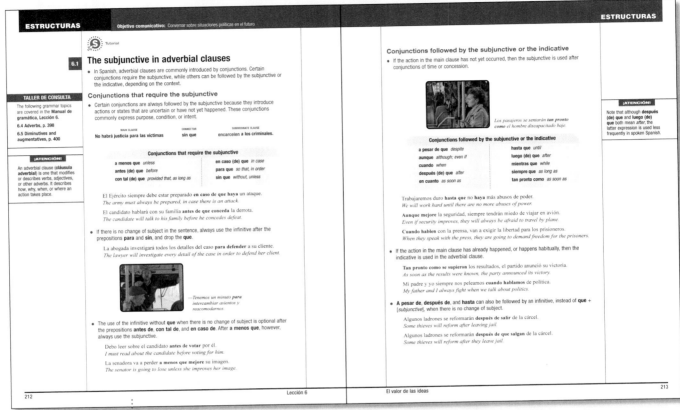

Objetivo comunicativo There is a communicative goal for each grammar point.

Integration of Cortometraje Photos with quotes or captions from the lesson's short film show the new grammar structures in meaningful contexts.

Charts and diagrams Colorful, easy-to-understand charts and diagrams highlight key grammar structures and related vocabulary.

Grammar explanations Explanations are written in easy-to-understand language.

Atención These sidebars expand on the current grammar point and call attention to possible sources of confusion.

Taller de consulta These sidebars reference relevant grammar points in **Estructuras**, as well as the supplemental **Manual de gramática**.

Super**site**

- Interactive grammar tutorials

ESTRUCTURAS

progresses from directed to communicative practice.

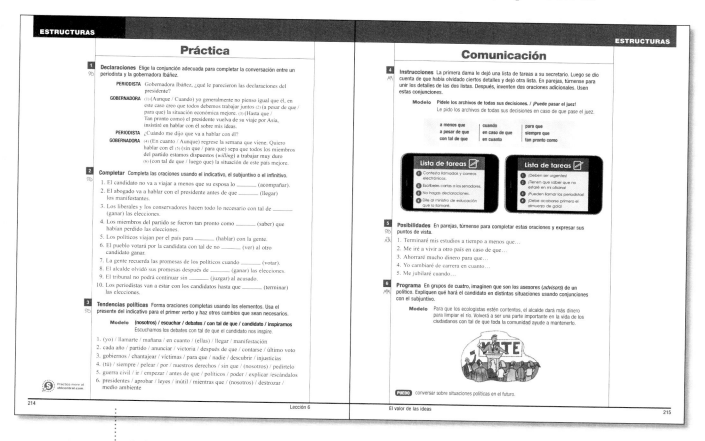

Práctica Directed exercises support students as they begin working with the grammar structures, helping them master the forms they need for personalized communication.

Comunicación Open-ended, communicative activities help students internalize the grammar point in a range of contexts involving pair and group work.

Puedo Each grammar point concludes with a Can-Do Statement.

Manual de gramática Practice for grammar points related to those taught in **Estructuras** is included for review and/or enrichment at the end of the book.

ⓢupersite

- All textbook activities including Partner Chat activities
- Additional online-only practice activities
- **Manual de gramática** with corresponding activities

SÍNTESIS

brings together the lesson grammar and vocabulary themes.

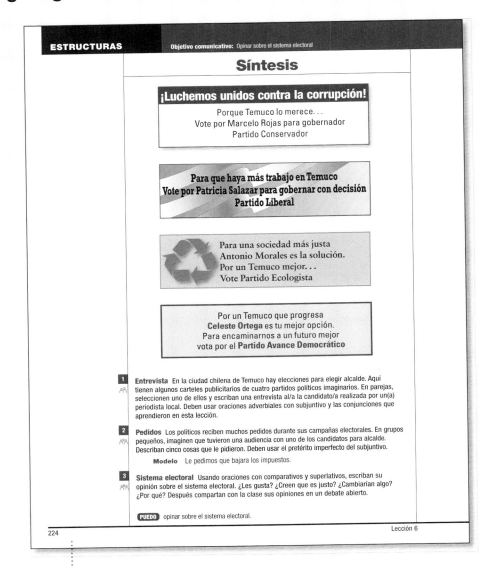

Objetivo comunicativo There is a communicative goal for this section.

Reading Theme-related texts reinforce the grammar structures and lesson vocabulary in engaging formats.

Activities This section integrates the three grammar points of the lesson, providing built-in, consistent review and recycling as students progress through the text.

Puedo This section concludes with a Can-Do Statement.

CULTURA

features a dynamic cultural reading.

Readings Brief, comprehensible readings present additional cultural information related to the lesson theme.

Design Readings are carefully laid out with line numbers, marginal glosses, and box features to help make each piece easy to navigate.

Photos Vibrant, dynamic photos visually illustrate the reading.

Cultura en pantalla TV clips related to the culture readings can be found online.

Supersite

- Audio-sync technology for the cultural reading that highlights text as it is being read
- All textbook activities including one Partner Chat activity
- Additional online-only Video Virtual Chat activity
- Streaming video of **Cultura en pantalla** TV clips and online-only comprehension activities

LITERATURA

showcases literary readings by well-known writers from across the Spanish-speaking world.

Literatura Comprehensible and compelling, these readings present new avenues for using the lesson's grammar and vocabulary.

Design Each reading is presented in the attention-grabbing visual style one would expect from a magazine, along with glosses of unfamiliar words.

(S)upersite

- Audio-sync technology for the literary reading that highlights text as it is being read

PREPARACIÓN and ANÁLISIS

activities provide in-depth pre- and post-reading support for each selection in Literatura and Cultura.

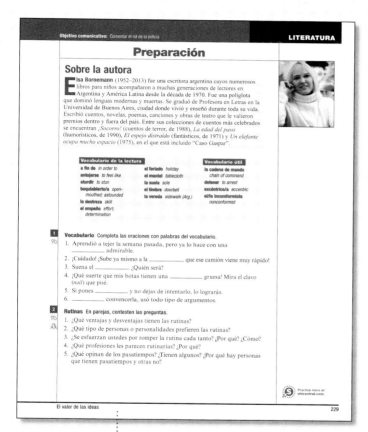

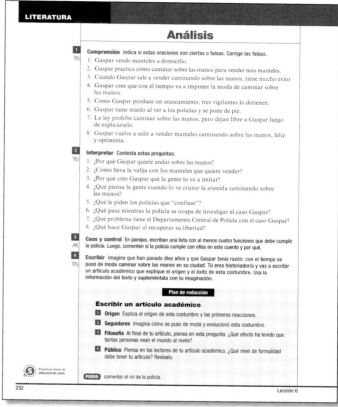

Objetivo comunicativo There is a communicative goal for each section.

Preparación Vocabulary and activities prepare students for the reading.

Análisis Post-reading activities check understanding and guide discussion.

Plan de redacción A guided writing assignment concludes every **Literatura** section.

Puedo Each **Literatura** and **Cultura** section concludes with a Can-Do Statement.

Supersite

- All textbook activities including one Partner Chat activity
- Additional online-only Video Virtual Chat and comprehension activities
- Composition engine for **Plan de redacción** writing activity
- Online-only activity about each author

VOCABULARIO

summarizes the active vocabulary in each lesson.

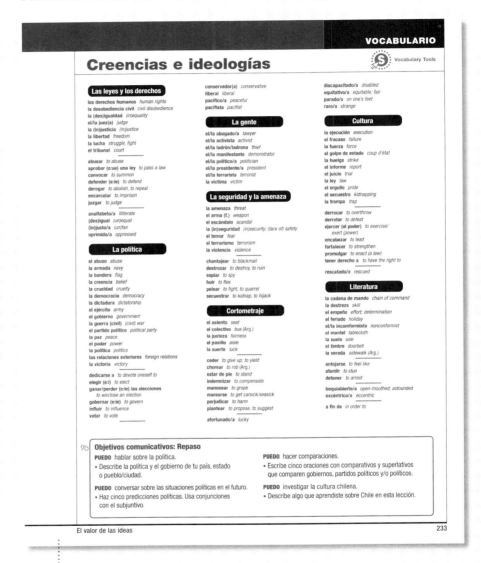

VOCABULARIO

Creencias e ideologías

Vocabulary Tools

Las leyes y los derechos

los derechos humanos *human rights*
la desobediencia civil *civil disobedience*
la (des)igualdad *(in)equality*
el/la juez(a) *judge*
la (in)justicia *(in)justice*
la libertad *freedom*
la lucha *struggle, fight*
el tribunal *court*

abusar *to abuse*
aprobar (o:ue) una ley *to pass a law*
convocar *to summon*
defender (e:ie) *to defend*
derogar *to abolish, to repeal*
encarcelar *to imprison*
juzgar *to judge*

analfabeto/a *illiterate*
(des)igual *(un)equal*
(in)justo/a *(un)fair*
oprimido/a *oppressed*

La política

el abuso *abuse*
la armada *navy*
la bandera *flag*
la creencia *belief*
la crueldad *cruelty*
la democracia *democracy*
la dictadura *dictatorship*
el ejército *army*
el gobierno *government*
la guerra (civil) *(civil) war*
el partido político *political party*
la paz *peace*
el poder *power*
la política *politics*
las relaciones exteriores *foreign relations*
la victoria *victory*

dedicarse a *to devote oneself to*
elegir (e:i) *to elect*
ganar/perder (e:ie) las elecciones *to win/lose an election*
gobernar (e:ie) *to govern*
influir *to influence*
votar *to vote*

conservador(a) *conservative*
liberal *liberal*
pacífico/a *peaceful*
pacifista *pacifist*

La gente

el/la abogado/a *lawyer*
el/la activista *activist*
el/la ladrón/ladrona *thief*
el/la manifestante *demonstrator*
el/la político/a *politician*
el/la presidente/a *president*
el/la terrorista *terrorist*
la víctima *victim*

La seguridad y la amenaza

la amenaza *threat*
el arma (f.) *weapon*
el escándalo *scandal*
la (in)seguridad *(in)security; (lack of) safety*
el temor *fear*
el terrorismo *terrorism*
la violencia *violence*

chantajear *to blackmail*
destrozar *to destroy, to ruin*
espiar *to spy*
huir *to flee*
pelear *to fight, to quarrel*
secuestrar *to kidnap, to hijack*

Cortometraje

el asiento *seat*
el colectivo *bus (Arg.)*
la justeza *fairness*
el pasillo *aisle*
la suerte *luck*

ceder *to give up; to yield*
chorear *to rob (Arg.)*
estar de pie *to stand*
indemnizar *to compensate*
manosear *to grope*
marearse *to get carsick/seasick*
perjudicar *to harm*
plantear *to propose, to suggest*

afortunado/a *lucky*

discapacitado/a *disabled*
equitativo/a *equitable; fair*
parado/a *on one's feet*
raro/a *strange*

Cultura

la ejecución *execution*
el fracaso *failure*
la fuerza *force*
el golpe de estado *coup d'état*
la huelga *strike*
el informe *report*
el juicio *trial*
la ley *law*
el orgullo *pride*
el secuestro *kidnapping*
la trampa *trap*

derrocar *to overthrow*
derrotar *to defeat*
ejercer (el poder) *to exercise/exert (power)*
encabezar *to lead*
fortalecer *to strengthen*
promulgar *to enact (a law)*
tener derecho a *to have the right to*

rescatado/a *rescued*

Literatura

la cadena de mando *chain of command*
la destreza *skill*
el empeño *effort; determination*
el feriado *holiday*
el/la inconformista *nonconformist*
el mantel *tablecloth*
la suela *sole*
el timbre *doorbell*
la vereda *sidewalk (Arg.)*

antojarse *to feel like*
aturdir *to stun*
detener *to arrest*

boquiabierto/a *open-mouthed; astounded*
excéntrico/a *eccentric*

a fin de *in order to*

Objetivos comunicativos: Repaso

PUEDO hablar sobre la política.
- Describe la política y el gobierno de tu país, estado o pueblo/ciudad.

PUEDO conversar sobre las situaciones políticas en el futuro.
- Haz cinco predicciones políticas. Usa conjunciones con el subjuntivo.

PUEDO hacer comparaciones.
- Escribe cinco oraciones con comparativos y superlativos que comparen gobiernos, partidos políticos y/o políticos.

PUEDO investigar la cultura chilena.
- Describe algo que aprendiste sobre Chile en esta lección.

El valor de las ideas

233

Vocabulario All the lesson's active vocabulary is grouped in easy-to-study thematic lists and tied to the lesson section in which it was presented.

Objetivos comunicativos: Repaso This self-assessment checks understanding of the lesson's communicative goals.

Super**site**

- Audio for all vocabulary items
- Vocabulary Tools: customizable word lists, flashcards with audio

Imagina Film Collection

The **Imagina** Film Collection features dramatic short films by Hispanic filmmakers. These films are a central feature of the lesson, providing opportunities to review and recycle vocabulary from **Para empezar**, and previewing and contextualizing the grammar from **Estructuras**. The films are available for viewing on the Supersite.

LECCIÓN 1
Café para llevar
(España; 13 minutos)

A man and a woman run into each other long after they broke up. Will their love be rekindled?

LECCIÓN 6
NEW! Justo
(Argentina; 13 minutos)

Bus passengers debate what is fair and just when it comes to who gets a seat.

LECCIÓN 2
Adiós mamá
(México; 8 minutos)

In this award-winning short film, a man is grocery shopping alone on an ordinary day when a chance meeting makes him the focus of an elderly woman's existential conflict.

LECCIÓN 7
NEW! La jaula
(España; 11 minutos)

A man goes to his boss's office and gives notice, but his boss has a counterproposal.

LECCIÓN 3
Desconexión
(Bolivia; 19 minutos)

A desperate man is in a race against the clock. Can he save his nearest and dearest?

LECCIÓN 8
El clon
(España; 12 minutos)

A troubled writer decides to get himself cloned, setting in motion a series of events with a nightmarish outcome.

LECCIÓN 4
Sin palabras
(España; 13 minutos)

Forced to spend a week with his grandfather, David has to learn how to navigate the generation gap.

LECCIÓN 9
No me ama
(Argentina; 15 minutos)

A young Argentine couple goes on vacation in Uruguay.

LECCIÓN 5
NEW! Eclipse
(España; 10 minutos)

A grandmother and granddaughter prepare to witness a solar eclipse.

LECCIÓN 10
La boda
(España; 12 minutos)

A busy mother of the bride encounters more than the usual obstacles. Will she miss her daughter's wedding?

The overwhelmingly popular **Flash cultura** video provides an entertaining complement to the **Imagina** section of each lesson. Correspondents from various Spanish-speaking countries report on aspects of life in their countries, conducting street interviews with residents along the way. These episodes draw attention to similarities and differences between Spanish-speaking countries and the U.S., while highlighting fascinating aspects of the target culture. These videos are available for viewing on the Supersite.

LECCIÓN 1	LECCIÓN 2
Las relaciones personales	**El metro del D.F.**
España	México

LECCIÓN 3	LECCIÓN 4	LECCIÓN 5	LECCIÓN 6
El cine mexicano	**De compras en Barcelona**	**Un bosque tropical**	**Puerto Rico: ¿nación o estado?**
México	España	Puerto Rico	Puerto Rico

LECCIÓN 7	LECCIÓN 8	LECCIÓN 9	LECCIÓN 10
El mundo del trabajo	**Inventos argentinos**	**Lo mejor de Argentina**	**Machu Picchu: encanto y misterio**
Ecuador	Argentina	Argentina	Perú

Cultura en pantalla

This online-only component features authentic TV clips related to the **Cultura** reading in each lesson. The clips are available for viewing on the Supersite.

Online-only activities support each TV clip.

LECCIÓN 1	LECCIÓN 2	LECCIÓN 3	LECCIÓN 4	LECCIÓN 5
Estados Unidos	**México**	**El Caribe**	**Puerto Rico**	**Paraguay**
Hispanos e inmigración en los Estados Unidos	Mujeres triquis de Oaxaca	Festival de merengue en la República Dominicana	Sonia Sotomayor habla sobre su condición de latina	Plantas medicinales

LECCIÓN 6	LECCIÓN 7	LECCIÓN 8	LECCIÓN 9	LECCIÓN 10
Chile	**Bolivia**	**Perú**	**Argentina/ Uruguay**	**España**
Chile y la Operación Cóndor	Indígenas bolivianos y el negocio de los hidrocarburos	Central Before Central	Cruzar la 9 de julio	Lavapiés: un barrio de inmigrantes en medio de Madrid

Reviewers

On behalf of its writers and editors, Vista Higher Learning expresses its sincere appreciation to the many instructors nationwide who reviewed **Imagina**. Their insights, ideas, and detailed comments were invaluable to the final product.

Servando Amezquita
Antelope Valley College, CA

Erinne R. Aponte, M.A.
North Forsyth High School, GA

Drake Asberry
University of Arizona, AZ

Adam Bailey
Concord Academy, MA

Janet Bell
Tarleton State University, TX

Erika Carlson
Coeur d'Alene High School, ID

Heidi Chambers
Washington University in St. Louis, MO

Dolka De Motte
Indiana University East, IN

Florence Dwyer
Thomas More University, KY

Andrea Estling
Iowa Central Community College, IA

Nanette Fandino-Diaz
Jefferson Township High School, NJ

Maria Laura Flores
Western University, ON

María Soledad Forcadell
DePauw University, IN

Ana García-Allén
Western University, ON

Claudia Giannini
Macalester College, MN

Connie Gutierrez
Porterville College, CA

Kate Hall
Pacific Lutheran University, WA

David Hanson
University of Puget Sound, WA

Jennifer Irish
Ferrum College, VA

Victoria Jara
Western University, ON

Karen Julka-Tischhauser
Seattle Pacific University, WA

Arameh Khadjevand
Western University, ON

Bryan Koronkiewicz
The University of Alabama, AL

Torrey Lauer
University of Wisconsin-Milwaukee, WI

Evelyn Ledezma
Bethlehem Central High School, NY

Kimberly Z. Lowry
Asbury University, KY

Vidal Martin
Everett Community College, WA

Ángela Matute Sánchez
University of Arizona, AZ

Karen McLeavy
Lovett School, GA

Angelica Meza
St. Joseph High School, CA

Ángela Mitchell
Lovett School, GA

Sayo Murcia
University of Oregon, OR

Catherine M. Murphy
Huntingdon College, AL

ACKNOWLEDGMENTS

Alejandra Orozco
Porterville College, CA

Tania Pineda, M.Ed.
Loyola Academy, IL

Harold Pleitez
Brentwood School, CA

Maria Quintana
De La Salle High School, MN

Sergio Restrepo Mesa
The Catholic University of America, DC

Windy Roberts
University of Minnesota, Morris, MN

Pascal Rollet
Carthage College, WI

Marcos Romero Asencio
Aquinas College, MI

Maria Rosales
San Miguel High School, AZ

Emmy Smith Ready
University of Richmond, VA

Elizabeth Sotelo
University of Oregon, OR

Kendra L. Souza
Appalachian State University, NC

Margaret Stefanski
Canisius College, NY

Dr. Willie Suarez
Briar Cliff University, IA

Ana Marilyn Torrado Ward
Notre Dame High School, NJ

Norma Vakil
Glenbrook North High School, IL

Kym van Zanten
The Pembroke Hill School, MO

Katherin Vargas
University of Arizona, AZ

Eric J. Warner, Ph.D.
Ferris State University, MI

Dulce M. Wechsler
Montclair State University, NJ

Carmen Welton
Concord Academy, MA

Nathan Whalen
University of Oregon, OR

Karen L. Woelfle-Potter
University of Wisconsin-Milwaukee School of Continuing
Education, WI

James A. Wojtaszek
University of Minnesota, Morris, MN

Ashley Zehel
Valencia College, FL

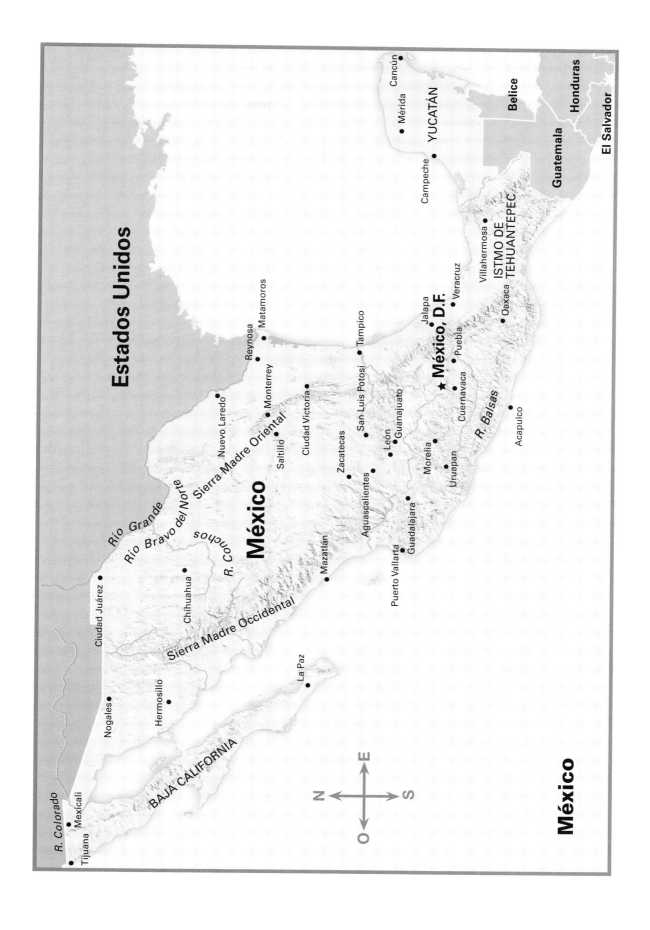

México

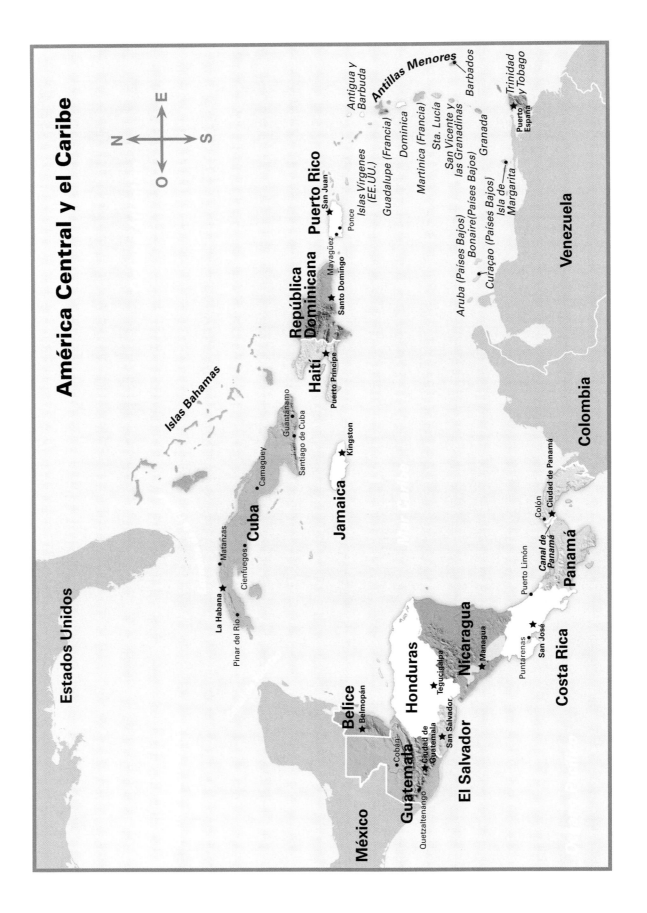

América Central y el Caribe

Islas Galápagos

Isla Pinta
Isla Marchena
Isla Genovesa
Isla Isabela
Volcán Darwin
Isla Santiago (San Salvador)
Isla Fernandina
Puerto Ayora
Isla San Cristóbal
Isla Santa Cruz
Santo Tomás
Puerto Baquerizo Moreno
Isla Santa María
Isla Española

Barranquilla
Maracaibo
Caracas
Puerto España
Trinidad y Tobago
Venezuela
Medellín
Colombia
Bogotá
Cali
Georgetown
Guyana
Paramaribo
Cayena
Surinam
Guayana Francesa
R. Orinoco
Pasto
Quito
Ecuador
Guayaquil
Iquitos
R. Negro
R. Amazonas
Belém
Manaus
Perú
R. Madeira
Cordillera de los Andes
Recife
Lima
Cuzco
Lago Titicaca
Brasil
Salvador
Arequipa
La Paz
Brasilia
Sucre
Bolivia
Arica
Iquique
Belo Horizonte
R. Paraguay
Antofagasta
Paraguay
São Paulo
Rio de Janeiro
Salta
Asunción
Santos
R. Paraná
Chile
R. Uruguay
Córdoba
Pôrto Alegre
Valparaíso
Mendoza
R. Paraná
Santiago
Rosario
Uruguay
Buenos Aires
Montevideo
Concepción
Argentina
Bahía Blanca
Cordillera de los Andes
Puerto Montt

N
O   E
S

Estrecho de Magallanes
Islas Malvinas
Punta Arenas
Tierra del Fuego

América del Sur

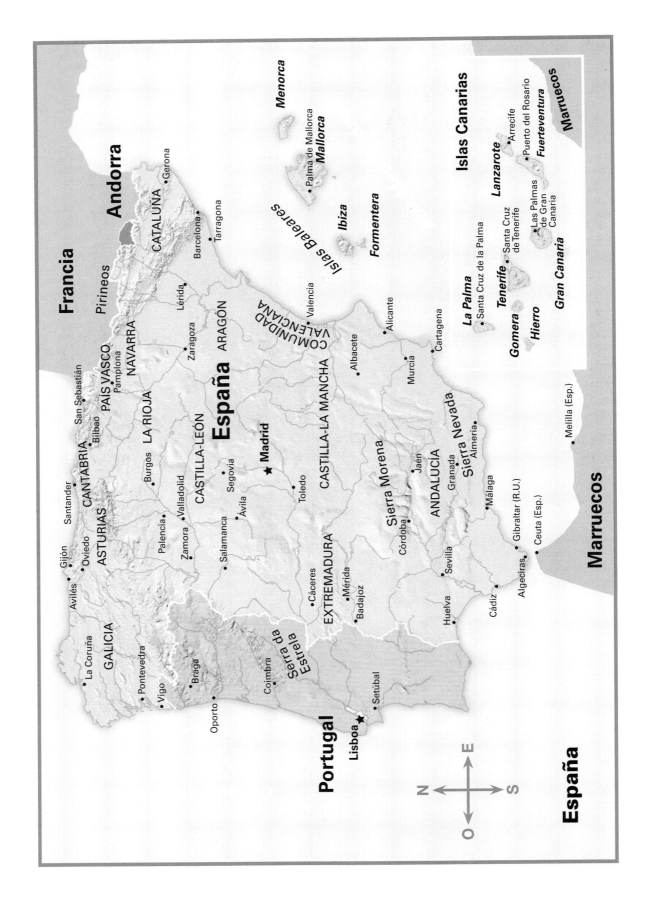

Imagina

Español sin barreras

Curso intermedio de lengua española

Sentir y vivir

El deseo de vivir y el instinto de supervivencia son razón suficiente para seguir adelante. Ésta es una de las cualidades que compartimos los seres humanos independientemente de nuestras circunstancias, nuestros sueños o nuestros objetivos. Gracias a esa motivación nos lanzamos, enamorados, ilusionados, indecisos, a vivir sin tenerle miedo al futuro.

Objetivos comunicativos:

- Hablar sobre las personalidades
- Conversar sobre las relaciones personales
- Hacer y contestar preguntas sobre los gustos
- Comunicar los sentimientos
- Investigar la cultura latina en los Estados Unidos

6 **CORTOMETRAJE**

En el cortometraje *Café para llevar*, la directora española **Patricia Font** relata cómo a veces el amor y la vida toman caminos diferentes.

12 **IMAGINA**

Conoce algunos aspectos sobre la importancia del español en los **Estados Unidos**. Encuentra también personalidades y creadores latinos. Además, descubrirás cómo se viven las **relaciones de pareja** en otras partes del mundo.

31 **CULTURA**

Corriente latina te presenta las nuevas tendencias de la inmigración hispana en los Estados Unidos. Descubrirás por qué tener un círculo de familiares y amigos es vital para las personas recién llegadas a otro país. Además, aprenderás sobre **Hispanos e inmigración en los Estados Unidos** en el videoclip **Cultura en pantalla**.

35 **LITERATURA**

Poema 20, del escritor chileno **Pablo Neruda**, revela una experiencia amorosa que nos invita a reflexionar: ¿es en realidad el olvido más duradero y doloroso que el amor?

9

32

Destino:
ESTADOS UNIDOS

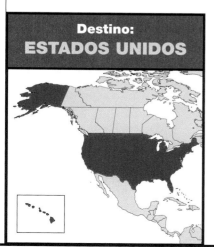

4 **PARA EMPEZAR**

18 **ESTRUCTURAS**

    1.1 The present tense (regular, irregular, and stem-changing verbs)

    1.2 **Ser** and **estar**

    1.3 **Gustar** and similar verbs

39 **VOCABULARIO**

Las relaciones personales

 Vocabulary Tools

Las relaciones

el alma gemela *soul mate*
la amistad *friendship*

el ánimo *spirit; mood*
el chisme *gossip*
la cita (a ciegas) *(blind) date*
el compromiso *commitment; engagement*
el deseo *desire*
el divorcio *divorce*
la (in)fidelidad *(un)faithfulness*
el matrimonio *marriage*
la pareja *couple; partner*
el riesgo *risk*

————

compartir *to share*
confiar (en) *to trust (in)*
contar (o:ue) con *to rely on, to count on*
coquetear *to flirt*
dejar a alguien *to leave someone*
dejar plantado/a *to stand (someone) up*
discutir *to argue*

engañar *to cheat; to deceive*
ligar *to flirt; to hook up*
merecer *to deserve*
romper (con) *to break up (with)*
salir (con) *to go out (with)*

Los sentimientos

enamorarse (de) *to fall in love (with)*
enojarse *to get angry*
estar harto/a *to be sick (of)*
llevarse bien/mal/fatal *to get along well/badly/terribly*
odiar *to hate*
ponerse pesado/a *to become annoying*
querer(se) (e:ie) *to love (each other); to want*
sentir(se) (e:ie) *to feel*
soñar (o:ue) con *to dream about*

tener celos (de) *to be jealous (of)*
tener vergüenza (de) *to be ashamed (of)*

Los estados emocionales

agobiado/a *overwhelmed*
ansioso/a *anxious*
celoso/a *jealous*

deprimido/a *depressed*
disgustado/a *upset*
emocionado/a *excited*
enojado/a *angry*
pasajero/a *fleeting*
preocupado/a (por) *worried (about)*

Los estados civiles

casarse (con) *to get married (to)*
divorciarse (de) *to get a divorce (from)*

————

casado/a *married*
divorciado/a *divorced*

separado/a *separated*
soltero/a *single*
viudo/a *widowed*

Las personalidades

cariñoso/a *affectionate*

cuidadoso/a *careful*
falso/a *insincere*
genial *wonderful*
gracioso/a *funny*
inolvidable *unforgettable*
inseguro/a *insecure*
maduro/a *mature*
mentiroso/a *lying*
orgulloso/a *proud*
seguro/a *secure; confident*
sensible *sensitive*
tacaño/a *stingy*
tempestuoso/a *impulsive; stormy*

tímido/a *shy*
tranquilo/a *calm*

Práctica

1

Definiciones Completa las oraciones con el adjetivo correcto.

1. Miente para mantener las apariencias. Es _____.
2. Murió su mujer y vive solo. Es _____.
3. No le gusta gastar su dinero. Es _____.
4. Se siente mal y está triste. Está _____.
5. No vive con su esposa. Está _____.
6. Tiene pánico al examen de mañana. Está _____.

a. tacaño
b. falso
c. deprimido
d. viudo
e. ansioso
f. gracioso
g. separado

2

Identificar Indica la palabra que no pertenece al grupo.

1. deprimido • tranquilo • preocupado • enojado
2. ligar • discutir • enamorarse • coquetear
3. pareja • compromiso • ánimo • matrimonio
4. casado • disgustado • viudo • soltero
5. inseguro • fabuloso • maravilloso • genial
6. almas gemelas • pareja • chisme • matrimonio

3

¿Cómo eres? Trabaja con un(a) compañero/a.

A. Contesta las preguntas del test.

	Sí	A veces	No	Clave
1. ¿Te pones nervioso/a cuando estás con otras personas?				Sí = 0 puntos
2. ¿Te incomoda expresar tus emociones?				A veces = 1 punto
3. ¿Te parece difícil iniciar una conversación?				No = 2 puntos
4. ¿Te ponen nervioso/a las citas a ciegas?				
5. ¿Te sientes inseguro/a cuando te critican?				**Resultados**
6. ¿Tienes vergüenza de hablar en público?				0 a 3 Eres muy introvertido/a.
7. ¿Piensas mucho antes de tomar una decisión?				4 a 7 Tiendes a ser introvertido/a.
8. ¿Piensas que, si eres muy simpático/a, las personas pueden creer que eres falso/a?				8 a 11 No eres ni introvertido/a ni extrovertido/a.
9. ¿Piensas que coquetear es inmaduro?				12 a 16 Tiendes a ser extrovertido/a.
10. ¿Te llevas bien con las personas muy tímidas?				17 a 20 Eres muy extrovertido/a.

B. Ahora suma (*add up*) los puntos. ¿Cuál es el resultado? ¿Estás de acuerdo? Comenta tu resultado y tu opinión con tu compañero/a.

PUEDO hablar sobre las personalidades.

Practice more at vhlcentral.com.

Preparación

Vocabulario del corto

enhorabuena *congratulations*

la época *season*

la horterada *tacky thing*

la imprenta *printer*

liado/a *busy*

un rato *a while*

tener prisa *to be in a hurry*

el/la trotamundos *globetrotter*

Vocabulario útil

arrepentirse (e:ie) *to regret*

el/la prometido/a *fiancé(e)*

reprochar *to blame*

la reseña *review*

el rompimiento *breakup*

EXPRESIONES

café para llevar *coffee to go*

de vez en cuando *every once in a while*

echar de menos *to miss someone*

estar embarazada *to be pregnant*

ponerte en mi lugar *to put yourself in my place*

¡Quién lo iba a decir! *Who would have thought!*

se me da bien… *I am good at…*

Te lo mereces. *You deserve it.*

tener la culpa *to be at fault*

---

1 **Definiciones** Empareja cada definición con la palabra correcta.

_____ 1. temporada   a. época

_____ 2. viajero   b. enhorabuena

_____ 3. felicitaciones   c. liado

_____ 4. ocupado   d. reseña

_____ 5. comentario   e. trotamundos

2 **Diálogo** Ana acaba de llegar a casa de Eva. Completa el diálogo con palabras y expresiones del vocabulario.

EVA ¿Dónde estabas? Llevo (1) _____ llamándote.

ANA Perdona, estoy (2) _____ buscando vestidos de novia.

EVA ¿Vas a casarte? (3) _____ ¿Y te vas a Texas con Andrés?

ANA Sí, a Texas. (4) _____, con lo poco que me gusta el calor.

ANA ¡Ay, qué lejos, te voy a (5) _____!

EVA ¡Me alegro por ti, Ana! Y además (6) _____, Andrés es genial.

ANA Sí, y le encanta viajar. Él es todo un (7) _____. Por cierto, necesito ropa adecuada para el calor.

EVA ¿Te ayudo a buscar? A mí (8) _____ vestir a los demás.

ANA Bueno, tengo que ir a la (9) _____ a encargar las invitaciones.

EVA Ah, pues debes (10) _____, la imprenta cierra a las ocho.

3

Sentimientos En parejas, observen los fotogramas y comenten los sentimientos que expresan los rostros de estos dos personajes.

> **Modelo** **Columna 1:**
> **ELLA:** Parece graciosa y contenta.
> **ÉL:** Parece estar feliz.

1   2   3

4

La pareja imperfecta En parejas, escojan uno de los atributos y contrasten cómo sería su pareja ideal según las cualidades seleccionadas.

> **Modelo** Prefiero una pareja tacaña a una falsa.

¿sensible o seguro?	¿tímido o cariñoso?
¿generoso o gracioso?	¿orgulloso o tranquilo?
¿falso o tacaño?	¿mentiroso o tempestuoso?

5

Dilemas de la vida En parejas, lean las situaciones y comenten qué harían en cada una de ellas.

> **Modelo** No me importa si a mi familia no le cae bien mi novia. Es mi novia, no la novia de ellos.

- Te enamoras de una persona, pero, por alguna razón, a tu familia no le cae bien.
- Tienes pareja, pero te enamoras de otra persona que vive a miles de millas de distancia.
- Eres feliz en tu comunidad con tus familiares y amigos. Tu pareja se va a vivir a otro país y te pide que vayas con él/ella.
- Tu pareja y tú se quieren mucho, pero ambos tienen planes diferentes para el futuro.
- Después de muchos años de estar con tu pareja, te das cuenta de que ya no es igual y no te sientes enamorado/a.

6

Relaciones personales En parejas, respondan las preguntas.

1. ¿Creen que es posible seguir siendo sólo amigos/as de sus exnovios/as? ¿Por qué?
2. ¿Cuáles creen que son las razones por las que rompen las parejas?
3. ¿Creen que las relaciones de pareja son fáciles o difíciles? ¿Por qué?
4. ¿Creen que las parejas son más felices antes de casarse o después? ¿Por qué?

ARGUMENTO *Alicia y Javi se encuentran dos años después de haber terminado su relación.*

JAVI Sí, ya me han dicho que te casas. Enhorabuena.
ALICIA Gracias. Me voy corriendo que tengo mucha prisa.

JAVI ¿Por qué no te tomas ese café conmigo?
ALICIA Bueno.

JAVI Bueno, estuve un año dando vueltas por el mundo y cuando volví a mi casa no tenía nada. Necesitaba trabajar.
ALICIA ¡Pues quién lo iba a decir!
JAVI Eso no es todo. He dejado de fumar.

ALICIA ¿Y de dónde es?
JAVI De Buenos Aires.
ALICIA ¿Pero se ha venido a vivir aquí, por ti?
JAVI Sí.

(Alma saluda desde la ventana.)
ALMA Hola.

JAVI Alicia...
(Javi y Alicia se abrazan.)

Análisis

1

Comprensión Contesta cada pregunta con una oración completa.

1. ¿Por qué se conocen Javi y Alicia?
2. ¿Qué tiene tan ocupada a Alicia?
3. ¿En qué trabaja Javi?
4. ¿Qué ha pasado en la vida laboral de Alicia?
5. ¿Qué le ha pasado a la madre de Alicia?
6. ¿Quién es Marcos?
7. ¿Qué hizo Javi después de separarse de Alicia?
8. ¿Dónde conoció Javi a Alma?
9. ¿De dónde es la novia de Javi?
10. Javi le dice a Alicia que tiene algo que contarle, ¿qué es?

2

¿Qué pensarán? En parejas, basándose en lo que saben de los personajes, relacionen cada uno de estos pensamientos con uno de ellos.

1. "¿Pero por qué me toma de la mano? ¡Ya no somos novios!" _____
2. "¡Lo he hecho todo mal! Trabajo con mi padre y perdí a la mujer de mi vida". _____
3. "Tiene el cabello bonito esa española". _____
4. "Ojalá pudiera volver al pasado". _____
5. "Decía que no quería tener hijos. No entiendo nada. Me voy". _____
6. "Ella tuvo su oportunidad, pero ahora él está conmigo!" _____
7. "Marcos es un hombre afortunado. ¡Cómo lo envidio!" _____
8. "¡Él quería ser libre y míralo!, trabajando con su papá en la imprenta". _____

Alicia

Alma

Javi

3

Interpretar En parejas, contesten las preguntas.

1. ¿Qué crees que siente Javi cuando se encuentra con Alicia en la cafetería? ¿Y Alicia?
2. ¿Por qué Alicia duda cuando Javi la invita a tomarse un café con él?
3. ¿De qué hablan primero Javi y Alicia? ¿Por qué?
4. ¿Por qué decide Alicia tomarse el café con Javi?
5. ¿Cómo crees que ha cambiado Javi desde que él y Alicia fueron novios?
6. ¿Qué esperaba Alicia de Javi cuando eran novios? ¿Qué deseaba él?
7. ¿Cómo imaginaba Javi que iba a ser su vida? ¿Lo consiguió?
8. ¿Qué crees que opina Alicia de que Javi trabaje con su padre? ¿Por qué?
9. ¿Qué piensas que siente Alicia cuando ve entrar a Alma? ¿Por qué?
10. ¿Cómo interpretarías la frase final "no entiendo por qué no puedo tener dalias el día de mi boda; me da igual que no sea la época"?

4 ∘⎺∘

¿Qué piensas? En parejas, respondan las preguntas.

1. ¿Cómo crees que se sintió Javi cuando se vieron Alma y Alicia?
2. ¿Qué pensó Alma al ver a Alicia y a Javi juntos?
3. ¿Qué les deseó Alicia a Javi y a Alma? ¿Por qué?

5 ∘⎺∘

Reproches En parejas, comenten sobre el rompimiento de Alicia y Javi. Respondan las preguntas.

1. ¿Quién creen que tuvo la culpa de que rompieran Alicia y Javi? ¿Por qué?
2. ¿Cuál de los dos personajes crees que tomó las mejores decisiones en su vida? ¿Por qué?
3. ¿Quién crees que se reprochó más la pérdida del otro? ¿Alicia o Javi? ¿Por qué?
4. ¿Crees que Alicia hace lo correcto casándose con Marcos? ¿Por qué?

6 ∘⎺∘

Puntos de vista En parejas, lean estas dos reseñas ficticias de la película. Elijan una y defiéndanla.

A

"En *Café para llevar*, Javi representa al típico hombre inmaduro que toma las decisiones equivocadas en su juventud y luego mira atrás con melancolía. Alicia, sin embargo, es madura y trabajadora. La película es real como la vida misma". Juana de Mier, *El faro de Cartagena*

B

"*Café para llevar* es otro ejemplo de cómo las mujeres tratan de controlar la vida de los hombres. Primero, Alicia intenta que Javi abandone sus sueños; luego, tiene que trabajar con su padre para mantener a su nueva familia. ¡Pobre Javi!" – Miño Meilán, *La voz de Santiago*

7 ∘⎺∘

Volver a empezar En parejas, elijan una de estas situaciones e improvisen un diálogo. Utilicen seis palabras o expresiones de la lista. Después, represéntenlo delante de la clase.

de vez en cuando	la imprenta	¡Quién lo iba a decir!
echar de menos	liado/a	se me da bien
enhorabuena	para llevar	te lo mereces
la época	ponerte en mi lugar	tener la culpa
la horterada	(tener) prisa	el/la trotamundos

A

Después de romper con su novia de muchos años, tu mejor amigo se va a Santiago de Chile. Lleva dos meses de relación con una chica que conoció en este lugar, pero se da cuenta de que cometió un error porque extraña mucho a su exnovia y quiere regresar con ella.

B

Llega el día de la boda y tu mejor amiga va a decirle a su novio que no puede casarse con él porque todavía está enamorada de su exnovio.

PUEDO conversar sobre las relaciones personales.

Practice more at vhlcentral.com.

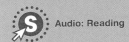

IMAGINA

Cuando se presentó como candidato para gobernador de **California**, **Arnold Schwarzenegger** se despidió de los reporteros con una de sus famosas frases de la película *Terminator 2: Judgment Day: "¡Hasta la vista, baby!"*. Miles y miles de niños pequeños repiten frases en español que aprendieron de *Dora, la exploradora*. Éstos no son ejemplos aislados. Hoy día, en todo el territorio de los **Estados Unidos**, personas de todas las edades, profesiones y razas utilizan frases en español, a veces sin saber de qué idioma vienen o qué significan. Seguramente tú también has escuchado con frecuencia frases como: *"Hola"*, *"Mi casa es su casa"*, *"Vamos"*, *"Adiós, amigo"* y muchas otras expresiones de boca de personas que no saben español.

ESTADOS

¡EL ESPAÑOL ESTÁ DE MODA!

¿A qué se debe la creciente popularidad del español en los Estados Unidos? La respuesta es sencilla[1]: a la progresiva influencia de este idioma en la cultura y en la vida diaria de este país. Hoy, en los Estados Unidos viven alrededor de 60 millones de latinos; más de 41 millones hablan español en casa. Se estima que para el año 2060 la población latina llegará a casi 120 millones. Además del hecho[2] de que el número de latinos ha aumentado, hay que señalar que la población latina se ha extendido cada vez más por todo el país: podemos encontrar comunidades de hispanohablantes desde Florida hasta Alaska y desde Hawái hasta Maine. Actualmente, por lo menos una de cada cinco personas en los Estados Unidos es de origen hispano.

Los efectos del rápido crecimiento de la población latina son palpables en la cotidianidad[3] de todos los habitantes de los Estados Unidos. ¿Cuántas veces el cajero automático[4] te dio la opción de escoger entre inglés y español? ¿Cuántas veces llamaste a servicio al cliente y te dieron la opción de seguir el menú en español? ¿Has notado los anuncios[5] en español en aeropuertos, estaciones de tren, hospitales y otros lugares públicos?

Ya son millones los estadounidenses que están aprendiendo español en instituciones educativas de todo el país. De hecho, el español es el idioma más solicitado[6] en los departamentos de lenguas extranjeras. No cabe duda de que el español es el idioma extranjero de mayor impacto en la cultura estadounidense actual, lo cual se refleja constantemente en la calle, en el cine, en Internet y en los medios de comunicación en general. Puedes escuchar canciones en español por la radio y mirar programas en español por la televisión, por medio de cadenas como Telemundo y Univisión.

Signos vitales

Los **Estados Unidos** son el quinto país con mayor población hispanohablante en el mundo. Algunos argumentan que la cantidad de hispanohablantes podría reducirse a medida que el inglés se convierte en el primer idioma de hijos y nietos de inmigrantes. Sin embargo, algunas estadísticas contradicen este argumento. Según ellas, el número de hispanohablantes se mantiene vivo, e incluso aumenta, gracias a la constante inmigración.

[1] *simple*   [2] *fact*   [3] *everyday life*   [4] *ATM*   [5] *announcements*   [6] *in demand; popular*

UNIDOS

Latinos en los Estados Unidos

Jorge Ramos nació en la Ciudad de México el 16 de marzo de 1958. Desde noviembre de 1986, es el conductor[1] titular del

Noticiero Univisión en los Estados Unidos. Es el personaje de la televisión estadounidense en español que más tiempo ha estado en el aire en un mismo programa o noticiero. Además de presentador, Ramos es columnista y autor.

America Ferrera nació en los Estados Unidos el 18 de abril de 1984, pero sus padres son de **Honduras**. Comenzó a actuar desde muy pequeña en la escuela, y luego pasó al cine y a la televisión. En 2007 ganó los premios **Globo de Oro**, **EMMY** y **Alma** por su papel de Betty Suárez en la serie *Ugly Betty*. Actuó en la serie *Superstore* desde 2015 hasta 2020.

César Pelli (1926–2019), arquitecto argentino graduado de la **Universidad de Tucumán** en 1949. Viajó a los Estados Unidos en 1952 para realizar una maestría en Arquitectura en la Universidad de Illinois y luego se radicó[2] en este país. En 1977 creó su propia firma y ese mismo año fue nombrado decano[3] de la **Escuela de Arquitectura de Yale**, puesto que mantuvo hasta 1984.

De su trabajo podemos mencionar el **World Financial Center** (ahora **Brookfield Place**) en **Nueva York**, las **Torres Petronas** en **Kuala Lumpur**, **Malasia**, y la **terminal norte del aeropuerto Ronald Reagan National** de **Washington, D.C.**

Catherine Cortez Masto, abogada y política estadounidense, nació en Las Vegas en 1964. Sus abuelos paternos eran inmigrantes mexicanos. Fue procuradora general[4] de **Nevada** durante dos períodos (entre 2007 y 2015). Como procuradora, defendió a los adultos mayores, a las mujeres, y ayudó a familias trabajadoras de toda Nevada. En 2016, se convirtió en la

primera mujer de Nevada y también la primera mujer de origen hispano en la historia de los Estados Unidos en tener el rol de senadora. Cortez Masto es miembro de cuatro comités y copatrocinadora[5] de proyectos para la protección ambiental.

[1] anchor [2] settled [3] dean [4] Attorney General [5] cosponsor

El español en los Estados Unidos

Expresiones del español de uso común en inglés

Adiós, amigo.	*Goodbye, my friend.*
fiesta	*party, celebration*
gracias	*thank you*
Hasta la vista.	*See you later.*
Mi casa es su casa.	*My house is your house.*
número uno	*the best (lit. number one)*
plaza	*plaza; shopping mall*
pronto	*now; quick*
salsa	*sauce; Latin music*
sombrero	*hat*
Vamos.	*Let's go.*

Influencia del inglés en el español

Muchas palabras de uso común en español, especialmente palabras relacionadas con tecnología, están adaptadas del inglés.

chatear	*to chat (online)*
clic	*click*
computadora	*computer*
escáner	*scanner*
esnob	*snob*
flirtear	*to flirt*
gol	*goal (in sports)*

GALERÍA DE CREADORES

Audio: Reading

LITERATURA Julia Álvarez

La escritora Julia Álvarez nació en Nueva York, pero pasó su niñez en la República Dominicana. Su familia se exilió en los Estados Unidos cuando Julia tenía diez años. Algunos de los temas de sus libros son sus experiencias derivadas de la dictadura en su país, su proceso de adaptación a una cultura desconocida y la importancia de la identidad. Es autora de *¡Yo!, A cafecito story, En el tiempo de las mariposas, De cómo las muchachas García perdieron el acento, En el nombre de Salomé, Para salvar el mundo,* entre otras obras. También escribió la serie *Tía Lola* para lectores más jóvenes.

DISEÑO Y MODA Narciso Rodríguez

En 1996, Narciso Rodríguez causó sensación con el vestido de novia (*wedding gown*) que diseñó (*designed*) especialmente para Carolyn Bessette, quien lo lució (*wore*) el día de su boda con John F. Kennedy, Jr. En el mundo de la moda (*fashion*), este elegante y sencillo traje fue uno de los diseños más comentados de la década. Desde entonces, el diseñador de ascendencia cubana ha tenido por clientes a Salma Hayek, Sarah Jessica Parker, Anna Paquin, Michelle Obama y Charlize Theron. Las características de sus creaciones son la simplicidad, el uso de materiales ligeros (*lightweight*) y la influencia latina.

PINTURA Carmen Lomas Garza

Esta artista chicana pinta escenas de la vida cotidiana mexicano-americana inspiradas en recuerdos (*memories*) y experiencias de su niñez en Kingsville, Texas. El objetivo de su arte es mostrar el valor y la humanidad de su cultura. Celebraciones, historias familiares, rituales, preparación de comidas, mitos, tradiciones, juegos, remedios caseros (*home remedies*) y sueños forman parte de ese paisaje cotidiano. *Earache Treatment* es el título de este cuadro (*painting*). Aquí vemos una práctica antigua, pero todavía muy común entre muchas familias latinoamericanas y chicanas para curar el dolor de oído (*earache*).

MÚSICA Y TEATRO Lin-Manuel Miranda

Durante su segundo año en la universidad, Lin-Manuel Miranda escribió el primer borrador de *In the Heights*. La obra se estrenó (*premiered*) en 2008 en Broadway y tuvo mucho éxito. Narra las historias de un grupo de personajes del barrio Washington Heights en la ciudad de Nueva York que buscan el sueño (*dream*) americano. La obra, que mezcla ritmos latinos, hip hop y pop, ganó tres premios (*awards*) Tony. Miranda es hijo de padres puertorriqueños y creció en un barrio latino de Manhattan. Entre sus éxitos también están la música de *Moana* y el musical *Hamilton*, que ganó once premios Tony y el premio Pulitzer de drama en 2016.

¿Qué aprendiste?

1

Cierto o falso Indica si estas afirmaciones son ciertas o falsas. Corrige las falsas.

1. El español es el segundo idioma más solicitado en las universidades, después del francés.
2. Muchos niños aprenden frases en español gracias a los dibujos animados.
3. Es difícil encontrar compañías que ofrecen atención al cliente en español.
4. America Ferrera ganó el Globo de Oro por hacer la voz de Astrid en *How to Train Your Dragon*.
5. Hoy por hoy, el español es el idioma extranjero de mayor impacto en la cultura estadounidense.

2

Preguntas Contesta las preguntas.

1. ¿Quién popularizó en los Estados Unidos la frase "Hasta la vista, baby"?
2. ¿Cuántos millones de latinos se calcula que habrá para el año 2060 en los Estados Unidos?
3. ¿En qué lugares es común encontrar mensajes o avisos bilingües?
4. ¿Quién fue la primera estadounidense de origen hispano en ser elegida senadora?
5. ¿Qué artista de la Galería te interesa más? ¿Por qué?

3

Identificar En parejas, cada uno elija un personaje de la sección **Latinos en los Estados Unidos** sin decir a quien escogieron. Después, hagan a su compañero/a tres de estas preguntas para tratar de identificar el personaje.

1. ¿En qué parte de la industria del espectáculo se mueve el personaje? ¿En el cine?, ¿en el teatro?, ¿en la música?, ¿en la televisión?, ¿en ninguno de ellos?
2. ¿Tu personaje nació en los Estados Unidos o en algún país de Latinoamérica? Si nació en Latinoamérica, ¿puedes decir en qué país?
3. ¿Por qué el personaje latino que escogiste es tan reconocido en los Estados Unidos? ¿Ha ganado algún premio? ¿Cuál?
4. ¿Consideras que el papel del personaje es importante y reconocido en los Estados Unidos?

Practice more at
vhlcentral.com.

PROYECTO

En los EE.UU.

¿Qué sabes de la cultura latina en los EE.UU.? Escoge un tema e investiga toda la información que necesites en la biblioteca o en Internet para preparar un folleto promocional.

    a. una comunidad latina
    b. una celebración hispana
    c. un lugar para el arte y la cultura latinoamericanos

Escribe la información que consideras importante e incluye fotos.

Presenta tu folleto a la clase. Explica por qué escogiste ese tema.

PUEDO investigar la cultura latina en los Estados Unidos.

Las relaciones personales

Video

¿No es ideal utilizar el tiempo libre para encontrarse con amigos, familiares, parejas…? Los lugares donde puedes reunirte a hablar o a comer se vuelven especiales porque forman parte del placer de compartir el tiempo con tu gente. En este episodio de **Flash cultura**, te llevamos a visitar los lugares de encuentro de Madrid.

Vocabulario

el amor a primera vista *love at first sight*

el callejón *alley*

la campanada *tolling of the bell*

datar de *to date from*

el pasacalles *marching parade*

el pendiente *earring*

el punto de encuentro *meeting point*

la uva *grape*

1

Preparación Cuando tienes tiempo libre, ¿te reúnes con tus amigos? ¿Cuáles son los lugares donde te encuentras habitualmente con ellos? ¿En qué momentos del día y de la semana pueden verse? ¿Por qué?

2

Comprensión Indica si estas afirmaciones son ciertas o falsas. Después, en parejas, corrijan las falsas.

1. Es tradición tomar doce uvas el 31 de diciembre mientras suena el famoso reloj de la Puerta del Sol en el corazón de Madrid.

2. La Plaza Mayor es la plaza más conocida y se encuentra en el Madrid Moderno.

3. En la confluencia actual de las calles Toledo y Atocha, se celebraban antiguamente partidos de fútbol.

4. El barrio de La Latina se caracteriza por callejones estrechos, plazoletas, cafés y bares de ambiente muy dinámico.

5. Ninguno de los entrevistados cree en el amor a primera vista.

6. En El Rastro puedes comprar ropa, pendientes, cuadros, etc.

3

Expansión En parejas, contesten estas preguntas.

1. Imagina que estás en Madrid. ¿Cuál de los lugares mostrados prefieres para comer algo o pasear? ¿Por qué?

2. ¿Estás de acuerdo con las personas que creen en el amor a primera vista o con las que no creen? Justifica tu respuesta.

3. ¿Te gustan los domingos en Madrid: levantarse tarde, comer en un bar de La Latina con amigos y pasear por El Rastro? ¿Cómo son tus domingos?

PUEDO conversar sobre las relaciones personales.

Corresponsal: Miguel Ángel Lagasca
País: España

(En la Plaza Mayor) los niños juegan, las madres conversan°, los padres hablan de fútbol y política, los jóvenes se juntan, las parejas se miran a los ojos y los turistas admiran el espectáculo°.

La Latina, así como la Plaza Mayor y Puerta del Sol, pertenecen al llamado Madrid Antiguo.

Siempre los celos son una parte importante de la relación, sobre todo cuando se está empezando.

conversan *chat* **espectáculo** *show*

Practice more at
vhlcentral.com.

Tutorial

1.1

The present tense

Regular *–ar, –er, –ir* verbs

- The present tense (**el presente**) of regular verbs is formed by dropping the infinitive ending **–ar**, **–er**, or **–ir** and adding personal endings.

TALLER DE CONSULTA

These grammar topics are covered in the **Manual de gramática, Lección 1**.

1.4 Nouns and articles, p. 380
1.5 Adjectives, p. 382

For more stem-changing verbs, see the **Verb conjugation tables, pp. 414–424**.

The present tense of regular verbs

	hablar	beber	vivir
yo	hablo	bebo	vivo
tú	hablas	bebes	vives
Ud./él/ella	habla	bebe	vive
nosotros/as	hablamos	bebemos	vivimos
vosotros/as	habláis	bebéis	vivís
Uds./ellos/ellas	hablan	beben	viven

- The present tense is used to express actions or situations that are going on at the present time and to express general truths.

¿Por qué **rompes** conmigo?
Why are you breaking up with me?

Porque no te **amo**.
Because I don't love you.

- The present tense is also used to express habitual actions or actions that will take place in the near future.

Mis padres me **escriben** con frecuencia.
My parents write to me often.

Mañana les **mando** una carta larga.
Tomorrow I'm sending them a long letter.

Stem-changing verbs

- Some verbs have stem changes in the present tense. In many **–ar** and **–er** verbs, **e** changes to **ie** and **o** changes to **ue**. In some **–ir** verbs, **e** changes to **i**. The **nosotros/as** and **vosotros/as** forms never have stem changes in the present tense.

¡ATENCIÓN!

Subject pronouns are normally omitted in Spanish. They are used to emphasize or clarify the subject.

—**¿Viven en California?**
Do they live in California?

—**Sí, ella vive en Los Ángeles, y él vive en San Francisco.**
Yes, she lives in Los Angeles, and he lives in San Francisco.

Stem-changing verbs

e → ie	o → ue	e → i
pensar *to think*	**poder** *to be able to, can*	**pedir** *to ask for*
pienso	puedo	pido
piensas	puedes	pides
piensa	puede	pide
pensamos	podemos	pedimos
pensáis	podéis	pedís
piensan	pueden	piden

¡ATENCIÓN!

Jugar changes its stem vowel from **u** to **ue**. **Construir, destruir, incluir,** and **influir** add a **y** before the personal endings. As with other stem-changing verbs, the **nosotros/as** and **vosotros/as** forms do not change.

jugar
juego, juegas, juega, jugamos, jugáis, juegan

incluir
incluyo, incluyes, incluye, incluimos, incluís, incluyen

Irregular *yo* forms

- Many **–er** and **–ir** verbs have irregular **yo** forms in the present tense. Verbs ending in **–cer** or **–cir** change to **–zco** in the **yo** form; those ending in **–ger** or **–gir** change to **–jo**. Several verbs have irregular **–go** endings, and a few have individual irregularities.

¡ATENCIÓN!

Some verbs with irregular **yo** forms have stem changes as well.

conseguir (e:i) → consigo
corregir (e:i) → corrijo
elegir (e:i) → elijo
seguir (e:i) → sigo
torcer (o:ue) → tuerzo

Ending in –*go*

caer *to fall*	yo caigo
distinguir *to distinguish*	yo distingo
hacer *to do, to make*	yo hago
poner *to put, to place*	yo pongo
salir *to leave, to go out*	yo salgo
traer *to bring*	yo traigo
valer *to be worth*	yo valgo

Ending in –*zco*

conducir *to drive*	yo conduzco
conocer *to know*	yo conozco
crecer *to grow*	yo crezco
obedecer *to obey*	yo obedezco
parecer *to seem*	yo parezco
producir *to produce*	yo produzco
traducir *to translate*	yo traduzco

Ending in –*jo*

dirigir *to direct*	yo dirijo
escoger *to choose*	yo escojo
exigir *to demand*	yo exijo
proteger *to protect*	yo protejo

Other verbs

caber *to fit*	yo quepo
saber *to know*	yo sé
ver *to see*	yo veo

- Verbs with prefixes follow the same patterns.

reconocer *to recognize*	yo reconozco	**oponer** *to oppose*	yo opongo
deshacer *to undo*	yo deshago	**proponer** *to propose*	yo propongo
rehacer *to remake, to redo*	yo rehago	**suponer** *to suppose*	yo supongo
aparecer *to appear*	yo aparezco	**atraer** *to attract*	yo atraigo
desaparecer *to disappear*	yo desaparezco	**contraer** *to contract*	yo contraigo
componer *to make up*	yo compongo	**distraer** *to distract*	yo distraigo

Irregular verbs

- Other commonly used verbs in Spanish are irregular in the present tense or combine a stem change with an irregular **yo** form or other spelling change.

dar *to give*	decir *to say*	estar *to be*	ir *to go*	oír *to hear*	ser *to be*	tener *to have*	venir *to come*
doy	digo	estoy	voy	oigo	soy	tengo	vengo
das	dices	estás	vas	oyes	eres	tienes	vienes
da	dice	está	va	oye	es	tiene	viene
damos	decimos	estamos	vamos	oímos	somos	tenemos	venimos
dais	decís	estáis	vais	oís	sois	tenéis	venís
dan	dicen	están	van	oyen	son	tienen	vienen

Práctica

1

Un apartamento infernal Beto no se siente bien en su apartamento. Completa el párrafo con las palabras de la lista.

caber	hacer	oír	tener
estar	ir	ser	ver

Mi apartamento (1) _____ en el quinto piso. El edificio no (2) _____ ascensor y, para llegar al apartamento, (3) _____ que subir por la escalera. El apartamento es tan pequeño que mis cosas no (4) _____. Las paredes (*walls*) (5) _____ muy delgadas. A todas horas (6) _____ la radio o la televisión de algún vecino. El apartamento siempre (7) _____ oscuro y no puedo (8) _____ cuando (9) _____ la tarea. ¡(10) _____ a buscar otro apartamento!

2

¿Qué haces? Haz preguntas basadas en estas opciones y contéstalas con una explicación.

Modelo **vivir / en la residencia estudiantil**
—¿Vives en la residencia estudiantil?
—No, vivo en un apartamento con mis dos mejores amigos, Pablo y Julián.

1. salir / con amigos todas las noches
2. decir / mentiras
3. conducir / estar cansado/a
4. tener / miedo de ser antipático/a con los amigos
5. dar / consejos sobre asuntos personales
6. venir / a clase tarde con frecuencia

3

¿Qué hacen los amigos? Escribe cinco oraciones completas usando los sujetos y los verbos de las columnas.

Modelo Tú traduces el libro.

Sujetos	Verbos	
yo	compartir	exigir
tú	creer	pensar
un(a) buen(a) amigo/a	deber	poner
nosotros/as	desear	traducir
los/las malos/as amigos/as		

1. _____
2. _____
3. _____
4. _____
5. _____

Practice more at
vhlcentral.com.

Comunicación

4

En el café Carola está en el Nuyorican Poets Café con unos amigos. En parejas, escriban ocho oraciones en las que Carola describe lo que hace cada persona. Usen algunos verbos de la lista.

beber	estar	oír	ser
decir	hablar	pedir	traer

Nota
CULTURAL

El **Nuyorican Poets Café**, fundado en 1973 por el profesor **Miguel Algarín** (1941–2020), es un espacio multicultural ubicado en Manhattan dedicado a presentar el trabajo de poetas, músicos y artistas visuales. También exhibe obras de teatro y películas. Este foro apoya y promueve el arte que no tiene presencia en los medios comerciales.

5

Sueños cumplidos Un nuevo *reality show* tiene como objetivo cumplir los sueños de los participantes.

A. En parejas, lean los sueños de algunos posibles participantes y preparen una lista de preguntas que el/la presentador(a) o el público puede hacerle a cada uno. Usen verbos en presente y el vocabulario de la lección.

María, 21 años
Sus padres la adoptaron cuando era niña. Cuando cumplió los veintiún años, sus padres le contaron que tiene una hermana melliza (*twin*). María quiere conocerla.

Pedro, 35 años
Vive en los Estados Unidos desde los cuatro años. No ve a sus abuelos desde entonces. Se acerca el cumpleaños número noventa de su abuela.

Francisco, 50 años
A los dieciocho años, Francisco emigró a los Estados Unidos. Su hermana, Sofía, emigró a España. Se hablan por teléfono, pero hace treinta y dos años que no se ven.

B. Elijan al primer participante del programa e improvisen la primera entrevista. Uno/a de ustedes es el/la presentador(a) y el/la otro/a es el/la participante.

PUEDO hacer una entrevista.

Tutorial

1.2

Ser and *estar*

—Sí, bueno, es que **estoy**
preparando mi boda.

—Oh, pues sí que **es** difícil
de creer, sí.

Uses of *ser*

Nationality and place of origin	Mis padres **son** argentinos, pero yo **soy** de Florida.
Profession or occupation	El Sr. López **es** periodista.
Characteristics of people, animals, and things	El clima de Miami **es** caluroso.
Generalizations	Las relaciones personales **son** complejas.
Possession	La guitarra **es** del tío Guillermo.
Material of composition	El suéter **es** de pura lana.
Time, date, or season	**Son** las diez de la mañana.
Where or when an event takes place	La fiesta **es** en el apartamento de Carlos; **es** el sábado a las nueve de la noche.

Uses of *estar*

Location or spatial relationships	La clínica **está** en la próxima calle.
Health	Hoy **estoy** enfermo. ¿Cómo **estás** tú?
Physical states and conditions	Todas las ventanas **están** limpias.
Emotional states	¿**Está** Marisa contenta con Javier?
Certain weather expressions	¿**Está** nublado o **está** despejado hoy en Miami?
Ongoing actions (progressive tenses)	Paula **está** escribiendo invitaciones para su boda.
Results of actions (past participles)	La tienda **está** cerrada.

Ser and *estar* with adjectives

- **Ser** is used with adjectives to describe inherent, expected qualities. **Estar** is used to describe temporary or variable qualities, or a change in appearance or condition.

  La casa **es** muy pequeña.
  The house is very small.

  ¡**Están** tan enojados!
  They're so angry!

- With most descriptive adjectives, either **ser** or **estar** can be used, but the meaning of each statement is different.

  Julio **es alto**.
  Julio is tall. (that is, a tall person)

  ¡Ay, qué **alta estás**, Adriana!
  How tall you're getting, Adriana!

  Dolores **es alegre**.
  Dolores is cheerful. (that is, a cheerful person)

  El jefe **está alegre** hoy. ¿Qué le pasa?
  The boss is cheerful today. What's up with him?

  Juan Carlos **es** un hombre **guapo**.
  Juan Carlos is a handsome man.

  ¡Manuel, **estás** tan **guapo**!
  Manuel, you look so handsome!

- Some adjectives have two different meanings depending on whether they are used with **ser** or **estar**.

ser + [*adjective*]	estar + [*adjective*]
Laura **es aburrida**. *Laura is boring.*	Laura **está aburrida**. *Laura is bored.*
Ese chico **es listo**. *That boy is smart.*	**Estoy listo** para todo. *I'm ready for anything.*
No **soy rico**, pero vivo bien. *I'm not rich, but I live well.*	¡El pan **está** tan **rico**! *The bread is delicious!*
La actriz **es mala**. *The actress is bad.*	La actriz **está mala**. *The actress is ill.*
El coche **es seguro**. *The car is safe.*	Creo que puedo ir, pero **no estoy seguro**. *I think I can go, but I'm not sure.*
Los aguacates **son verdes**. *Avocados are green.*	Esta banana **está verde**. *This banana is not ripe.*
Javier **es** muy **vivo**. *Javier is very sharp.*	¿Todavía **está vivo** el autor? *Is the author still living?*
Pedro **es** un hombre **libre**. *Pedro is a free man.*	Esta noche no **estoy libre**. ¡Lo siento! *Tonight I am not available. Sorry!*

TALLER DE CONSULTA

Remember that adjectives must agree in gender and number with the person(s) or thing(s) that they modify. See **Manual de gramática, 1.4 p. 380**, and **1.5 p. 382**.

¡ATENCIÓN!

Estar, not **ser**, is used with **muerto/a**.

Bécquer, el autor de las *Rimas*, está muerto.
Bécquer, the author of Rimas, *is dead.*

Práctica

1

La boda de Emilio y Jimena Completa cada oración de la primera columna con la terminación más lógica de la segunda columna.

1. La boda es _____
2. La iglesia está _____
3. El cielo está _____
4. La madre de Emilio está _____
5. El padre de Jimena está _____
6. Todos los invitados están _____
7. El mariachi que toca en la boda es _____
8. En mi opinión, las bodas son _____

a. de San Antonio, Texas.
b. deprimido por los gastos.
c. en la calle Zarzamora.
d. esperando a que entren la novia (*bride*) y su padre.
e. contenta con la novia.
f. a las tres de la tarde.
g. muy divertidas.
h. totalmente despejado.

Nota
CULTURAL

En **San Antonio**, **Texas** hay una presencia mexicana muy importante. En **Market Square** se venden productos auténticos de **México** como cerámica, comida y artesanías (*handicrafts*).

2

La luna de miel Completa el párrafo con las formas apropiadas de **ser** y **estar**.

Nota
CULTURAL

La **Pequeña Habana** es un barrio de **Miami** donde viven muchas personas de ascendencia cubana. La **Calle Ocho** es el corazón de la zona. En ella se pueden encontrar tabaquerías, restaurantes de comida típica cubana y tiendas de productos tradicionales.

Emilio y Jimena van a pasar su luna de miel en Miami, Florida. Miami (1) _____ una ciudad preciosa. (2) _____ en la costa este de Florida y tiene playas muy bonitas. El clima (3) _____ tropical. Jimena y Emilio (4) _____ interesados en visitar la Pequeña Habana. Jimena (5) _____ fanática de la música cubana. Y Emilio (6) _____ muy entusiasmado por conocer el parque Máximo Gómez, donde las personas van a jugar al dominó. Los dos (7) _____ aficionados a la comida caribeña. Quieren ir a todos los restaurantes que (8) _____ en la Calle Ocho. Cada día van a probar un plato diferente. Algunos de los platos que piensan probar (9) _____ el congrí, los tostones y el bistec palomilla. Después de pasar una semana en Miami, la pareja va a (10) _____ cansada pero muy contenta.

Practice more at
vhlcentral.com.

Comunicación

3

Entrevistas

A. En parejas, usen la lista como guía para entrevistarse. Usen **ser** o **estar** en las preguntas y respuestas.

- origen
- nacionalidad
- personalidad
- personalidad de los padres
- salud

- estudios actuales
- sentimientos actuales
- lugar donde vive/trabaja
- actividades actuales

B. Cambien de pareja y cuéntenle a su compañero/a lo que descubrieron (*found out*) sobre el/la compañero/a entrevistado/a.

4

¿Dónde estamos? En parejas, elijan una ciudad en la que supuestamente están de viaje. Sus compañeros/as deberán adivinar de qué ciudad se trata. Pueden elegir una de las ciudades de las fotos u otra ciudad importante.

Buenos Aires, Argentina

Quito, Ecuador

Madrid, España

Lima, Perú

San José, Costa Rica

Ciudad de México, México

- Hagan cinco afirmaciones usando **ser** o **estar** para dar pistas (*clues*) a sus compañeros/as. Sean creativos.

- Si las pistas no son suficientes, sus compañeros/as pueden hacer preguntas con **ser** o **estar**, cuya respuesta sea **sí** o **no**.

- Algunos temas para las afirmaciones o las preguntas pueden ser: ubicación, comida, características de la ciudad, actividades, sentimientos de los viajeros, personajes representativos del lugar, etc.

PUEDO entrevistar a un(a) compañero/a.

Tutorial

1.3

Gustar and similar verbs

—Hombre, cuando te hacen sentir culpable
*por hacer lo que te **gusta**, pues...*

Using the verb *gustar*

TALLER DE CONSULTA

See **3.2, p. 102**, for
object pronouns.

- Though **gustar** is translated as *to like* in English, its literal meaning is *to please*. **Gustar** is preceded by an indirect object pronoun indicating *the person who is pleased*. It is followed by a noun indicating *the thing or person that pleases*.

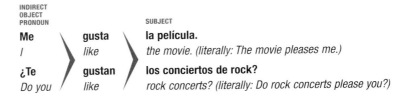

INDIRECT OBJECT PRONOUN		SUBJECT
Me	**gusta**	**la película.**
I	*like*	*the movie. (literally: The movie pleases me.)*
¿Te	**gustan**	**los conciertos de rock?**
Do you	*like*	*rock concerts? (literally: Do rock concerts please you?)*

- Because *the thing or person that pleases* is the subject, **gustar** agrees in person and number with it. Most commonly the subject is third person singular or plural.

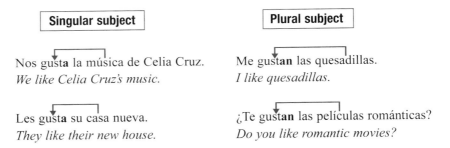

Singular subject	Plural subject
Nos gusta la música de Celia Cruz.	Me gustan las quesadillas.
We like Celia Cruz's music.	*I like quesadillas.*
Les gusta su casa nueva.	¿Te gustan las películas románticas?
They like their new house.	*Do you like romantic movies?*

- When **gustar** is followed by one or more verbs in the infinitive, the singular form of **gustar** is always used.

  No nos **gusta** llegar tarde.
  We don't like to arrive late.

  Les **gusta** cantar y bailar.
  They like to sing and dance.

- **Gustar** is often used in the conditional (**gustaría**) to soften a request.

  Me **gustaría** un refresco, por favor.
  I would like a soda, please.

  ¿Te **gustaría** ir a una cita con mi amigo?
  Would you like to go on a date with my friend?

Verbs like *gustar*

- Many verbs follow the same pattern as **gustar**.

aburrir *to bore*	**hacer falta** *to miss; to need*
caer bien/mal *to (not) get along well with*	**importar** *to be important to; to matter*
disgustar *to upset*	**interesar** *to be interesting to; to interest*
doler *to hurt; to ache*	**molestar** *to bother; to annoy*
encantar *to like very much*	**preocupar** *to worry*
faltar *to lack; to need*	**quedar** *to be left over; to fit (clothing)*
fascinar *to fascinate*	**sorprender** *to surprise*

Me fascina el cine francés.
I love French movies.

¿**Te molesta** si voy contigo?
Will it bother you if I come along?

A Sandra **le disgusta** esa situación.
That situation upsets Sandra.

Me duelen sus mentiras.
Her lies hurt me.

- The construction **a** + [*prepositional pronoun*] or **a** + [*noun*] can be used to emphasize who is pleased, bothered, etc.

A ella no le gusta bailar, pero **a él** sí.
She doesn't like to dance, but he does.

A Felipe le molesta ir de compras.
Shopping bothers Felipe.

- **Faltar** expresses what someone or something lacks, and **quedar** expresses what someone or something has left. **Quedar** is also used to talk about how clothing fits or looks on someone.

Le falta dinero.
He's short of money.

Le falta sal a la comida.
The food needs some salt.

A la impresora no **le queda** papel.
The printer is out of paper.

Esa falda **te queda** bien.
That skirt fits you well.

TALLER DE CONSULTA

See **3.2, p. 103,** for prepositional pronouns.

DISCOTECA
PALADIO
¿Qué te hace falta en la vida?

Práctica

1 **Completar** Completa la conversación con la forma correcta de los verbos.

MIGUEL Mira, César, a mí (1) _____ (encantar) vivir contigo, pero la verdad es que (2) _____ (preocupar) algunas cosas.

CÉSAR De acuerdo. A mí también (3) _____ (molestar) algunas cosas de ti.

MIGUEL Bueno, para empezar (4) _____ (disgustar) que pongas la música tan alta cuando vienen tus amigos. Tus amigos (5) _____ (caer) muy bien, pero a veces hacen mucho ruido y no me dejan dormir.

CÉSAR Sí, claro, lo entiendo. Pues mira, Miguel, a mí (6) _____ (preocupar) que no laves los platos después de comer. Además, tampoco sacas la basura.

MIGUEL Es verdad. Pues... vamos a intentar cambiar estas cosas. ¿Te parece?

CÉSAR (7) _____ (gustar) la idea. Yo bajo la música cuando vengan mis amigos y tú lavas los platos y sacas la basura más a menudo. ¿De acuerdo?

2 **Preguntar** En parejas, túrnense para hacerse preguntas sobre estas personas.

Modelo **fascinar / a tu padre**
—¿Qué crees que le fascina a tu padre?
—Pues, no sé. Creo que le fascina dormir.

1. preocupar / al/a la presidente/a
2. encantar / a tu hermano/a
3. gustar hacer los fines de semana / a ti
4. importar / a tus padres
5. interesar / a tu profesor(a) de español
6. aburrir / a tu novio/a y a ti
7. molestar / a tu mejor amigo/a
8. faltar / a ustedes

3 **¿Qué te gustaría hacer el fin de semana?** En parejas, pregúntense si les gustaría hacer las actividades relacionadas con las fotos. Utilicen los verbos **aburrir, disgustar, encantar, fascinar, interesar** y **molestar**. Sigan el modelo:

Modelo —¿Te molestaría ir al parque de atracciones?
—No, me encantaría.

Practice more at
vhlcentral.com.

Comunicación

4

¿Te gusta? En parejas, pregúntense si les gustan o no estas personas y actividades. Utilicen verbos similares a **gustar**.

Diego Luna	ir a discotecas
Ana de Armas	las películas de misterio
la música de Camila Cabello	las películas extranjeras
dormir los fines de semana	practicar algún deporte
hacer bromas	salir con tus amigos

5

¿Cómo son? Elige uno de los personajes de la lista. Luego escribe cuatro oraciones usando los verbos indicados. Dile a tu compañero/a lo que escribiste sin decirle el nombre del personaje. Él/Ella tiene que adivinar de quién se trata. Túrnense para describir por lo menos seis personajes.

> **Modelo** —Le gusta mucho cantar. Le preocupan los problemas sociales
> y ambientales. No le caen bien los *paparazzi*. Es muy rico.
> —¡Es Bono!

- Megan Rapinoe
- Barack Obama
- Tom Holland
- Ariana Grande
- Jessica Alba
- LeBron James
- Drake
- Javier Bardem
- Zendaya

aburrir	encantar	hacer falta	molestar
caer bien/mal	faltar	importar	preocupar
disgustar	fascinar	interesar	quedar

6

Veinte datos Haz preguntas a por lo menos diez de tus compañeros/as para completar la tabla. Debes crear los últimos cinco datos de la tabla usando los verbos sugeridos. Luego, comenta con la clase las tres respuestas que más te sorprendieron.

Encuentra a alguien que/a quien...	Nombre	Encuentra a alguien que/a quien...	Nombre
le gusta el francés	▾	le molesta levantarse temprano	▾
le encanta nadar	▾	ama ir a la playa	▾
le disgusta tener mascotas (*pets*)	▾	le gusta chatear por Internet	▾
no le gusta manejar	▾	odia viajar en avión	▾
ama los helados	▾	le interesa la política	▾
le encanta la música clásica	▾	(encantar) _____	▾
no le gusta el deporte	▾	(caer bien) _____	▾
le gusta comprar cosas por Internet	▾	(molestar) _____	▾
le fascina ir a conciertos de rock	▾	(preocupar) _____	▾
no le interesa viajar	▾	(sorprender) _____	▾

PUEDO hacer y contestar preguntas sobre los gustos.

Síntesis

Un consejo sentimental

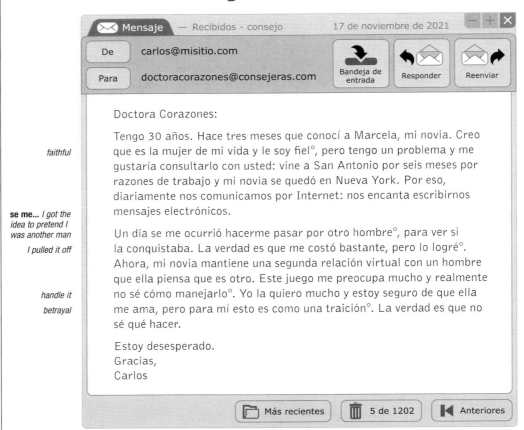

faithful

se me... *I got the idea to pretend I was another man*

I pulled it off

handle it

betrayal

Doctora Corazones:

Tengo 30 años. Hace tres meses que conocí a Marcela, mi novia. Creo que es la mujer de mi vida y le soy fiel°, pero tengo un problema y me gustaría consultarlo con usted: vine a San Antonio por seis meses por razones de trabajo y mi novia se quedó en Nueva York. Por eso, diariamente nos comunicamos por Internet: nos encanta escribirnos mensajes electrónicos.

Un día se me ocurrió hacerme pasar por otro hombre°, para ver si la conquistaba. La verdad es que me costó bastante, pero lo logré°. Ahora, mi novia mantiene una segunda relación virtual con un hombre que ella piensa que es otro. Este juego me preocupa mucho y realmente no sé cómo manejarlo°. Yo la quiero mucho y estoy seguro de que ella me ama, pero para mí esto es como una traición°. La verdad es que no sé qué hacer.

Estoy desesperado.
Gracias,
Carlos

1 La carta Trabajen en grupos pequeños. Lean la carta dirigida a la doctora Corazones, consejera sentimental, y luego contesten las preguntas.

1. ¿Por qué Carlos y su novia se comunican por Internet?

2. ¿Qué hizo Carlos?

3. ¿Cuál es el resultado?

4. ¿Cómo se siente él ahora?

2 Comentar Con el grupo, comenten el problema de Carlos y propongan una solución. Elijan a un miembro del grupo para presentar la solución a la clase.

3 La solución Con toda la clase, escuchen y comenten las soluciones propuestas por los grupos, pensando en las siguientes preguntas. Entre todos, deben proponer una solución al problema de Carlos.

1. ¿Cómo reaccionan los grupos ante el problema de Carlos?

2. ¿Propone cada grupo una solución distinta?

3. ¿Cuál es la mejor solución?

PUEDO dar consejos sentimentales.

Preparación

Vocabulario de la lectura		Vocabulario útil	
ayudarse *to help one another*		**abandonar** *to leave*	
la calidad de vida *standard of living*		**cuidar** *to take care of*	
los familiares *relatives*		**emigrar** *to emigrate*	
fortalecerse *to grow stronger*		**el/la inmigrante** *immigrant*	
por su cuenta *on his/her own*		**el lazo** *bond, tie*	
la red de apoyo *support network*		**mudarse** *to move*	
la voluntad *will*		**la patria** *home country*	

1

Vocabulario Completa el diálogo utilizando palabras y expresiones de la lista.

abandonar	emigrar	por su cuenta
ayudarse	familiares	red de apoyo
calidad de vida	lazo	voluntad

LUISA Mañana vamos a tener una gran fiesta y van a venir todos mis
(1) _____: mis tíos, mis primos y mis abuelos.

CATI Pero ¿de qué fiesta estás hablando? No tenía ni idea.

LUISA Es la despedida de mi primo Carlos. Se va a vivir a Chicago. Dice que
allí va a mejorar su (2) _____.

CATI ¿Qué me dices? ¿Conoce a alguien en Chicago? ¿Tiene una (3) _____?

LUISA Sí, tenemos allí unos primos. La familia está para (4) _____.

CATI Es cierto, aunque desgraciadamente hay veces en que cada uno va
(5) _____. Esperemos que no sea el caso.

2

La inmigración En parejas, contesten las preguntas.

1. ¿Por qué la gente decide emigrar? Comenta por lo menos tres razones.
2. ¿Alguien de tu familia inmigró a los Estados Unidos o a otro país? ¿Por qué decidió hacerlo?
3. De estar forzado/a a abandonar tu patria, ¿adónde irías? ¿Por qué?
4. ¿Cómo crees que cambiaría tu vida al vivir en otro país?

3

Encuesta Indica si estás de acuerdo con estas afirmaciones o si no lo estás. Cuando termines, comparte tu opinión sobre cada afirmación con la clase.

	Sí	No
1. Es importante vivir siempre cerca de los familiares.	☐	☐
2. Es bueno mantener las tradiciones y costumbres de nuestras familias.	☐	☐
3. Es necesario ser económicamente independiente de los padres.	☐	☐
4. Es bueno que los familiares se ayuden mutuamente.	☐	☐
5. Se aprende mucho más de la vida cuando uno se muda a otra ciudad o a otro país para estudiar o trabajar.	☐	☐

CORRIENTE Latina

Las tendencias de la inmigración hispana han variado de manera considerable en los últimos años. El perfil del inmigrante ha cambiado y con mayor frecuencia el latino llega a los Estados Unidos con un nivel de estudios más alto y mejor preparado para ejercer° trabajos bien remunerados°.

También está cambiando el destino que elige para empezar su nueva vida. Si antes se establecía en las grandes ciudades y en los estados del suroeste°, ahora busca oportunidades en pueblos y ciudades del centro y norte del país.

La distribución de la inmigración se debe en parte a la disponibilidad° de trabajo y en parte a que los inmigrantes que llegan necesitan una red de apoyo. Muchos de ellos no pueden recurrir° a la ayuda que ofrecen los estados por su desconocimiento del inglés y de la cultura estadounidense. Los familiares y amigos son los responsables de ayudar a los miembros de su círculo y les facilitan casa y trabajo hasta que se puedan establecer por su cuenta. De esa forma, se han producido y se siguen produciendo grandes concentraciones de hispanos del mismo país de origen en áreas donde su presencia antes era escasa° o inexistente.

Un ejemplo de esto es Central Falls, en el estado de Rhode Island. Hoy, más de la mitad de sus habitantes° son de origen colombiano, específicamente del departamento° de Antioquia. Todo empezó en 1964, cuando el antioqueño°

to carry out / *well-paid* — ejercer° / remunerados°
southwest — suroeste°
availability — disponibilidad°
rely on — recurrir°
scarce — escasa°
inhabitants — habitantes°
state, province — departamento°
from Antioquia — antioqueño°

Pedro Cano vino con la ilusión de tener una vida mejor y con la voluntad de trabajar duro para cumplir sus sueños.

Pedro Cano llegó a Central Falls. Vino con la ilusión de tener una vida mejor y con la voluntad de trabajar duro° para cumplir sus sueños. Una vez establecido e integrado a la comunidad, fue acogiendo° a sus familiares y a personas conocidas que huían° de la difícil situación socioeconómica y política colombiana. En los Estados Unidos iban encontrando el apoyo que necesitaban y podían, de esa forma, mejorar su calidad de vida a la vez que mantenían sus tradiciones y costumbres.

El nacimiento de estos microcosmos también está cambiando el paisaje urbano. Una visita a Central Falls lleva al viajero a un mundo nuevo: las tiendas especializadas en música hispana, los restaurantes de comida colombiana y los establecimientos para realizar giros° de dinero a otros países conviven mano a mano con los símbolos de la cultura estadounidense. ■

hard — duro°
taking in — acogiendo°
were fleeing — huían°
remittances — giros°

EE.UU. latino

18,5% Porcentaje de población hispana en los EE.UU.

12 Número de estados en los que viven más de 1.000.000 de hispanos.

54% Porcentaje de la población hispana de los EE.UU. que vive en los estados de California, Texas y Florida.

120.000.000 Número de hispanos en los EE.UU. proyectado para el año 2060.

Análisis

1 **Comprensión** Elige la opción correcta.

1. El perfil del inmigrante hispano _____.
   a. es el mismo b. ha cambiado c. es diferente al de otros inmigrantes

2. Existe una razón principal por la que los inmigrantes latinos no recurren
   a la ayuda de los estados y es _____.
   a. el desconocimiento del inglés y de la cultura estadounidense
   b. la búsqueda de oportunidades en el centro y en el norte del país
   c. las concentraciones de hispanos en nuevos lugares

3. Pedro Cano vino a los EE.UU. con la ilusión de _____.
   a. establecer una comunidad colombiana
   b. ahorrar para después volver a su país
   c. mejorar su calidad de vida

4. Muchos de los colombianos que viven en Central Falls, Rhode Island,
   emigraron por _____.
   a. la situación política y económica de su patria
   b. las oportunidades de trabajo en Central Falls
   c. la posibilidad de mantener sus tradiciones y su cultura

2 **Micrófono abierto** En parejas, escriban una entrevista imaginaria a un(a) hispano/a
que lleva veinte años viviendo en los Estados Unidos. Uno/a de ustedes es el/la periodista
y el/la otro/a es el/la inmigrante. Consideren estas preguntas y añadan otras.

- ¿Por qué decidió venir a los Estados Unidos?
- ¿Cómo es su vida aquí?
- ¿Cómo era su vida antes de venir?
- ¿Cuántos años tenía cuando llegó aquí?
- ¿Dónde está su familia?
- ¿Piensa regresar algún día a su país de origen?

3 **Carta** En grupos de tres, imaginen que son inmigrantes y que acaban de llegar a los Estados
Unidos o Canadá. Escriban una carta a su familia incluyendo la información que responde a
las preguntas. Cuando terminen, lean la carta delante de la clase.

- ¿Dónde están?
- ¿Cómo es la ciudad?
- ¿Qué les fascina de la ciudad? ¿Qué les molesta?
- ¿Están emocionados/as o disgustados/as con el nuevo lugar?

> 6 de septiembre
>
> Queridos padres:
> ¡Estamos en . . . ! ¿Pueden creerlo?
> Es una ciudad interesante, con . . .

Practice more at
vhlcentral.com.

PUEDO investigar la inmigración.

Preparación

Sobre el autor

Ya de muy joven, el chileno **Pablo Neruda** (1904–1973) mostraba inclinación por la poesía. En 1924, a sus veinte años, publicó el libro que lo lanzó (*launched*) a la fama: *Veinte poemas de amor y una canción desesperada.* Además de poeta, fue diplomático y político. El amor fue sólo uno de los temas de su extensa obra: también escribió poesía surrealista y poesía de temática histórica y política. Su *Canto general* lleva a los lectores a un viaje por la historia de América Latina desde los tiempos precolombinos hasta el siglo XX. En 1971, recibió el Premio Nobel de Literatura.

Vocabulario de la lectura

el alma *soul*
besar *to kiss*
contentarse (con) *to be satisfied (with)*
el corazón *heart*
el olvido *oblivion*

Vocabulario útil

el/la amado/a *beloved, sweetheart*
amar(se) *to love (each other)*
los celos *jealousy*
enamorado/a *in love*
el sentimiento *feeling*

1

Vocabulario Completa este párrafo sobre una nueva película romántica usando palabras del vocabulario.

Amor sin fronteras es más que una película de amor. En la primera escena, Francisco le dice a Fernanda que él está (1) _____ de ella. La joven, sin embargo, no comparte el (2) _____, ya que ama en secreto a Javier, el hermano de Francisco, que emigró a Texas hace dos años. Francisco la (3) _____ y la abraza, pero confunde su frialdad con timidez. Sin embargo, cuando Francisco le ofrece llevarla a Texas con él, Fernanda no puede contener la emoción. Es su oportunidad de volver a ver a Javier. La historia de estas dos (4) _____ confundidas se complica cuando, una vez en Texas, Francisco descubre que su (5) _____ en realidad ama a su hermano y lo invaden los (6) _____.

2

Preparación En parejas, contesten las preguntas.

1. ¿Han estado enamorados/as alguna vez?
2. ¿Les gusta leer poesía?
3. ¿Han escrito alguna vez una carta o un poema de amor?
4. ¿Se consideran románticos/as?
5. ¿Comparten sus sentimientos por escrito? ¿A través de qué medio?
6. ¿Creen que el romanticismo es necesario en el amor?
7. ¿Cuál es su historia de amor favorita? ¿Por qué?
8. ¿Qué consejo le darían a alguien que tiene un amor imposible?
9. ¿Qué medio de comunicación usarían para una declaración de amor? ¿Qué palabras/imágenes/sonidos usarían? ¿Por qué?
10. ¿Han visto películas que tratan sobre hacer películas o han leído libros en los que el narrador habla sobre personajes que a su vez escriben libros? Den ejemplos.

Practice more at
vhlcentral.com.

POEMA 20

Pablo Neruda

Puedo escribir los versos más tristes esta noche.

Escribir, por ejemplo: "La noche está estrellada°, *starry*
y tiritan°, azules, los astros°, a lo lejos°". *blink, tremble / stars / in the distance*

El viento de la noche gira° en el cielo y canta. *turns*

5 Puedo escribir los versos más tristes esta noche.
Yo la quise, y a veces ella también me quiso.

En las noches como ésta la tuve entre mis brazos.
La besé tantas veces bajo el cielo infinito.

Ella me quiso, a veces yo también la quería.
10 Cómo no haber amado sus grandes ojos fijos°. *fixed*

Puedo escribir los versos más tristes esta noche.
Pensar que no la tengo. Sentir que la he perdido.

Oír la noche inmensa, más inmensa sin ella.
Y el verso cae al alma como al pasto el rocío°. **como al...** *like the dew on the grass*

15 Qué importa que mi amor no pudiera guardarla°. *keep, protect*
La noche está estrellada y ella no está conmigo.

Eso es todo. A lo lejos alguien canta. A lo lejos.
Mi alma no se contenta con haberla perdido.

Como para acercarla° mi mirada la busca. *to bring closer*
20 Mi corazón la busca, y ella no está conmigo.

La misma noche que hace blanquear° los mismos árboles. *to whiten*
Nosotros, los de entonces, ya no somos los mismos.

Ya no la quiero, es cierto, pero cuánto la quise.
Mi voz° buscaba el viento para tocar su oído. *voice*

25 De otro. Será de otro. Como antes de mis besos.
Su voz, su cuerpo claro. Sus ojos infinitos.

Ya no la quiero, es cierto, pero tal vez la quiero.
Es tan corto el amor, y es tan largo el olvido.

Porque en noches como ésta la tuve entre mis brazos,
30 mi alma no se contenta con haberla perdido.

Aunque éste sea el último dolor que ella me causa,
y éstos sean los últimos versos que yo le escribo. ∎

Análisis

1 **Comprensión** Contesta las preguntas con oraciones completas.

1. ¿Quién habla en este poema?
2. ¿De quién habla el poeta?
3. ¿Cuál es el tema del poema?
4. ¿Sigue enamorado el poeta? Explica tu respuesta.

2 **Interpretar** Contesta las preguntas con oraciones completas.

1. ¿Cómo se siente el poeta? Da algún ejemplo del poema.
2. ¿Es importante que sea de noche? Razona tu respuesta.
3. ¿Cómo interpretas este verso: "Ya no la quiero, es cierto, pero tal vez la quiero."?
4. Explica el significado de estos versos y su importancia en el poema. ¿Por qué escribe el poeta un verso entre comillas?

> Puedo escribir los versos más tristes esta noche.
>
> Escribir, por ejemplo: "La noche está estrellada,
> y tiritan, azules, los astros, a lo lejos".
>
> El viento de la noche gira en el cielo y canta.

3 **Metaficción** En grupos de tres, lean esta definición y busquen ejemplos de metaficción en el poema de Neruda. ¿Qué efecto tiene este recurso en el poema?

> **La metaficción consiste en reflexionar dentro de una obra de ficción sobre la misma obra.**

4 **Escribir** Escribe una carta dirigida a un(a) amigo/a, a tu novio/a o a un(a) desconocido/a (*stranger*) expresando lo que sientes por él o ella. Sigue el **Plan de redacción**.

Plan de redacción

Escribir una carta

1 **Encabezamiento** Piensa a quién quieres dirigirle la carta. Elige un saludo apropiado: **Estimado/a**, **Querido/a**, **Amado/a**, **Amor mío**, **Vida mía**.

2 **Contenido** Organiza las ideas que quieres expresar en un esquema (*outline*) y después escribe la carta. Utiliza estas preguntas como guía.

1. ¿Sabe esta persona lo que sientes? ¿Es la primera vez que se lo dices?
2. ¿Cómo te sientes?
3. ¿Por qué te gusta esta persona?
4. ¿Crees que tus sentimientos son correspondidos?
5. ¿Cómo quieres que sea tu relación en el futuro?

3 **Firma** Termina la carta con una frase de despedida (*farewell*) adecuada. Aquí tienes unos ejemplos: **Un abrazo**, **Besos**, **Te quiero**, **Te amo**, **Tu eterno/a enamorado/a**.

PUEDO comunicar los sentimientos.

Practice more at
vhlcentral.com.

Las relaciones personales

Vocabulary Tools

Las relaciones

el alma gemela *soul mate*
la amistad *friendship*
el ánimo *spirit; mood*
el chisme *gossip*
la cita (a ciegas) *(blind) date*
el compromiso *commitment; engagement*
el deseo *desire*
el divorcio *divorce*
la (in)fidelidad *(un)faithfulness*
el matrimonio *marriage*
la pareja *couple; partner*
el riesgo *risk*

compartir *to share*
confiar (en) *to trust (in)*
contar (o:ue) con *to rely on, to count on*
coquetear *to flirt*
dejar a alguien *to leave someone*
dejar plantado/a *to stand (someone) up*
discutir *to argue*
engañar *to cheat; to deceive*
ligar *to flirt; to hook up*
merecer *to deserve*
romper (con) *to break up (with)*
salir (con) *to go out (with)*

Los sentimientos

enamorarse (de) *to fall in love (with)*
enojarse *to get angry*
estar harto/a *to be sick (of)*
llevarse bien/mal/fatal *to get along well/badly/terribly*
odiar *to hate*
ponerse pesado/a *to become annoying*
querer(se) (e:ie) *to love (each other); to want*
sentir(se) (e:ie) *to feel*
soñar (o:ue) con *to dream about*
tener celos (de) *to be jealous (of)*
tener vergüenza (de) *to be ashamed (of)*

Los estados emocionales

agobiado/a *overwhelmed*
ansioso/a *anxious*
celoso/a *jealous*
deprimido/a *depressed*
disgustado/a *upset*
emocionado/a *excited*
enojado/a *angry*
pasajero/a *fleeting*
preocupado/a (por) *worried (about)*

Los estados civiles

casarse (con) *to get married (to)*
divorciarse (de) *to get a divorce (from)*

casado/a *married*
divorciado/a *divorced*
separado/a *separated*
soltero/a *single*
viudo/a *widowed*

Las personalidades

cariñoso/a *affectionate*
cuidadoso/a *careful*
falso/a *insincere*
genial *wonderful*
gracioso/a *funny*
inolvidable *unforgettable*
inseguro/a *insecure*
maduro/a *mature*
mentiroso/a *lying*
orgulloso/a *proud*
seguro/a *secure; confident*
sensible *sensitive*
tacaño/a *stingy*
tempestuoso/a *impulsive; stormy*
tímido/a *shy*
tranquilo/a *calm*

Cortometraje

la época *season*
la horterada *tacky thing*
la imprenta *printer*
liado/a *busy*
el/la prometido/a *fiancé(e)*
un rato *a while*
la reseña *review*
el rompimiento *breakup*
el/la trotamundos *globetrotter*

arrepentirse (e:ie) *to regret*
reprochar *to blame*

tener prisa *to be in a hurry*

enhorabuena *congratulations*

Cultura

la calidad de vida *standard of living*
los familiares *relatives*
el/la inmigrante *immigrant*
el lazo *bond, tie*
la patria *home country*
la red de apoyo *support network*
la voluntad *will*

abandonar *to leave*
ayudarse *to help one another*
cuidar *to take care of*
emigrar *to emigrate*
fortalecerse *to grow stronger*
mudarse *to move*

por su cuenta *on his/her own*

Literatura

el alma *soul*
el/la amado/a *beloved, sweetheart*
los celos *jealousy*
el corazón *heart*
el olvido *oblivion*
el sentimiento *feeling*

amar(se) *to love (each other)*
besar *to kiss*
contentarse (con) *to be satisfied (with)*

enamorado/a *in love*

Objetivos comunicativos: Repaso

PUEDO hablar sobre las personalidades.
• Describe tu personalidad.

PUEDO conversar sobre las relaciones personales.
• Describe tu relación con otra persona.

PUEDO hacer y contestar preguntas sobre los gustos.
• Haz una lista de cinco cosas que te gusta hacer.

PUEDO comunicar los sentimientos.
• Indica cómo te sientes en este momento.

PUEDO investigar la cultura latina en los Estados Unidos.
• Explica algo que aprendiste sobre la cultura latina en los Estados Unidos.

Vivir en la ciudad

Movimiento, comunicación, convivencia. Estos elementos definen la vida en la gran ciudad, donde el espacio es limitado y hay que ser flexible y tolerante. En **Madrid**, **Buenos Aires**, **Bogotá** o **Lima**, conviven culturas diversas que dan vida a esos espacios de convivencia. En esta lección te invitamos a conocer la historia y la cultura de **México**, el país hispanohablante más grande del mundo.

Objetivos comunicativos:

- Conversar sobre vivir en la ciudad
- Hablar sobre el transporte público
- Narrar en el pasado
- Investigar la cultura mexicana

44 CORTOMETRAJE

Adiós mamá, cortometraje del director mexicano **Ariel Gordon**, cuenta la historia de un hombre que está de compras en el supermercado. En la fila para pagar, una señora le pide algo que ningún supermercado vende.

47

50 IMAGINA

¿Te gusta viajar? Aquí vas a encontrar la información que debes saber antes de hacer un viaje a **México**. También vas a ir por la red de túneles de uno de los sistemas de transporte más grandes del mundo: el metro de **Ciudad de México**.

69 CULTURA

En el artículo *Juchitán: La ciudad de las mujeres* vas a leer sobre la organización social de esta ciudad, considerada por muchos un matriarcado. Además, en el videoclip **Cultura en pantalla** podrás conocer a las **Mujeres triquis de Oaxaca** y su rol en la sociedad actual.

70

73 LITERATURA

En la obra de teatro *Una lucha muy personal*, la dramaturga española **Mercè Sarrias** explora la tensión entre las normas y los principios.

Destino:
MÉXICO

42 PARA EMPEZAR

56 ESTRUCTURAS

2.1 The preterite

2.2 The imperfect

2.3 The preterite vs. the imperfect

79 VOCABULARIO

En la ciudad

 Vocabulary Tools

Lugares

las **afueras** *suburbs*
los **alrededores** *outskirts*
el **ayuntamiento** *city hall*
el **barrio** *neighborhood*
el **centro comercial** *(shopping) mall*
el **cine** *movie theater*

la **ciudad** *city*
la **comisaría** *police station*
la **discoteca** *dance club*
el **edificio** *building*
la **estación (de trenes/de autobuses)** *(train/bus) station*
la **estación de bomberos** *fire station*
la **estación de policía** *police station*
el **estacionamiento** *parking lot*
el **estadio** *stadium*
el **metro** *subway*
el **museo** *museum*
la **parada (de metro/de autobús)** *(subway/bus) stop*
la **plaza** *square*
el **rascacielos** *skyscraper*

el **suburbio** *suburb*
la **vivienda** *housing; home*

Indicaciones

la **acera** *sidewalk*
la **avenida** *avenue*

la **calle** *street*
la **cuadra** *city block*
la **dirección** *address*
la **esquina** *corner*
el **letrero** *sign, billboard*
el **puente** *bridge*
el **semáforo** *traffic light*
el **tráfico** *traffic*
el **transporte público** *public transportation*

cruzar *to cross*
doblar *to turn*
estar perdido/a *to be lost*
indicar el camino *to give directions*
parar *to stop*
preguntar el camino *to ask for directions*

Gente

el/la **alcalde(sa)** *mayor*
el/la **ciudadano/a** *citizen*
el/la **conductor(a)** *driver*
la **gente** *people*
el/la **pasajero/a** *passenger*
el **peatón/la peatona** *pedestrian*
el **policía/la (mujer) policía** *policeman/woman*

Actividades

la **vida nocturna** *nightlife*

bajar *to go down; to get off (a bus)*
construir *to build*
conversar *to talk*
convivir *to live together; to coexist*
dar un paseo *to take a stroll*
dar una vuelta *to take a walk/ride*
dar una vuelta en bicicleta/carro/motocicleta *to take a bike/car/motorcycle ride*
disfrutar (de) *to enjoy*
hacer diligencias *to run errands*
pasarlo/la bien/mal *to have a good/bad time*
poblar *to settle; to populate*
quedar *to be located; to arrange to meet*
quedarse *to stay*
recorrer *to travel (around a city)*
relajarse *to relax*
residir *to reside*
subir *to go up; to get on (a bus)*

Para describir

atrasado/a *late, behind schedule*
cotidiano/a *everyday*
inesperado/a *unexpected*
lleno/a *full*
ruidoso/a *noisy*
vacío/a *empty*

Práctica

1

¿Qué significa? Empareja cada palabra con su definición.

_____ 1. no saber cómo llegar a un lugar

_____ 2. construcción que conecta
dos lugares

_____ 3. persona que toma el metro

_____ 4. todos los días

_____ 5. reducir la tensión que
uno tiene

_____ 6. vivir (en un apartamento)

_____ 7. pasarlo bien

_____ 8. anuncio escrito

a. puente

b. residir

c. relajarse

d. letrero

e. pasajero

f. cotidiano

g. estar perdido

h. ruidoso

i. disfrutar

j. la cuadra

2

Titulares Completa estos titulares (*headlines*) con las palabras o expresiones de la lista.

alrededores	discoteca	hace diligencias
ciudadanos	estacionamientos	suburbio
construyen	está perdida	tráfico

1. Encuentran tesoro (*treasure*) escondido en un _____ de la ciudad

2. Hombre muere en un accidente de _____

3. Pareja baila sin parar 24 horas en una _____

4. Los _____ creen que el transporte público debe ser barato

5. _____ rascacielos de más de cien pisos

6. Una familia de turistas _____ en el metro; nadie los ayuda

7. No hay suficiente espacio en los _____ para tantos automóviles

3

La ciudad Indica si estás de acuerdo con estas afirmaciones. Después, compara tus opiniones con las de un(a) compañero/a y explica por qué piensas así. ¿Tienen las mismas preferencias?

	Sí	No
1. Vivir en el centro de la ciudad es mejor que vivir en las afueras.	☐	☐
2. Nunca se debe hablar con desconocidos (*strangers*).	☐	☐
3. Es mejor convivir con alguien que vivir solo.	☐	☐
4. Es mejor vivir en una calle pequeña que en una avenida.	☐	☐
5. Se deben eliminar los parques para construir más edificios.	☐	☐
6. En una ciudad es más cómodo manejar que tomar transporte público.	☐	☐

4

En el ayuntamiento Imagina que eres el/la alcalde(sa) de una ciudad. ¿Cómo puedes mejorar la vida de los ciudadanos? ¿Qué cambios quieres hacer? Compara tus ideas con las de tus compañeros/as.

PUEDO conversar sobre vivir en la ciudad.

Practice more at vhlcentral.com.

Preparación

1 **Vocabulario** Completa el artículo con el vocabulario que acabas de aprender.

Robo en supermercado

Ayer un (1) _____ robó en el supermercado ESTRELLA. El hombre entró en la tienda a las nueve de la noche y esperó en la (2) _____ cinco minutos. Después, empezó a hablar del tiempo con la (3) _____. De repente, las luces se apagaron (*went out*) y él se fue con el dinero de la caja. Salió del estacionamiento tan rápido que tuvo un (4) _____ con otro carro. Se fue corriendo, pero la policía lo encontró. Había tomado tequila y estaba (5) _____. Cuando dijeron que lo iban a llevar a la cárcel (*jail*), dijo: "¿(6) _____?" y saltó al río. No se sabe si está vivo. Este hombre (7) _____ mucho a Simon Cowell. Según la gente, tiene las (8) _____ idénticas.

2 **Preguntas** En parejas, contesten las preguntas.

1. ¿Hablan con desconocidos en algunas ocasiones? ¿Les gusta hacerlo?
2. Den ejemplos de dos o tres lugares donde es más fácil o frecuente hablar con gente que no conocen.
3. Según el título del cortometraje, *Adiós mamá,* ¿de qué creen que va a tratar la historia?
4. ¿Les parece sencillo comenzar una conversación con un(a) desconocido(a)? ¿Tienen alguna técnica para romper el hielo (*ice*)?
5. ¿Alguna vez les sucedió algo interesante o divertido en un supermercado? ¿Qué sucedió?

3 👥

Fotogramas En parejas, observen los fotogramas e imaginen lo que va a ocurrir en el cortometraje. Después, compartan sus ideas.

4 👥

¿Eres ingenuo/a? En parejas, hagan el test de personalidad.

A. Marquen sus respuestas para saber si son ingenuos/as.

TEST DE 😐
😃 **PERSONALIDAD** 😠
😃

1. **Tu compañero/a de apartamento tiene que ir a una conferencia durante el fin de semana y te vas a quedar solo/a.**

   a. Organizas una gran fiesta. Seguro que no lo va a descubrir.

   b. Invitas a unos amigos y se lo cuentas a tu compañero/a cuando regresa.

   c. Limpias la casa. Él/Ella está trabajando y tú debes hacer lo mismo.

2. **¿Con qué afirmación te identificas?**

   a. Debes creer en la gente y pensar bien de todos.

   b. Hay que esperar a conocer a las personas para tener una opinión de ellas.

   c. Todo el mundo es muy egoísta. Hay que tener cuidado.

3. **Un(a) desconocido/a te manda un mensaje de texto y quiere verte para tomar un café por la tarde.**

   a. ¿Quién será? ¡Qué emoción! ¿Será el/la chico/a tan guapo/a de la clase?

   b. Borras el mensaje inmediatamente. ¡Qué manera de perder el tiempo!

   c. ¡Caramba, seguro que es Amalia para pedir dinero! ¡Siempre igual!

4. **¿Con qué personaje de ficción te identificas?**

   a. El Hombre Araña

   b. Darth Vader

   c. Bart Simpson

5. **Un(a) amigo/a te cuenta que el fin de semana pasado estuvo cenando con tu actor/actriz favorito/a.**

   a. No le crees y le preguntas a todo el mundo si es verdad.

   b. Estás muy contento/a y le pides que te cuente todo.

   c. Le cuentas que el fin de semana pasado tú estuviste en Buenos Aires.

6. **Si les preguntamos a tus mejores amigos/as cuál es tu mejor cualidad, ¿qué contestarán?**

   a. Sin duda, eres la mejor persona del grupo.

   b. Eres inteligente como Einstein.

   c. Eres muy divertido/a y aventurero/a.

B. Ahora, intercambien (*exchange*) sus respuestas y díganle a su compañero/a si creen que es ingenuo/a y por qué.

Video

Adiós Mamá

Premio especial del Jurado, Semana Internacional de Cine Experimental de Valladolid 1997, España

Una producción de CONACULTA/INSTITUTO MEXICANO DE CINEMATOGRAFÍA Guion y Dirección ARIEL GORDON
Producción JAVIER BOURGES Producción ejecutiva PATRICIA RIGGEN
Fotografía SANTIAGO NAVARRETE Edición CARLOS SALCES Música GERARDO TAMEZ
Sonido SANTIAGO NUÑEZ/NERIO BARBERIS
Arte FERNANDO MERI/AARÓN NIÑO CÁMARA
Actores DANIEL GIMÉNEZ CACHO/DOLORES BERISTAIN/PATRICIA AGUIRRE/PACO MORAYTA

ARGUMENTO *Un hombre está en el supermercado. En la fila para pagar, la señora que está delante de él le habla.*

SEÑORA Se parece a mi hijo. Realmente es igual a él.
HOMBRE Ah pues no, no sé qué decir.

SEÑORA Murió en un choque. El otro conductor iba borracho. Si él viviera, tendría la misma edad que usted.
HOMBRE Por favor, no llore.

SEÑORA ¿Sabe? Usted es su doble. Bendito sea el Señor (*Blessed be the Good Lord*) que me ha permitido ver de nuevo a mi hijo. ¿Le puedo pedir un favor?
HOMBRE Bueno.

SEÑORA Nunca tuve oportunidad de despedirme de él. Su muerte fue tan repentina. ¿Al menos podría llamarme "mamá" y decirme adiós cuando me vaya?

SEÑORA ¡Adiós hijo!
HOMBRE ¡Adiós mamá!
SEÑORA ¡Adiós querido!
HOMBRE ¡Adiós mamá!

CAJERA No sé lo que pasa, la máquina desconoce el artículo. Espere un segundo a que llegue el gerente.
El gerente llega y ayuda a la cajera.

Análisis

1 **Comprensión** Lee cada párrafo y decide cuál resume mejor el cortometraje.

1. Los personajes están en un supermercado. Ellos no se conocen, pero la señora dice que el hombre se parece a un hijo del que nunca pudo despedirse porque murió en un accidente de tráfico. Por eso, la señora le pide al hombre que le diga "adiós mamá" al salir. El hombre se da cuenta de la trampa (*trap*).

2. Los personajes están en un supermercado. Ellos no se conocen y, aunque parece que el hombre no tiene ganas de hablar con la señora, ella insiste. Ella le cuenta que estuvo hace poco en un accidente de tráfico y que perdió a su hijo. Le pide al hombre que le diga "adiós mamá" al salir. La señora le cae tan bien al hombre que a él no le importa pagar por lo que ella compró.

2 **Ampliar** En parejas, háganse las preguntas.

1. ¿Qué verdaderos motivos tendría la señora para engañar al hombre?

2. ¿Qué creen que aprendió el hombre con esta experiencia?

3. ¿Les pasó a ustedes o a alguien que conocen algo similar alguna vez? Expliquen.

4. Si alguien se les acerca (*approach*) en el supermercado y les pide este tipo de favor, ¿qué hacen?

3 **Detective** El hombre está contándole a un(a) detective lo que pasó en el supermercado. En parejas, uno/a de ustedes es el/la detective y el/la otro/a es el hombre. Preparen el interrogatorio y represéntenlo delante de la clase.

4 **Notas** Ahora, imagina que eres el/la detective y escribe un informe (*report*) de lo que pasó. Tiene que ser lo más completo posible. Puedes inventar los datos que tú quieras.

5 **Inventar** Primero, lean lo que dice la madre. Después, en parejas, imaginen que el hijo ficticio nunca tuvo un accidente y, por lo tanto, no murió. ¿Qué pasó con él? ¿Cómo fue su vida? ¿Visitaba a su madre con frecuencia? Escriban un párrafo de unas diez líneas.

"Murió en un choque. El otro conductor iba borracho.

Si él viviera, tendría la misma edad que usted.

Se habría titulado y probablemente tendría una familia.

Yo sería abuela".

6

Imaginar En parejas, imaginen la vida de uno de los personajes del corto. Escriban por lo menos cinco oraciones usando como base las preguntas.

- ¿Cómo es?
- ¿Dónde vive?
- ¿Con quién vive?
- ¿Qué le gusta?
- ¿Qué no le gusta?
- ¿Tiene dinero?

7

Sociedad En grupos, conversen sobre estas preguntas. Después, compartan sus ideas con la clase.

1. ¿Creen que se cometen más delitos (*crimes*) ahora que hace diez años? ¿Por qué?
2. ¿Son más frecuentes en pueblos pequeños o en grandes ciudades? ¿Por qué?
3. ¿Creen que la televisión y el cine son malas influencias para los jóvenes? Expliquen su respuesta.
4. ¿Cómo piensan que se puede eliminar este tipo de conducta criminal? ¿Con más justicia social? ¿Con castigos (*punishments*) más severos?

8

Directores En parejas, imaginen que tienen que hacer su propio (*own*) cortometraje. Contesten las preguntas y luego compartan sus respuestas con la clase.

- ¿De qué trata?
- ¿Por qué les interesa ese tema?
- ¿Quiénes son los protagonistas?
- ¿Qué género (*genre*) prefieren usar (comedia, drama, suspenso, etc.)? ¿Por qué?

9

¿Y tú? En parejas, elijan una de las situaciones y preparen un diálogo. Cuando terminen, represéntenlo delante de la clase.

A	B
Necesitan mucho dinero y están desesperados porque no saben dónde conseguirlo. ¿Qué hacen? ¿Por qué? ¿Con quién hablan?	Su mejor amigo/a les pidió mucho dinero el mes pasado; les dijo que se lo iba a devolver en dos días. No se lo ha devuelto todavía y saben que está comprando muchas cosas inútiles.

PUEDO hablar sobre los delitos.

 Practice more at **vhlcentral.com**.

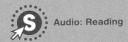
Audio: Reading

IMAGINA

México es un país muy rico por su geografía, sus tradiciones, sus recursos y su gente. Su legado[1] data de siglos de desarrollo cultural. En el año 1325, los aztecas fundaron su capital sobre una isla del lago Texcoco; casi siete siglos después, la Ciudad de México es una de las mayores y más pobladas urbes del mundo. Los tres siglos de presencia española contribuyeron a conformar su trazado y su carácter moderno. La Ciudad de México representa la unión del Nuevo y el Viejo Mundo; esto ha hecho de la ciudad un patrimonio gastronómico, arquitectónico y cultural único, que hoy en día constituye un punto importante de encuentro y tradición para familias y amigos.

MÉXICO

Templo de Kukulcán, en Chichén Itzá

Un paseo por la Ciudad de México

Un recorrido por la **Ciudad de México** nos cuenta la historia de su gente. En cada recoveco[2], la gastronomía y la arquitectura se manifiestan como factores de cohesión familiar y social, poderosos elementos de su identidad y cultura. La gastronomía mexicana refleja tradiciones y gustos de grupos étnicos, estratos sociales y hábitos familiares que tienen como base la cocina prehispánica, a la que se suman técnicas e ingredientes de otros continentes. El maíz como alimento básico y el chile como condimento sazonan[3] prácticamente todos los platos del país. La tortilla de maíz está presente en cada comida, en cualquiera de sus cientos de formatos: flautas[4], tacos, tostadas, entre muchos otros. Estos deliciosos platos se pueden conseguir en cada rincón de la Ciudad de México, ya sea en restaurantes, puestos[5], *food trucks* o los populares tacos de canasta[6].

Esta trascendencia de la gastronomía prehispánica hace que alimentos elaborados hace cientos de años se sigan disfrutando alrededor de los edificios más emblemáticos de la ciudad. La arquitectura colonial se combina con la moderna e invita a reuniones familiares y de amigos en puntos importantes como el **Paseo de la Reforma**. En esta avenida, se encuentran tantos estilos arquitectónicos como períodos históricos: desde el **Castillo de Chapultepec** hasta la arquitectura más contemporánea como la **Torre de la Reforma**. Este paseo es un punto frecuente de manifestaciones y celebraciones populares, conciertos y actividades cívicas.

Y tras una excelente y sabrosa comida típica en el paisaje urbano diario de la Ciudad de México, apreciamos siglos de historia y cultura.

Signos vitales

Con más de 128 millones de habitantes, **México** es el primer país en población del mundo hispanohablante. Sin embargo, el 6% de los mexicanos mayores de cinco años también hablan alguna lengua indígena, de las 68 que existen en el territorio. Las más habladas son el náhuatl y el maya.

Antiguo Palacio del Ayuntamiento en la Ciudad de México

[1] *legacy* [2] *hidden corner* [3] *season* [4] *fried rolled tacos* [5] *stalls* [6] *basket*

Viaje a la Ciudad de México

Día de Muertos Esta celebración de origen prehispánico y católico se realiza tanto en la Ciudad de México como en el resto del país. La creencia es la misma: reunir a las familias para dar la bienvenida a sus seres queridos que regresan del más allá[1]. Las festividades en la Ciudad de México incluyen desfiles por el **Paseo de la Reforma** y parte del **Centro Histórico**. Aparecen además las "Catrinas", que son representaciones de calaveras[2] con ropa de gala.

Plaza de la Constitución Conocida popularmente como el **Zócalo**, es el centro político y religioso de la Ciudad de México. También es la segunda plaza más grande del mundo. Se construyó sobre las ruinas de la capital del imperio azteca. Aquí se celebra la independencia del país cada 15 de septiembre con el "grito de independencia".

Tacos de canasta Es el plato callejero que hace honor a la clase trabajadora y a todos los mexicanos que disfrutan de su sabor, en un momento de prisa o en las horas de oficina. El uso de la canasta cumple dos funciones: ayuda a transportar el producto y sirve para mantener los tacos a una temperatura adecuada. Se comen de pie y son económicos. Los taqueros[3] llevan la comida en bicicleta adentro de una canasta azul.

Trajineras Es un tipo de embarcación[4] con orígenes en la época prehispánica, cuando el centro de México se encontraba lleno de lagos y canales. Las trajineras sirven para realizar paseos recreativos o celebraciones mientras se disfruta de buena música y comida. Navegan en aguas poco profundas y pueden trasladar hasta 20 personas.

[1] *afterlife* [2] *skulls* [3] *taco sellers* [4] *vessel*

El español de México

alberca	piscina; *pool*
aventarse	atreverse; *to dare*
botana(s)	aperitivos; *appetizers*
camión	autobús; *bus*
chacharear	comprar cosas pequeñas; *to shop for trinkets*
chavo/a	chico/a; *kid*
colonia	barrio; *neighborhood*
platicar	conversar; *to chat*
sale	de acuerdo; *OK*

Palabras derivadas de lenguas indígenas

guajolote	pavo; *turkey*
huaraches	sandalias; *sandals*
jorongo	poncho; *poncho*
papalote	cometa; *kite*

Expresiones y coloquialismos

¡Órale, pues!	*OK!, Let's do it!*
¡Es/Está padre/padrísimo!	¡Es/Está muy bueno!; *It's great!, It's cool!*
¿Qué onda?	¿Qué pasa?, ¿Qué tal?; *What's up?*

GALERÍA DE CREADORES

Audio: Reading

MÚSICA Julieta Venegas

Hija de padres mexicanos, Julieta nació en California en noviembre de 1970, pero creció en Tijuana, México. Estudió música y canto cuando era niña. En la preparatoria, un amigo la invitó a formar parte de una banda. Ya de adolescente, empezó a componer sus propias canciones con un estilo muy personal. A los 22 años se mudó a la Ciudad de México para buscar nuevas oportunidades. Hizo música para teatro, grabó canciones como solista y colaboró con numerosos artistas mexicanos e internacionales. Su álbum *Sí* rompió récords en la primera semana de lanzamiento en 2003. Ganó varios premios Grammy, entre otros.

PINTURA Frida Kahlo

Considerada la mayor representante de la pintura introspectiva mexicana del siglo XX, Frida Kahlo (1907–1954) es conocida principalmente por sus autorretratos (*self-portraits*), en los que expresa, a menudo con dolor, los acontecimientos y emociones de su vida personal. En 1929 se casó con el pintor y muralista Diego Rivera, con quien compartía el deseo de afirmar (*assert*) su identidad mexicana por medio del arte. Aquí aparece en su obra *Autorretrato con mono*.

CINE/DRAMA Gael García Bernal

Gael García Bernal nació en 1978 en Guadalajara, México, y actualmente es una figura del cine internacional. Hijo de actores, empezó actuando en teatro y apareció en telenovelas y cortometrajes antes de triunfar con la película *Amores perros* (2000). También ha trabajado en *Y tu mamá también* (2001), *La mala educación* (2004), *Babel* (2006), *Letters to Juliet* (2010) y *Coco* (2017). García Bernal debutó como director con la película *Déficit* (2007), en la cual también interpreta uno de los papeles (*roles*). En el año 2016 ganó el Globo de Oro en la categoría de mejor actor de serie de televisión (comedia o musical), por su papel como Rodrigo de Souza en *Mozart in the Jungle*.

PINTURA/MURALISMO Diego Rivera

Diego Rivera (1886–1957) es uno de los pintores mexicanos más reconocidos. Sus murales y frescos relatan la historia y los problemas sociales de su país. Pintó muchas de sus composiciones en techos y paredes de edificios públicos para que la clase trabajadora también pudiera tener acceso al arte. Su obra también cuenta con acuarelas (*watercolors*) y óleos (*oil paintings*) que han sido expuestos en todo el mundo. Aquí se ve un detalle de su fresco *Cruzando la Barranca*, pintado en el Palacio de Cortés, en Cuernavaca, estado de Morelos.

¿Qué aprendiste?

1

Cierto o falso Indica si estas afirmaciones son ciertas o falsas. Corrige las falsas.

1. Cada 15 de septiembre se celebra la independencia de México en el Zócalo.
2. Los tacos de canasta es el nombre de un restaurante famoso en México.
3. En el Paseo de la Reforma hay arquitectura colonial y moderna.
4. El Día de Muertos se celebra solamente en la Ciudad de México.
5. Las trajineras se usan, actualmente, para hacer comercio con otros países.
6. La papa es el alimento más consumido en la Ciudad de México.

2

Preguntas Contesta las preguntas.

1. ¿Dónde fundaron los aztecas su capital en 1325?
2. ¿Qué expresa Frida Kahlo en sus autorretratos?
3. ¿Qué relata Diego Rivera en sus murales y frescos?
4. ¿Cuáles son las dos lenguas indígenas más habladas en México?
5. ¿Qué hizo Gael García Bernal por primera vez en la película *Déficit*?
6. ¿Qué artista de la Galería te interesa más? ¿Por qué?

3

Identificar En grupos, cada uno de los integrantes escoja una de las palabras de la lista. Háganse preguntas hasta adivinar (*guess*) qué palabra eligió cada uno.

Modelo —¿Es una avenida?
—No.
—¿Es una comida a base de tortilla de maíz?
—Sí.
—¿Flautas?
—Sí.

- Antiguo Palacio del Ayuntamiento
- aztecas
- flautas
- náhuatl
- tacos de canasta

- tortilla de maíz
- Paseo de la Reforma
- Torre de la Reforma
- trajinera
- Zócalo

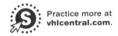

Practice more at
vhlcentral.com.

PROYECTO

Un viaje a la Ciudad de México

Imagina que vas a hacer un viaje a la capital mexicana, a principios de noviembre, para celebrar el Día de Muertos. Investiga toda la información que necesites en Internet y planifica tu viaje. Sigue la guía:

- Investiga sobre el Día de Muertos, realiza un itinerario de los lugares adonde vas a ir para ver las celebraciones.
- Selecciona las comidas típicas que te gustaría probar, sus ingredientes y su importancia en la cultura mexicana.
- Selecciona las actividades que quieres realizar en la ciudad y habla sobre su importancia.
- Presenta tu plan de viaje y explica por qué escogiste cada cosa.

PUEDO investigar la cultura mexicana.

 Video

El metro del D.F.

Ya has leído sobre la Ciudad de México, una de las ciudades más grandes del mundo. Ahora mira este episodio de **Flash cultura** para descubrir una de las mayores obras de ingeniería civil de toda Hispanoamérica: el metro del D.F.

Vocabulario

concurridos *crowded*
las exposiciones *exhibitions*
gratuito *free*
imponente *imposing*
la red *network*
repartidas *distributed*
el transbordo *transfer*

1

Preparación ¿Has visitado alguna vez una gran ciudad? ¿Había mucho tráfico? ¿Qué medio de transporte usaste para ir de un sitio a otro?

2

Comprensión Indica si estas afirmaciones son ciertas o falsas. Después, en parejas, corrijan las falsas.

1. El metro del D.F. es rápido pero demasiado caro para la gente.
2. Sólo hay dos sistemas de metro en el mundo que llevan más viajeros que el metro del D.F.
3. El metro del D.F. empezó a funcionar en 1920.
4. La plaza más importante de la Ciudad de México se llama Chapultepec.
5. El metro del D.F. también se conoce como Metrobús.
6. Todo el metro del D.F. es subterráneo.

3

Expansión En parejas, contesten estas preguntas.

1. ¿Qué ciudades de los Estados Unidos tienen un sistema de transporte público comparable al de la Ciudad de México? ¿En qué se parecen y en qué se diferencian?
2. ¿Qué ventajas tiene el transporte público sobre el transporte privado? ¿Cuáles son los principales inconvenientes?
3. Millones de personas utilizan el metro del D.F. todos los días. ¿Qué pasaría si el metro dejara de funcionar de repente?

PUEDO hablar sobre el transporte público.

Corresponsal: Carlos López
País: México

Nos encontramos en el Bosque de Chapultepec, en pleno centro de la ciudad, y uno de los lugares más concurridos.

Algunas de las estaciones son de una sola línea y otras se llaman de transbordo, precisamente porque sirven para cambiar de trenes para ir a diferentes puntos de la ciudad.

Para la gente de pelo blanco, de edad, mayor de sesenta años, el transporte es totalmente gratuito.

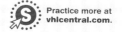 Practice more at
vhlcentral.com.

Tutorial

2.1

The preterite

- Spanish has two simple tenses to indicate actions in the past: the preterite (**el pretérito**) and the imperfect (**el imperfecto**). The preterite is used to describe actions or states that began or were completed at a definite time in the past.

TALLER DE CONSULTA

These additional grammar topics are covered in the **Manual de gramática, Lección 2.**

2.4 Progressive forms, p. 384
2.5 Telling time, p. 386

The preterite of regular –ar, –er, and –ir verbs

comprar	vender	abrir
compré	vendí	abrí
compraste	vendiste	abriste
compró	vendió	abrió
compramos	vendimos	abrimos
comprasteis	vendisteis	abristeis
compraron	vendieron	abrieron

- The preterite tense of regular verbs is formed by dropping the infinitive ending (**–ar, –er, –ir**) and adding the preterite endings. Note that the endings of regular **–er** and **–ir** verbs are identical in the preterite tense.

- The preterite of all regular and some irregular verbs requires a written accent on the endings in the **yo** and **usted/él/ella** forms.

> Ayer **empecé** un nuevo trabajo.   Mi mamá **preparó** una cena deliciosa.
> *Yesterday I started a new job.*   *My mom prepared a delicious dinner.*

- Verbs that end in **–car, –gar,** and **–zar** have a spelling change in the **yo** form of the preterite. All other forms are regular.

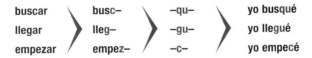

buscar	busc–	–qu–	yo busqué
llegar	lleg–	–gu–	yo llegué
empezar	empez–	–c–	yo empecé

- **Caer, creer, leer,** and **oír** change **–i–** to **–y–** in the **usted/él/ella** and **ustedes/ellos/ellas** forms of the preterite. They also require a written accent on the **–i–** in all other forms.

caer	caí, caíste, cayó, caímos, caísteis, cayeron
creer	creí, creíste, creyó, creímos, creísteis, creyeron
leer	leí, leíste, leyó, leímos, leísteis, leyeron
oír	oí, oíste, oyó, oímos, oísteis, oyeron

- Verbs with infinitives ending in **–uir** change **–i–** to **–y–** in the **usted/él/ella** and **ustedes/ellos/ellas** forms of the preterite.

| construir | construí, construiste, construyó, construimos, construisteis, construyeron |
| incluir | incluí, incluiste, incluyó, incluimos, incluisteis, incluyeron |

- Stem-changing **–ir** verbs also have a stem change in the **usted/él/ella** and **ustedes/ellos/ellas** forms of the preterite.

Preterite of –ir stem-changing verbs

pedir		dormir	
pedí	pedimos	dormí	dormimos
pediste	pedisteis	dormiste	dormisteis
pidió	pidieron	durmió	durmieron

- Stem-changing **–ar** and **–er** verbs do not have a stem change in the preterite.

- A number of verbs, most of them **–er** and **–ir** verbs, have irregular preterite stems. Note that none of these verbs takes a written accent on the preterite endings.

—*Nunca **tuve** oportunidad de despedirme de él.*

Preterite of irregular verbs

infinitive	u-stem	preterite forms
andar	anduv–	anduve, anduviste, anduvo, anduvimos, anduvisteis, anduvieron
estar	estuv–	estuve, estuviste, estuvo, estuvimos, estuvisteis, estuvieron
poder	pud–	pude, pudiste, pudo, pudimos, pudisteis, pudieron
poner	pus–	puse, pusiste, puso, pusimos, pusisteis, pusieron
saber	sup–	supe, supiste, supo, supimos, supisteis, supieron
tener	tuv–	tuve, tuviste, tuvo, tuvimos, tuvisteis, tuvieron

infinitive	i-stem	preterite forms
hacer	hic–	hice, hiciste, hizo, hicimos, hicisteis, hicieron
querer	quis–	quise, quisiste, quiso, quisimos, quisisteis, quisieron
venir	vin–	vine, viniste, vino, vinimos, vinisteis, vinieron

infinitive	j-stem	preterite forms
conducir	conduj–	conduje, condujiste, condujo, condujimos, condujisteis, condujeron
decir	dij–	dije, dijiste, dijo, dijimos, dijisteis, dijeron
traer	traj–	traje, trajiste, trajo, trajimos, trajisteis, trajeron

- Note that not only does the stem of **decir (dij–)** end in **j**, but the stem vowel **e** changes to **i**. In the **usted/él/ella** form of **hacer (hizo)**, **c** changes to **z** to maintain the pronunciation. Most verbs that end in **–cir** have **j**-stems in the preterite.

¡ATENCIÓN!

Other **–ir** stem-changing verbs include:

conseguir	repetir
consentir	seguir
hervir	sentir
morir	servir
preferir	vestir

¡ATENCIÓN!

Ser, **ir**, and **dar** also have irregular preterites. The preterite forms of **ser** and **ir** are identical. Note that the preterite forms of **ver** are regular. However, unlike other regular preterites, they do not take a written accent.

ser/ir
fui, fuiste, fue, fuimos, fuisteis, fueron

dar
di, diste, dio, dimos, disteis, dieron

ver
vi, viste, vio, vimos, visteis, vieron

The preterite of **hay** is **hubo**.

Hubo dos conciertos el viernes.
There were two concerts on Friday.

¡ATENCIÓN!

Note that the third person plural ending of **j**-stem preterites drops the **i**: **dijeron, trajeron.**

Vivir en la ciudad

Práctica

1

Acapulco Escribe la forma correcta del pretérito de los verbos indicados.

1. El sábado pasado, mis compañeros de apartamento y yo _____ (ir) a Acapulco.

2. (Nosotros) _____ (quedarse) en un edificio muy alto y bonito.

3. En la playa, yo _____ (leer) un libro y Carlos _____ (tomar) el sol.

4. Mariela y Felisa _____ (caminar) mucho por la ciudad.

5. Una señora les _____ (indicar) el camino para ir a un restaurante muy conocido.

6. Por la noche, todos nosotros _____ (cenar) en el restaurante.

7. Después, en la discoteca, Carlos y Mariela _____ (bailar) toda la noche.

8. Y yo _____ (ver) a unos amigos de Monterrey. ¡Qué casualidad!

9. (Yo) _____ (hablar) con ellos un ratito.

10. Y (nosotros) _____ (llegar) al hotel a las tres de la mañana. ¡Qué tarde!

Playa de Acapulco

2

¿Qué hicieron? Combina elementos de cada columna para narrar lo que hicieron estas personas.

anoche	yo	conversar
anteayer	mi compañero/a	dar
ayer	de cuarto	decir
la semana	mis amigos/as	ir
pasada	el/la profesor(a)	pasar
una vez	de español	pedir
dos veces	mi novio/a	tener que

?

3

La última vez En parejas, indiquen cuándo hicieron por última vez estas cosas. Incluyan detalles en sus respuestas.

Modelo llorar viendo una película
—La última vez que lloré viendo una película fue en 2018. La película fue *Roma*.
—Bueno, ¡yo lloré mucho viendo *Café para llevar*...!

1. hacer diligencias
2. decir una mentira
3. olvidar algo importante
4. perderse en una ciudad
5. indicar el camino

6. oír una buena/mala noticia
7. hablar con un(a) desconocido/a
8. estar enojado/a con un(a) amigo/a
9. ver tres programas de televisión seguidos
10. comer en un restaurante

Comunicación

4

La semana pasada Pasea por el salón de clase y haz preguntas a tus compañeros/as para averiguar qué hicieron la semana pasada. Anota el nombre de la primera persona que conteste que sí a las preguntas.

> **Modelo** ir al cine
> —¿Fuiste al cine la semana pasada?
> —Sí, fui al cine y vi una película muy buena./No, no fui al cine.

Actividades	Nombre
1. asistir a un partido de fútbol	_____
2. conducir tu carro a la universidad	_____
3. dar un consejo (*advice*) a un(a) amigo/a	_____
4. dormirse en clase o en el laboratorio	_____
5. estudiar toda la noche para un examen	_____
6. hablar con un policía	_____
7. hacer una tarea dos veces	_____
8. ir al centro comercial	_____
9. perder algo importante	_____
10. tomar un autobús	_____
11. viajar en transporte público	_____
12. visitar un museo	_____

5

La ciudad En parejas, túrnense para hablar de la última vez que visitaron una ciudad que no conocían.

> **Modelo** —¿Y qué hiciste en Taxco?
> —Pues muchas cosas... Visité la Iglesia de Santa Prisca, una de las más bellas de México, disfruté de la arquitectura colonial, anduve y anduve, tomé miles de fotos...

- ¿Adónde fuiste?
- ¿Por qué fuiste?
- ¿Quién planeó el viaje?
- ¿Cuándo fue?

- ¿Cuánto tiempo te quedaste?
- ¿Qué hiciste allí?
- ¿Quiénes fueron y quiénes no pudieron ir?
- ¿Te gustó? ¿Por qué?

6

¿Qué haces para divertirte?

A. Haz una lista de diez actividades divertidas que hiciste el mes pasado.

B. En parejas, túrnense para preguntarse qué hicieron y averigüen si hicieron lo mismo.

C. Describan a la clase lo que hizo su compañero/a.

D. Luego, la clase decide quién es el/la más activo/a.

PUEDO contar lo que hice.

Tutorial

2.2

The imperfect

- The imperfect tense in Spanish is used to narrate past events without focusing on their beginning, end, or completion.

—*Mi hijo **era** tímido y de pocas palabras como usted.*

- The imperfect tense of regular verbs is formed by dropping the infinitive ending (**–ar, –er, –ir**) and adding personal endings. **–Ar** verbs take the endings **–aba, –abas, –aba, –ábamos, –abais, –aban**. **–Er** and **–ir** verbs take **–ía, –ías, –ía, –íamos, –íais, –ían**.

The imperfect of regular *–ar*, *–er*, and *–ir* verbs		
caminar	deber	abrir
caminaba	debía	abría
caminabas	debías	abrías
caminaba	debía	abría
caminábamos	debíamos	abríamos
caminabais	debíais	abríais
caminaban	debían	abrían

- **Ir, ser,** and **ver** are the only verbs that are irregular in the imperfect.

The imperfect of irregular verbs		
ir	ser	ver
iba	era	veía
ibas	eras	veías
iba	era	veía
íbamos	éramos	veíamos
ibais	erais	veíais
iban	eran	veían

TALLER DE CONSULTA

To express past actions in progress, the imperfect or the past progressive may be used. See **Manual de gramática 2.4, p. 384.**

¿Qué hacías ayer cuando llamé?
What were you doing yesterday when I called?
Estaba estudiando.
I was studying.

- The imperfect tense indicates how things were or what was happening at a certain time in the past.

Cuando yo **era** joven, **vivía** en una ciudad muy grande. Todas las semanas, mis padres y yo **visitábamos** a mis abuelos.
When I was young, I lived in a big city. Every week, my parents and I visited my grandparents.

- The imperfect of **hay** (from **haber**) is **había**.

  Había tres cajeros en el supermercado.
  There were three cashiers in the supermarket.

  Sólo **había** un mesero en el café.
  There was only one waiter in the café.

- These words and expressions, among others, are often used with the imperfect because they express habitual or repeated actions without reference to their beginning or end: **de niño/a** (*as a child*), **todos los días** (*every day*), **mientras** (*while*).

  De niño, vivía en un suburbio de la Ciudad de México.
  As a child, I lived in a suburb of Mexico City.

  Todos los días visitaba a mis primos en un pueblo cercano.
  Every day I visited my cousins in a nearby village.

Siempre dormía muy mal.
Nunca podía relajarme.
Estaba desesperado; no sabía qué hacer.
Ahora, mis problemas están resueltos con mi nueva cama.

DORMALUX
LA CAMA DE TUS SUEÑOS

Práctica

El Palacio de Cortés, Cuernavaca, México

1 **Cuernavaca** Escribe la forma correcta del imperfecto de los verbos indicados.

Cuando yo (1) _____ (tener) veinte años, estuve en México por seis meses. (2) _____ (vivir) en Cuernavaca, una ciudad cerca de la capital. (3) _____ (ser) estudiante en un programa de español para extranjeros. Entre semana mis amigos y yo (4) _____ (estudiar) español por las mañanas. Por las tardes, (5) _____ (visitar) los lugares más interesantes de la ciudad para conocerla mejor. Los fines de semana, nosotros (6) _____ (ir) de excursión. (Nosotros) (7) _____ (visitar) ciudades y pueblos nuevos. ¡Los paisajes (8) _____ (ser) maravillosos!

2 **Antes** En parejas, túrnense para hacerse preguntas usando estas frases.

> **Modelo** **tomar el metro**
> —¿Tomas el metro?
> —Ahora sí, pero antes nunca lo tomaba./Ahora no, pero antes siempre lo tomaba.

1. ir a las discotecas
2. tomar vacaciones
3. ir de compras al centro comercial
4. hacer diligencias los fines de semana
5. trabajar por las tardes
6. preocuparse por el futuro

3 **Rutinas** En parejas, un(a) compañero/a comienza la narración de alguna rutina que hacía en el pasado. El/La otro/a tiene que adivinar cómo termina.

> **Modelo** —Mi madre me daba dinero y me llevaba al centro comercial.
> —Tú comprabas ropa y libros. Luego, tu madre te recogía y regresaban a casa.

Practice more at vhlcentral.com.

Comunicación

4

¿Y ustedes?

A. Pregunta a varios compañeros si hacían estas cosas cuando eran niños/as. Escribe el nombre de la primera persona que conteste afirmativamente cada pregunta.

> **Modelo**   **ir mucho al cine**
> —¿Ibas mucho al cine?
> —Sí, iba mucho al cine.

¿Qué hacían?	Nombre
1. tener miedo de los monstruos y fantasmas de los cuentos	_____
2. llorar todo el tiempo	_____
3. siempre hacer su cama	_____
4. ser muy travieso/a (*mischievous*)	_____
5. romper los juguetes (*toys*)	_____
6. darles muchos regalos a sus padres	_____
7. comer muchos dulces	_____
8. pasear en bicicleta	_____
9. correr en el parque	_____
10. beber limonada	_____

B. Ahora, comparte con la clase los resultados de tu búsqueda.

5

Antes y ahora En parejas, comparen cómo ha cambiado este lugar en los últimos años. ¿Cómo era antes? ¿Cómo es ahora?

Antes

Ahora

6

Entrevista Trabajen en parejas. Uno/a de ustedes es una persona famosa y el/la otro/a es un(a) reportero/a que la entrevista para saber cómo era su vida de niño/a. Después, informen a la clase sobre la celebridad. Sean creativos.

> **Modelo**   De niña, Salma Hayek viajaba todos los veranos al sureste de México. Le gustaba ir a las tiendas en el centro de Mérida...

PUEDO hablar sobre la niñez.

Tutorial

2.3 The preterite vs. the imperfect

- Although the preterite and imperfect both express past actions or states, the two tenses have different uses. They are not interchangeable.

Uses of the preterite

- To express actions or states viewed by the speaker as completed.

> **Viviste** en ese barrio el año pasado.
> *You lived in that neighborhood last year.*

> Mis amigas **fueron** al centro comercial ayer.
> *My girlfriends went to the mall yesterday.*

—*Mi hijo* **murió** *en un choque.*

- To express the beginning or end of a past action.

> La telenovela **empezó** a las ocho.
> *The soap opera began at eight o'clock.*

> Estas dos noticias **se difundieron** la semana pasada.
> *These two news items were broadcast last week.*

- To narrate a series of past actions.

> **Salí** de casa, **crucé** la calle y **entré** en el edificio.
> *I left the house, crossed the street, and entered the building.*

> **Llegó** al centro, le **dieron** indicaciones y **se fue**.
> *He arrived at the center, they gave him directions, and he left.*

Uses of the imperfect

- To describe an ongoing past action without reference to beginning or end.

> **No se podía** parar delante de la comisaría.
> *Stopping in front of the police station was not permitted.*

> Juan **tomaba** el transporte público frecuentemente.
> *Juan frequently took public transportation.*

—*El otro conductor* **iba** *borracho.*

- To express habitual past actions.

> **Me gustaba** jugar al fútbol los domingos.
> *I used to like to play soccer on Sundays.*

> **Solían** hacer las diligencias los fines de semana.
> *They used to run errands on weekends.*

- To describe mental, physical, and emotional states or conditions.

> **Estaba** muy nerviosa antes de la entrevista.
> *She was very nervous before the interview.*

TALLER DE CONSULTA

To review telling time, see
**Manual de gramática 2.5,
p. 386.**

- To tell time.

> **Eran** las ocho y media de la mañana.
> *It was eight thirty a.m.*

The preterite and imperfect used together

- When narrating in the past, the imperfect describes *what was happening*, while the preterite describes the action that *interrupted* the ongoing activity. The imperfect provides background information, while the preterite indicates specific events that advance the plot.

> Mientras **estudiaba, sonó** la alarma contra incendios. Me **levanté** de un salto y **miré** el reloj. **Eran** las 11:30 de la noche. **Salí** corriendo de mi cuarto. En el pasillo **había** más estudiantes. La alarma **seguía** sonando. **Bajamos** las escaleras y, al llegar a la calle, me **di** cuenta de que **hacía** un poco de frío. No **tenía** un suéter. De repente, la alarma **dejó** de sonar. No **había** ningún incendio.

> *While I was studying, the fire alarm went off. I jumped up and looked at the clock. It was 11:30 p.m. I ran out of my room. In the hall there were more students. The alarm continued to blare. We rushed down the stairs and, when we got to the street, I realized that it was a little cold. I didn't have a sweater. Suddenly, the alarm stopped. There was no fire.*

Different meanings in the imperfect and preterite

- The verbs **querer**, **poder**, **saber**, and **conocer** have different meanings when they are used in the preterite. Notice also the meanings of **no querer** and **no poder** in the preterite.

infinitive	imperfect	preterite
querer	**Quería** acompañarte. *I **wanted** to go with you.*	**Quise** acompañarte. *I **tried** to go with you (but failed).*
		No quise acompañarte. *I **refused** to go with you.*
poder	Ana **podía** hacerlo. *Ana **could** do it.*	Ana **pudo** hacerlo. *Ana **succeeded** in doing it.*
		Ana **no pudo** hacerlo. *Ana **could not** (and did not) do it.*
saber	Ernesto **sabía** la verdad. *Ernesto **knew** the truth.*	Por fin Ernesto **supo** la verdad. *Ernesto finally **discovered** the truth.*
conocer	Yo ya **conocía** a Andrés. *I already **knew** Andrés.*	Yo **conocí** a Andrés en la fiesta. *I **met** Andrés at the party.*
	María y Andrés **se conocían.** *María and Andrés **knew** each other.*	María y Andrés **se conocieron** en Acapulco. *María and Andrés **met** in Acapulco.*

Práctica

1 **El centro** Elena y Catalina prometieron llevar a su amigo Daniel a una entrevista de trabajo. Completa las oraciones con el imperfecto o el pretérito de estos verbos.

conducir	desayunar	llamar
construir	estar	llegar
cruzar	haber	salir
dar	leer	ser
decir	levantarse	ver

Eran las ocho cuando Catalina y Elena (1) _____ para ir al centro. Elena
(2) _____ cuando Daniel la (3) _____ para decir que estaba listo. Le (4) _____
otra vez que la cita (5) _____ a las diez y media. Ellas (6) _____ a las nueve
y media. Todavía era temprano y (7) _____ tiempo. Elena (8) _____ mientras
Catalina (9) _____ las indicaciones para llegar. Había mucho tráfico cuando
(10) _____ el puente. No (11) _____ el edificio de oficinas porque (12) _____
perdidas. (13) _____ muchas vueltas y por fin (14) _____. Ya eran las once
menos cuarto. ¡Pero no (15) _____ nadie allí!

2 **Interrupciones** Combina palabras y frases de cada columna para contar lo que hicieron las siguientes personas. Usa el pretérito y el imperfecto.

Modelo Ustedes miraban la tele cuando el médico llamó.

yo	dormir	usted	~~llamar por teléfono~~
tú	comer	~~el médico~~	
Marta y Miguel	escuchar música	la policía	salir
nosotros	~~mirar la tele~~	el/la profesor(a)	sonar
Pablo	conducir	los amigos	recibir el correo electrónico
~~ustedes~~	ir a...	Shakira	ver el accidente
		la alarma	

(cuando)

3 **Las fechas importantes**

A. Escribe cuatro fechas importantes en tu vida y explica qué pasó.

Fecha	¿Qué pasó?	¿Con quién estabas?	¿Dónde estabas?	¿Qué tiempo hacía?
Modelo				
el 6 de agosto de 2019	Conocí a Dave Navarro.	Estaba con un amigo.	Estábamos en el gimnasio Vida.	Llovía mucho.

B. Intercambia tu información con tres compañeros/as. Ellos/as te van a hacer preguntas para conocer más detalles sobre lo que te pasó.

Practice more at
vhlcentral.com.

Comunicación

4

La mañana de Esperanza

A. En parejas, observen los dibujos. Escriban lo que le pasó a Esperanza después de abrir la puerta de su casa. ¿Cómo fue su mañana? Utilicen el pretérito y el imperfecto en la narración.

1.

2.

3.

4.

B. Con dos parejas más, túrnense para presentar las historias que han escrito. Después, combinen sus historias para hacer una nueva.

5

Crónicas En grupos de tres, pongan estos fragmentos de oraciones en una secuencia lógica. Después, completen las oraciones y añadan otras para crear una historia.

1. Con frecuencia, mis amigos/as …
2. El sábado pasado, …
3. Regularmente, en la plaza de …
4. Anoche, un conductor …
5. Generalmente, los pasajeros …
6. Ayer en la ciudad …

6

Cambios En parejas, díganse en qué ciudad crecieron. Luego, describan los cambios actuales en esa ciudad y cómo se vivía antes. Por último, en pocas palabras, presenten a la clase la descripción de su compañero/a.

Modelo   Hace cinco años, construyeron un nuevo rascacielos.
Antes, podíamos ver las montañas desde nuestro jardín.

PUEDO narrar en el pasado.

Síntesis

La ciudad es mía

Esta mañana abrí la ventana de la habitación. Hacía calor. En un instante decidí no leer el periódico, es más, decidí no ir al trabajo. Salí a la calle sin desayunar y, sin dudar, me subí al primer autobús que paró. Había muchos asientos libres, elegí uno sin prisa y me senté.

El autobús avanzaba° y yo observaba escenas cotidianas. Estuve en el autobús un buen rato° y después bajé. Crucé la calle, empecé a caminar y llegué a una plaza inmensa. Había mucha gente. Hombres y mujeres de todas las edades iban y venían en todas direcciones. Me perdí entre la multitud. Estaba contento. Me gusta vagabundear° sin destino° por la ciudad. En una esquina me paré y tomé otra decisión.

Mientras caminaba, seguí a un grupo de jóvenes. Pensé que ellos iban a algún lugar interesante. ¡Y así fue! Yo no solía seguir a la gente, pero hoy era diferente; quería improvisar.

Empezaba a llover, pero las calles no estaban vacías. Yo quise terminar el día con un paseo bajo la lluvia, pero no pude. Algo inesperado° sucedió°. ■

was moving forward

a while

roam/destinatio

unexpected/ happened

1

Preguntas Contesta las preguntas.

1. ¿Qué decisiones tomó el protagonista ("P") de la historia?

2. ¿Qué transporte público tomó?

3. ¿A quién siguió? ¿Por qué?

2

Detalles En parejas, inventen las respuestas para completar el día de P por las calles de la Ciudad de México. Utilicen la imaginación y su conocimiento de esta ciudad.

1. ¿A qué plaza llegó P? ¿Qué había? ¿Cómo era?

2. ¿Adónde fueron los jóvenes? ¿Qué hicieron? ¿Qué hizo P?

3. ¿Cómo fue el día de P? ¿Lo pasó bien? ¿Por qué?

3

Algo inesperado P no pudo contarnos qué sucedió mientras regresaba a casa bajo la lluvia. En grupos de tres, inventen un final posible y después compártanlo con la clase.

PUEDO decir lo que pasó.

Preparación

Vocabulario de la lectura

acostumbrar *to do as a custom/habit*
la costumbre *custom; habit*
el cuidado *care*
decidido/a *determined*
difundir (noticias) *to spread (news)*
el/la habitante *inhabitant*
el matriarcado *matriarchy*
el mito *myth*
permitir *to allow*

Vocabulario útil

el bienestar *well-being*
la característica *characteristic*
conservar *to preserve*
cooperar *to cooperate*
la influencia *influence*
justo/a *just, fair*
significar *to mean*

1 **Vocabulario** Completa cada oración con la palabra más adecuada.

1. Me caí dando una vuelta en bicicleta. Iba rápido y no tuve suficiente _____.
   a. cuidado   b. influencia   c. bienestar

2. La ley no _____ doblar cuando hay peatones en la esquina.
   a. significa   b. permite   c. coopera

3. Trata de relajarte un poco cada día. Tienes que pensar en tu _____ mental.
   a. bienestar   b. costumbre   c. mito

4. Supe del accidente porque _____ las imágenes en la televisión.
   a. significaron   b. acostumbraron   c. difundieron

5. Cada barrio es diferente y _____ sus tradiciones independientes.
   a. conserva   b. coopera   c. significa

2 **Las mujeres de tu vida** Contesta las preguntas y explica tus respuestas. También puedes añadir anécdotas y detalles.

1. ¿Qué mujeres ocupan un papel importante en tu vida personal?
2. ¿Qué mujeres tienen papeles importantes en tu comunidad?
3. ¿A qué mujer famosa admiras?
4. ¿Qué cualidades admiras más en la personalidad de una mujer?
   ¿Y en la de un hombre? ¿Son las mismas?

3 **Hombres y mujeres** En parejas, hagan dos listas: una con cinco cosas que creen que tienen en común los hombres y las mujeres; y otra con cinco cosas en las que son diferentes. Después, compartan sus listas con la clase. ¿Pueden llegar a alguna conclusión?

Iguales	Diferentes
• Los hombres y las mujeres tienen preocupaciones similares.	• Las mujeres son más sensibles.
• A ambos les preocupa el medio ambiente.	• Los hombres tienen menos paciencia.

Juchitán:
La ciudad de las
mujeres

▶ **Cultura en pantalla**

Visita **vhlcentral.com** y conoce a las **Mujeres triquis de Oaxaca** y su rol en la sociedad actual.

CULTURA

Audio: Reading

Famosa por sus mujeres, fuertes y decididas, Juchitán es una ciudad mexicana mayoritariamente° indígena cuyos mitos y costumbres se resisten a
5 la influencia del exterior.

Está en una zona de México llamada istmo de Tehuantepec, en el sur del estado de Oaxaca, muy cerca de la frontera con Guatemala. Sus habitantes son en
10 su mayoría de la etnia zapoteca y, hasta hoy, todavía hablan su lengua ancestral, el zapoteco.

Muchos afirman que en Juchitán existe un matriarcado por la presencia tan
15 trascendental que las mujeres tienen en la economía y la sociedad en general. Además, ellas son las que toman las decisiones importantes en la familia; por ejemplo, si un hombre quiere comprar algo o salir
20 a divertirse, tiene que pedirle dinero a la mujer de la casa.

Las mujeres juchitecas° son extrovertidas y acostumbran llevar trajes° de colores brillantes; además, se desenvuelven° con
25 dignidad y siempre son directas al hablar. Aun las mujeres de mayor edad se visten con garbo°,
30 confianza° y sin la intención de esconder su edad, porque ser "viejo" no tiene una connotación negativa
35 en su cultura.

La estructura social de esta comunidad está claramente dividida. Los hombres trabajan en el sector de la producción: son campesinos°, pescadores°, artesanos° y
40 también son los que toman las decisiones políticas. Por su parte, las mujeres manejan° la organización doméstica, la economía familiar, el comercio y el sistema festivo.

Las fiestas son parte importante de la
45 vida en Juchitán, ya que duran varios días

mainly
habitantes de Juchitán
vestidos
carry themselves
poise
confidence
agricultural workers / fishermen / craftsmen
handle

Frida y Juchitán

La pintora mexicana Frida Kahlo admiraba mucho a las mujeres juchitecas. Tenía muchos vestidos bordados (*embroidered*) en Juchitán y los llevaba a diario; en varios de sus autorretratos (*self-portraits*) se pintó con estos vestidos.

y requieren de una compleja preparación. Las mujeres son las anfitrionas° y, a la hora del baile, hay más mujeres que hombres en la pista° bailando al ritmo de la música tradicional.
50

El mercado es un punto central en Juchitán, donde las mujeres venden los productos del campo o del mar que los hombres han traído a casa. Es también ahí donde se difunden las noticias entre todos
55 y se arreglan asuntos° sociales y familiares.

Su capacidad económica le permite a la mujer juchiteca una gran autonomía
60 en relación con el hombre. Ésta se refleja en una sólida autoestima°, en una presencia dominante
65 dentro del sistema social de la comunidad y en una fuerte y aceptada autoridad en la familia.

Ningún hombre juchiteco se siente mal porque el sistema económico está dirigido
70 por las mujeres. Aquí —al contrario del modelo occidental— las prioridades son la alimentación°, el cuidado de niños y ancianos°, y los banquetes colectivos. Nadie se queda con hambre en Juchitán. ¿Cuántas
75 ciudades pueden decir esto en el llamado "mundo desarrollado°"? ■

hostesses
dance floor
issues are settled
self-esteem
comida
elderly people
developed

Las mujeres juchitecas son extrovertidas y acostumbran llevar trajes de colores brillantes.

Análisis

1

Comprensión Contesta las preguntas con oraciones completas.

1. ¿Cómo son las mujeres juchitecas? Usa por lo menos tres adjetivos de la lectura.
2. ¿Cuáles son las principales ocupaciones de los hombres juchitecos?
3. ¿En qué trabajan las mujeres de esta ciudad?
4. ¿Cómo son las fiestas en Juchitán?
5. Si quieres saber lo que ha pasado últimamente (*lately*) en Juchitán, ¿adónde debes ir?
6. ¿Cuándo usaba Frida Kahlo sus vestidos bordados en Juchitán?
7. ¿Qué logra (*achieve*) la mujer juchiteca con su capacidad económica?
8. ¿A qué le da más importancia el sistema económico de Juchitán?

2

Opiniones En parejas, contesten las preguntas.

1. ¿Qué opinan del papel de las mujeres en Juchitán?
2. ¿Por qué creen que las mujeres de Juchitán llevan trajes de colores brillantes?
3. ¿Qué aspecto les pareció el más interesante de esta sociedad?
4. ¿Qué cosas son diferentes entre Juchitán y la sociedad en la que ustedes viven? Hagan una lista.

3

Tu comunidad Escribe cuatro características positivas y cuatro negativas de la comunidad en que vives. Compártelas con la clase.

Características

Positivas	Negativas

4

Imaginar En grupos de cinco, imaginen que forman parte de un nuevo modelo de sociedad. ¿Cómo es? Descríbanlo usando estas preguntas como referencia y añadan otros detalles. Después, compartan sus "sociedades" con la clase.

- ¿Cómo participan las mujeres? ¿Y los hombres?
- ¿Qué trabajo hace cada uno/a de ustedes?
- ¿Cuáles son las prioridades del gobierno?
- ¿Quién(es) están en el gobierno?

5

Explicar En parejas, lean las siguientes afirmaciones del artículo. ¿Qué filosofía tienen en común? ¿La cultura occidental valora también esa filosofía? Den al menos tres razones para explicar su opinión.

- "Nadie se queda con hambre en Juchitán".
- "... ser viejo no tiene una connotación negativa ...".
- "Ningún hombre juchiteco se siente mal porque el sistema económico está dirigido por las mujeres".

Practice more at vhlcentral.com.

PUEDO investigar el matriarcado de una ciudad mexicana.

Preparación

Sobre la autora

La escritora catalana **Mercè Sarrias** (1966–) estudió periodismo en la Universidad Autónoma de Barcelona. Su trayectoria teatral se inicia en la Sala Beckett de esa ciudad, donde estudia dramaturgia (*playwriting*) y actuación. Inició su carrera como escritora haciendo reportajes periodísticos y publicidad. Escribió guiones de televisión y obras de teatro en varios idiomas, entre las que destacan *África 30* (1998) y *Hazme una perdida* (2014). "Escribo muy cerca de la realidad", dice Sarrias. "Me apasiona la gente y observar el mundo contemporáneo, lo que tengo a mi alrededor".

Vocabulario de la lectura

el agujero *pothole*
aparcar *to park*
desplazado/a *out of place*
impasible *impassively*
manchado/a *stained*
el mostrador *counter*
la persiana *shutter*
el principio *principle*
rechazar *to turn down*
retroceder *to move backward*

Vocabulario útil

impedir (e:i) *to prevent*
indignarse *to be outraged*
la multa *fine*
la protesta *complaint*
la señal de tráfico *road sign*
sorprendido/a *surprised*
el trato *treatment*

1 **Vocabulario** Completa las oraciones con palabras del vocabulario.

1. El ayuntamiento tiene que reparar un profundo _____ que hay en la acera.
2. El letrero era enorme, tuve que _____ para verlo bien.
3. Había tanto tráfico que debí _____ el auto y seguir en transporte público.
4. La dependienta me miraba sonriente al otro lado del _____.
5. El compañero cerró _____ de la ventana y no pude ver lo que hacía.
6. El policía lo miró _____, sin cambiar el gesto.

2 **Urbanización** En parejas, contesten las preguntas y coméntenlas.

1. ¿Qué es lo que menos te gusta de las grandes ciudades?
2. ¿Cómo describirías las interacciones con desconocidos en las grandes ciudades?
3. ¿Prefieres el trato personal en los pueblos o en las ciudades? ¿Por qué?
4. ¿Dónde crees que es más fácil llevarse bien con la gente: en un pueblo o en una ciudad? ¿Por qué?
5. ¿Cómo crees que actúa la burocracia en la ciudad? ¿Y en los pueblos?

3 **Principios** En grupos de tres, reflexionen sobre esta frase: "Es cuestión de principios"; luego, contesten las preguntas y coméntenlas. Compartan sus ideas con la clase.

1. ¿Se consideran personas de principios? ¿Por qué?
2. ¿Qué son capaces de sacrificar por sus principios?
3. ¿Creen que siempre se deben obedecer las normas? ¿Por qué?
4. ¿Qué hacen si una norma o una ley los obliga a ir en contra de sus principios?

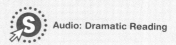

Una lucha muy personal

Mercè Sarrias

Depósito de la grúa°. Es un garaje inmenso. Hay una valla° que impide la salida de los coches y un mostrador grande, con un cristal grueso donde hay algunos anuncios y un cartel donde se indica que no se puede fumar. Una persiana, que en estos momentos está arriba, permite abrir y cerrar
5 el servicio de mostrador. Es donde los "damnificados°" rellenan los papeles y pagan para recuperar su vehículo. Es domingo. Tras el mostrador, Sonia, una mujer rubia, teñida, alrededor de los cuarenta, mira impasible hacia delante. Está ausente. Entra Marta, también de cuarenta años, vestida elegantemente. Camina poco a poco con un zapato manchado de barro en la mano. Marta atraviesa todo
10 el espacio y se dirige al mostrador. Coloca el zapato ante Sonia. Está furiosa. Sonia no se inmuta°. Se miran.

tow truck / gate

victims

*no se inmuta
does not flinch*

MARTA   Vengo a buscar el coche.

SONIA   ¿Quiere hacer el favor de dejar el zapato en el suelo?

Marta no lo hace.

15 **MARTA**   Me he caído. En las obras. Hay un agujero de más de un metro. Hace dos meses que hay un agujero de más de un metro. He retrocedido para ver mejor el vacío° que había dejado el coche y he caído. *(Levanta el zapato lleno de barro.)* Ciento veinticinco euros.

empty space

SONIA   No debería comprar zapatos tan caros. *(Le da unos papeles.)* Son ciento
20 cincuenta euros.

Marta firma los papeles y se queda mirando a Sonia.

MARTA   No tengo el dinero.

Sonia recoge los papeles.

MARTA   No lo tendré hasta final de mes.

25   **SONIA**   Si deja el coche aquí hasta final de mes, le costará un ojo de la cara°. *un ojo de la cara an arm and a leg*
Tendrá que vender todos sus zapatos.

MARTA   ¿Por qué es tan idiota?

Suena un timbre. Sonia baja la persiana del mostrador.

MARTA   ¿Pero qué hace?

30   **SONIA**   (*Tras la persiana.*) He acabado el turno°. Ahora vendrá mi compañero y *shift*
discute con él.

MARTA   ¿Pero dónde está?

SONIA   No lo sé. Siempre llega tarde. (*Pausa.*) ¿Se puede saber por qué siempre
aparca el coche en el mismo sitio si sabe que está prohibido?

35   **MARTA**   Se equivoca. No está prohibido. Es la señal la que está mal puesta. Está
desplazada hacia un lado porque hay un árbol que impide que esté en
el sitio correcto, pero donde realmente no se puede aparcar es más a la
derecha. ¿Lo entiende?

SONIA   Lo que no entiendo es cómo se ha dejado llevar el coche seis veces
40   en un mes.

MARTA   Es cuestión de principios.

SONIA   Póngase el zapato, cogerá frío.

Marta se emociona, casi llora. Sonia la oye.

SONIA   ¿Pero qué hace?

45   **MARTA**   Nada. Nada. No hago nada.

*Marta coge el zapato del mostrador y se lo pone. Sonia sale de detrás del
mostrador. Lleva el bolso, una bolsa y una mesa de camping con dos sillas
plegables°. La abre, coloca las sillas y de dentro de la bolsa saca una botella folding
de vino y dos copas. Marta la mira sorprendida. Sonia se sienta en una silla y
50   le hace una señal con la cabeza para que se siente en la otra. Marta lo hace.
Sonia abre la botella sin prisas y sirve el vino. Saca un paquete de cigarrillos
y le ofrece tabaco a Marta, que lo rechaza. Se enciende un cigarrillo, que fuma
lentamente, mientras bebe. Es un momento de relax después del trabajo. Marta
también bebe. Silencio.*

55   **SONIA**   ¿Mejor?

Marta mueve afirmativamente la cabeza.

MARTA   ¿Dejará que me lleve el coche?

SONIA   No puedo. No está permitido. Las normas° son las normas. *rules*

MARTA   Pero…

60	SONIA	No hay nada que hacer.

Silencio.

	SONIA	Podemos tratar de conseguir el dinero.
	MARTA	¿Nosotras?
	SONIA	Vamos a ver. ¿Tiene familia?
65	MARTA	(*Incómoda.*) Tengo una hija. Tiene quince años.
	SONIA	¿Tendrá un padre?
	MARTA	No, en este sentido, no lo tiene.
	SONIA	¿Y ella, unos ahorros?
	MARTA	¿Pretende que le coja el dinero a mi hija?
70	SONIA	Oh, alguna solución tendremos que encontrar.

Entra el substituto de **Sonia.** *Es un hombre largo y delgado que lleva un mono°de trabajo y el periódico bajo el brazo. Saluda con la cabeza.*

coveralls

	SONIA	Tarde.
75	HOMBRE	Hoy prácticamente no hay servicio.
	MARTA	Entonces, ¿por qué han cogido mi coche?
	HOMBRE	Porque estaba provocando.

El hombre desaparece tras el mostrador, abre un poco la persiana y coge el periódico y se pone a leer.

80	MARTA	Cabrones.
	SONIA	Debería mostrar signos de arrepentimiento°.
	MARTA	Hablaré con mi hija.
	SONIA	Así me gusta.
	MARTA	Quiere que le compre una moto.
85	SONIA	Vamos mal.
	MARTA	¿Lo ve?
	SONIA	Sí, lo veo. ¿Más vino?
	MARTA	Y su padre le ha dicho que le compraba.
	SONIA	Cabrón.
90	MARTA	¿Lo ve?

remorse

Marta se bebe el vino de golpe. Las dos se quedan en silencio. Se hace oscuro lentamente. **Sonia** *se duerme.* **Marta,** *quieta, despierta. Se va.*

Sobre el oscuro total, se oye de golpe un coche que arranca a toda velocidad y una valla que se rompe. Y una risa.

95	SONIA	(*Chillando°.*) ¡Eh! ■

shouting

Análisis

1 Comprensión Contesta las preguntas.

1. ¿Para qué va Marta al depósito de la grúa?
2. ¿Quién es Sonia?
3. ¿Por qué Marta lleva un zapato en la mano?
4. ¿Por qué se conocían antes Marta y Sonia?
5. ¿Por qué Marta no le paga a Sonia para llevarse su auto?
6. ¿Qué sucede al final de la obra de teatro?

2 Interpretar En parejas, contesten las preguntas.

1. Sonia está tranquila y Marta está furiosa, ¿por qué?
2. ¿Por qué crees que Marta estaciona junto a la señal, sabiendo que se pueden llevar su auto?
3. ¿Qué opinión crees que tiene Sonia de Marta? ¿Y Marta de Sonia?
4. ¿Piensas que Sonia debía permitir a Marta irse en el coche sin pagar? ¿Por qué?
5. ¿A qué se refiere el hombre cuando le dice a Marta que "estaba provocando"?

3 "Es cuestión de principios" En parejas, comenten la decisión de Marta de aparcar siempre donde la grúa se lleva el coche. Usen estas preguntas para guiar su conversación.

- ¿Qué relación tiene la decisión de Marta de aparcar siempre en ese lugar con la frase "es cuestión de principios"?
- ¿Qué crees que quería demostrar Marta?
- ¿Qué consejo le darías a Marta si fueras amigo/a suyo/a?

4 La fuerza de la verdad En parejas, respondan las preguntas.

1. ¿Te identificas más con Sonia o con Marta? ¿Por qué?
2. ¿Qué habrías hecho tú en lugar de Marta?
3. ¿Por qué nos resistimos a aceptar situaciones injustas?
4. ¿Crees que la justicia debe ser lo más importante en cualquier situación?

5 Escribir En parejas, escriban otra escena de la obra. Marta acaba de volver a casa después de pagar la multa. Se lo dice a su hija. Escriban la conversación entre ambas y represéntenla ante la clase.

Plan de redacción

Escribir una obra de teatro

1 Diálogo Decidan cuál va a ser la reacción de la hija. ¿Será comprensiva?

2 Acotaciones escénicas Recuerden que las obras de teatro se escriben para ser representadas. Describan el escenario y las reacciones de los personajes.

3 Ensayo Lean el diálogo en voz alta y hagan las correcciones oportunas. Luego, ensayen la obra y represéntenla ante la clase.

 crear otra escena para una obra de teatro.

 Practice more at **vhlcentral.com**.

En la ciudad

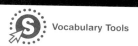 Vocabulary Tools

Lugares

las afueras *suburbs*
los alrededores *outskirts*
el ayuntamiento *city hall*
el barrio *neighborhood*
el centro comercial *(shopping) mall*
el cine *movie theater*
la ciudad *city*
la comisaría *police station*
la discoteca *dance club*
el edificio *building*
la estación (de trenes/de autobuses) *(train/bus) station*
la estación de bomberos *fire station*
la estación de policía *police station*
el estacionamiento *parking lot*
el estadio *stadium*
el metro *subway*
el museo *museum*
la parada (de metro, de autobús) *(subway, bus) stop*
la plaza *square*
el rascacielos *skyscraper*
el suburbio *suburb*
la vivienda *housing; home*

Indicaciones

la acera *sidewalk*
la avenida *avenue*
la calle *street*
la cuadra *city block*
la dirección *address*
la esquina *corner*
el letrero *sign, billboard*
el puente *bridge*
el semáforo *traffic light*
el tráfico *traffic*
el transporte público *public transportation*

cruzar *to cross*
doblar *to turn*
estar perdido/a *to be lost*
indicar el camino *to give directions*
parar *to stop*
preguntar el camino *to ask for directions*

Gente

el/la alcalde(sa) *mayor*
el/la ciudadano/a *citizen*
el/la conductor(a) *driver*
la gente *people*
el/la pasajero/a *passenger*
el/la peatón/peatona *pedestrian*
el policía/la (mujer) policía *policeman/woman*

Actividades

la vida nocturna *nightlife*

bajar *to go down; to get off (a bus)*
construir *to build*
conversar *to talk*
convivir *to live together; to coexist*
dar un paseo *to take a stroll*
dar una vuelta *to take a walk/ride*
dar una vuelta en bicicleta/carro/motocicleta *to take a bike/car/motorcycle ride*
disfrutar (de) *to enjoy*
hacer diligencias *to run errands*
pasarlo/la bien/mal *to have a good/bad time*
poblar *to settle; to populate*
quedar *to be located; to arrange to meet*
quedarse *to stay*
recorrer *to travel (around a city)*
relajarse *to relax*
residir *to reside*
subir *to go up; to get on (a bus)*

Para describir

atrasado/a *late, behind schedule*
cotidiano/a *everyday*
inesperado/a *unexpected*
lleno/a *full*
ruidoso/a *noisy*
vacío/a *empty*

Cortometraje

el/la cajero/a *cashier*
el choque *crash*
las facciones *features*
la fila *line*

afligirse *to get upset*
parecerse *to look like*
valorar *to value*

borracho/a *drunk*
ingenuo/a *naïve*
repentino/a *sudden*

Cultura

el bienestar *well-being*
la característica *characteristic*
la costumbre *custom; habit*
el cuidado *care*
el/la habitante *inhabitant*
la influencia *influence*
el matriarcado *matriarchy*
el mito *myth*

acostumbrar *to do as a custom/habit*
conservar *to preserve*
cooperar *to cooperate*
difundir (noticias) *to spread (news)*
permitir *to allow*
significar *to mean*

decidido/a *determined*
justo/a *just, fair*

Literatura

el agujero *pothole*
el mostrador *counter*
la multa *fine*
la persiana *shutter*
el principio *principle*
la protesta *complaint*
la señal de tráfico *road sign*
el trato *treatment*

aparcar *to park*
impedir (e:i) *to prevent*
indignarse *to be outraged*
rechazar *to turn down*
retroceder *to move backward*

desplazado/a *out of place*
impasible *impassively*
manchado/a *stained*
sorprendido/a *surprised*

Objetivos comunicativos: Repaso

PUEDO conversar sobre vivir en la ciudad.
• Haz una lista de las ventajas y las desventajas de vivir en una ciudad.

PUEDO hablar sobre el transporte público.
• Describe el metro de la Ciudad de México.

PUEDO narrar en el pasado.
• Cuenta sobre algo que te pasó recientemente.

PUEDO investigar la cultura mexicana.
• Describe un aspecto de la vida en la Ciudad de México o en Juchitán.

Un mundo conectado

Los medios de comunicación tradicionales compiten hoy con las redes sociales y los blogs. Internet brinda información e influye en la opinión pública y en nuestra interpretación de la realidad. Pero ¿quién garantiza nuestra privacidad en un mundo donde la información está a un clic de ratón?

Objetivos comunicativos:
- Opinar sobre los medios de comunicación
- Conversar sobre las películas
- Decirle a la gente qué hacer
- Opinar sobre la televisión
- Investigar las culturas de Puerto Rico, Cuba y la República Dominicana

84 CORTOMETRAJE

En el cortometraje *Desconexión*, el director boliviano **Yecid Benavides** presenta una intensa y vibrante historia donde los hilos invisibles de las comunicaciones tejen una red de vida y muerte.

90 IMAGINA

Únete a la celebración y aprende sobre las culturas fascinantes de **Puerto Rico**, la **República Dominicana** y **Cuba**. Un reportaje sobre el **cine mexicano** narra la historia de esta forma artística al otro lado de la frontera.

111 CULTURA

Déjate llevar por la música caribeña. Te encontrarás bailando al ritmo del fenómeno que ha seducido al público norteamericano e internacional. Además, en el videoclip **Cultura en pantalla** aprenderás sobre la historia del merengue y su importancia entre los ritmos caribeños.

115 LITERATURA

La influencia de los medios a veces produce un efecto trágico. El escritor español **Ginés S. Cutillas** expone la naturaleza de esa tragedia en su relato *La desesperación de las letras*.

87

91

Destino:

EL CARIBE

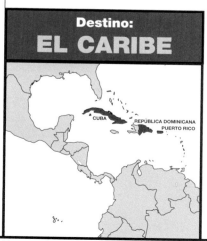

CUBA

REPÚBLICA DOMINICANA

PUERTO RICO

82 PARA EMPEZAR

96 ESTRUCTURAS

3.1 The subjunctive in noun clauses

3.2 Object pronouns

3.3 Commands

119 VOCABULARIO

Los medios de comunicación Vocabulary Tools

Los medios

el acontecimiento *event*
la actualidad *current events*
el anuncio *advertisement, commercial*
la censura *censorship*
Internet *Internet*
los medios (de comunicación) *media*
la parcialidad *bias*
la publicidad *advertising*
la radio *radio*
el reportaje *news report*
el sitio web *website*

la temporada *season* ·

———

enterarse (de) *to become informed (about)*
opinar *to express an opinion, to think*
ser parcial *to be biased*
tener buena/mala fama *to have a good/bad reputation*

———

actualizado/a *up-to-date*
destacado/a *prominent*
en directo/vivo *live*
imparcial *impartial, unbiased*
influyente *influential*

Profesionales de los medios

el/la actor/actriz *actor/actress*
el/la cantante *singer*
el/la crítico/a de cine *film critic*
el/la director(a) *director*
la estrella (de cine) *(movie) star (male or female)*
el/la fotógrafo/a *photographer*
el/la locutor(a) de radio *radio announcer*

el/la oyente *listener*
el/la periodista *journalist*
el público *audience, public*
el/la redactor(a) *editor*
el/la reportero/a *reporter*
el/la televidente *television viewer*

El cine y la televisión

la banda sonora *soundtrack*
la cadena *network*
el cine *cinema, movies*
el doblaje *dubbing*
el documental *documentary*
los efectos especiales *special effects*
el estreno *premiere, new movie*
la pantalla *screen*
la película *movie*

el programa de concursos *game show*
el programa de telerrealidad *reality show*
los subtítulos *subtitles*
la telenovela *soap opera*
la transmisión *broadcast*
el video musical *music video*

———

ensayar *to rehearse*
entretener *to entertain*
entrevistar *to interview*
grabar *to record*
rodar (o:ue) *to shoot (a movie)*
transmitir *to broadcast*

La prensa

el horóscopo *horoscope*
la libertad de prensa *freedom of the press*
las noticias locales/internacionales/nacionales *local/international/national news*
el periódico/el diario *newspaper*
la portada *front page, cover*
la prensa (sensacionalista) *(tabloid) press*
la revista *magazine*
la sección de sociedad *lifestyle section*
la sección deportiva *sports section*
la tira cómica *comic strip*
el titular *headline*

———

investigar *to research; to investigate*
publicar *to publish*
suscribirse (a) *to subscribe (to)*

Práctica

1 **Analogías** Completa cada analogía con una palabra de la lista.

actualidad	destacado	imparcial	radio
censura	entretener	periodista	sitio web

1. reportero : reportaje = _____ : periódico
2. noticia internacional : informar = telenovela : _____
3. televidente : televisión = oyente : _____
4. mentiroso : sincero = parcial : _____
5. influyente : importante = _____ : prominente
6. escena : película = _____ : Internet

2 **Completar** Completa el texto con las palabras o expresiones de la lista.

acontecimiento	crítico de cine	mala fama	sociedad
anuncios	entrevistó	pantalla	tira cómica
cadena	estrella	sensacionalista	transmitieron

No quería perderme el (1) _____ del año y al final me lo perdí. La (2) _____ de cine asistió al estreno de su última película y una periodista la (3) _____. Fotógrafos de buena y (4) _____ sacaban fotos para venderlas a la prensa (5) _____. Algunos reporteros hablaban con un destacado (6) _____ para saber su opinión de la película. El público se entretenía mirando escenas en una (7) _____ gigante. Varios canales de televisión (8) _____ el evento en directo. Al final, no sé qué pasó. ¡Cambié de canal durante los (9) _____ y me dormí! Mañana voy a leer la sección de (10) _____ para enterarme de lo que me perdí.

3 **¿Qué opinas tú?** Indica si estás de acuerdo con cada afirmación. Después, comparte tus opiniones con un(a) compañero/a.

	Sí	No
1. Hoy día es más fácil enterarse de lo que pasa en el mundo.	☐	☐
2. Gracias a los medios de comunicación, la gente tiene menos prejuicios que antes.	☐	☐
3. La libertad de prensa es un mito.	☐	☐
4. La publicidad sólo quiere entretener al público.	☐	☐
5. El objetivo de la prensa sensacionalista es informar.	☐	☐
6. Gracias a Internet, ahora podemos encontrar más información imparcial.	☐	☐
7. La imagen tiene mucho poder en el mundo de la comunicación.	☐	☐
8. Actualmente los reporteros son vendedores de opiniones.	☐	☐
9. Tenemos demasiada información. Es imposible asimilarla toda.	☐	☐
10. El mundo es mejor gracias a los medios de comunicación.	☐	☐

PUEDO opinar sobre los medios de comunicación.

Practice more at vhlcentral.com.

Preparación

Vocabulario del corto

abrigarse *to wear warm clothes*
calcular *to estimate*
charlar *to chat*
chato/a *sweetie*
la chompa *sweater*

desconsiderado/a *inconsiderate*
malcriado/a *rude*
los papeles *documents*
tibio/a *warm*

Vocabulario útil

colgar (el teléfono) *to hang up (the phone)*
(estar) disponible *(to be) available*
fijarse *to pay attention*
la guagua *child* (Bol.)
hacer caso *to obey*
no más *only*
parquear *to park*
salvar la vida *to save someone's life*

EXPRESIONES

ahorita *right away*
¡Apure! / ¡Avance! *Move!*
borrar los contactos *to delete contacts*
¡Caramba! *Good grief!*
El mundo es de los vivos. *The world belongs to the savvy people.*

1 **Emparejar** Elige la palabra de la columna B que corresponde a la definición de la columna A.

A

_____ 1. estacionar un vehículo
_____ 2. estimar una cantidad de forma aproximada e inexacta
_____ 3. llevar puesta ropa cálida para protegerse del frío
_____ 4. mantener una conversación informal
_____ 5. obedecer o atender a lo que dice alguien
_____ 6. poner atención en lo que se hace
_____ 7. prenda de lana que se lleva sobre la camisa
_____ 8. que no tiene en cuenta a los demás
_____ 9. que se comporta de manera egoísta y grosera
_____ 10. temperatura templada o intermedia

B

a. abrigarse
b. calcular
c. charlar
d. chompa
e. desconsiderado/a
f. malcriado/a
g. tibia
h. fijarse
i. hacer caso
j. parquear

2 **Expresiones** Relaciona cada una de las situaciones con una de las **Expresiones** de la lista. Puede haber más de una expresión para casa situación.

1. Tienes mucha prisa porque tu mejor amigo ha tenido un accidente. Tomas un taxi para llegar rápido al hospital y le dices al conductor: ¡_____, por favor!

2. Estás con una amiga en el centro comercial. Ves que alguien encuentra una cartera en el suelo. La mira, la abre, saca varios billetes y se los mete en el bolsillo. Le dices a tu amiga: _____.

3. Estás organizando los números de teléfono de tu celular y de pronto cometes un gran error. Dices: ¡Oh, no! ¡No debí _____!

3

Preparación En grupos, comenten las preguntas.

1. ¿Qué harías si te encuentras en la calle algo que no te pertenece?

2. ¿Has perdido alguna vez algo valioso? ¿Conseguiste recuperarlo? ¿Cómo lo hiciste?

3. ¿Crees que debemos tratar a las personas que conocemos y a los desconocidos por igual? ¿Por qué?

4

Fotogramas En grupos, observen los fotogramas e imaginen lo que va a ocurrir en el cortometraje.

1.

2.

3.

4.

5

Hacer lo correcto En parejas, comenten qué harían en cada una de estas situaciones.

1. Vas con prisa por la calle y un anciano te pide indicaciones para ir a la biblioteca.

2. Un señor te pide un dólar que, según él, le falta para comprar un billete de autobús.

3. La señora que está delante de ti en la cola del supermercado tiene que dejar la comida de su bebé porque le faltan ochenta centavos.

4. Ves a una chica distraída que va a cruzar una calle por la que viene un auto a toda velocidad.

5. Tu hermano debe lavar los platos y te pide que los laves tú porque tiene que estudiar para un examen.

6

Cada segundo cuenta En parejas, improvisen un diálogo sobre ciertas situaciones en las que sea necesario ir a contrarreloj (*race against time*) para solucionar una crisis.

1. Llegas al aeropuerto para viajar a Bolivia y te das cuenta de que no tienes el pasaporte.

2. Vas en transporte público a hacer un examen y tomas el autobús equivocado.

3. De camino a tu primera cita con tu novio/a, te das cuenta de que tu camisa está sucia.

Video

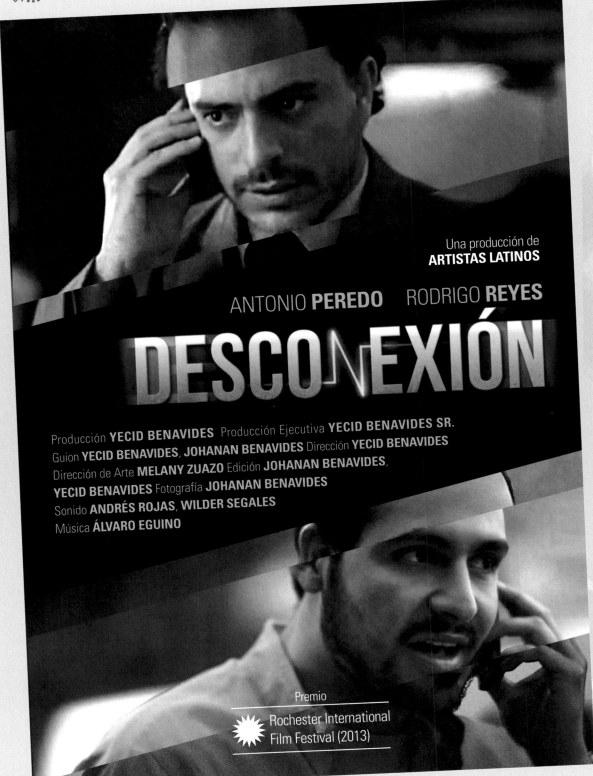

ARGUMENTO *Fóster López trata de evitar una tragedia. ¿Lo conseguirá?*

ARIEL MALDONADO Sin esa información no podemos hacer absolutamente nada. La situación es crítica.
FÓSTER LÓPEZ Lo llamo con la información necesaria.

FÓSTER LÓPEZ ¡Apure, por favor!

ARIEL MALDONADO ¿Dónde he puesto... ?
(Fóster López se da cuenta de que perdió su celular.)

LUCAS ¡Apure!
(Lucas toma el taxi donde viajaba Fóster López.)

FÓSTER LÓPEZ Quédate con el celular, pero, por favor, sólo dame un número, el de Ariel Maldonado.

(Fóster López corre hacia el hospital.)

Nota CULTURAL

Los bombines de las aimaras

Los aimaras son la población indígena predominante de Bolivia. Las mujeres aimaras llevan unos sombreros en forma de hongo°. ¿Cuál es su origen? Hay varias teorías. La más extendida es que los trabajadores británicos que construyeron el ferrocarril de Bolivia a principios del siglo XX recibieron un cargamento° de sombreros desde Londres. Como eran demasiado pequeños se los regalaron a las mujeres locales. Con el tiempo, este sombrero se convirtió en un símbolo de estatus social y de sabiduría° entre los aimaras.

sombreros en forma de hongo *bowler hats* **cargamento** *shipment* **sabiduría** *wisdom*

Análisis

1

Comprensión Contesta las oraciones.

1. ¿Quién es Ariel Maldonado?
2. ¿Por qué tiene tanta prisa Fóster López al principio del cortometraje?
3. ¿Qué evento importante cambia el curso de esta historia cuando Fóster va en taxi?
4. ¿A qué número de teléfono llama Fóster al llegar a su casa?
5. ¿Qué le pide Fóster a Lucas la segunda vez que llama?
6. ¿Por qué corre Fóster hacia el hospital después de hablar con Lucas?
7. ¿Consigue Fóster llegar a tiempo al hospital? ¿Cuáles son las consecuencias?

2

Interpretar En parejas, contesten las preguntas.

1. ¿En qué piensa Fóster cuando va en el taxi hacia su casa?
2. ¿Qué detalles sobre el comportamiento de Lucas te indican qué tipo de persona es?
3. ¿Por qué Lucas cuelga el teléfono cuando Fóster lo llama?
4. ¿Por qué Lucas borra todos los contactos del teléfono?
5. ¿Por qué dice Lucas que se ha comprado un celular a tres pesos?
6. ¿Por qué Fóster le dice a Lucas que se quede con el teléfono celular?
7. ¿Por qué creen que en *Desconexión* no aparece la madre del niño enfermo?
8. Mientras Fóster corre hacia el hospital, vemos que a un niño se le escapa un globo. ¿Qué significado podría tener esta escena?

3

Ayuden a Fóster ¿Qué alternativas creen que tenía Fóster al descubrir que perdió el celular en el taxi? Usen el imperativo y pronombres de objeto directo para decirle a Fóster cómo enviarle la información a Ariel Maldonado.

Modelo Fóster, llama al hospital y pregunta por el doctor Maldonado.

4

Una tragedia En grupos, comenten qué pudo haberle pasado al hijo de Fóster.

5 **El mundo es de los vivos** En parejas, vuelvan a ver el cortometraje e identifiquen situaciones en las que se muestran comportamientos poco éticos. Coméntenlas.

Modelo   Ellos aprovecharon que se le cayeron las naranjas a la mujer para robárselas.

6 **Hacer lo correcto** Algunos personajes secundarios del cortometraje hablan sobre acciones cometidas por otras personas. En parejas, escriban un diálogo a partir de una de las conversaciones. Sigan los pasos. Cuando terminen, interpreten el diálogo ante la clase.

"Cómo no pues... estás feliz, has hecho lo correcto".

"Mi vida, no hagas eso. Imagina que eso te pase a ti".

"Sí, he decidido devolvérselo, hermano".

1. Determinen con quién habla el personaje elegido.
2. Expliquen de qué conflicto están hablando.
3. Elijan, cada uno, uno de los dos personajes de la conversación.
4. Traten de convencer al otro de que su punto de vista es el correcto.

7 **Diálogo** En parejas, elijan una de las situaciones e improvisen un diálogo. Utilicen, por lo menos, cuatro palabras o expresiones de la lista. Después, represéntenlo delante de la clase.

¡Avance!	charlar	guagua
ahorita	desconsiderado/a	hacer caso
borrar los contactos	El mundo es de los vivos.	malcriado/a
calcular		papeles
caramba	fijarse	riesgo

A

Pierdes tu celular y llamas a tu número para recuperarlo. La persona que lo encontró dice que no va a devolverlo. Días después, reconoces en un ascensor la voz de la persona que lo tiene.

B

El mejor amigo de tu hermano quiere venderte un celular que se encontró en un taxi. Cuando te lo muestra, te das cuenta de que se trata del celular que perdiste días atrás.

PUEDO hablar sobre los conflictos morales.

Practice more at vhlcentral.com.

Audio: Reading

IMAGINA
Puntos de fusión

La cultura actual de **Cuba**, **Puerto Rico** y la **República Dominicana** es el resultado de siglos de fusión de diferentes etnias, costumbres, idiomas y religiones que dejaron sus huellas[1] en las tradiciones de estos países caribeños, centros de partida de la colonización europea en los siglos XV y XVI. El modo de celebrar acontecimientos importantes es una de sus máximas expresiones culturales y lo que los distingue en el ámbito internacional.

Puerto Rico celebra la Navidad más larga del mundo. La época navideña comienza con el Día de Acción de Gracias en noviembre y termina en la tercera semana de enero con **las fiestas de la calle San Sebastián**. Por esta calle desfilan[2] los cabezudos, figuras que provienen de las fiestas españolas. Las artesanías locales, como los santos de palo[3], también son otro elemento cultural importante de esta fiesta que dura cuatro días.

El **carnaval** es la celebración popular de mayor tradición en la **República Dominicana**. Data de la época colonial, cuando los habitantes de **Santo Domingo** se disfrazaban[4] en la víspera[5] de la Cuaresma[6]. Los trajes se destacan por máscaras de personajes místicos, y revelan las tradiciones y creencias folclóricas dominicanas, que se nutren de la mezcla de raíces españolas, africanas y taínas.

La Fiesta del Fuego en Santiago de Cuba

Todos los años en julio, el evento más esperado por los cubanos es el **Festival del Caribe** o **Fiesta del Fuego**, en **Santiago de Cuba**, la capital cultural de la isla. La celebración dura ocho días y ofrece música, danza y artesanía. Los festejos, ceremonias de las religiones africanas, comparsas[7], congas y toques de percusión exorbitante evocan los orígenes de esta isla y sus tradiciones. Los bailarines lucen impresionantes vestidos de colores intensos.

En estos tres países del **Caribe**, las fiestas siempre han significado un espacio para celebrar la hermandad y la tradición. Por su popularidad, la prensa y la televisión internacionales les han brindado cada vez más cobertura[8], lo que ha generado una avalancha de turistas extranjeros ávidos de rendir homenaje a las raíces de los tres países, donde el pasado y el presente conviven y forjan la identidad que los representa en el mundo.

Signos vitales

El español es el idioma oficial de **Cuba**, **Puerto Rico** (donde el inglés es el segundo idioma oficial) y la **República Dominicana**, y se reconoce por la notable influencia de los dialectos canario[9] y andaluz[10], la gran influencia africana y la lengua de los habitantes previos de las islas: el taíno.

[1] traces [2] parade (v.) [3] wooden figurines of saints [4] disguised [5] eve [6] Lent [7] troupes [8] media coverage [9] from the Canary Islands [10] from the Andalucía region in Spain

Las fiestas de la calle San Sebastián en San Juan, Puerto Rico

EL CARIBE

El español del Caribe

ahorita	más tarde; *later* (Cu., P.R., R.D.)
amarillo	plátano maduro; *ripe banana* (R.D., P.R.)
boricua	puertorriqueño/a; *Puerto Rican* (P.R.)
chavos	dinero; *money* (P.R.)
china	naranja; *orange* (P.R.)
embullar	animar; *encourage* (Cu.)
enfogonado/a	enojado/a; *angry* (P.R.)
espejuelos	gafas; *glasses* (Cu.)
guagua	autobús; *bus* (Cu., P.R., R.D.)
guapo/a	valiente; *brave* (Cu., R.D.)
guiar	manejar; *to drive* (P.R.)
halar	tirar; *to pull* (Cu.)
jaba	bolsa; *bag* (Cu.)
juaniquiqui	dinero; *money* (Cu.)
lechosa	papaya; *papaya* (R.D.)
mahones	pantalón vaquero; *jeans* (P.R.)
mata	planta; *plant* (Cu., R.D.)
¿Qué volá?	¿Qué pasa?; *What's up?* (Cu.)
radio bemba	chismoso/a; *gossipy* (Cu.)
socio/a	amigo/a; *friend, buddy* (Cu.)
timón	volante; *steering wheel* (Cu.)

¡Exploremos el Caribe!

El mar Caribe Desde principios del siglo XVI hasta bien entrado el siglo XVIII, el **Caribe** español sufrió continuos ataques piratas. El **mar Caribe** era el escenario donde se desarrollaba la política internacional de la época. Los barcos, llenos del oro[1] y la plata[2] que se extraían de las tierras colonizadas, seguían esta ruta. Esto convirtió la zona en gran atractivo para los que buscaban la riqueza rápida a cualquier precio y sin considerar los métodos que tenían que usar para conseguirla.

Ponce Es la segunda ciudad más grande de **Puerto Rico** y se la conoce como "la perla del sur" por la belleza de su arquitectura y paisajes coloniales, que evocan su historia. También se la llama "la ciudad de los leones", ya que este animal es su símbolo. Esta  ciudad se convirtió en un centro artístico e industrial del país. En sus museos, se exhiben elementos de la cultura prehispánica, colonial y europea.

Teatro bailado Cocolo Considerado Patrimonio Inmaterial de la Humanidad por la UNESCO, la tradición de este teatro bailado se originó con los descendientes de africanos traídos involuntariamente por los ingleses a la actual **República Dominicana** para trabajar en las plantaciones de caña de azúcar. Con su lengua y cultura particulares, esta comunidad fundó sus propias escuelas e iglesias. Su expresión más distintiva era el teatro bailado, realizado en especial para la Navidad y el carnaval. Las representaciones enlazan[3] temas de mundos distintos, como música y danzas africanas, con personajes de la literatura antigua y medieval.

El abanico El intenso calor de la isla cubana hace que el abanico sea esencial a toda hora, sin ser una tendencia de moda. Y es que, en Cuba, este elemento es un accesorio característico que viene de todos los colores. Es un indispensable[4] de las novias en la ceremonia, junto con el ramo[5]. El  abanico, además de su utilidad, es una prenda que denota elegancia y buenas costumbres.

[1] *gold* [2] *silver* [3] *connect* [4] *must-have* [5] *bouquet*

GALERÍA DE CREADORES

Audio: Reading

LITERATURA Rosario Ferré

Esta reconocida puertorriqueña escribió cuentos, novelas, poemas, ensayos, biografías y artículos periodísticos. Uno de los temas centrales de sus obras es la lucha de la mujer en un mundo dominado y definido por los hombres. Su primer libro, la colección de cuentos *Papeles de Pandora* (1976), recibió premios nacionales e internacionales. Ferré (1938–2016) publicó obras tanto en español como en inglés. Es autora de *Maldito amor*, *La casa de la laguna*, *Las dos Venecias* y *Eccentric Neighborhoods*, entre otras obras.

PINTURA Wifredo Lam

El arte del pintor cubano Wifredo Lam (1902–1982) es, como él, fruto de un sincretismo (*fusion*) de culturas. De padre chino y madre de descendencia europea, africana e india, Lam fue influyente en el arte del siglo XX. El arte africano y el arte primitivo fueron especialmente importantes en sus creaciones surrealistas. Trabajó varios años con Pablo Picasso en París y fue amigo de los mexicanos Frida Kahlo y Diego Rivera. Aquí vemos una pieza que se titula *Vegetación tropical*.

LITERATURA Julia de Burgos

Aunque vivió sólo 39 años, Julia de Burgos (1914–1953) se destacó (*stood out*) como poeta ilustre no sólo en Puerto Rico, sino también en el resto de Latinoamérica. Sus poemas incluyen elementos caribeños, apasionados temas amorosos y fuertes cuestionamientos feministas. Sus obras incluyen *Poema en veinte surcos*, *Canción de la verdad sencilla* y *El mar y tú*, entre otras.

MÚSICA Juan Luis Guerra

Juan Luis Guerra nació en Santo Domingo en 1957 y estudió Filosofía y Letras en la capital dominicana. Pronto descubrió que su gran pasión era la música, por lo que continuó sus estudios en el Conservatorio Nacional. Allí ganó una beca para estudiar composición y arreglos (*arrangement*) en Boston, Massachusetts. Además de hacer composiciones para otros artistas y música para publicidades, formó la banda 440 y editó álbumes solistas. Entre sus grandes éxitos, se encuentran *Ojalá que llueva café, La bilirrubina* y *Bachata rosa*. Esta última canción se convirtió en todo un éxito comercial y se difundió internacionalmente. Durante su extensa carrera, Juan Luis Guerra ha recibido varios premios Grammy.

¿Qué aprendiste?

1

Cierto o falso Indica si estas afirmaciones son ciertas o falsas. Corrige las falsas.

1. El Caribe fue el punto de partida de la colonización europea.
2. Las principales celebraciones de Cuba, Puerto Rico y la República Dominicana conmemoran a los españoles.
3. Las celebraciones caribeñas no son conocidas internacionalmente.
4. En Cuba se celebra la Navidad más larga del mundo.
5. La Fiesta del Fuego se celebra cada año en La Habana.
6. El teatro bailado Cocolo es una tradición de la República Dominicana.
7. Ponce es "la perla del sur" y "la ciudad de los leones".
8. Wifredo Lam no quiso conocer a otros artistas de su época.

2

Preguntas Contesta las preguntas.

1. ¿Qué buscaban los piratas en el Caribe?
2. ¿Cuándo se originó el carnaval en la República Dominicana?
3. Además de su utilidad, ¿qué denota el abanico?
4. ¿Qué elementos y temas se encuentran en la poesía de Julia de Burgos?
5. ¿Quién formó la banda 440?
6. ¿Qué artista de la Galería te interesa más? ¿Por qué?

3

¿Qué piensas? Escoge una celebración, un objeto o una persona de estas páginas. ¿Qué te dice sobre la cultura de Cuba, la República Dominicana o Puerto Rico? Compara tus ideas con las de un(a) compañero/a.

4

Comparaciones En grupos de tres, comparen una celebración o evento que se menciona en el texto con prácticas culturales similares en los Estados Unidos. Usen las preguntas como guía.

- ¿Cómo se originaron?
- ¿Cómo se celebran? ¿Dónde ocurren?
- ¿Tienen público extranjero o sólo local?

Practice more at **vhlcentral.com**.

PROYECTO

Un viaje al Caribe

Imagina que viajaste a Puerto Rico, Cuba o la República Dominicana para ser parte de una de sus celebraciones tradicionales. Investiga toda la información que necesites en Internet. Luego, prepara un blog de viajes con varias entradas donde cuentes sobre estos aspectos. Usa fotos para ilustrar tu blog y preséntalo a la clase.

- ¿Qué sitios visitaste? ¿Qué viste?
- ¿A qué celebración importante fuiste? ¿Cuál es su origen? ¿Cómo se celebró?
- ¿Qué comida local probaste? ¿Cuáles son sus ingredientes?
- ¿Qué fue lo que más te gustó de la experiencia?

PUEDO investigar las culturas de Puerto Rico, Cuba y la República Dominicana.

 Video

El cine mexicano

Aunque hoy en día sólo sea una forma de entretenimiento, el cine es el primer gran medio de comunicación de masas de la historia. Este episodio de **Flash cultura** trata sobre los orígenes del cine mexicano y sobre el gran desarrollo que ha experimentado durante los últimos años.

Vocabulario

el auge *boom, peak*
el ciclo *series*
difundir *to spread*
fomentar *to promote*
el guion *script*
la muestra *festival*
la sala *movie theater*
tener un papel *to play a role*

1 **Preparación** ¿Te gusta ir al cine? ¿Qué clase de películas prefieres ver? ¿Eres aficionado/a a algún género en especial?

2 **Comprensión** Indica si estas afirmaciones son ciertas o falsas. Después, corrige las falsas.

1. A los mexicanos no les gustan las películas nacionales, sino solamente las norteamericanas.

2. La Cineteca es una cadena de cines con salas en todo el país.

3. Cuando van al cine, los mexicanos comen palomitas.

4. En los ciclos, se presentan películas de un solo tema o un solo director.

5. El Instituto Mexicano de Cinematografía tiene como objetivo hacer famosos a los actores mexicanos.

6. En el año 1989, el cine mexicano no tenía salas ni público en México.

3 **Expansión** En parejas, contesten estas preguntas.

1. ¿Te molesta tener que leer subtítulos en la pantalla cuando miras películas extranjeras?

2. ¿Te sorprende que una película pueda ser un "hijo creativo", como dice la actriz Vanesa Bauche? Justifica tu respuesta.

3. ¿Es importante para el cine de un país tener identidad propia? ¿Cómo se logra eso? Piensen en películas estadounidenses que cumplan con esas características y hagan una lista.

PUEDO conversar sobre las películas.

Corresponsal: Carlos López
País: México

En la Muestra Internacional de Cine que se lleva a cabo° en otoño se presentan películas de todo el mundo.

La Cineteca cuenta con° el Centro de Documentación e Investigación, donde puedes encontrar nueve mil libros, cinco mil guiones inéditos° y veinte años de notas de prensa.

Babel (2006)
dir. Alejandro Gonzáles Iñárritu

Las películas de este país se han vuelto realmente importantes gracias al trabajo de… actores y actrices como Salma Hayek, Gael García Bernal y Diego Luna, entre muchos otros.

se lleva a cabo *takes place* **cuenta con** *has*
guiones inéditos *unpublished scripts*

 Practice more at
vhlcentral.com.

Tutorial

3.1

The subjunctive in noun clauses

Forms of the present subjunctive

TALLER DE CONSULTA

These grammar topics are covered in the **Manual de gramática, Lección 3.**

3.4 Possessive adjectives and pronouns, p. 388
3.5 Demonstrative adjectives and pronouns, p. 390

- The subjunctive (**el subjuntivo**) is used mainly in the subordinate clause of multiple-clause sentences to express will, influence, emotion, doubt, or denial. The present subjunctive is formed by dropping the **–o** from the **yo** form of the present indicative and adding these endings:

The present subjunctive

hablar	comer	escribir
hable	coma	escriba
hables	comas	escribas
hable	coma	escriba
hablemos	comamos	escribamos
habléis	comáis	escribáis
hablen	coman	escriban

¡ATENCIÓN!

The *indicative* is used to express actions, states, or facts the speaker considers to be certain. The *subjunctive* expresses the speaker's attitude toward events, as well as actions or states that the speaker views as uncertain.

- Verbs with irregular **yo** forms show that same irregularity in all forms of the present subjunctive.

conocer	conozca	seguir	siga
decir	diga	tener	tenga
hacer	haga	traer	traiga
oír	oiga	venir	venga
poner	ponga	ver	vea

¡ATENCIÓN!

Verbs that end in **–car, –gar,** and **–zar** undergo spelling changes in the present subjunctive.

sacar: saque
jugar: juegue
almorzar: almuerce

- Verbs with stem changes in the present indicative show the same changes in the present subjunctive. Stem-changing **–ir** verbs also undergo a stem change in the **nosotros/as** and **vosotros/as** forms of the present subjunctive.

pensar (e:ie)	piense, pienses, piense, pensemos, penséis, piensen
jugar (u:ue)	juegue, juegues, juegue, juguemos, juguéis, jueguen
mostrar (o:ue)	muestre, muestres, muestre, mostremos, mostréis, muestren
entender (e:ie)	entienda, entiendas, entienda, entendamos, entendáis, entiendan
resolver (o:ue)	resuelva, resuelvas, resuelva, resolvamos, resolváis, resuelvan
pedir (e:i/i)	pida, pidas, pida, pidamos, pidáis, pidan
sentir (e:ie/i)	sienta, sientas, sienta, sintamos, sintáis, sientan
dormir (o:ue/u)	duerma, duermas, duerma, durmamos, durmáis, duerman

- The following five verbs are irregular in the present subjunctive.

dar	dé, des, dé, demos, deis, den
estar	esté, estés, esté, estemos, estéis, estén
ir	vaya, vayas, vaya, vayamos, vayáis, vayan
saber	sepa, sepas, sepa, sepamos, sepáis, sepan
ser	sea, seas, sea, seamos, seáis, sean

Verbs of will and influence

- A clause is a sequence of words that contains both a conjugated verb and a subject (expressed or implied). In a subordinate (dependent) noun clause (**oración subordinada sustantiva**), the words in the sequence function together as a noun.

*El médico le pide a Fóster **que se apure**.*

- When the subject of a sentence's main (independent) clause exerts influence or will on the subject of the subordinate clause, the verb in the subordinate clause takes the subjunctive.

MAIN CLAUSE	CONNECTOR	SUBORDINATE CLAUSE
Yo quiero	**que**	**tú vayas al cine conmigo.**

Verbs and expressions of will and influence

aconsejar *to advise*	**hacer** *to make*	**prohibir** *to prohibit*
desear *to desire, to wish*	**importar** *to be important*	**proponer** *to propose*
es importante *it's important*	**insistir (en)** *to insist (on)*	**querer (e:ie)** *to want; to wish*
es necesario *it's necessary*	**mandar** *to order*	**recomendar (e:ie)** *to recommend*
es urgente *it's urgent*	**necesitar** *to need*	**rogar (o:ue)** *to beg*
exigir *to demand*	**oponerse a** *to oppose; to object to*	**sugerir (e:ie/i)** *to suggest*
gustar *to like; to be pleasing*	**pedir (e:i/i)** *to ask for; to request*	
	preferir (e:ie/i) *to prefer*	

¡ATENCIÓN!

Pedir is used with the subjunctive to ask someone to do something.

Preguntar is used to ask questions, and is not followed by the subjunctive.

No te pido que lo hagas ahora.
I'm not asking you to do it now.

No te pregunto si lo haces ahora.
I'm not asking you if you're doing it now.

Martín quiere que **grabemos** este anuncio para el viernes.
Martín wants us to record this ad by Friday.

Es necesario que **lleguen** al estreno antes de la una.
It's necessary that they arrive at the premiere before one o'clock.

El abogado recomienda que **lea** el contrato antes de firmar.
The lawyer recommends that I read the contract before signing.

Tus padres se oponen a que **salgas** tan tarde por la noche.
Your parents object to your going out so late at night.

- The infinitive, not the subjunctive, is used with verbs and expressions of will and influence if there is no change of subject in the sentence. The **que** is unnecessary in this case.

Infinitive	**Subjunctive**
Quiero ir al Caribe en enero.	**Prefiero que vayas en marzo.**
I want to go to the Caribbean in January.	*I prefer that you go in March.*

Verbs of emotion

- When the main clause expresses an emotion like hope, fear, joy, pity, or surprise, the verb in the subordinate clause must be in the subjunctive if its subject is different from that of the main clause.

Espero que la película **tenga** subtítulos.
I hope the movie will have subtitles.

Es una lástima que no **puedas** ir a la fiesta.
It's a shame you can't go to the party.

Verbs and expressions of emotion

alegrarse (de) *to be happy (about)*	**es terrible** *it's terrible*	**molestar** *to bother*
es bueno *it's good*	**es una lástima** *it's a shame*	**sentir (e:ie/i)** *to be sorry; to regret*
es extraño *it's strange*	**es una pena** *it's a pity*	**sorprender** *to surprise*
es malo *it's bad*	**esperar** *to hope; to wish*	**temer** *to fear*
es mejor *it's better*	**gustar** *to like; to be pleasing*	**tener (e:ie) miedo (de)** *to be afraid (of)*
es ridículo *it's ridiculous*		

- The infinitive, not the subjunctive, is used with verbs and expressions of emotion if there is no change of subject in the sentence. The **que** is unnecessary in this case.

Infinitive	**Subjunctive**
No me gusta **llegar** tarde.	Me molesta que la clase no **termine** a tiempo.
I don't like to arrive late.	*It bothers me that the class doesn't end on time.*

Verbs of doubt or denial

- When the main clause implies doubt, uncertainty, or denial, the verb in the subordinate clause must be in the subjunctive if its subject is different from that of the main clause.

No creo que ella nos **quiera** engañar.
I don't think that she wants to deceive us.

Dudan que la novela **tenga** éxito.
They doubt that the novel will be successful.

Verbs and expressions of doubt and denial

dudar *to doubt*	**negar (e:ie)** *to deny*
es imposible *it's impossible*	**no creer** *not to believe*
es improbable *it's improbable*	**no es evidente** *it's not evident*
es poco cierto/seguro *it's uncertain*	**no es cierto/seguro** *it's not certain*
(no) es posible *it's (not) possible*	**no es verdad** *it's not true*
(no) es probable *it's (not) probable*	**no estar seguro (de)** *not to be sure (of)*

- The infinitive, not the subjunctive, is used with verbs and expressions of doubt or denial if there is no change in the subject of the sentence. The **que** is unnecessary in this case.

Es imposible **rodar** sin los permisos.
It's impossible to shoot the movie without the permits.

Es improbable que **rueden** sin los permisos.
It's unlikely that they'll shoot the movie without the permits.

Práctica

1 **Seleccionar** Escoge el infinitivo, el indicativo o el subjuntivo para completar las oraciones.

1. Me gusta (escuchar / escuche) merengue y salsa.
2. Quiero que me (compras / compres) una camiseta de Juan Luis Guerra.
3. Es una pena que no (hay / haya) más conciertos de merengue en nuestra ciudad.
4. No dudo que en el futuro (van / vayan) a tocar merengue en las discotecas locales.
5. Espero que mis amigos y yo (viajamos / viajemos) a Santo Domingo este verano.

2 **Terco** Usa el subjuntivo o el indicativo para completar el diálogo.

DIRECTOR Mira, yo sé que (1) _____ (estar) muy ocupado, pero es muy importante que mañana (2) _____ (ir) al estreno de la película.

VICENTE Ya te he dicho que no quiero que (3) _____ (insistir). Prefiero que me (4) _____ (desear) un buen viaje. Me voy este fin de semana a Santo Domingo.

DIRECTOR Pero Vicente, necesitamos que (5) _____ (hablar) con los periodistas y que (6) _____ (saludar) al público.

VICENTE No creo que los periodistas (7) _____ (querer) entrevistarme.

DIRECTOR Pues sí. Ellos desean que tú (8) _____ (ser) más cooperativo.

VICENTE Honestamente, me molesta que nosotros (9) _____ (seguir) hablando de esto. ¡Adiós!

3 **Opuestas** Escribe la oración que expresa lo opuesto en cada ocasión.

> **Modelo** **Es poco seguro que este actor sepa actuar bien.**
> Es seguro que este actor sabe actuar bien.

1. El director cree que los periodistas van a hablar con el presidente.
2. Niegas que el director les dé buenas instrucciones a sus actores.
3. Estamos seguros de que la mayoría del público lee la noticia.
4. Es verdad que la banda sonora es de los años ochenta.
5. No es evidente que esa actriz escuche música en español.

Nota
CULTURAL

Aunque el **merengue** se baila en la **República Dominicana** desde mediados del siglo XIX, su origen es, aún hoy día, un enigma. Según una de las muchas explicaciones que existen, el merengue deriva de la **upa**, ritmo cubano con una parte llamada precisamente "merengue". De lo que no hay duda es de sus raíces africanas y de su legendaria unión con la cultura dominicana. Actualmente, el merengue es muy popular en muchos países y **Juan Luis Guerra** es uno de sus máximos representantes.

Practice more at **vhlcentral.com.**

Comunicación

4 **Juan Pablo enamorado** Juan Pablo está enamorado de Maricarmen y para impresionarla quiere convertirse en su hombre ideal. Usa las palabras y expresiones de la lista para darle consejos.

> **Modelo** Es importante que te peines bien.

aconsejar	es mejor	recomendar
es importante	es necesario	rogar
es malo	insistir en	sugerir

Juan Pablo antes

Juan Pablo después

5 **¡Despedido!** En parejas, usen las frases para improvisar una conversación en la que un(a) actor/actriz de televisión es despedido/a (*fired*) por el/la director(a) del programa. Usen el indicativo y el subjuntivo.

> **Modelo** ¿No es extraño que los televidentes estén pidiendo otro/a actor/actriz para ese papel?

creo que	los anuncios
es extraño	el canal
es necesario	los chismes
es verdad	el comportamiento (*behavior*)
espero que	los críticos
necesito que	la escena
te ruego que	los televidentes

6 **¿Cómo son? ¿Qué hacen?** En parejas, usen el subjuntivo para inventar e intercambiar descripciones de estas personas.

> **Modelo** **La estrella de cine es tacaña.**
> Dudo que gaste mucho dinero. Prefiere que sus amigos le compren todo.

1. La actriz es antipática.
2. El periodista es muy generoso.
3. El cantante es extraño.
4. La crítica de cine es insegura.

7

Opiniones En parejas, combinen las expresiones de las columnas para formar opiniones. Luego, improvisen tres conversaciones breves basadas en las oraciones.

Modelo —No creo que los futbolistas lean sólo la sección deportiva. Seguramente también leen las noticias locales.

—No estoy de acuerdo. Es imposible que tengan tiempo para leer las noticias porque pasan mucho tiempo jugando al fútbol.

Creo		los medios de comunicación publican la verdad.
No creo		los futbolistas lean sólo la sección deportiva.
Dudo		ese actor vive en una casa elegante.
No dudo	que	se graben muchas telenovelas en México.
No es cierto		se transmiten telenovelas españolas.
Es evidente		la televisión sea entretenida (*entertaining*).
Es imposible		hay censura en los medios de comunicación.
Me opongo a		los videos musicales se rueden en el extranjero.

8

Hermanas Leticia es una cantante famosa y su hermana Mercedes quiere seguir sus pasos como artista. En parejas, lean el correo electrónico de Mercedes. Luego, escriban la respuesta de Leticia, usando el subjuntivo con los verbos y expresiones que acaban de aprender.

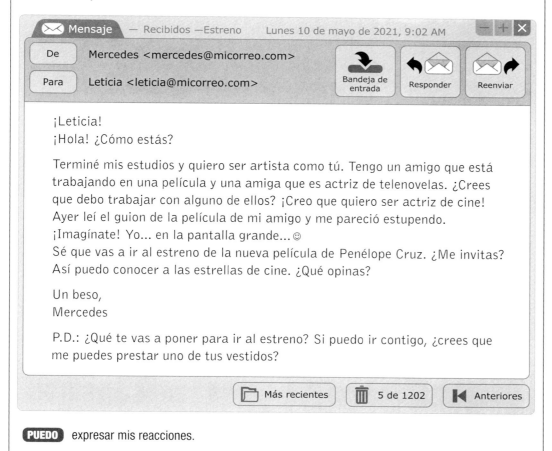

PUEDO expresar mis reacciones.

Tutorial

3.2 Object pronouns

- Pronouns are words that take the place of nouns. Direct object pronouns directly receive the action of the verb. Indirect object pronouns identify *to whom* or *for whom* an action is done.

*Juan **le** da el dinero.*

Indirect object pronouns		Direct object pronouns	
me	nos	me	nos
te	os	te	os
le	les	lo/la	los/las

Position of object pronouns

- Direct and indirect object pronouns (**los pronombres de complemento directo e indirecto**) precede the conjugated verb.

Indirect object	Direct object

Carla siempre **me** da boletos para el cine.
Carla always gives me movie tickets.

No **le** guardé la sección deportiva.
I didn't save the sports section for him.

Ella **los** consigue gratis.
She gets them for free.

Nunca **la** quiere leer.
He never wants to read it.

- When the verb is an infinitive construction, object pronouns may be either attached to the infinitive or placed before the conjugated verb.

Indirect object	Direct object

Debes pedir**le** el dinero de la apuesta.
Le debes pedir el dinero de la apuesta.

Tienes que presentar**me** a los actores.
Me tienes que presentar a los actores.

Voy a hacer**lo** enseguida.
Lo voy a hacer enseguida.

Vamos a rodar**la** en Kenia.
La vamos a rodar en Kenia.

- When the verb is in the progressive, object pronouns may be either attached to the present participle or placed before the conjugated verb.

Indirect object	Direct object

Está mandándo**les** el guion.
Les está mandando el guion.

Estuvimos buscándo**las** por todos lados.
Las estuvimos buscando por todos lados.

¡ATENCIÓN!

Lo is also used to refer to an abstract thing or idea that has no gender.

Lo pensé.
I thought about it.

TALLER DE CONSULTA

For a detailed review of the neuter **lo**, see **Manual de gramática, 5.5, p. 396.**

Double object pronouns

- The indirect object pronoun precedes the direct object pronoun when they are used together in a sentence.

  Me **mandaron** los boletos **por correo.** ⟩ Me los **mandaron por correo.**

  Te **exijo** una respuesta **ahora mismo.** ⟩ Te la **exijo ahora mismo.**

- **Le** and **les** change to **se** when they are used with **lo, la, los,** or **las.**

  Le **damos** las revistas **a Ricardo.** ⟩ Se las **damos.**

  Les **enseña** el periódico **a las reporteras.** ⟩ Se lo **enseña.**

Prepositional pronouns

Prepositional pronouns

mí *me, myself*	**él** *him, it*	**nosotros/as** *us, ourselves*	**ellos** *them*
ti *you, yourself*	**ella** *her, it*		**ellas** *them*
Ud. *you, yourself*	**sí** *himself, herself, itself*	**vosotros/as** *you, yourselves*	**sí** *themselves*
		Uds. *you, yourselves*	

- Prepositional pronouns function as the objects of prepositions. Except for **mí, ti,** and **sí,** they are identical to their corresponding subject pronouns.

  ¿Qué opinas de **ella**?   ¿Lo compraron para **mí** o para Javier?

  Ay, mi amor, sólo pienso en **ti**.   Lo compramos para **él**.

- **A** + [*prepositional pronoun*] is often used for clarity or emphasis.

  ¿Te gusta aquel actor?   ¿Se lo dieron a Héctor o a Verónica?

  ¡**A mí** me fascina!   Se lo dieron **a ella**.

- The pronoun **sí** (*himself, herself, itself, themselves*) is the prepositional pronoun used to refer back to the same third person subject. In this case, the adjective **mismo/a(s)** is usually added for clarification.

  José se lo regaló a **él**.   José se lo regaló a **sí mismo**.
  José gave it to him (someone else).   *José gave it to himself.*

- When **mí, ti,** and **sí** are used with **con,** they become **conmigo, contigo,** and **consigo.**

  ¿Quieres ir **conmigo** al museo?
  Do you want to go to the museum with me?

  Laura y Salvador siempre traen sus computadoras portátiles **consigo**.
  Laura and Salvador always bring their laptops with them.

- These prepositions are used with **tú** and **yo** instead of **mí** and **ti**: **entre, excepto, incluso, menos, salvo, según.**

  Todos están de acuerdo **menos tú** y **yo**.

Práctica

1

Dos amigas Berta y Susi están hablando del cantante Chayanne. Selecciona las personas de la lista que corresponden a los pronombres subrayados (*underlined*).

a Chayanne	a Claudia	a mí
a Chayanne y a la muchacha	a la muchacha	a nosotras
		a ti

BERTA Como (1) <u>te</u> digo. (2) <u>Lo</u> vi caminando por la calle junto a una muchacha.

SUSI ¿De verdad? ¿(3) <u>Los</u> viste tomados de la mano?

BERTA No. Creo que él sólo (4) <u>la</u> estaba ayudando a cargar algunas bolsas de la tienda.

SUSI ¿Será su esposa?

BERTA No creo. Iban juntos pero casi no hablaban. (5) <u>Me</u> parece que no son ni novios.

SUSI Y tú, ¿qué hiciste? ¿No (6) <u>le</u> dijiste que (7) <u>nos</u> parece el hombre más guapo del planeta y que (8) <u>lo</u> amamos?

BERTA No pude hacer nada, estaba paralizada por la emoción.

SUSI Voy a llamar a Claudia inmediatamente. ¡(9) <u>Le</u> tengo que contar todo!

1. _____
2. _____
3. _____
4. _____
5. _____
6. _____
7. _____
8. _____
9. _____

2

Un concierto Reescribe las oraciones cambiando las palabras subrayadas por pronombres de complemento directo e indirecto.

1. Tienes que tratar amablemente <u>a los policías</u>.
2. No pueden contratar <u>al grupo musical</u> sin permiso.
3. Debes poner <u>la música</u> a volumen moderado.
4. Tienen que darme <u>la lista de periodistas y fotógrafos</u>.
5. Deben respetar <u>a los vecinos</u>.
6. Me dicen que van a transmitir <u>el concierto</u> por la radio.

3

Entrevista Completa la entrevista con el pronombre correcto.

REPORTERO (1) _____ digo que pareces muy contento con el éxito de tu sitio web.

JOAQUÍN Sí, (2) _____ estoy. Este sitio es muy importante para (3) _____.

REPORTERO ¿Con quién trabajas?

JOAQUÍN Con mi hermano. (4) _____ doy la mitad del trabajo. (5) _____ ayuda mucho en los momentos de estrés.

REPORTERO ¿Cuáles son tus proyectos ahora?

JOAQUÍN (6) _____ gustaría presentar cortometrajes y documentales en el sitio web. A mi hermano y a mí (7) _____ encantan las películas.

REPORTERO ¿(8) _____ preocupa mucho la censura? Por ejemplo, ¿editas los guiones?

JOAQUÍN A veces, sí. Porque si (9) _____ editamos, luego no tenemos problemas.

Practice more at vhlcentral.com.

Comunicación

4

¿En qué piensas? Piensa en algunos de los objetos típicos que ves en la clase o en tu casa (un cuadro, una maleta, un mapa, etc.). Tu compañero/a debe adivinar el objeto que tienes en mente, haciéndote preguntas con pronombres.

> **Modelo** Tú piensas en: un libro
> —Estoy pensando en algo que uso para estudiar.
> —¿Lo usas mucho?
> —Sí, lo uso para aprender español.
> —¿Lo compraste?
> —Sí, lo compré en la librería.

5

A conversar En parejas, túrnense para contestar las preguntas usando pronombres de complemento directo o indirecto, según sea necesario.

1. ¿Te gusta organizar fiestas? ¿Cuándo fue la última vez que organizaste una? ¿Por qué la organizaste?

2. ¿Invitaste a muchas personas? ¿A quiénes invitaste? ¿Cómo lo decidiste?

3. ¿Qué actividades les sugeriste a los invitados? ¿Las hicieron? Explica.

4. ¿Qué les ofreciste de comer a los invitados en tu fiesta? ¿Qué opinaron de la comida?

6

Fama La actriz Pamela de la Torre debe encontrarse con sus fans pero no recuerda a qué hora. En grupos de cuatro, miren la ilustración e inventen una historia inspirándose en ella. Utilicen por lo menos cinco pronombres de complemento directo o indirecto.

7

Una persona famosa En parejas, escriban una entrevista con una persona famosa. Utilicen estas preguntas y escriban cuatro más. Utilicen pronombres en las respuestas. Después, representen la entrevista delante de la clase.

> **Modelo** —¿Quién prepara la comida en su casa?
> —Mi cocinero la prepara.

1. ¿Visita frecuentemente a sus amigos/as?

2. ¿Mira mucho la televisión?

3. ¿Quién conduce su auto?

4. ¿Prepara usted mismo/a sus maletas cuando viaja?

5. ¿Practica deportes?

6. ¿Le gusta viajar?

PUEDO hacer y contestar preguntas sobre personas y cosas.

Tutorial

3.3

Commands

Formal (*usted* and *ustedes*) commands

- Formal commands (**mandatos**) are used to give orders or advice to people you address as **usted** or **ustedes**. Their forms are identical to the present subjunctive forms for **usted** and **ustedes**.

Formal commands

Infinitive	Affirmative command	Negative command
tomar	**tome** (usted) **tomen** (ustedes)	**no tome** (usted) **no tomen** (ustedes)
volver	**vuelva** (usted) **vuelvan** (ustedes)	**no vuelva** (usted) **no vuelvan** (ustedes)
salir	**salga** (usted) **salgan** (ustedes)	**no salga** (usted) **no salgan** (ustedes)

Familiar (*tú*) commands

- Familiar commands are used with people you address as **tú**. Affirmative **tú** commands have the same form as the **usted/él/ella** form of the present indicative. Negative **tú** commands have the same form as the **tú** form of the present subjunctive.

Familiar commands

Infinitive	Affirmative command	Negative command
viajar	viaja	no viajes
empezar	empieza	no empieces
pedir	pide	no pidas

*No está bien que seas así, **cambia**...*

- These eight verbs have irregular affirmative **tú** commands. Their negative forms are still the same as the **tú** form of the present subjunctive.

decir	di	salir	sal
hacer	haz	ser	sé
ir	ve	tener	ten
poner	pon	venir	ven

Nosotros/as commands

- **Nosotros/as** commands are used to give orders or suggestions that include yourself as well as others. They correspond to the English *let's* + [*verb*]. Affirmative *and* negative **nosotros/as** commands are generally identical to the **nosotros/as** forms of the present subjunctive.

Nosotros/as commands

Infinitive	Affirmative command	Negative command
bailar	bailemos	no bailemos
beber	bebamos	no bebamos
abrir	abramos	no abramos

- The verb **ir** has two possible affirmative **nosotros/as** commands: **vayamos**, the form identical to that of the present subjunctive, and the more common **vamos**. In the negative, however, use only **no vayamos**.

Using pronouns with commands

- When object and reflexive pronouns are used with affirmative commands, they are always attached to the verb. When used with negative commands, the pronouns appear between **no** and the verb.

Levánten**se** temprano.
Wake up early.

No **se** levanten temprano.
Don't wake up early.

Dí**melo** todo.
Tell me everything.

No **me lo** digas.
Don't tell it to me.

- When the pronouns **nos** or **se** are attached to an affirmative **nosotros/as** command, the final **s** of the command form is dropped.

Senté**monos** aquí.
Let's sit here.

No nos **sentemos** aquí.
Let's not sit here.

Dé**moselo** mañana.
Let's give it to him tomorrow.

No se lo **demos** mañana.
Let's not give it to him tomorrow.

Indirect (él, ella, ellos, ellas) commands

- The construction **que** + [*subjunctive*] can be used with a third person form to express indirect commands that correspond to the English *let someone do something*. If the subject of the indirect command is expressed, it usually follows the verb.

Que pase el siguiente.
Let the next person pass.

Que lo **haga** ella.
Let her do it.

- Unlike with direct commands, pronouns are never attached to the conjugated verb.

Que se lo den los otros.
Que lo vuelvan a hacer.

Que no **se lo den.**
Que no **lo vuelvan** a hacer.

¡ATENCIÓN!

When one or more pronouns are attached to an affirmative command, an accent mark may be necessary to maintain the command form's original stress. This usually happens when the combined verb form has three or more syllables.

decir:

di, dile, dímelo

diga, dígale, dígaselo

digamos, digámosle, digámoselo

TALLER DE CONSULTA

See **3.2, p. 102,** for object pronouns.

See **4.2, p. 140,** for reflexive pronouns.

Práctica

1

Cambiar Cambia estas oraciones para que sean mandatos. Usa el imperativo.

1. Te conviene buscarlo en Internet.
2. ¿Por qué no leemos el horóscopo?
3. Te pido que mires la película con subtítulos.
4. ¿Quiere hacer la entrevista?
5. ¿Podrían ustedes grabar mi telenovela favorita hoy?
6. ¿Y si vamos al estreno?
7. Traten de darme el guion antes de las tres.
8. Debes escuchar esta banda sonora. Es muy buena.

2

Nuevo famoso El actor Mateo Domínguez va al estreno de su primera película. Usa mandatos informales para darle consejos sobre lo que debe y no debe hacer.

besar a la gente	firmar (*to sign*) autógrafos
contar el final de la película	gritarle al público
darle una entrevista a la prensa sensacionalista	hablar durante la película
	llegar tarde/temprano
explicar los efectos especiales	vestirse bien/mal

3

Un director difícil

A. Agustín Álvarez es un director de teatro muy exigente (*demanding*). Usa mandatos formales afirmativos y negativos para escribir los consejos que les dio a sus actores antes del estreno.

1. No olvidar llegar temprano.
2. Comer dos horas y media antes.
3. Venir con los diálogos memorizados.
4. Evitar los medios de comunicación 24 horas antes del estreno.
5. Hacer ejercicios de respiración y de voz.
6. No fumar ni tomar bebidas frías.

B. El estreno de la obra de teatro fue un éxito. Sin embargo, el señor Álvarez no estuvo contento con el actor principal. En parejas, usen mandatos informales afirmativos y negativos para escribir siete nuevos consejos que le dio a este actor. Usen pronombres y sean creativos.

> **Modelo** No empieces a ensayar tu papel en el último minuto.
> Ensáyalo con tiempo.

Comunicación

4

Internet ¿Qué le dirían a un(a) amigo/a para que esté mejor informado/a sobre la actualidad? En parejas, escojan verbos de la lista y otros para hacerle ocho recomendaciones utilizando mandatos informales afirmativos y negativos. Sean creativos.

> **Modelo** Busca en Internet. Hay sitios web que ofrecen noticias de todo tipo.

buscar	hablar	ir
enterarse	hacer	leer
escuchar	investigar	ver

5

Escenas En parejas, escojan por lo menos dos de estos personajes y escriban una escena para una película. Usen mandatos afirmativos y negativos de las formas **tú**, **usted(es)** y **nosotros/as.** Usen pronombres cuando sea posible.

> **Modelo** **OLGA** ¡Sal de aquí! No quiero verte más.
>
> **RODOLFO** No quiero irme. ¡Quedémonos aquí! Hablemos del viaje a San Juan.

Rodolfo	Olga	Tomasito	doña Filomena

6

Anuncio En grupos de tres, elijan cuatro de estos productos y escriban un anuncio de televisión para promocionar cada uno de ellos. Utilicen mandatos formales y pronombres para convencer al público de que lo compre.

> **Modelo** El nuevo perfume "Enamorar" de Carolina Ferrero le va a encantar. Cómprelo en cualquier perfumería de su ciudad. Pruébelo y...

> - Perfume "Enamorar" de Carolina Ferrero
> - Chocolate sin calorías "Deliz"
> - Raqueta de tenis "Rayo"
> - Pasta de dientes "Sonrisa Sana"
> - Computadora portátil "Digitex"
> - Crema hidratante "Suavidad"
> - Todo terreno "4 × 4"
> - Cámara fotográfica "Flimp"

PUEDO decirle a la gente qué hacer.

Síntesis

Noticias: ¿Mucho, poco o nada?

Los noticieros de la televisión tienen la misión de informar al público. Sin embargo, hay distintas opiniones sobre estos programas de noticias. Algunas personas están satisfechas con mirar solamente un noticiero para informarse. Generalmente estas personas miran el mismo programa todos los días o todas las semanas. Otras personas creen que deben obtener información de diferentes fuentes°, por ejemplo de otros canales de televisión.

sources

Estas personas generalmente miran más de un programa de noticias, en diferentes cadenas de televisión. Y hay incluso otro tipo de televidente que simplemente no cree en los programas de noticias y, por lo tanto, no mira las noticias. Estas personas buscan información en medios de comunicación alternativos, como la radio o Internet, o simplemente no buscan ninguna información y sólo miran la televisión para entretenerse y evadirse de la realidad. ■

1

Consejos ¿Qué consejos le darían a un(a) amigo/a que mira la televisión sólo como entretenimiento y nunca mira las noticias? En parejas, escríbanle un párrafo con recomendaciones. Deben utilizar el subjuntivo y el infinitivo. También deben utilizar por lo menos dos mandatos afirmativos y dos negativos.

> **Modelo**   Mira los noticieros imparciales. Te recomiendo también que consideres opciones en Internet.

2

Anuncio En grupos pequeños, imaginen que en la historia de la universidad nunca hubo tan pocos nuevos estudiantes inscritos como en este semestre. Escriban un anuncio para la radio para atraer un mayor número de estudiantes el año que viene. Usen tres mandatos informales afirmativos y tres negativos.

> **Modelo**   ¿Todavía no sabes dónde vas a estudiar el semestre que viene? Considera la universidad de...

3

Debate En parejas, imaginen un diálogo entre una persona que nunca utiliza Internet y otra que está todo el día frente a la computadora. Representen el diálogo ante la clase, utilizando la mayor cantidad de pronombres posible.

PUEDO hablar sobre las noticias.

Preparación

Vocabulario de la lectura

controvertido/a *controversial*
el crecimiento *growth*
el estilo *style*
el éxito *success*
la fama *fame*
el género *genre*

golpear *to beat (a drum)*
la letra *lyrics*
la pista de baile *dance floor*
el ritmo *rhythm*
salir a la venta *to go on sale*

Vocabulario útil

el bajo *bass*
la flauta *flute*
el tambor *drum*
tocar *to play (an instrument)*

1

Vocabulario Completa las oraciones con el vocabulario de la lista.

controvertido	fama	pista de baile
estilo	géneros	ritmo
éxito	golpear	salir a la venta

1. La nueva novela de Julia Álvarez va a _____ en mayo.
2. La diseñadora de moda (*fashion designer*) Carolina Herrera tiene un _____ único.
3. Para tener _____ en la vida, hay que trabajar y estudiar mucho.
4. El origen de la vida es un tema muy _____.
5. La salsa, la rumba y el tango son diferentes _____ musicales.
6. Algunos actores que viven en Hollywood tienen dinero y mucha _____.
7. En una discoteca, se puede bailar en la _____.

2

La música En parejas, contesten las preguntas y expliquen sus respuestas.
1. ¿Les gusta la música latina? ¿Por qué?
2. ¿Qué cantantes latinos/as conocen?
3. ¿De qué países son esos/as cantantes?
4. ¿En qué situaciones escuchan música en español?
5. ¿Les gusta bailar música latina? ¿Por qué?
6. ¿Toman clases de baile? ¿De qué tipo?

3

Completar En grupos de cuatro, completen las oraciones de acuerdo con sus opiniones.
1. Me identifico con la música de... porque...
2. La música (no) es importante en mi vida porque...
3. Me gusta que mi cantante favorito/a... porque...
4. Pienso que las bandas y los cantantes que tienen éxito son aquéllos que... porque...
5. Saber bailar es importante/necesario... porque...
6. Las personas que saben bailar... porque...

Ritmos del Caribe

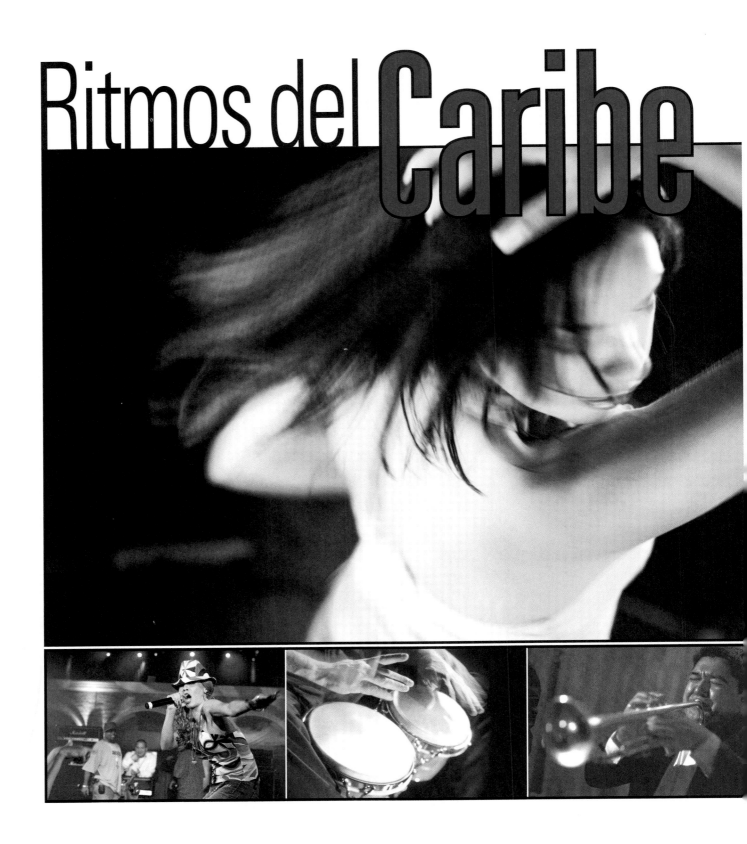

Cultura en pantalla

Visita **vhlcentral.com** y encuentra más información sobre los ritmos más representativos del Caribe.

CULTURA

 Audio: Reading

experiencing

Durante los últimos años, en los Estados Unidos se está viviendo° una explosión en las ventas de discos en español. Las estaciones de radio 5 especializadas en música latina son las de mayor crecimiento y los cantantes y grupos musicales hispanos programan conciertos por todo el territorio norteamericano. Este fenómeno resulta de los cambios 10 socioculturales que se están viviendo en el país. En primer lugar, se debe al crecimiento de la población latina que mantiene sus tradiciones y con ello el consumo de su música. En segundo lugar, se debe al nuevo interés por la música 15 en español por parte de un público que antes se limitaba a oírla sólo en inglés.

distribution

Cuban musical style

Los estilos musicales de origen caribeño, mezclas de ritmos africanos, españoles e indígenas, gozan de la mayor proyección° 20 internacional. Algunos de los ritmos caribeños más populares son la salsa, el son° cubano y el reggaetón.

La salsa

La salsa, que nació como una versión 25 modernizada del son cubano, se extendió en el mercado latinoamericano en 1975. El ritmo salsero se hizo compañero indispensable en el día a día hispano. A partir de entonces, se empezó a oír en los comercios, en las 30 oficinas, en los bares, en las fiestas, en el

home

hogar° y en las calles. Sus letras hablan de los sufrimientos y las alegrías de la vida cotidiana. El gran número de inmigrantes latinos que vivían en Nueva York hizo que esta ciudad

entryway 35 se convirtiera en puerto de entrada° de los ritmos caribeños en los Estados Unidos. Entre sus representantes más famosos se cuentan El Gran Combo de Puerto Rico y Óscar de León.

El son cubano

moved to the top 40 El son cubano se apoderó° de las listas de los discos más vendidos en 1997, cuando salió a la venta el álbum titulado *Buena Vista Social Club,* interpretado por un grupo de importantes músicos de Cuba. Una película que documenta

box office 45 la grabación del disco fue un éxito de taquilla°

Instrumentos del Caribe

El bongó y las maracas son algunos de los instrumentos más utilizados en la música caribeña. El bongó tiene forma de barril y posee dos parches de cuero (*leather skin*) muy tensos que vibran al golpearlos. Las maracas son de origen indígena y están hechas de un recipiente que tiene forma redondeada. En su interior se ponen pequeños objetos como semillas o piedrecillas que al agitarse producen su sonido típico.

en todo el mundo. La fama del documental ayudó a que el son cubano llegara a un público que nunca antes había tenido interés en este género musical. De hecho, durante décadas, la fama de los artistas de *Buena Vista* se 50 limitaba sólo a la isla. Personas de todas las edades ahora bailan al ritmo de la música de este fascinante grupo que se convirtió en un fenómeno mediático° internacional.

created by the media

El reggaetón 55

El reggaetón ha sido una de las últimas formas musicales en desarrollarse como estilo distintivo. Esta música bailable° nació en

dance

Puerto Rico en los años noventa. Se deriva del *reggae* jamaicano, del *hip-hop* norteamericano 60 y de diferentes ritmos puertorriqueños. Recientemente se ha convertido en la música en español con más proyección internacional. El contenido de sus letras, en su mayoría controvertido, no es muy diferente al del *hip-* 65 *hop* norteamericano y retrata° con frecuencia la

depicts

violencia en las calles. Don Omar y Ivy Queen son dos de los creadores de reggaetón cuyas canciones dominan las pistas de baile.

Las melodías del Caribe están cada vez 70 más presentes en el panorama musical del momento. Con la introducción en el mercado internacional de los ritmos caribeños, se está acostumbrando al público a escuchar con mayor atención lo que, en muchas ocasiones, es 75 la bandera de esa cultura: su música. ■

Análisis

1 **Comprensión** Decide si cada afirmación es cierta o falsa. Corrige las falsas.

1. La música latina es popular en los Estados Unidos, pero todavía no en el resto del mundo.

2. El consumo de la música latina entre hispanos es en parte debido a que esta población mantiene sus tradiciones.

3. Las letras de la salsa hablan de los sufrimientos y las alegrías de la vida cotidiana.

4. Los músicos del *Buena Vista Social Club* ya eran conocidos internacionalmente antes de que saliera este álbum.

5. El reggaetón tiene sus raíces en la música indígena del Caribe.

6. El contenido de las letras del reggaetón es tan controvertido como el de las letras del *hip-hop*.

2 **Ampliar** En parejas, contesten las preguntas y expliquen sus respuestas.

1. ¿Por qué crees que la música es tan importante para los latinos de los Estados Unidos?

2. ¿Has visto el fenómeno de la música latina donde tú vives? ¿Cómo se manifiesta?

3. ¿Cuál es el tipo de música sin el cual no puedes vivir?

4. ¿Escuchas música local cuando viajas? ¿La compras? ¿Por qué?

3 **Aviso** En grupos de cuatro, han decidido formar un grupo de música caribeña, pero todavía están buscando los músicos adecuados. Escriban un aviso para buscar candidatos con al menos tres características esenciales. Luego, presenten el aviso a la clase.

Modelo El grupo Los Salseros Boricuas busca persona entusiasta que sepa tocar el bongó. Si te encanta la música caribeña, hacer amigos y viajar, llama al 431-237-1003 y pregunta por Lucio.

4 **Su música** En grupos de cuatro, piensen en un estilo de música típico de los Estados Unidos y luego comparen sus características con las de un estilo de música latina. Usen este cuadro como guía. Luego, comparen sus respuestas con las de otros grupos.

	Música latina	Música típica de EE.UU.
Instrumentos típicos		
Ocasiones en que se escucha o se baila		
Origen e influencias		
Público típico		
Temas de las letras		
Intérpretes más conocidos en el mundo		

Practice more at vhlcentral.com.

PUEDO investigar la música latina.

Preparación

Sobre el autor

Ginés S. Cutillas nació en Valencia, España, en 1973. En su obra prevalece el microcuento, para el que tiene un ingenio especial. Su talento fue premiado (*rewarded*) al ganar en 2006 la V edición del concurso de microcuentos de la Feria del libro de Granada. Cutillas también ha sido ganador de otros concursos internacionales de relatos. Ha publicado libros de cuentos como *La biblioteca de la vida* (2007) y una novela, *La sociedad del duelo* (2013), así como las colecciones de microcuentos *Un koala en el armario* (2010) y *Vosotros, los muertos* (2016). Ha contribuido a varias antologías de nuevos autores y también colabora en revistas literarias como *Litoral* y *Prometheus*.

Vocabulario de la lectura		**Vocabulario útil**
el castigo *punishment*	**el suelo** *ground*	**la desaparición** *disappearance*
la desesperación *desperation*	**tras** *after*	**el hallazgo** *discovery*
la estantería *bookcase*	**vigilar** *to watch, to keep an eye on*	**la sospecha** *suspicion*
el rasgo *trait, feature*		

1

Vocabulario Completa el párrafo con palabras de la lista.

castigo	estantería	sospechas
desaparición	hallazgo	tras
desesperación	rasgos	vigilar

Los noticieros informaron hoy sobre un nuevo asesinato (*murder*) del "carnicero del campo de golf", y provocaron una reacción de (1) _____ en la ciudad. La (2) _____ de un hombre de negocios había sido denunciada (*reported*) días antes por sus compañeros de golf, (3) _____ perderlo de vista de manera extraña durante una práctica. El (4) _____ de la víctima confirmó las (5) _____ por la presencia de (6) _____ comunes a todos los asesinatos del "carnicero". La policía ha prometido (7) _____ los campos de golf de toda la ciudad para capturar al culpable y darle el (8) _____ que se merece.

2

Responder En grupos de tres, contesten estas preguntas.

1. Cuando no puedes salir de tu casa por algún motivo, ¿prefieres leer un libro o mirar televisión? ¿Por qué?

2. ¿Enciendes el televisor sólo para mirar programas que te interesan o miras cualquier cosa que estén transmitiendo? Explica.

3. ¿Cuántas horas por semana miras la televisión? ¿Crees que es tiempo bien utilizado o es una pérdida de tiempo? ¿Por qué?

4. ¿Qué opinas de esta afirmación: "La televisión duerme a la gente y los libros la despiertan"?

La Desesperación de las Letras

Ginés S. Cutillas

crashing noise
surprised
to check
was in the throes of death

Estaba viendo la tele cuando oí un fuerte estruendo° detrás de mí. Justo en la biblioteca. Me levanté extrañado° y fui a comprobar° qué era. Una masa inconsistente de papel agonizaba° a los pies de la estantería. La cogí entre mis

5 manos y desmembrando sus partes pude adivinar que aquello había sido un libro, *Crimen y castigo* para ser exactos. No supe encontrar una explicación lógica a tan extraño incidente. A la noche siguiente, otra vez delante de la televisión, oí de nuevo ese ruido. Esta vez, irónicamente, había sido *Anna Karenina* quien

bunch / was lying 10 se había convertido en un manojo° de papel deforme que yacía° a los pies de sus compañeros. Tras varias noches repitiéndose

events los hechos°, me di cuenta de lo que estaba ocurriendo: los libros se estaban suicidando. Al principio fueron los clásicos, cuanto más clásico era, más probabilidad tenía de estamparse°contra

of crashing

15 el suelo. Más tarde comenzaron los de filosofía, un día moría Platón y al otro Sócrates. Luego les siguieron autores más contemporáneos como Hemingway, Dos Passos, Nabokov…

by leaps and bounds Mi biblioteca estaba desapareciendo a pasos agigantados°. Había noches de suicidios colectivos y yo, por más que me

por... no matter how hard I tried 20 esforzaba°, no conseguía encontrar un rasgo común entre las obras kamikazes que me permitiera saber cuál iba a ser la siguiente. Una noche decidí no encender la televisión para vigilar atentamente los libros. Aquella noche no se suicidó ninguno. ■

Análisis

1 **Comprensión** Contesta las preguntas con oraciones completas.

1. ¿A qué hora transcurren los acontecimientos del relato y dónde está el narrador?
2. ¿Cómo se da cuenta el narrador de que los libros se caen?
3. ¿Cómo quedan los libros tras caerse?
4. ¿Qué están haciendo los libros, según el narrador?
5. ¿Cuándo paran los suicidios colectivos?

2 **Interpretar** Contesta estas preguntas.

1. ¿Cómo es la personalidad del narrador? ¿Qué opina de la televisión y por qué?
2. ¿Hay relación entre el título del primer libro que cae y lo que sucede? ¿Cuál?
3. ¿Qué significa que los libros clásicos tengan más probabilidad de caer?
4. ¿Por qué crees que los libros se suicidan? ¿Logran algún objetivo? Explica.

3 **Juzgar** En grupos pequeños, organicen un juicio (*trial*) en el que los libros demandan a (*sue*) la televisión por provocar suicidios colectivos, y la televisión se defiende. Distribuyan los papeles de abogados, testigos (*witnesses*), jurado (*jury*) y juez. Debatan hasta llegar a un veredicto.

4 **Opinar** En parejas, lean estas afirmaciones y digan si están de acuerdo y por qué. Después, compartan su opinión con la clase.

- La televisión ayuda a los padres a educar a sus hijos.
- Gracias a los programas infantiles, los padres tienen más tiempo libre.
- La televisión hace compañía a los enfermos y a los ancianos.
- La TV es buena para niños y ancianos; para los demás, es una pérdida de tiempo.

5 **Escribir** Escribe un correo electrónico a un periódico local como si fueras el narrador del cuento y denuncia la muerte de los libros por culpa de la televisión.

Plan de redacción

Escribir un correo electrónico

1 Título Inventa un título para tu mensaje de correo electrónico.

2 Contenido Organiza tus ideas para que no se te olvide nada.

1. Explica lo que sucede con los libros. Indica cómo te sientes utilizando expresiones como: **Es terrible que, Tengo miedo de que, Es una pena que**, etc.
2. Acusa a los programas de televisión. Cita algunos que te parecen de peor calidad y expresa tu opinión sobre ellos. Usa el subjuntivo.
3. Sugiere un castigo para la televisión por la muerte de los libros o indica cómo podría solucionarse el problema. Incluye mandatos.

3 Conclusión Elige una de estas frases o escribe otra para concluir: **El tiempo corre, Es hora de actuar, La cultura está en peligro, Basta de telebasura.**

PUEDO opinar sobre la televisión.

Los medios de comunicación

 Vocabulary Tools

Los medios

el acontecimiento *event*
la actualidad *current events*
el anuncio *advertisement, commercial*
la censura *censorship*
Internet *Internet*
los medios (de comunicación) *media*
la parcialidad *bias*
la publicidad *advertising*
la radio *radio*
el reportaje *news report*
el sitio web *website*
la temporada *season*

enterarse (de) *to become informed (about)*
opinar *to express an opinion, to think*
ser parcial *to be biased*
tener buena/mala fama *to have a good/bad reputation*

actualizado/a *up-to-date*
destacado/a *prominent*
en directo/vivo *live*
imparcial *impartial, unbiased*
influyente *influential*

Profesionales de los medios

el/la actor/actriz *actor/actress*
el/la cantante *singer*
el/la crítico/a de cine *film critic*
el/la director(a) *director*
la estrella (de cine) *(movie) star*
el/la fotógrafo/a *photographer*
el/la locutor(a) de radio *radio announcer*
el/la oyente *listener*
el/la periodista *journalist*
el público *audience, public*
el/la redactor(a) *editor*
el/la reportero/a *reporter*
el/la televidente *television viewer*

El cine y la televisión

la banda sonora *soundtrack*
la cadena *network*
el cine *cinema, movies*
el doblaje *dubbing*
el documental *documentary*
los efectos especiales *special effects*

el estreno *premiere, new movie*
la pantalla *screen*
la película *movie*
el programa de concursos *game show*
el programa de telerrealidad *reality show*
los subtítulos *subtitles*
la telenovela *soap opera*
la transmisión *broadcast*
el video musical *music video*

ensayar *to rehearse*
entretener *to entertain*
entrevistar *to interview*
grabar *to record*
rodar (o:ue) *to shoot (a movie)*
transmitir *to broadcast*

La prensa

el horóscopo *horoscope*
la libertad de prensa *freedom of the press*
las noticias locales/internacionales/
    nacionales *local/international/
    national news*
el periódico/el diario *newspaper*
la portada *front page, cover*
la prensa (sensacionalista)
    (tabloid) press
la revista *magazine*
la sección de sociedad *lifestyle section*
la sección deportiva *sports section*
la tira cómica *comic strip*
el titular *headline*

investigar *to research; to investigate*
publicar *to publish*
suscribirse (a) *to subscribe (to)*

Cortometraje

la chompa *sweater*
la guagua *child*
los papeles *documents*

abrigarse *to wear warm clothes*
calcular *to estimate*
charlar *to chat*
colgar (el teléfono) *to hang up (the phone)*
(estar) disponible *(to be) available*
fijarse *to pay attention*
hacer caso *to obey*

parquear *to park*
salvar la vida *to save someone's life*

chato/a *sweetie*
desconsiderado/a *inconsiderate*
malcriado/a *rude*
tibio/a *warm*

no más *only*

Cultura

el bajo *bass*
el crecimiento *growth*
el estilo *style*
el éxito *success*
la fama *fame*
la flauta *flute*
el género *genre*
la letra *lyrics*
la pista de baile *dance floor*
el ritmo *rhythm*
el tambor *drum*

golpear *to beat (a drum)*
salir a la venta *to go on sale*
tocar *to play (an instrument)*

controvertido/a *controversial*

Literatura

el castigo *punishment*
la desaparición *disappearance*
la desesperación *desperation*
la estantería *bookcase*
el hallazgo *discovery*
el rasgo *trait, feature*
el suelo *ground*
la sospecha *suspicion*

vigilar *to watch, to keep an eye on*

tras *after*

Objetivos comunicativos: Repaso

PUEDO opinar sobre los medios de comunicación.
• Indica qué medios de comunicación utilizas y por qué.

PUEDO conversar sobre las películas.
• Indica tu película favorita y explica por qué te encanta.

PUEDO decirle a la gente qué hacer.
• Dale cinco mandatos a tu profesor(a) de español.

PUEDO opinar sobre la televisión.
• Indica lo que miras en la televisión y por qué.

PUEDO investigar las culturas de Puerto Rico, Cuba y la República Dominicana.
• Describe algo que aprendiste de las culturas del Caribe.

Generaciones en movimiento

El paso del tiempo es una realidad inevitable que nos afecta a todos. La evolución de las culturas y la sucesión de nuevas generaciones dependen de ese constante proceso de renovación. Las nuevas ideas de los jóvenes dan fuerza a la tradición y a la cultura que nos transmiten nuestros padres.

Objetivos comunicativos:
- Hablar sobre las familias
- Conversar sobre la brecha generacional
- Hablar de incertidumbres
- Narrar una historia familiar
- Investigar las culturas de Centroamérica

124 CORTOMETRAJE

En *Sin palabras*, cortometraje de la directora española **Bel Armenteros**, el afecto se muestra como el camino más corto entre dos generaciones.

130 IMAGINA

Sigue la **carretera Panamericana** y conoce las historias y tradiciones de seis países centroamericanos y sus capitales. Además, verás un reportaje sobre dos mujeres de distintas generaciones que van de compras en **Barcelona**.

149 CULTURA

En el artículo *Sonia Sotomayor: la niña que soñaba* conocerás a la primera jueza hispana de la Corte Suprema de Justicia de los EE.UU., quien hizo realidad el sueño americano. Además, en el videoclip **Cultura en pantalla** podrás ver una entrevista sobre **Sonia Sotomayor y su condición latina**.

153 LITERATURA

La escritora nicaragüense **Gioconda Belli** describe un secreto de su familia en el prólogo de su novela *Las fiebres de la memoria*.

127

133

Destino:
CENTROAMÉRICA

HONDURAS
GUATEMALA
EL SALVADOR
NICARAGUA
COSTA RICA
PANAMÁ

122 PARA EMPEZAR

136 ESTRUCTURAS

4.1 The subjunctive in adjective clauses

4.2 Reflexive verbs

4.3 **Por** and **para**

157 VOCABULARIO

En familia

 Vocabulary Tools

Los parientes

el/la antepasado/a *ancestor*
el/la bisabuelo/a *great-grandfather/ grandmother*

el/la cuñado/a
  brother/sister-in-law
el/la esposo/a
  husband/wife
el/la (hermano/a)
  gemelo/a
  twin (brother/sister)
el/la hermanastro/a *stepbrother/stepsister*
el/la hijo/a único/a *only child*
la madrastra *stepmother*
el/la medio/a hermano/a
  half brother/sister
el/la nieto/a *grandson/granddaughter*
la nuera *daughter-in-law*
el padrastro *stepfather*
el/la pariente *relative*
el/la primo/a *cousin*
el/la sobrino/a *nephew/niece*
el/la suegro/a *father/mother-in-law*
el/la tío/a (abuelo/a) *(great) uncle/aunt*
el yerno *son-in-law*

La vida familiar

agradecer *to thank*
apoyar(se) *to support (each other)*
criar *to raise (children)*
independizarse *to become independent*
lamentar *to regret, to be sorry about*
malcriar *to spoil*
mimar *to pamper*

mudarse *to move*
pelear(se) *to fight (with one another)*
quejarse (de) *to complain (about)*
regañar *to scold*

respetar *to respect*
superar *to overcome*

La personalidad

el apodo *nickname*
la autoestima *self-esteem*
el carácter *character, personality*
la comprensión *understanding*
———
(bien) educado/a *well-mannered*
egoísta *selfish*
estricto/a *strict*
exigente *demanding*
honrado/a *honest*
insoportable *unbearable*
maleducado/a *ill-mannered*
mandón/mandona *bossy*

rebelde *rebellious*
sumiso/a *submissive*
unido/a *close-knit*

Las etapas de la vida

la adolescencia *adolescence*
el/la adolescente *adolescent*
el/la adulto/a *adult*
la edad adulta *adulthood*
la juventud *youth*
la muerte *death*
el nacimiento *birth*
la niñez *childhood*
el/la niño/a *child*
la vejez *old age*

Las generaciones

la ascendencia *heritage*
la brecha generacional *generation gap*
la patria *homeland*
el prejuicio social *social prejudice*
la raíz *root*
el sexo *gender*

———
heredar *to inherit*
parecerse *to look alike*
realizarse *to fulfill*
sobrevivir *to survive*

Práctica

1

Completar Completa las oraciones con la opción correcta.

1. Los rostros (*faces*) de mi hermana y de mi madre _____ mucho. Ellas son casi idénticas.
   a. se pelean
   b. se quejan
   c. se parecen

2. Yo, en cambio, soy físicamente igual a mi padre y también tenemos el mismo _____.
   a. niñez
   b. carácter
   c. tío

3. Durante su _____, mis padres estaban muy enamorados.
   a. nacimiento
   b. apodo
   c. juventud

4. Ellos se divorciaron el año pasado y yo lo _____ mucho.
   a. mimo
   b. lamento
   c. mudo

5. Estoy disgustada, sí, pero no me _____, porque nos quieren igual.
   a. quejo
   b. apoyo
   c. realizo

6. A pesar de la distancia seguimos siendo una familia _____. ¡Siempre lo fuimos!
   a. sumisa
   b. unida
   c. exigente

2

Crucigrama Completa el crucigrama.

Horizontales
1. el hijo de mi hermano
4. dar las gracias
6. que no se puede tolerar
8. etapa de vida de una persona de 80 años
9. tratar a algo o a alguien con cortesía, atención y obediencia
10. opinión negativa sobre algo o alguien antes de conocerlo

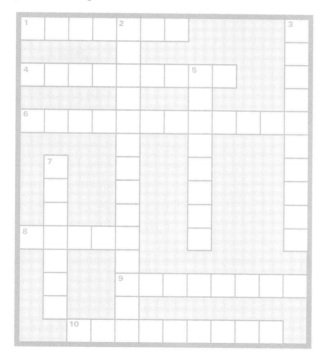

Verticales
2. irse de la casa de los padres; emanciparse
3. valoración positiva de uno mismo
5. severo; riguroso
7. recibir bienes (*possessions*) que un familiar deja al morir

3

La familia Rodríguez En parejas, túrnense para elegir a un miembro de la familia de la foto y decir quién y cómo es. Inventen detalles y utilicen palabras del vocabulario.

Modelo El abuelo, don Luis, tiene un carácter muy agradable y se lleva muy bien con toda su familia...

PUEDO hablar sobre las familias.

Practice more at vhlcentral.com.

Preparación

Vocabulario del corto

apetecer *to feel like*
chillar *to scream*
el/la colega *buddy*
desagradecido/a *ungrateful*
el/la enclenque *weakling*

escribir a máquina
   to type
el/la niñato/a
   spoiled brat (Esp.)
pulsar *to press*
el recogedor *dustpan*

Vocabulario útil

el ajedrez *chess*
antipático/a *unfriendly*
hiriente *hurtful*
huraño/a *unsociable*
tembloroso/a *trembling*
torpe *clumsy*

EXPRESIONES

de mala educación *rude*

de tal palo, tal astilla *the apple doesn't fall far
   from the tree*

largarse *to leave*

No me metas en vuestras movidas/tus rollos.
Don't drag me into your problems.

1

Adjetivos útiles El joven está describiendo al hombre. Empareja cada descripción con el adjetivo correcto.

1. antipático _____
2. huraño _____
3. torpe _____
4. hiriente _____
5. tembloroso _____

a. "Hace daño con sus comentarios sarcásticos."
b. "Está siempre solo, no se relaciona."
c. "Con el ordenador es un absoluto inútil."
d. "Se mueven demasiado sus manos."
e. "¿Simpático? ¡Es lo contrario de simpático!"

2

Vocabulario Completa las oraciones con palabras del vocabulario del cortometraje.

1. No te va a _____ cenar después de comer tanto dulce.
2. Él era un _____ en su juventud, pero ahora es fuerte y atlético.
3. Cuando no existían las computadoras, los escritores debían _____.
4. Estuve jugando al fútbol con mi _____ de la oficina y luego fuimos al centro comercial.
5. Juan Carlos es un _____ inmaduro e irresponsable.
6. La ayudé todo el año y ahora ni me responde el teléfono, ¡qué _____!
7. ¡Me quiero _____ de esta ciudad! Hace un calor insoportable.
8. Cuando el cantante salió al escenario, todos nos pusimos a _____ de la emoción.

3 **Generaciones y medios** Determina si estás de acuerdo o en desacuerdo con estas afirmaciones. Después, trabaja con un(a) compañero/a para comparar y discutir tus respuestas.

1. Las personas de mi generación leen libros y periódicos en papel.
2. A la generación de mis abuelos le gusta hacerse *selfies*.
3. Mi generación usa el teléfono para comunicarse a distancia.
4. Las personas de mi generación publican fotos, videos y textos sobre experiencias personales.
5. La generación de mis abuelos visita sus redes sociales obsesivamente.

4 **Preguntas** En parejas, respondan las preguntas.

1. ¿Cómo te mantienes en contacto con tu familia y con tus amigos/as?
2. ¿Cómo te enteras de las noticias nacionales e internacionales?
3. ¿Has utilizado una máquina de escribir? ¿Qué ventajas crees que tiene esta herramienta?

5 **Fotogramas** En parejas, imaginen quiénes son los personajes y cómo es su relación. Respondan las preguntas.

- ¿Quiénes son estos dos personajes?
- ¿Dónde viven?
- ¿Cómo es su relación?
- ¿Qué clase de conflicto hay entre ellos?

6 **Brecha generacional** En parejas, respondan las preguntas.

1. ¿Qué sorprende más a tus padres sobre tu generación?
2. ¿Cuáles son las cosas que más te sorprenden a ti de la generación de tus padres?
3. ¿Cómo crees que vivieron tus padres en su adolescencia?
4. ¿Es difícil para tus padres entender tu forma de divertirte y de relacionarte? ¿Por qué?
5. ¿Cómo crees que sería tu generación si no existieran ni Internet ni las redes sociales?

ARGUMENTO *David tiene que pasar dos semanas con un hombre realmente insoportable: su abuelo.*

ABUELO ¿Y tu madre?
DAVID Tenía prisa, perdía el avión.
ABUELO Tu habitación está al final del pasillo.

DAVID Hola, papá, soy yo. Te quería hacer una pregunta. Era por si me podía quedar un par de semanas en tu casa. Es que yo prefiero estar contigo.

(Las manos temblorosas del abuelo sobre el teclado de una máquina de escribir.)

DAVID Oye, ¿quieres que te ayude?
ABUELO No sabes escribir a máquina.
DAVID Sé escribir en ordenador, no creo que sea tan distinto.

ABUELO Éste es el que te ha partido la cara, ¿no? Pero si es un enclenque.
JOVEN Cállate, viejo, anda, no molestes, ¿vale?
ABUELO ¿Que me calle? ¿Cómo que me calle?

ABUELO ¿Tantas ganas tienes de marcharte que ya estás haciendo la maleta?
DAVID Mamá viene mañana temprano.
ABUELO ¿Mañana ya?

Nota CULTURAL

Pisos

En varios países de Latinoamérica y en España a los apartamentos se les llama *pisos*. Los más antiguos tienen una distribución muy particular: por lo general, estas viviendas tienen un pasillo a lo largo del cual están los dormitorios y los cuartos de baño. Antes de llegar al pasillo suele estar la cocina, que es donde se prepara la comida y se lava la ropa. ¡Sí, la lavadora siempre está en la cocina! Como en casi toda España suele hacer buen tiempo, la ropa recién lavada se cuelga en un tendedero° anexo.

tendedero *clothesline*

Análisis

1

Comprensión Contesta las preguntas con oraciones completas.

1. ¿Por qué va David a casa de su abuelo?
2. ¿A quién llama David desde su habitación?
3. ¿Por qué desayuna David café por las mañanas?
4. ¿Qué trabajo tiene el abuelo de David?
5. ¿Cómo ayuda David a su abuelo?
6. ¿Quién es el joven que David y su abuelo se encuentran en el parque?
7. ¿Cómo cambia la relación de David con su abuelo después del incidente en el parque? ¿Cómo lo sabes?
8. Al final de la película David y su abuelo se despiden. ¿Cuándo volverán a verse?

2

Interpretar En parejas, contesten las preguntas.

1. ¿Por qué crees que la madre de David no quiere dejarlo solo en su casa?
2. ¿Cómo crees que es la vida familiar de David? ¿Por qué?
3. ¿Qué hace David para hacerse respetar por su abuelo?
4. ¿Cuáles pueden ser las razones del comportamiento del abuelo?
5. ¿Qué siente David por su abuelo? ¿Cómo lo sabes?
6. ¿Qué crees que siente el abuelo por su nieto? ¿Cómo lo demuestra?
7. ¿Cómo describirías la relación de David con su padre?
8. ¿Qué conflicto crees que hay entre la madre de David y el abuelo?
9. ¿Cómo cambia la vida del abuelo después de vivir dos semanas con David?

3

Redes sociales En parejas, y con base en lo que saben de los personajes, asignen cada texto a David o a su abuelo. Luego, ordénenlos y formen una conversación.

a. Mira, abuelo, esto es Facebook. Es muy divertido. Puedes ver los *posts* de tus amigos, y puedes dar "Me gusta". _____ _____

b. ¿Tienes 457 amigos? _____ _____

c. ¿Cómo que "Me gusta"? ¿Y no hay una opción que diga "Me parece una estupidez"? _____ _____

d. ¿En otro Facebook? ¿Qué es? ¿Un Facebook para viejos? _____ _____

e. No seas irrespetuoso con tu abuelo. _____ _____

f. Más social que tú, desde luego. ¿Cuántos amigos tienes? _____ _____

g. Muchísimos, pero están en otro Facebook, o como se llame. _____ _____

h. Pero abuelo, sería de mala educación. Recuerda que las personas que hay aquí son tus amigos. _____ _____

i. Sí, pero no los conozco personalmente a todos. Sólo a tres. _____ _____

j. ¡Ah, tres amigos en total! ¡Qué chico más social! _____ _____

4 **Nuevas tecnologías** En parejas, comenten cómo reacciona el abuelo de David ante las nuevas tecnologías. Respondan las preguntas.

1. ¿Cómo se comporta el abuelo de David con la computadora al inicio y al final del cortometraje?

2. ¿Qué semejanzas y diferencias encuentras entre las máquinas de escribir y las computadoras? ¿Qué crees que pensaba el abuelo de David sobre esto?

3. ¿Crees que algún día la tecnología será demasiado avanzada para ti? ¿Por qué?

5 **Hombres solitarios** En parejas, hablen del abuelo de David. Respondan las preguntas.

1. ¿Creen que el abuelo de David es mala persona? ¿Por qué?

2. ¿Por qué creen que el abuelo de David tiene esa personalidad?

3. ¿Es consciente el abuelo de David de lo antipático que es? ¿Por qué creen?

4. ¿Qué hace el abuelo de David por ser más agradable?

6 **Crítica** Escribe una reseña de *Sin palabras* basada en las siguientes escenas. Usa las preguntas como guía de escritura.

1. ¿Cómo describirías la situación en que se encuentran David y su abuelo?

2. ¿Crees que la forma en que David le habla a su abuelo es correcta? ¿Por qué?

3. ¿Cómo expresan su afecto mutuo David y su abuelo?

7 **Con palabras** En parejas, elijan una de estas situaciones e improvisen un diálogo. Utilicen seis palabras o expresiones de la lista. Después, represéntenlo delante de la clase.

ajedrez	enclenque	niñato/a
antipático/a	escribir a máquina	pulsar
apetecer	hiriente	tembloroso/a
chillar	huraño/a	torpe
colega	largarse	de mala educación
desagradecido/a	movida	de tal palo, tal astilla

A

Tu madre y tu abuelo no se llevan bien, así que decides ayudarlos a mejorar su relación. Tu madre está sentada en un sofá leyendo un libro. Te acercas y le preguntas: "Mamá, ¿por qué no vas nunca a ver al abuelo?".

B

Tienes setenta años y usas tu ordenador con frecuencia para hablar con tu nieto por Skype. Estás muy emocionado y agradecido por todo lo que él te ha enseñado sobre computadoras e Internet y decides hablar con él para expresarle lo que sientes.

PUEDO conversar sobre la brecha generacional.

Practice more at
vhlcentral.com.

Audio: Reading

IMAGINA

La Panamericana

Imagina un viaje en automóvil por **Centroamérica**. Comenzarías en **Panamá** y terminarías en **Guatemala**, al sur de México. Al final de tu viaje habrás recorrido unos 2.500 kilómetros (1.553 millas), visitado seis países hispanohablantes y conocido sus capitales: **Ciudad de Panamá** (Panamá), **San José** (Costa Rica), **Managua** (Nicaragua), **Tegucigalpa** (Honduras), **San Salvador** (El Salvador) y **Ciudad de Guatemala** (Guatemala). También habrás admirado volcanes humeantes[1], como el **Volcán Poás** en Costa Rica, y las ruinas mayas de **Tikal** y **Copán** en Guatemala y Honduras, respectivamente.

La ruta ideal para realizar esta odisea es la **carretera**[2] **Panamericana**, o simplemente la **Panamericana**. En principio, esta carretera conectaría todo el continente americano, desde la Patagonia hasta Alaska. Sin embargo, fenómenos naturales como sismos, inundaciones, deslizamientos o erupciones volcánicas han destruido algunos tramos[3] y existe uno que aún no está construido. Entre Panamá y Colombia, en el **Tapón del Darién**, unos 90 kilómetros (56 millas) de densa selva montañosa interrumpen la continuidad de la ruta[4] intercontinental.

¡Arranquemos! Nuestra primera parada es el **Canal de Panamá**, uno de los proyectos de transporte más

CENTRO

El Canal de Panamá

ambiciosos del siglo XX. Fue propiedad de los Estados Unidos hasta 1999.

En la actualidad, alrededor de 14.000 buques[5] pasan cada año de un océano a otro a través del canal.

De Panamá nos dirigimos a Costa Rica, a visitar el **Parque Nacional Chirripó**. Subimos al cerro Chirripó, palabra indígena que significa "tierra de aguas eternas", de unos 3.800 metros (12.467 pies) de altura. En el camino[6] vemos una gran variedad de animales, como jaguares, tapires y quetzales.

Pasamos a Managua, capital de **Nicaragua**, donde hacemos una excursión al **lago de Nicaragua**. Es el único lago donde subsisten tiburones[7] que se adaptaron al agua dulce[8] hasta poder reproducirse en ella.

Continuamos hacia el segundo arrecife[9] de coral más grande del mundo: las **Islas de la Bahía**, en la costa norte de Honduras. El 95% de las especies de coral del **Caribe** se encuentran en esta región. Las tres islas de **Roatán**, **Guanaja** y **Utila** son algunas de las atracciones turísticas más populares.

Seguimos por **El Salvador**, donde probamos las famosas **pupusas**. Por todas partes encontrarás *pupuserías* que preparan estas delicias, similares a una tortilla gruesa[10] y blanda, rellenas de queso, pollo o cerdo.

AMÉRICA

¡Celebremos las tradiciones!

Semana Santa La celebración de **Semana Santa en Antigua, Guatemala,** es una tradición viva. Cientos de personas participan en las procesiones y ayudan a cargar las tarimas[1], llamadas **andas**, que pesan 3,5 toneladas[2]. La gente decora las ventanas y las iglesias para la procesión, pero lo más extraordinario son las alfombras[3] que cada año se hacen a mano con aserrín[4] teñido[5] de colores vivos y con pétalos de flores sobre las calles por donde pasa la procesión.

Día de la independencia Costa Rica tiene una de las más antiguas democracias del continente americano. A diferencia de los países de Suramérica, su independencia de España se firmó de manera pacífica y se celebra cada 15 de septiembre, como en los demás países centroamericanos, excepto Panamá. Se festeja con desfiles[6] patrióticos y música. Los niños llevan linternas hechas a mano a estas fiestas llenas de color.

Finalmente, en Guatemala visitamos las ruinas de **Tikal**, una de las ciudades más importantes de la civilización **maya**. Miles de turistas las visitan anualmente, pero también millones de personas las han visto porque este lugar sirvió de locación al filmar una base rebelde en la película *La guerra de las galaxias: Episodio IV, Una nueva esperanza*[11].

[1] *smoldering* [2] *highway* [3] *stretches* [4] *road* [5] *ships* [6] **En el...** *Along the way*
[7] *sharks* [8] **agua...** *fresh water* [9] *reef* [10] *thick* [11] *Star Wars: Episode IV, A New Hope*

El español de Centroamérica

los abarrotes	provisiones; *groceries* (Guat., Pan.)
el agua	refresco; *soft drink* (Guat.)
el cartucho	bolsa; *(plastic) bag* (Pan.)
chivísimo	fantástico; *great, cool* (E.S.)
el fresco	refresco; *soft drink* (C.R., Hond.)
fulear	poner gasolina; *to get gas* (Nic.)
la pulpería	bodega; *grocery store* (C.R., Hond., Nic.)

Expresiones

hacer gallo	acompañar; *to accompany* (E.S.)
¡Pura vida!	¡Muy bien!; *Great!* (C.R.)
ser de alante	ser valiente; *to be brave* (Pan.)

Carnavales La popularidad de los carnavales en **Panamá** es comparable con la de los famosos carnavales brasileños. Celebradas en **Panamá** desde principios del siglo XX, estas grandiosas fiestas duran cuatro días y cinco noches. Los panameños disfrutan de desfiles magníficos, carrozas[7] espectaculares, máscaras[8], disfraces[9] de todo tipo y comida variada. Las celebraciones más grandes tienen lugar en la **Ciudad de Panamá** y en **Las Tablas**.

San Jerónimo El pueblo de **Masaya** en **Nicaragua** es conocido por el festival que celebra al santo patrón, **San Jerónimo**. La fiesta, de unos 80 días, comienza el 20 de septiembre con **"el Día de la Bajada"**[10] de la imagen de San Jerónimo, y no termina hasta la primera semana de diciembre. Con bailes folklóricos, música, flores y rica comida, esta fiesta colorida integra tradiciones indígenas con el catolicismo.

[1] *wooden platforms* [2] *tons* [3] *carpets* [4] *sawdust* [5] *dyed* [6] *parades* [7] *floats* [8] *masks* [9] *costumes* [10] **Día de...** *Day when the saint is brought down*

GALERÍA DE CREADORES

S Audio: Reading

PINTURA Armando Morales

El nicaragüense Armando Morales (1927–2011) fue un pintor contemporáneo de fama internacional. Sus creaciones artísticas incluyen desnudos femeninos, escenas cotidianas, naturalezas muertas (*still lifes*) y representaciones de hechos históricos que nacen de las imágenes de sus recuerdos. En 1959 recibió el Premio Ernest Wolf al Mejor Artista Latinoamericano, en la V Bienal de Arte Moderno de São Paulo (Brasil). *Bodegón, ciruela y peras* (1981); *Adiós a Sandino* (1985) y *Selva* (1987) son tres de sus obras más conocidas. Aquí vemos el cuadro titulado *Dos peras en un paisaje* (1973).

MÚSICA Erika Ender

Hija de padre estadounidense y madre brasileña, Erika Ender nació en Panamá en 1974. Gracias a su entorno social y familiar multicultural aprendió español, inglés y portugués. A los nueve años, escuchaba todo tipo de música. Comenzó a escribir sus propias canciones y a participar en programas de televisión de Panamá. Estudió Comunicación Social en la universidad y ganó un festival como mejor cantante a los dieciocho años. Luego se mudó a los Estados Unidos y comenzó a buscar un lugar en ese mercado. A partir de 1998, tras varios intentos fallidos (*unsuccessful*), logró establecerse como cantante y compositora. Trabajó con artistas famosos y fue coautora del éxito mundial *Despacito*, que recibió un Latin Grammy como mejor canción del año en 2017.

MODA Isabella Springmühl Tejada

Los "no" que recibió como respuesta en más de una ocasión no lograron desanimarla (*discourage*). El Síndrome de Down no le impidió perseguir sus sueños. Al contrario, guiada por su vocación y el esencial apoyo de su madre, Isabella Springmühl Tejada (nacida en 1997) es hoy una destacada figura guatemalteca en el mundo de la moda. Ya de pequeña jugaba con agujas y alfileres (*needles and pins*), e inventaba prendas para sus muñecas. Cursó la escuela primaria y secundaria sin problemas, pero no le permitieron entrar a la universidad por su condición. Logró estudiar en una institución privada y hoy es una diseñadora reconocida por el estilo de su marca, Down to Xjabelle, y porque sus creaciones brillaron en la Semana de la moda en Londres en 2016. Sus diseños son coloridos, con bordados representativos de su país natal.

PINTURA Mauricio Puente

Mauricio Puente (1918–2011) nació en El Salvador y emigró a los Estados Unidos, donde dictó cursos de pintura al óleo. Pintor autodidacta, empezó a pintar a los siete años y siempre exploraba su pasión por la pintura. A lo largo de los años cultivó un estilo muy personal que se puede admirar en sus cuadros en galerías de arte de todo el mundo. Su especialidad son las acuarelas (*watercolors*) y los óleos; dominó a la perfección la técnica de la espátula (*palette knives*), y su talento para dibujar es admirable. La obra *Caserío* muestra un paisaje salvadoreño y es un ejemplo representativo de su estilo.

¿Qué aprendiste?

1

Cierto o falso Indica si estas afirmaciones son ciertas o falsas. Corrige las falsas.

1. La Panamericana pasa por tres países de Centroamérica.
2. En el lago de Nicaragua hay tiburones.
3. Armando Morales y Mauricio Puente son pintores nicaragüenses.
4. El 20 de septiembre Costa Rica celebra su día de la independencia de España.
5. El festival de San Jerónimo en Masaya, Nicaragua, dura aproximadamente ochenta días.
6. Los diseños de Isabella Springmühl Tejada tienen bordados representativos de Guatemala.

2

Preguntas Contesta las preguntas.

1. ¿En qué estilos se especializó el pintor salvadoreño Mauricio Puente?
2. ¿De qué se rellenan las pupusas?
3. ¿De qué están hechas las alfombras en la celebración de Semana Santa en Antigua, Guatemala?
4. ¿De qué ciudades son los carnavales más grandes de Panamá?
5. ¿Cuál de los artistas habla español, inglés y portugués?
6. ¿Qué artista de la Galería te interesa más? ¿Por qué?

3

Centroamérica En parejas, comenten lo que aprendieron de Centroamérica y la carretera Panamericana. Luego, complementen sus conocimientos haciéndose preguntas sobre los aspectos de la lista.

> **Modelo** —¿Cuál es el único país centroamericano que no celebra su independencia el 15 de septiembre?
> —Panamá es el único país que no la celebra el 15 de septiembre.

- La celebración de la independencia el 15 de septiembre
- Escenarios naturales en el recorrido de la Panamericana
- Los animales que se ven camino al cerro Chirripó en Costa Rica
- Las tradiciones de San Jerónimo en Masaya, Nicaragua
- Los ingredientes de las pupusas

Practice more at **vhlcentral.com**.

PROYECTO

Odisea por Centroamérica

Organiza una travesía por las seis capitales centroamericanas que se mencionan en el artículo. Antes de empezar el viaje investiga información adicional en Internet.

- Explora una atracción importante por su valor histórico, cultural o natural en cada capital.
- Escribe una entrada para tu blog o para tu diario sobre la atracción que explores en cada capital.
- Explica tu aventura a tus compañeros/as de clase. Cuéntales lo que viste y aprendiste, léeles tus impresiones y muéstrales fotos de los lugares que visitaste.

PUEDO investigar las culturas de Centroamérica.

De compras en Barcelona

 Video

Hacer las compras tal vez te parezca una actividad aburrida y poco glamorosa, pero ¡te equivocas! En este episodio de **Flash cultura** podrás pasear por el antiguo y popular mercado de La Boquería en Barcelona y descubrir una manera distinta de elegir los mejores productos en tiendas especializadas.

Vocabulario

amplio/a *broad, wide*

el buñuelo *fritter*

el carrito *shopping cart*

la charcutería *delicatessen*

la gamba *(Esp.) shrimp*

los mariscos *seafood*

las patas traseras *hind legs*

el puesto *market stand*

1 Preparación ¿Qué productos españoles típicos conoces? ¿Cuál te gustaría más probar?

2 Comprensión Indica si estas afirmaciones son ciertas o falsas. Después, en parejas, corrijan las falsas.

1. Las Ramblas de Barcelona son amplias avenidas.

2. En La Boquería debes elegir un carrito a la entrada y pagar toda la compra al final.

3. Hay distintos tipos de jamón serrano según la curación y la región.

4. Barcelona ofrece una gran variedad de mariscos y pescados frescos porque es un puerto marítimo.

5. En España, la mayoría de las tiendas cierra al mediodía durante media hora.

6. Las panaderías abren todos los días menos los domingos.

3 Expansión En parejas, contesten estas preguntas.

1. ¿Prefieres hacer las compras en tiendas pequeñas y mercados tradicionales o en un supermercado normal? ¿Por qué?

2. ¿Te levantas temprano para comprar el pan o algún otro producto los domingos? ¿Qué producto es tan esencial para la gente de tu país como el pan para los españoles?

3. ¿Por qué crees que es una costumbre comprar pan todos los días en España?

4. ¿Te parece bien que las tiendas cierren a la hora de la siesta? ¿Para qué usarías tú todo ese tiempo?

PUEDO hablar sobre ir de compras.

Corresponsal: Mari Carmen Ortiz
País: España

La Boquería es un paraíso para los sentidos: olores de comida, el bullicio° de la gente, colores vivos se abren a tu paso mientras haces tus compras.

Hay tiendas que nunca cierran a la hora de comer: las tiendas de moda y los grandes almacenes°. Pero aún éstas tienen que cerrar tres domingos al mes.

El jamón serrano es una comida típica española y es servido con frecuencia en los bares de tapas°.

bullicio *hubbub* **almacenes** *department stores* **tapas** *Spanish appetizers*

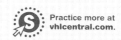 Practice more at **vhlcentral.com.**

Tutorial

4.1

The subjunctive in adjective clauses

- When an adjective clause describes an antecedent that is known to exist, use the indicative. When the antecedent is unknown or uncertain, use the subjunctive.

MAIN CLAUSE: ANTECEDENT UNCERTAIN	CONNECTOR	SUBORDINATE CLAUSE: SUBJUNCTIVE
Busco un trabajo	**que**	**pague bien.**

Antecedent certain → Indicative	Antecedent uncertain → Subjunctive
Necesito el libro que **tiene** información sobre los prejuicios sociales. *I need the book that has information about social prejudices.*	Necesito un libro que **tenga** información sobre los prejuicios sociales. *I need a book that has information about social prejudices.*
Buscamos los documentos que **describen** el patrimonio de nuestros antepasados. *We're looking for the documents that describe our ancestors' heritage.*	Buscamos documentos que **describan** el patrimonio de nuestros antepasados. *We're looking for (any) documents that (may) describe our ancestors' heritage.*
Tiene un esposo que la **trata** con respeto y comprensión. *She has a husband who treats her with respect and understanding.*	Quiere un esposo que la **trate** con respeto y comprensión. *She wants a husband who will treat her with respect and understanding.*

Muchos prefieren un café que no ***tenga*** *azúcar.*

- When the antecedent of an adjective clause is a negative pronoun (**nadie, ninguno/a**), the subjunctive is used.

Antecedent certain → Indicative	Antecedent uncertain → Subjunctive
Elena tiene tres parientes que **viven** en San José. *Elena has three relatives who live in San José.*	Elena no tiene **ningún** pariente que **viva** en Limón. *Elena doesn't have any relatives who live in Limón.*
De los cinco nietos, hay dos que **se parecen** a la abuela. *Of the five grandchildren, there are two who resemble their grandmother.*	De todos mis nietos, no hay **ninguno** que **se parezca** a mí. *Of all my grandchildren, there's not one who looks like me.*
En mi patria, hay muchos que **apoyan** al candidato conservador. *In my homeland, there are many who support the conservative candidate.*	En mi familia, no hay **nadie** que **apoye** al candidato conservador. *In my family, there is nobody who supports the conservative candidate.*

- Do not use the personal **a** with direct objects that represent hypothetical persons.

Antecedent uncertain → Subjunctive	Antecedent certain → Indicative
Busco un abogado que **sea** honrado. *I'm looking for a lawyer who is honest.*	Conozco **a** un abogado que **es** honrado, justo e inteligente. *I know a lawyer who is honest, fair, and smart.*

- Use the personal **a** before **nadie** and **alguien**, even when their existence is uncertain.

Antecedent uncertain → Subjunctive	Antecedent certain → Indicative
No conozco **a nadie** que **se queje** tanto como mi suegra. *I don't know anyone who complains as much as my mother-in-law.*	Yo conozco **a alguien** que **se queja** aún más... ¡la mía! *I know someone who complains even more... mine!*

- The subjunctive is commonly used in questions with adjective clauses when the speaker is trying to find out information about which he or she is uncertain. If the person who responds knows the information, the indicative is used.

Antecedent uncertain → Subjunctive	Antecedent certain → Indicative
¿Me recomienda usted un buen restaurante que **esté** cerca de aquí? *Can you recommend a good restaurant that is nearby?*	Sí, el restaurante de mi yerno **está** muy cerca y **es** excelente. *Yes, my son-in-law's restaurant is nearby, and it's excellent.*
Oigan, ¿no me pueden poner algún apodo que me **quede** mejor? *Hey guys, can't you give me a nickname that fits me better?*	Bueno, si tú insistes, pero Flaco es el apodo que te **queda** mejor. *OK, if you insist, but Skinny is the nickname that suits you best.*

Si leyó en **Gente** algo con lo que no está de acuerdo, discútalo con alguien que le preste atención. Con **Gente**.

Nos gusta saber lo que piensa. Envíe sus mensajes electrónicos al buzón de **Gente**.

Revista Gente
Correo-e:
suscriptores@revistagente.com
México, D.F.

Práctica

1

Combinar Combina las frases de las dos columnas para formar oraciones lógicas. Decide qué oraciones necesitan el subjuntivo y cuáles el indicativo.

____ 1. Mario tiene un hermano que

____ 2. Tengo dos cuñados que

____ 3. No conozco a nadie que

____ 4. Pedro busca una novia que

____ 5. Quiero tener nietos que

a. sea alta y artística.

b. sean respetuosos y estudiosos.

c. canta cuando se ducha.

d. hablan alemán.

e. entienda más de dos idiomas.

2

El agente de viajes Gabriela va a ir de vacaciones a Montelimar, Nicaragua, y le escribe un correo electrónico a su agente de viajes explicándole sus planes. Completa el correo con el subjuntivo o el indicativo.

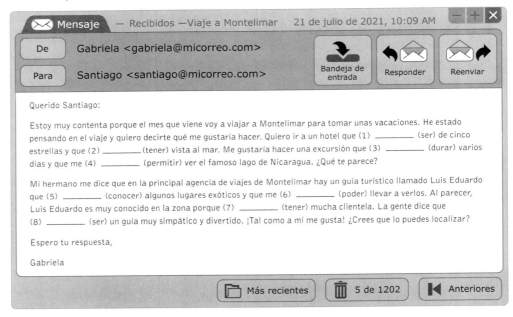

Mensaje — Recibidos —Viaje a Montelimar   21 de julio de 2021, 10:09 AM

De   Gabriela <gabriela@micorreo.com>

Para   Santiago <santiago@micorreo.com>

Bandeja de entrada   Responder   Reenviar

Querido Santiago:

Estoy muy contenta porque el mes que viene voy a viajar a Montelimar para tomar unas vacaciones. He estado pensando en el viaje y quiero decirte qué me gustaría hacer. Quiero ir a un hotel que (1) _____ (ser) de cinco estrellas y que (2) _____ (tener) vista al mar. Me gustaría hacer una excursión que (3) _____ (durar) varios días y que me (4) _____ (permitir) ver el famoso lago de Nicaragua. ¿Qué te parece?

Mi hermano me dice que en la principal agencia de viajes de Montelimar hay un guía turístico llamado Luis Eduardo que (5) _____ (conocer) algunos lugares exóticos y que me (6) _____ (poder) llevar a verlos. Al parecer, Luis Eduardo es muy conocido en la zona porque (7) _____ (tener) mucha clientela. La gente dice que (8) _____ (ser) un guía muy simpático y divertido. ¡Tal como a mí me gusta! ¿Crees que lo puedes localizar?

Espero tu respuesta,

Gabriela

Más recientes   5 de 1202   Anteriores

3

Reunión familiar Completa las oraciones con las opciones de la lista. Haz los cambios necesarios.

gustarle a tío Alberto	ser festivo/a
hacer cortes de pelo modernos	venir a limpiar
dedicarse a organizar	tocar merengue

1. Ana Paola piensa reservar la banda Son y Sabor, que _____.

2. Sebastián busca un peluquero que _____.

3. Ana Paola prepara para la fiesta el plato que _____.

4. Sebastián quiere comprar decoraciones que _____.

5. Al final, Ana Paola va a contratar una compañía que _____.

6. Ana Paola lo hará todo porque no conoce a ningún pariente que _____ eventos familiares.

Practice more at
vhlcentral.com.

Comunicación

4

Sueños y realidad En parejas, hablen sobre lo que estos personajes tienen y lo que desean tener. Utilicen el subjuntivo y el indicativo según corresponda, y las palabras de la lista.

> **Modelo** María Teresa tiene un novio que enseña Historia en la universidad y que es muy responsable, pero ella sueña con tener un novio que toque la guitarra eléctrica y que sea muy rebelde.

buscar	apartamento
conocer	computadora
necesitar	hermano/a
querer	mascota (*pet*)
tener	vecino/a

5

Anuncios En grupos de cuatro, describan detalladamente lo que buscan la familia Pérez y los hermanos Silva usando el indicativo o el subjuntivo. Después, escriban dos anuncios más para enseñárselos a la clase.

La familia Pérez busca a su perro Tomás, que se perdió en el parque. Aquí tienen una foto de él.

Miguel y Carlos Silva buscan un guía turístico para su viaje a los volcanes de Nicaragua.

6

El ideal En parejas, imaginen cómo es el/la compañero/a ideal en cada una de estas situaciones. Utilicen el subjuntivo o el indicativo de acuerdo a la situación.

> **Modelo** Lo ideal es vivir con alguien que no se queje demasiado.

Alguien con quien...

- vivir
- trabajar
- ver películas de amor o de aventuras
- dar un paseo
- comprar ropa
- estudiar
- viajar por el Sahara
- cocinar

PUEDO hablar de incertidumbres.

Tutorial

4.2

Reflexive verbs

- In a reflexive construction, the subject of the verb both performs and receives the action. Reflexive verbs (**verbos reflexivos**) always use reflexive pronouns (**me, te, se, nos, os, se**).

Reflexive verb
Elena **se lava** la cara.

Non-reflexive verb
Elena **lava** los platos.

Reflexive verbs

lavarse *to wash (oneself)*

yo	me **lavo**
tú	te **lavas**
Ud./él/ella	se **lava**
nosotros/as	nos **lavamos**
vosotros/as	os **laváis**
Uds./ellos/ellas	se **lavan**

- Many of the verbs used to describe daily routines and personal care are reflexive.

acostarse *to go to bed*	**dormirse** *to fall asleep*	**peinarse** *to comb (one's hair)*
afeitarse *to shave*	**ducharse** *to take a shower*	
arreglarse *to get ready*	**lavarse** *to wash (oneself)*	**ponerse** *to put on (clothing)*
bañarse *to take a bath*	**levantarse** *to get up*	**quitarse** *to take off (clothing)*
cepillarse *to brush (one's hair, teeth)*	**maquillarse** *to put on makeup*	**secarse** *to dry off*
despertarse *to wake up*		**vestirse** *to get dressed*

- In Spanish, most transitive verbs can also be used as reflexive verbs to indicate that the subject performs the action to or for himself or herself.

Félix **divirtió** a los invitados con sus chistes.
Félix amused the guests with his jokes.

Félix **se divirtió** en la fiesta.
Félix had fun at the party.

Ana **acostó** a los gemelos antes de las nueve.
Ana put the twins to bed before nine.

Ana **se acostó** muy tarde.
Ana went to bed very late.

¡ATENCIÓN!

A transitive verb takes an object. An intransitive verb does not take an object.

Transitive:

Mariela compró <u>dos boletos</u>.
Mariela bought two tickets.

Intransitive:

Johnny nació en México.
Johnny was born in Mexico.

- Many verbs change meaning when they are used reflexively.

aburrir *to bore*	**aburrirse** *to become bored*
acordar *to agree*	**acordarse (de)** *to remember*
comer *to eat*	**comerse** *to eat up*
dormir *to sleep*	**dormirse** *to fall asleep*
ir *to go*	**irse (de)** *to leave*
llevar *to carry*	**llevarse** *to carry away*
mudar *to change*	**mudarse** *to move (change residence)*
parecer *to seem*	**parecerse (a)** *to resemble, to look like*
poner *to put*	**ponerse** *to put on (clothing)*
quitar *to take away*	**quitarse** *to take off (clothing)*

- Some Spanish verbs and expressions are reflexive even though their English equivalents may not be. Many of these are followed by the prepositions **a, de,** and **en**.

acercarse (a) *to approach, to get close*	**fijarse (en)** *to take notice (of)*
arrepentirse (de) *to regret*	**morirse (de)** *to die (of)*
atreverse (a) *to dare (to)*	**olvidarse (de)** *to forget (about)*
convertirse (en) *to become*	**preocuparse (por)** *to worry (about)*
darse cuenta (de) *to realize*	**quejarse (de)** *to complain (about)*
enterarse (de) *to find out (about)*	**sorprenderse (de)** *to be surprised (about)*

- *To get* or *become* is frequently expressed in Spanish by the reflexive verb **ponerse** + [*adjective*].

  Mi hijo **se pone feliz** cuando nos visitan los abuelos.
  My son gets happy when his grandparents visit us.

  Si no duermo bien, **me pongo insoportable**.
  If I don't sleep well, I become unbearable.

- In the plural, reflexive verbs can express reciprocal actions done *to one another*.

  ¡Mi esposa y yo **nos peleamos** demasiado!
  My wife and I fight too much!

  ¿Será porque ustedes no **se respetan**?
  Could it be because you don't respect each other?

- The reflexive pronoun precedes the direct object pronoun when they are used together in a sentence.

  ¿Te comiste el pastel?
  Did you eat the whole cake?

  Sí, **me lo** comí todo.
  Yes, I ate it all up.

TALLER DE CONSULTA

Hacerse and **volverse** also mean *to become*. See **Manual de gramática, 4.4, p. 392.**

When used with infinitives and present participles, reflexive pronouns follow the same rules of placement as object pronouns. See **3.2, pp. 102–103.**

Práctica

1

Reflexivos Completa las oraciones conjugando cada verbo de forma reflexiva, si es el caso. Agrega el pronombre cuando sea necesario.

1. Yo siempre _____ (dormir/dormirse) bien cuando estoy en mi casa de verano.
2. Pablo, ¿_____ (acordar/acordarse) de cuando fuimos de vacaciones a Cancún hace dos años?
3. Víctor es ese bebé de allí que _____ (parecer/parecerse) tanto a su padre.
4. No me gusta esta fiesta. Quiero _____ (ir/irse) cuanto antes.
5. Carolina y Miguel _____ (llevar/llevarse) a los niños a esa escuela.
6. Eduardo va a _____ (poner/ponerse) una camisa nueva.

2

Todos los sábados

A. En parejas, describan la rutina que siguen Eduardo y sus amigos todos los sábados.

Eduardo

Marcos

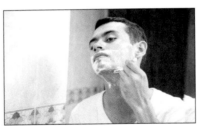
Nicolás

Sandra

Carlos

Mónica

B. ¿Qué hacen los sábados por la mañana otros cuatro amigos de Eduardo? Describan sus rutinas. Utilicen verbos reflexivos y sean creativos.

Practice more at
vhlcentral.com.

Comunicación

3 **¿Y tú?** En parejas, túrnense para hacerse estas preguntas. Contesten con oraciones completas y expliquen sus respuestas.

1. ¿A qué hora te despiertas regularmente los lunes por la mañana? ¿Por qué?
2. ¿Te duermes en las clases?
3. ¿A qué hora te acuestas normalmente los fines de semana?
4. ¿A qué hora te duchas durante la semana?
5. ¿Te levantas siempre a la misma hora que te despiertas? ¿Por qué?

6. ¿Qué te pones para salir los fines de semana? ¿Y tus amigos?
7. ¿Cuándo te vistes elegantemente?
8. ¿Te diviertes cuando vas a una discoteca? ¿Y cuando vas a una reunión familiar?
9. ¿Te fijas en la ropa que lleva la gente?
10. ¿Te preocupas por tu imagen?

11. ¿De qué se quejan tus amigos regularmente? ¿Y tus padres u otros miembros de la familia?
12. ¿Conoces a alguien que se preocupe constantemente por todo?
13. ¿Te arrepientes a menudo de las cosas que haces?
14. ¿Te peleas con tus amigos? ¿Y con tus familiares?
15. ¿Te sorprendes de una costumbre o un hábito de alguna persona mayor que conoces?

4 **En un café** Imagina que estás en un café y ves a tu exnovio/a besándose con alguien. ¿Qué haces? En grupos de tres, representen la escena delante de la clase. Utilicen por lo menos cinco verbos de la lista.

acercarse	atreverse	enterarse	ponerse
acordarse	convertirse	fijarse	preocuparse
alegrarse	darse cuenta	irse	quejarse
arrepentirse	enojarse	olvidarse	sorprenderse

PUEDO hablar sobre la rutina diaria.

Tutorial

4.3

Por and *para*

- **Por** and **para** are both translated as *for*, but they are not interchangeable.

Para borrar tienes que pulsar control y zeta.

Es sólo por un par de semanas.

Uses of *para*

Destination *(toward, in the direction of)*	David sale **para** España pronto. *David is leaving for Spain soon.*
Deadline or a specific time in the future *(by, for)*	El libro debe estar listo **para** las 12. *The book should by ready by 12.*
Goal (**para** + [*infinitive*]) *(in order to)*	**Para** terminar el libro a tiempo, David trabaja día y noche. *In order to finish the book on time, David works day and night.*
Purpose (**para** + [*noun*]) *(for, used for)*	David compró la comida **para** la semana. *David bought food for the week.*
Recipient *(for)*	Él ahorró dinero **para** David. *He saved money for David.*
Comparison with others or opinion *(for, considering)*	**Para** ser tan joven, él ha leído mucho. *For being so young, he has read a lot.*
	Para el abuelo, su nieto es muy inteligente. *For the grandfather, his grandson is very intelligent.*
Employment *(for)*	David trabaja **para** su abuelo. *David works for his grandfather.*

Expressions with *para*

no estar para bromas *to be in no mood for jokes*	**para colmo** *to top it all off*
	para que sepas *just so you know*
no ser para tanto *to be no big deal*	**para siempre** *forever*

¡ATENCIÓN!

Remember to use the infinitive, not the subjunctive, after **para** if there is no change of subject.

Me despierto a las cinco para llegar temprano.

I wake up at five in order to arrive early.

- Note that the expression **para que** is followed by the subjunctive.

    David usa la máquina de escribir **para que** su abuelo **termine** el libro.
    David uses the typewriter so that his grandfather will finish the book.

*Te he comprado leche **para** el desayuno.*

Uses of *por*

Motion or a general location *(along, through, around, by)*	David entró **por** la puerta y lo saludó. *David entered through the door and greeted him.*
Duration of an action *(for, during, in)*	El muchacho quiere quedarse **por** varios días. *The boy wants to stay for a few days.*
Reason or motive for an action *(because of, on account of, on behalf of)*	Él ayuda a su abuelo **por** razones personales. *He is helping his grandfather for personal reasons.*
Object of a search *(for, in search of)*	David fue a la cocina **por** el café. *David went to the kitchen for coffee.*
Means by which *(by, by way of, by means of)*	Su madre lo llamó **por** teléfono. *His mother called him on the phone.*
Exchange or substitution *(for, in exchange for)*	Cambió la máquina de escribir **por** una computadora. *He exchanged the typewriter for a computer.*
Unit of measure *(per, by)*	El metro puede ir a 50 km **por** hora. *The subway can go 50 km per hour.*
Agent (passive voice) *(by)*	El libro fue escrito **por** su abuelo. *The book was written by his grandfather.*

Expressions with *por*

por allí/aquí *around there/here*	**por lo tanto** *therefore*
por casualidad *by chance/accident*	**por lo visto** *apparently*
por ejemplo *for example*	**por más/mucho que** *no matter how much*
por eso *therefore, for that reason*	**por otro lado/otra parte** *on the other hand*
por fin *finally*	**por primera vez** *for the first time*
por lo general *in general*	**por si acaso** *just in case*
por lo menos *at least*	**por supuesto** *of course*

¡ATENCIÓN!

In many cases it is grammatically correct to use either **por** or **para** in a sentence. The meaning of each sentence, however, is different.

Trabajó por Alberto.
He worked for (in place of) Alberto.

Trabajó para Alberto.
He worked for (in the employment of) Alberto.

TALLER DE CONSULTA

The passive voice is discussed in detail in **10.1, p. 354.**

Práctica

1

Otra manera Lee la primera oración y completa la segunda versión usando **por** o **para**.

1. Cuando voy a Costa Rica, siempre visito Puntarenas.
   Paso _____ Puntarenas cuando voy a Costa Rica.

2. El hotel era muy barato. Pagué sólo cien dólares.
   Conseguí la habitación _____ sólo cien dólares.

3. Fui porque quería visitar a mis suegros.
   Yo quería ir _____ visitar a mis suegros.

4. Mi familia les envió muchos regalos a ellos.
   Mi familia envió muchos regalos _____ ellos.

5. Mis suegros se alegraron mucho de nuestra visita.
   Mis suegros se pusieron muy felices _____ nuestra visita.

Playa de Puntarenas, Costa Rica

Nota CULTURAL

Puntarenas es una de las zonas turísticas más importantes de **Costa Rica**. Es la provincia más grande del país y le ofrece al visitante varios parques nacionales y reservas biológicas.

2

Completar Completa la carta con **por** y **para**.

> Querida abuela:
>
> (1) _____ fin llegué a esta tierra. La Ciudad de Panamá es hermosa. Todavía no he pasado (2) _____ el Canal de Panamá porque debo ir con un guía. Puedo contratar uno (3) _____ pocos dólares. En los tres meses del viaje por Centroamérica pensé en ti y en el abuelo (4) _____ lo mucho que esta tierra representa para ustedes.
>
> Sé que (5) _____ conocer mejor este país y su cultura tendré que quedarme (6) _____ lo menos un mes. (7) _____ eso, no volveré hasta finales de mayo. (8) _____ que sepas, voy a quedarme en el hotel "Panameño". (9) _____ mí, es un hotel muy cómodo (10) _____ estar tan cerca del centro de la ciudad.
>
> ¡Muchos saludos al abuelo!
>
> José

3

Oraciones En parejas, escriban oraciones lógicas utilizando una palabra de cada grupo. Luego, inventen una historia incorporando las oraciones que escribieron.

Modelo   Mi hermana preparó una cena especial para mi mamá.

caminar	jugar		él	mi mamá
comprar	preparar	para	la fiesta	su edad
hacer	trabajar	por	el parque	su hermana

Practice more at vhlcentral.com.

Comunicación

4 **Soluciones** En parejas, comenten la mejor manera de lograr los objetivos de la lista. Sigan el modelo y utilicen **por** y **para**.

Modelo Para ser saludable, lo mejor es comer cinco frutas o verduras por día porque tienen muchas vitaminas.

concentrarse al estudiar	relajarse
divertirse	ser famoso/a
hacer muchos amigos	ser organizado/a
mantener tradiciones familiares	ser saludable (*healthy*)

5 **Una familia** Los miembros de una familia no siempre se llevan bien. En parejas, miren la foto y escriban un párrafo sobre estas personas. ¿Por qué se pelean? Usen por lo menos cinco de estas expresiones en su relato.

Modelo Para empezar, Sofía llegó a casa muy tarde y por eso...

no fue para tanto	por casualidad	por lo menos
para colmo	por eso	por lo tanto
para siempre	por fin	por supuesto

6 **Conversación** En parejas, elijan una de las situaciones e improvisen una conversación. Utilicen **por** y **para**, y algunas de las expresiones de la actividad 5.

A

Abelardo, tu vecino millonario, está escribiendo su testamento (*will*). Él no tiene herederos y quiere dejarle toda su fortuna a una sola persona. Está pensando en ti y en el alcalde del pueblo. Convence a Abelardo de que te deje toda su fortuna a ti.

B

Hace un año que trabajas en una librería y nunca has tenido vacaciones. Dile a tu jefe/a que quieres tomarte unas vacaciones de dos semanas en el Caribe. Tu jefe/a dice que no y te da sus razones. Explícale las tuyas y dile que si vas de vacaciones vas a ser un(a) mejor empleado/a.

PUEDO opinar sobre un conflicto familiar.

Síntesis

CLASIFICADOS

Busco compañera de habitación

que sea responsable, limpia y ordenada para compartir apartamento céntrico de dos habitaciones. El apartamento es grande y luminoso, pero es muy caro para una sola persona. Llamar por la tarde a Ana Lucía al teléfono (555) 333-4455.

Gatito perdido

Mi gato *Manchita* se perdió el sábado pasado por la tarde en la Plaza de la Independencia. Es un gato blanco con manchas (*spots*) negras en la cara. A la persona que lo encuentre le pagaré una recompensa de $50. Por favor, comunicarse con Adriana al (555) 123-4567 tan pronto como vean a mi gatito.

Traductor de español

se ofrece para traducciones inglés-español. Estoy trabajando desde casa hasta que encuentre trabajo fijo. Soy profesional, honrado y muy serio en el trabajo. Escribir a Miguel Ángel a *traductor86@mail.org*.

Intercambio español-francés

Busco hablante nativo/a de francés para hacer un intercambio. Puedo enseñar español en todos los niveles. Tengo cinco años de experiencia como maestra y mucha paciencia con mis estudiantes. Busco una persona que tenga experiencia en la enseñanza para que me ayude a perfeccionar el francés. Si te interesa, podemos hacer una hora semanal de español y otra de francés. Por favor, escribir a mónica_intercambio@mail.com.

1 **Avisos** En parejas, inventen dos avisos como éstos para el periódico de la escuela. Usen el indicativo o el subjuntivo, según sea necesario. También deben usar **por** y **para**. Después, intercambien sus avisos con otra pareja y escriban un correo electrónico para contestarlos.

2 **Escenas** En parejas, representen una de estas escenas. Usen la mayor cantidad posible de verbos reflexivos. También deben usar **por** y **para**.

Situación A: dos estudiantes se acaban de conocer; uno/a es nuevo/a en la ciudad y el/la otro/a hace mucho que vive en esta ciudad.

Situación B: dos miembros de la misma familia hablan por teléfono. Uno es estudiante y le cuenta al otro su rutina diaria.

Situación C: dos amigos/as se encuentran y uno/a le cuenta al/a la otro/a cómo fue el concierto de la noche anterior.

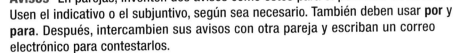

PUEDO crear avisos clasificados.

Preparación

Vocabulario de la lectura

el cargo *position*
la cima *top*
convertirse (e:ie) en *to become*
en contra *against*
la encarnación *personification*

propio/a *own*
rechazar *to turn down*
sabio/a *wise*
el sueño *dream*
superar *to exceed*

Vocabulario útil

el/la abogado/a *lawyer*
el/la asistente *assistant*
controvertido/a *controversial*
el/la juez(a) *judge*
tomar en cuenta *to take into consideration*

1

Oraciones incompletas Completa este párrafo con las palabras del vocabulario.

El (1) _____ de muchas jóvenes es encontrar a su príncipe azul y (2) _____ en heroínas de historias románticas. Otras mujeres buscan una profesión y un (3) _____ que les permitan beneficiar a toda la sociedad. Lo importante es no (4) _____ las opiniones y las circunstancias (5) _____ de ese proyecto. Tal vez, un día, ninguna mujer tendrá que sacrificar su vida personal para llegar a la (6) _____ de su carrera.

2

Sueños Contesta las preguntas.

1. ¿Con qué soñabas cuando eras pequeño/a?
2. ¿Tienes todavía las mismas metas que tenías de niño/a o has cambiado?
3. ¿Crees que vas a alcanzar tus metas?
4. ¿Fue tu familia influyente en la elección de tus metas? ¿De qué forma? ¿Quién influyó más en tu elección?

3

Contexto cultural Lean el párrafo sobre Sonia Sotomayor. Después, en parejas, contesten las preguntas.

Esta frase pronunciada por Sonia Sotomayor en 2001 causó revuelo (*commotion*) y despertó posiciones en contra y a favor: "Quiero pensar que una sabia mujer latina, con su riqueza de experiencias, puede tomar mejores decisiones que un sabio hombre blanco que no ha vivido esa vida". Sotomayor después se excusó diciendo que se había expresado mal. Aunque estas palabras generaron incertidumbre en relación con su nominación a la Corte Suprema, paralelamente, la frase fue utilizada en grupos de Facebook, en camisetas y en carteles como una reafirmación de la identidad femenina latina.

1. ¿Influyen nuestro origen, género y experiencias en las decisiones que tomamos?
2. ¿Crees que es posible dejar de lado los sentimientos y el pasado para tomar en cuenta solamente la ley?
3. ¿Crees que la subjetividad puede tener lugar en la justicia?

Sonia Sotomayor:
la niña que soñaba

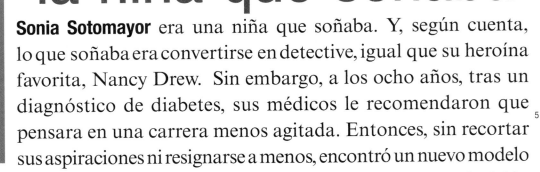

Sonia Sotomayor era una niña que soñaba. Y, según cuenta, lo que soñaba era convertirse en detective, igual que su heroína favorita, Nancy Drew. Sin embargo, a los ocho años, tras un diagnóstico de diabetes, sus médicos le recomendaron que pensara en una carrera menos agitada. Entonces, sin recortar sus aspiraciones ni resignarse a menos, encontró un nuevo modelo en otro héroe de ficción: Perry Mason, el abogado encarnado° en televisión °played by por Raymond Burr. "Iba a ir a la universidad e iba a convertirme en abogada: y supe esto cuando tenía diez años. Y no es una broma", declaró ella en 1998.

Cultura en pantalla

Visita **vhlcentral.com** y aprende más sobre **Sonia Sotomayor y su condición latina**.

Copyright © 2013 Noticiero Univision

CULTURA

Audio: Reading

10   Robin Kar, secretario de Sonia Sotomayor entre 1988 y 1989, afirma que la jueza no sólo tiene una historia asombrosa°, sino que además es una persona asombrosa. Y cuenta que, en la 15 corte, ella no solamente conocía a sus pares°, como los otros jueces y políticos, sino que también se preocupaba por conocer a todos los porteros, a los empleados de la cafetería y a los conserjes°, y todos la apreciaban mucho.

20   En su discurso de aceptación de la nominación a la Corte Suprema, Sonia Sotomayor explicó su propia visión de sí misma: "Soy una persona nada extraordinaria que ha tenido la dicha 25 de tener oportunidades y experiencias extraordinarias". Pero ni siquiera sus sueños más descabellados° podían prepararla para lo que ocurrió en mayo de 2009, cuando Barack Obama la nominó como candidata a 30 la Corte Suprema de Justicia de los Estados Unidos. En su discurso, el presidente destacó el "viaje extraordinario" de la jueza, desde sus modestos comienzos hasta la cima del sistema judicial. Para él, los sueños son 35 importantes y Sonia Sotomayor es la encarnación del sueño americano.

   Nació en el Bronx, en Nueva York, el 25 de junio de 1954 y creció en un barrio de viviendas subsidiadas°. Sus padres, 40 puertorriqueños, habían llegado a los Estados Unidos durante la Segunda Guerra Mundial. Su padre, que había estudiado sólo hasta tercer grado y no hablaba inglés, murió cuando Sonia tenía nueve años, y 45 su madre, Celina, tuvo que trabajar seis días a la semana como enfermera para criarlos a ella y a su hermano menor. Como la señora Sotomayor consideraba que una buena educación era fundamental, les compró a 50 sus hijos la Enciclopedia Británica y los envió a una escuela católica para que recibieran la mejor instrucción posible. Seguramente los resultados superaron también sus expectativas: 55 Sonia estudió en las universidades de Princeton y Yale, y su hermano Juan estudió en la Universidad de Nueva York, y es médico y profesor en la Universidad de Siracusa.

   Sonia Sotomayor trabajó durante cinco 60 años como asistente del fiscal de Manhattan, Robert Morgenthau (quien inspiró el personaje del fiscal del distrito Adam Schiff en la serie de televisión *Law and Order*). Luego se dedicó al derecho corporativo y más tarde 65 fue jueza de primera instancia de la Corte Federal de Distrito antes de ser nombrada jueza de Distrito de la Corte Federal de Apelaciones. En 2009 se convirtió en la primera hispana —y la tercera mujer en toda 70 la historia— en llegar a la Corte Suprema de Justicia de los Estados Unidos, donde suelen tratarse cuestiones tan controvertidas como el aborto, la pena de muerte, el derecho a la posesión de armas, etc. 75

   Cuando el presidente Obama nominó a la jueza Sotomayor para su nuevo cargo, Celina Sotomayor escuchaba desde la primera fila° con los ojos llenos de lágrimas. En su discurso de aceptación, Sonia la 80 señaló como "la inspiración de toda mi vida". Tal vez, en el fondo, lo que soñaba realmente la niña del Bronx era ser, como su madre, una "sabia mujer latina". ■

amazing

peers

janitors

wildest

housing project

front row

Cómo Sotomayor salvó al béisbol

En 1994, de manera unilateral, los propietarios de los equipos de las Grandes Ligas de béisbol implantaron un tope (*limit*) salarial; esto fue rechazado por los jugadores y su sindicato, que declararon una huelga (*strike*). El caso llegó a Sonia Sotomayor, en ese entonces la jueza más joven del Distrito Sur de Nueva York, en 1995. Ella escuchó los argumentos de las dos partes y anunció su dictamen (*ruling*) a favor de los jugadores. Logró acabar así con la huelga que llevaba 232 días y, además, ganarse el título de "salvadora del béisbol".

Análisis

1

Comprensión Indica si las oraciones son ciertas o falsas. Luego, en parejas, corrijan las falsas.

1. Sonia Sotomayor se considera una persona extraordinaria.
2. Ella conocía a todos los empleados de la corte, desde los jueces hasta los conserjes.
3. De pequeña, Sonia quería ser detective como Nancy Drew.
4. Sus padres eran neoyorquinos.
5. Celina Sotomayor trabajaba como vendedora de enciclopedias para mantener a sus hijos.
6. Sotomayor fue la inspiración de un personaje de la serie de televisión *Law and Order*.

2

Interpretación En parejas, contesten las preguntas con oraciones completas y justifiquen sus respuestas.

1. ¿Les parece que la historia de Sonia Sotomayor es extraordinaria? ¿Por qué?
2. ¿En qué sentido piensan que su madre es "la inspiración de su vida"?
3. ¿Creen que su carrera es una prueba de que el sueño americano existe?
4. ¿Piensan que ella, como mujer y como hispana, y con la historia de su vida, puede asegurar un mejor debate en la Corte Suprema? ¿Por qué?
5. ¿Les parece que la experiencia de vida es más importante, menos importante o igualmente importante para las personas que los estudios que tengan? ¿Por qué?

3

Retrato

A. Algunos candidatos presidenciales en los Estados Unidos han señalado a sus madres como una inspiración fundamental de sus vidas. En parejas, lean y comenten las citas.

> "Sé que (mi madre) fue el espíritu más bondadoso y generoso que jamás he conocido y que lo mejor de mí se lo debo a ella". Barack Obama, *Los sueños de mi padre*

> "Roberta McCain nos inculcó su amor a la vida, su profundo interés en el mundo, su fortaleza y su creencia de que todos tenemos que usar nuestras oportunidades para hacernos útiles a nuestro país. No estaría esta noche aquí si no fuera por la fortaleza de su carácter". John McCain, Discurso de aceptación en la Convención Republicana

B. Escriban cuatro oraciones sobre cómo imaginan a Celina Sotomayor, la madre de Sonia Sotomayor. ¿Qué dirían de ella sus hijos? Luego, compartan sus oraciones con la clase y comparen sus descripciones.

Modelo Celina es una mujer trabajadora. Ella no está de acuerdo con perder el tiempo y quiere que sus hijos estudien y mejoren. Es paciente, pero está llena de energía…

4

Modelos de vida Escribe una entrada de blog en la que hables sobre un miembro de tu familia al que admiras. Describe su personalidad y su historia y explica por qué es importante para ti.

PUEDO describir la influencia de los familiares.

Preparación

Sobre la autora

Gioconda Belli (1948–) es una poeta, novelista y ensayista nicaragüense. Su obra ha estado marcada por la lucha por la justicia social y la liberación de la mujer. Su educación transcurrió en España y los Estados Unidos. Tras su regreso a Nicaragua comenzó a trabajar en publicidad y publicó sus primeros poemas, pero pronto tuvo que irse exiliada por apoyar la lucha contra una dictadura. Desde entonces ha participado en la vida política y en la diplomacia de su país, y ha escrito ensayos de opinión al respecto. Entre sus obras más leídas se destacan (*stand out*) *Línea de fuego* (1978), el primero de sus seis libros de poemas, y sus novelas *La mujer habitada* (1988), *El infinito en la palma de la mano* (2008) y *El país de las mujeres* (2010), que le valieron numerosos premios internacionales.

Vocabulario de la lectura		Vocabulario útil	
a cabalidad *fully*	**estirado/a** *standoffish*	**el árbol genealógico** *family tree*	**la partida de nacimiento** *birth certificate*
el amorío *love affair*	**inscrito/a** *registered*		
asentarse (e:ie) *to settle*	**la mecedora** *rocking chair*	**la crianza** *nurture*	
	ocultar *to hide*	**los lazos familiares** *family ties*	
entrecano/a *graying*	**pícaro/a** *mischievous; naughty*		
el escalafón *hierarchy; rank*		**el parentesco** *kinship; relationship*	

1

Vocabulario Completa las oraciones con las palabras del vocabulario.

1. Tiene apenas veinte años; sin embargo, ya tiene el pelo _____.

2. Todas las tardes mi abuela ve la gente pasar, sentada cómodamente en su _____.

3. Las instrucciones deben cumplirse _____.

4. El actor famoso tuvo un escandaloso _____.

5. Por más que trabaja y sigue las instrucciones, nunca lo suben de _____.

2

Tu historia familiar Contesta las preguntas y comenta tus respuestas con un(a) compañero/a.

1. ¿Conoces tu árbol genealógico? ¿Cómo es? ¿Tienes muchos parientes?

2. ¿De dónde son tus antepasados? ¿Te gustaría visitar, o conoces, el lugar de donde provienen?

3. ¿Tienes algún familiar famoso o reconocido por algún motivo?

4. ¿Crees que el pasado de una familia determina su presente y futuro?

3

Parentescos En parejas, comenten sus opiniones sobre estas afirmaciones.

- La sangre te hace pariente, pero la lealtad (*loyalty*) te hace familia.

- La familia es como una jaula (*cage*); uno ve a los pájaros desesperados por entrar y a los que están dentro igualmente desesperados por salir.

- Cuando todo se va al infierno (*goes down the tubes*), la gente que está a tu lado sin vacilar es tu familia.

- El odio entre parientes es el más profundo.

Las fiebres° de la memoria

Gioconda Belli

Prólogo

¿Qué cara pondría mi padre cuando le dijera la verdad? A los dieciocho años era un muchacho atlético —del equipo de básquetbol "Los Grifos"—
5 de ojos menudos, con un bigotito fino y una sonrisa ancha y pícara. Lo imagino sentado con doña Carlota —que él creía que era su madre biológica— en las sillas mecedoras de mimbre° del corredor donde ésta solía

ponerse a tejer°. Ella era una mujer morena, 10   *to knit; to crochet*
de rostro afilado y ojos grandes, su pelo
entrecano siempre recogido en un moño°   *bun*
bajo, sus manos largas sin otro adorno que
el anillo de su matrimonio con Antonio
Belli, el italiano que la dejó viuda joven. 15
¿Qué palabras escogería Carlota para
revelarle al nieto que ella era sólo su abuela
y que otra mujer llamada Graciela era su

fevers

wicker

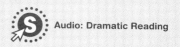

verdadera madre? ¿Cómo le explicaría que
20 uno de sus hijos, Pedro, que él pensaba su
hermano, era en realidad su padre? Habría
preferido que el secreto permaneciera
guardado en esa casa de anchos corredores
de la calle del Triunfo de Managua, donde
25 vivía con su hija Elena, Gonzalo, el marido
de ésta, abogado de profesión y los hijos
de ambos. Pero, llegadas a viejas, las
cómplices vecinas perdieron la discreción
y una de ellas comentó lo que sabía con el
30 joven sobrino amigo de mi padre. El resto
es predecible°: de regreso de una práctica
de básquet en el parque San Sebastián, un
parque que ya no existe como no existen ya
ninguna de esas casas solariegas° destruidas
35 de un latigazo por el terremoto de Managua
en 1972, mi papá supo por el amigo que la
realidad de su origen no era lo que parecía.

Estoica y mujer fuerte que era, doña
Carlota no tuvo más remedio que confesarle
40 la verdad. Le explicó el amorío de Pedro y
Graciela, una muchacha de "buena familia"
de Matagalpa. Para evitar el escándalo de su
embarazo, unas tías la ocultaron hasta que el
niño nació. Después llamaron al joven padre
45 y decidieron asumir la responsabilidad
evadiéndola como era usual en esos
tiempos. El niño fue inscrito como hijo de
sus abuelos: Antonio y Carlota. A la abuela
le tocó hacer el papel de madre.

50 Cuando conocí toda esta historia,
admiré a mi papá, que fue tan buen hijo de
su padre, a pesar de lo extraño que tiene que
haber sido para él aceptarlo tardíamente
como tal en el escalafón de los afectos°.
55 Pero en aquel momento, las familias eran
reinos sin rebeliones. Las disposiciones
de los mayores eran la ley, y esa ley se
cumplía a cabalidad.

Las circunstancias del nacimiento
60 de mi padre dieron lugar a que en mi
infancia existiera una confusión de abuelas.

predictable

ancestral

affections

Mientras lo normal era tener una pareja de
abuelos paternos y otra pareja de abuelos
maternos, yo tenía tres abuelas paternas:
Carlota, la única a quien papá llamaba 65
"mamá"; Mercedes Alfaro, la esposa
legítima de don Pedro Belli; y la misteriosa
abuela Graciela de Matagalpa.

A ésta la veíamos muy de vez en
cuando. Ir a Matagalpa, pequeña ciudad 70
perdida en la bruma° y entre montañas al
norte del país, significaba un viaje largo,
pero a mis hermanos y a mí nos ilusionaba°.
Al contrario de la familia de Managua,
más bien estirada y parca° en sus afectos, 75
Graciela Zapata Choiseul de Praslin
era una mujer encantadora y cariñosa.
Hermosa, alta y vivaz°, nos recibía con
suculentos almuerzos de las típicas delicias
nicaragüenses que no se acostumbraban 80
en nuestras casas. En la ciudad, ella era
un personaje; querida y respetada. Se
había casado con un ex militar y ambos
eran dueños y administraban el hotel
más grande y prestigioso de esa pequeña 85
urbe. Matagalpa estaba llena de historias
de familias alemanas, danesas, italianas,
inglesas y francesas, que en el siglo XIX
se habían asentado en la región, gracias a
que el gobierno les había cedido tierras 90
para trabajar. En esa zona floreció el
cultivo del café. Se amasaron fortunas,
extranjeros se casaron con muchachas
de familias prominentes y allí surgieron
las leyendas que hablaban del pasado de 95
aquellos inmigrantes rubios, ojos azules,
altos, blancos, peculiares que, llegados de
Europa, se reinventaron en la pequeña y
emergente Nicaragua.

Jorge Choiseul de Praslin era el abuelo 100
de mi abuela Graciela. Con su historia,
con su memoria, los relatos de familia y
los documentos de la época, he construido
esta novela. ∎

mist

thrilled

75 sparing

lively

Análisis

1 **Comprensión** Contesta las preguntas con oraciones completas.

1. ¿Qué relación hay entre la narradora de este prólogo y el protagonista?
2. De niño, ¿quién creía el protagonista que era su madre y quién era su madre en realidad?
3. ¿Quién era el verdadero padre del protagonista?
4. ¿Cuántos años tenía el protagonista cuando supo la verdad sobre sus padres?
5. ¿Quién le contó al protagonista la verdad sobre sus padres?
6. ¿Cuántas abuelas paternas creía la narradora que tenía?
7. ¿Dónde vivía la narradora y dónde vivía la abuela Graciela?
8. ¿Cuál es el principal cultivo de Matagalpa?

2 **Interpretar** Contesta las preguntas.

1. ¿A qué clase social crees que pertenece Graciela? ¿Por qué?
2. ¿Qué significa que en aquella época "las familias eran reinos sin rebeliones"?
3. ¿Cómo reaccionó el protagonista cuando supo quién era su padre? ¿Por qué?

3 **Lazos familiares** En grupos de tres, comenten si los lazos familiares han cambiado con el tiempo. ¿Creen que la relación entre las generaciones (padres e hijos, abuelos y nietos) es mayor, menor, distinta? Utilicen historias de sus familias o ejemplos que conozcan para ilustrar sus opiniones. Compartan sus conclusiones con la clase.

4 **Escribir** Piensa en alguna historia que le ocurrió a un(a) antepasado/a tuyo/a. Escribe la historia familiar y trata de incluir algunos verbos reflexivos y las preposiciones **por** y **para**.

Plan de redacción

Escribir una historia familiar

1 **Organización de los hechos** Piensa en una historia que haya ocurrido en tu familia y que te interese especialmente. Sigue las preguntas para organizar la historia.

1. ¿Quién o quiénes fueron los protagonistas de la historia?
2. ¿Qué antecedentes puedes dar sobre lo que sucedió?
3. ¿Cómo y dónde ocurrieron los hechos?
4. ¿Cómo terminó la historia?

2 **Título** Después de saber con exactitud sobre qué vas a escribir, es muy importante darle un título atractivo. Ponle un título y comienza a escribir.

3 **Explicar y concluir** Una vez que hayas contado lo que ocurrió, explica por qué has escrito sobre esta historia y si ha tenido consecuencias en tu familia.

Practice more at vhlcentral.com.

PUEDO narrar una historia familiar.

En familia

Vocabulary Tools

Los parientes

el/la antepasado/a *ancestor*
el/la bisabuelo/a *great-grandfather/ grandmother*
el/la cuñado/a *brother/sister-in-law*
el/la esposo/a *husband/wife*
el/la (hermano/a) gemelo/a *twin (brother/sister)*
el/la hermanastro/a *stepbrother/stepsister*
el/la hijo/a único/a *only child*
la madrastra *stepmother*
el/la medio/a hermano/a *half brother/sister*
el/la nieto/a *grandson/granddaughter*
la nuera *daughter-in-law*
el padrastro *stepfather*
el/la pariente *relative*
el/la primo/a *cousin*
el/la sobrino/a *nephew/niece*
el/la suegro/a *father/mother-in-law*
el/la tío/a (abuelo/a) *(great) uncle/aunt*
el yerno *son-in-law*

La vida familiar

agradecer *to thank*
apoyar(se) *to support (each other)*
criar *to raise (children)*
independizarse *to become independent*
lamentar *to regret, to be sorry about*
malcriar *to spoil*
mimar *to pamper*
mudarse *to move*
pelear(se) *to fight (with one another)*
quejarse (de) *to complain (about)*
regañar *to scold*
respetar *to respect*
superar *to overcome*

La personalidad

el apodo *nickname*
la autoestima *self-esteem*
el carácter *character, personality*
la comprensión *understanding*

(bien) educado/a *well-mannered*
egoísta *selfish*

estricto/a *strict*
exigente *demanding*
honrado/a *honest*
insoportable *unbearable*
maleducado/a *ill-mannered*
mandón/mandona *bossy*
rebelde *rebellious*
sumiso/a *submissive*
unido/a *close-knit*

Las etapas de la vida

la adolescencia *adolescence*
el/la adolescente *adolescent*
el/la adulto/a *adult*
la edad adulta *adulthood*
la juventud *youth*
la muerte *death*
el nacimiento *birth*
la niñez *childhood*
el/la niño/a *child*
la vejez *old age*

Las generaciones

la ascendencia *heritage*
la brecha generacional *generation gap*
la patria *homeland*
el prejuicio social *social prejudice*
la raíz *root*
el sexo *gender*

heredar *to inherit*
parecerse *to look alike*
realizarse *to fulfill*
sobrevivir *to survive*

Cortometraje

el ajedrez *chess*
el/la colega *buddy*
el/la enclenque *weakling*
el/la niñato/a *spoiled brat* (Esp.)
el recogedor *dustpan*

antipático/a *unfriendly*
desagradecido/a *ungrateful*
hiriente *hurtful*

huraño/a *unsociable*
tembloroso/a *trembling*
torpe *clumsy*

apetecer *to feel like*
chillar *to scream*
escribir a máquina *to type*
pulsar *to press*

Cultura

el/la abogado/a *lawyer*
el/la asistente *assistant*
el cargo *position*
la cima *top*
la encarnación *personification*
el/la juez(a) *judge*
el sueño *dream*

convertirse (e:ie) en *to become*
rechazar *to turn down*
superar *to exceed*
tomar en cuenta *to take into consideration*

controvertido/a *controversial*
propio/a *own*
sabio/a *wise*

en contra *against*

Literatura

el amorío *love affair*
el árbol genealógico *family tree*
la crianza *nurture*
el escalafón *hierarchy; rank*
los lazos familiares *family ties*
la mecedora *rocking chair*
el parentesco *kinship; relationship*
la partida de nacimiento *birth certificate*

asentarse (e:ie) *to settle*
ocultar *to hide*

entrecano/a *graying*
estirado/a *standoffish*
inscrito/a *registered*
pícaro/a *mischievous; naughty*

a cabalidad *fully*

Objetivos comunicativos: Repaso

PUEDO hablar sobre las familias.
• Describe a tu familia.

PUEDO conversar sobre la brecha generacional.
• Describe tu relación con un/a pariente mayor.

PUEDO hablar de incertidumbres.
• Escribe cinco oraciones sobre lo que buscas en tu novio/a ideal. Usa el subjuntivo.

PUEDO narrar una historia familiar.
• Cuenta alguna historia que le ocurrió a un miembro de tu familia.

PUEDO investigar las culturas de Centroamérica.
• Explica algo que aprendiste sobre las culturas centroamericanas.

Las riquezas naturales

L a vida humana depende de que la naturaleza esté en equilibrio. La destrucción de los recursos naturales nos afecta a todos, independientemente de nuestra situación geográfica, económica, política o social. ¿Por qué hay quienes viven al margen de esta realidad e ignoran las consecuencias? ¿Cómo debe enfrentar la especie humana el peligro de su propia extinción?

Objetivos comunicativos:
- Hablar sobre la naturaleza
- Conversar sobre el futuro
- Decir qué haría en diferentes situaciones
- Investigar las maravillas naturales de Colombia, Ecuador y Venezuela

162 CORTOMETRAJE

En el cortometraje *Eclipse*, del director español **Santi Planet**, un fenómeno natural revela los temores de una abuela y su nieta.

168 IMAGINA

¿Qué tal un viaje por Colombia, Ecuador y Venezuela? Acepta la invitación y conocerás impresionantes maravillas de la naturaleza. Luego, adéntrate en **El Yunque**, uno de los grandes paraísos naturales del **Caribe**.

187 CULTURA

No es ningún secreto que la selva amazónica posee recursos naturales de valor incalculable. Lo sorprendente es la cantidad de sustancias beneficiosas para la salud que nos ofrece. Además, en el videoclip **Cultura en pantalla** podrás aprender más sobre la importancia de las **Plantas medicinales**.

191 LITERATURA

¿Buscas la felicidad? El escritor mexicano **Jaime Sabines** te lo hace fácil en su poema *La Luna*.

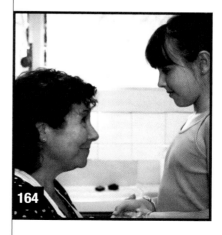

164

170

160 PARA EMPEZAR

174 ESTRUCTURAS

5.1 The future

5.2 The conditional

5.3 Relative pronouns

195 VOCABULARIO

Destino:
COLOMBIA, ECUADOR Y VENEZUELA

Nuestro mundo

 Vocabulary Tools

La naturaleza

el **árbol**   *tree*
el **bosque**   *forest*
la **cordillera**   *mountain range*
la **costa**   *coast*
el **desierto**   *desert*
la **luna**   *moon*
el **mar**   *sea*
el **paisaje**   *landscape, scenery*
el **río**   *river*
la **selva (tropical)**   *(tropical) rain forest*
el **sol**   *sun*
la **tierra**   *land, earth*

al aire libre   *outdoors*
escaso/a   *scant, scarce*
potable   *drinkable*
protegido/a   *protected*
puro/a   *pure, clean*
seco/a   *dry*

Los animales

el **águila (f.)**   *eagle*
el **ave (f.), el pájaro**   *bird*
la **ballena**   *whale*
la **especie en peligro (de extinción)**   *endangered species*
la **foca**   *seal*
el **lagarto**   *lizard*
el **león**   *lion*
el **lobo**   *wolf*
el **mono**   *monkey*
el **oso**   *bear*
el **pez**   *fish*
la **serpiente**   *snake*
el **tigre**   *tiger*

la **tortuga (marina)**   *(sea) turtle*

Los fenómenos naturales

el **calentamiento**   *warming*
la **erosión**   *erosion*
el **huracán**   *hurricane*
el **incendio**   *fire*
la **inundación**   *flood*
la **lluvia**   *rain*
la **sequía**   *drought*
el **terremoto**   *earthquake*

La ecología

la **basura**   *trash*
la **capa de ozono**   *ozone layer*
el **combustible**   *fuel*
el **consumo de energía**   *energy consumption*
la **contaminación**   *pollution*
la **deforestación**   *deforestation*
el **desarrollo**   *development*
la **energía (eólica, nuclear, renovable, solar)**   *(wind, nuclear, renewable, solar) energy*
la **fuente**   *source*
el **medio ambiente**   *environment*
el **peligro**   *danger*
el **petróleo**   *oil*
el **porvenir**   *future*
los **recursos**   *resources*
el **smog**   *smog*

agotar   *to use up*
aguantar   *to put up with, to tolerate*
amenazar   *to threaten*
cazar   *to hunt*
conservar   *to preserve*
contagiar   *to infect*
contaminar   *to pollute*
desaparecer   *to disappear*
destruir   *to destroy*
echar   *to throw away*

empeorar   *to get worse*
extinguirse   *to become extinct*
malgastar   *to waste*
mejorar   *to improve*
prevenir   *to prevent*
proteger   *to protect*

resolver (o:ue)   *to solve, to resolve*
respirar   *to breathe*
urbanizar   *to urbanize*

dañino/a   *harmful*
desechable   *disposable*
híbrido/a   *hybrid*
renovable   *renewable*
tóxico/a   *toxic*

Práctica

1 Cierto o falso Indica si las afirmaciones son ciertas. Corrige las falsas.

1. La energía eólica da mejores resultados donde hace mucho sol.
2. Un recurso es escaso cuando es insuficiente y puede agotarse.
3. El porvenir es el tiempo pasado.
4. Una planta, animal o persona desaparece cuando deja de existir.
5. La sequía es un largo período con lluvias.
6. El agua potable no debe beberse porque es dañina para la salud.

2 Saludos desde Venezuela Completa el correo electrónico.

aire libre	desarrollo	medio ambiente	resolver
conservar	desechable	pájaros	río
contaminación	extinguirse	peligro	urbanizar

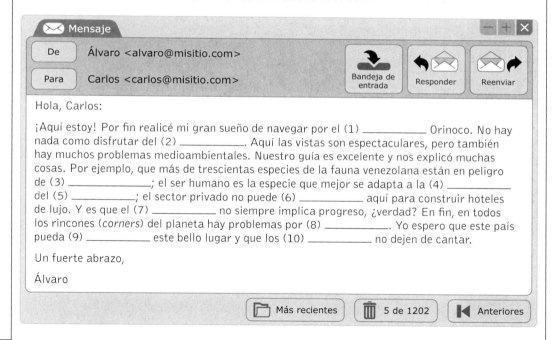

Mensaje

De Álvaro <alvaro@misitio.com>

Para Carlos <carlos@misitio.com>

Bandeja de entrada   Responder   Reenviar

Hola, Carlos:

¡Aquí estoy! Por fin realicé mi gran sueño de navegar por el (1) _____ Orinoco. No hay nada como disfrutar del (2) _____. Aquí las vistas son espectaculares, pero también hay muchos problemas medioambientales. Nuestro guía es excelente y nos explicó muchas cosas. Por ejemplo, que más de trescientas especies de la fauna venezolana están en peligro de (3) _____; el ser humano es la especie que mejor se adapta a la (4) _____ del (5) _____; el sector privado no puede (6) _____ aquí para construir hoteles de lujo. Y es que el (7) _____ no siempre implica progreso, ¿verdad? En fin, en todos los rincones (corners) del planeta hay problemas por (8) _____. Yo espero que este país pueda (9) _____ este bello lugar y que los (10) _____ no dejen de cantar.

Un fuerte abrazo,

Álvaro

Más recientes   5 de 1202   Anteriores

3 Asociaciones En parejas, contesten estas preguntas: ¿con cuáles de estos animales, elementos y fuerzas naturales te identificas? ¿Con cuáles crees que se identifica tu compañero/a? Expliquen y comparen sus respuestas.

árbol	energía eólica	mar	sol
bosque	huracán	pájaro	terremoto
cordillera	león	río	tierra
desierto	luna	serpiente	tortuga

PUEDO hablar sobre la naturaleza.

Practice more at
vhlcentral.com.

Preparación

Vocabulario del corto

asustar *to scare*
la bombilla *light bulb*
brindar *to provide, to offer*
cubrir, tapar *to cover*
despejado/a *clear, cloudless*
fundirse *to burn out*
la máscara de soldadura
  welding mask

la óptica *optical shop*
la oscuridad *darkness*
preparado/a *ready;*
  prepared
sumir *to plunge, to sink*
el taller *workshop*

Vocabulario útil

absorto/a *engrossed*
el augurio *omen; sign*
envejecer *to age*
la lucidez *lucidity; clarity*
verter (e:ie) *to pour*

EXPRESIONES

a punto de *on the point of; about to*
al cabo de un rato *after a while*
¡Claro (que no)! *Of course (not)!*
en pleno día *in broad daylight*
¡Hala! / ¡Vaya! *Wow! (Esp.)*

1

Vocabulario Completa las oraciones con palabras y expresiones del vocabulario.

Mi abuelo trabajó en el (1) _____ de herrería (*ironworks*) toda su vida.
Recuerdo que solía regresar a casa con su (2) _____ todavía puesta. Parecía un
extraterrestre. Un día, cuando estaba (3) _____ salir, me dijo:
—Mañana voy a (4) _____ un espectáculo en el taller. ¿Te animas a venir a verlo?
—(5) _____ —respondí entusiasmada.
—Tienes que estar (6) _____ y tomar las precauciones necesarias. Esta tarde iré
a la (7) _____ a buscarte unas gafas protectoras.
Al día siguiente me mostró un milagro. Con un fuego brillante que salía de un tubo
apuntó a una plancha de metal y la perforó. Continuó así y, (8) _____, me
mostró el resultado. ¡Había escrito mi nombre!

2

Fotograma En parejas, observen el fotograma y contesten las preguntas.

- ¿Qué creen que están haciendo estos tres personajes?
- ¿Hacia dónde miran? ¿Dónde están? ¿Qué relación puede haber entre ellos?
- ¿Qué emoción o emociones creen que sienten?

3 **Preparación** En parejas, consideren estas maneras de vivir (*experience*) el fenómeno de los eclipses. Elijan tres y den ejemplos de quién podría vivir un eclipse de alguno de estos modos y por qué. Luego, consideren cómo han vivido o cómo vivirían ustedes un eclipse.

- un augurio
- un fenómeno astronómico
- un gran espectáculo
- una maravilla para niños
- un peligro

4 **Fenómenos naturales** Ordena esta lista de fenómenos naturales del menos al más espectacular. Luego, comenta con dos compañeros/as el orden que elegiste.

- un eclipse de Sol
- la aurora boreal
- el sol de medianoche
- una lluvia de meteoritos
- un arco iris (*rainbow*)

5 **Vejez** En parejas, lean estas citas. Después de comentar su significado, decidan con cuál están de acuerdo. Compartan sus ideas con la clase.

> "El arte de envejecer es el arte de conservar alguna esperanza". André Maurois

> "Los viejos desconfían de la juventud porque han sido jóvenes". William Shakespeare

> "En la vejez uno no hace más que repetirse". Pío Baroja

> "El anciano es un hombre que ya ha comido y observa cómo comen los demás". Honoré de Balzac

> "Todos deseamos llegar a viejos y todos negamos que hemos llegado". Francisco de Quevedo

6 **Relaciones** En grupos pequeños, describan las imágenes de izquierda a derecha. ¿Qué sugiere esta secuencia? ¿Y las similitudes entre la taza de café y el Sol? Si las miramos en este orden, ¿qué tipo de historia imaginan? ¿Cómo será el final de este corto?

ARGUMENTO *Una abuela y su nieta se preparan para ver un eclipse solar. Ambas enfrentarán sus miedos con la ayuda de la otra.*

LOCUTORA ... uno de los mayores espectáculos que nos brinde el cielo en estos años. Nos referimos al eclipse total de Sol que está a punto de producirse y que nos va a sumir en la oscuridad de la noche en pleno día.

ABUELA Será como si fuera magia.
NIETA Pero la noche es oscura y a mí no me gusta la oscuridad.
ABUELA No has de tener miedo a la oscuridad. ¿Te asusta?
NIETA ¡Claro que no! Bueno... sí, un poco...

ABUELA Durará poco, no tengas miedo. Será como una bombilla que se apaga y se vuelve a encender.
NIETA ¿Como la bombilla que se fundió en el pasillo y papá cambió?
ABUELA Más o menos.

ABUELA Ya está a punto de que el Sol se tape del todo. ¿Estás preparada?
NIETA ¡Sí!

ABUELA No tengas miedo.

NIETA Abuela...

Nota CULTURAL

Las generaciones en la familia

Al igual que en otros países hispanohablantes, en España es habitual que los abuelos tengan una relación muy cercana con sus nietos. Esto se debe a motivos culturales, económicos y demográficos. Por una parte, las familias suelen tener relaciones muy estrechas y los abuelos pasan parte del verano con sus nietos o los cuidan cuando son pequeños. Por otra parte, los costos de las propiedades son muy elevados, y no es extraño que convivan en el mismo espacio tres generaciones. Por último, la presencia de muchas personas mayores en España es también un factor importante: la baja natalidad (*birthrate*) y la buena expectativa de vida hacen que la proporción de personas de edad avanzada sea elevada. Se calcula que a mediados de la década de 2030 el 25% de la población española será de la tercera edad, lo que la convertirá en la más "vieja" del planeta.

Análisis

1

Comprensión Indica si estas afirmaciones son ciertas o falsas. Corrige las falsas.

1. La abuela y la nieta escuchan la noticia del eclipse en un noticiero de televisión.
2. El momento de más oscuridad del eclipse será a las doce del día.
3. Una persona puede ver este tipo de eclipse desde allí, a lo sumo, dos veces en su vida.
4. Algunos periódicos distribuyeron gafas para ver el eclipse.
5. La abuela planea usar un cristal para ver el eclipse.
6. La nieta le pide a la abuela ir al parque porque está cansada de esperar en casa.
7. En el parque hay otras personas tomando fotos y mirando el eclipse.
8. Al final, la nieta ayuda a la abuela a sentirse mejor.

2

Interpretar Contesta las preguntas.

1. ¿Crees que la abuela y la nieta se ven con frecuencia? ¿Cómo lo sabes?
2. ¿En qué momento del año transcurre la acción?
3. ¿Dónde imaginas que están los padres de la niña mientras transcurre el corto? ¿Y el abuelo?
4. ¿Qué efecto crean los sonidos en el parque —ladridos (*barks*), voces fuertes, risas— y la vibración de la cámara cuando pasa el eclipse? ¿Por qué?
5. ¿La niña sabe que la abuela sufre de algún tipo de problema de memoria? ¿Cómo lo sabes?
6. ¿Cómo son invertidos los roles entre abuela y nieta al final del corto?

3

Significados En parejas, interpreten los siguientes momentos del corto. ¿Qué pueden simbolizar o representar?

- El café oscuro se vierte en una taza con leche blanca.
- Se muestra una serie de fotos de la vida de la abuela.
- La Luna cubre parcialmente el Sol; la abuela se inquieta.
- Las fotos de la vida de la abuela quedan cada vez más a oscuras.
- La Luna cubre totalmente el Sol; el café oscuro desborda (*overflows*) la taza.
- El eclipse pasa y el cielo está azul; el Sol brilla (*shines*).

4

Momentos En grupos de tres, identifiquen los momentos de lucidez y los momentos de confusión de la abuela en el orden en que ocurren en el cortometraje. Para hacerlo, completen la lista:

> 1. La abuela sirve café y luego queda confusa, perdida, seria. (momento de confusión)
> 2. La niña le dice "¡Abuela!" y ella le sonríe. (momento de lucidez)
> 3.

5

Alzheimer En el corto, el eclipse funciona como una metáfora de la enfermedad de Alzheimer. En parejas, establezcan qué paralelismos existen entre un eclipse y esta enfermedad. Después, compartan sus ideas con el resto de la clase.

Un eclipse	La enfermedad de Alzheimer

6

Miedos En grupos de tres, contesten las preguntas. Después, compartan sus respuestas con la clase.

1. ¿Tienes miedo a la oscuridad? ¿Qué cosas o situaciones te asustan? ¿Por qué?
2. ¿Crees que tus miedos van cambiando a medida que creces? Comparte algún ejemplo.
3. ¿Le temes a alguna enfermedad? ¿A cuál y por qué?
4. ¿Cuál crees que es el mayor temor de nuestro tiempo? ¿Y de tu generación?
5. ¿Cuál es la mejor manera de enfrentar los miedos?

7

La secuela En parejas, piensen en ideas para una secuela del corto. ¿Cuál será la condición de la abuela? ¿Cómo será la relación entre ella y su nieta? Escriban un resumen de sus ideas. Usen el tiempo futuro. Después, compartan sus ideas con el resto de la clase.

8

Situaciones En parejas, elijan una de estas situaciones y preparen una conversación basada en ella. Cuando la terminen, represéntenla delante de la clase.

A

Uno/a de ustedes es fanático/a de la astronomía e invita a un(a) compañero/a de clase a ver la aurora boreal cerca del Polo Norte. Lo malo es que el mejor momento para ver auroras boreales es en pleno invierno, entre diciembre y febrero, y el/la compañero/a detesta el frío. Intenta convencerlo/la.

B

Sabes que hoy es una fecha muy importante para tu mejor amigo/a, pero no recuerdas por qué. Estás convencido/a de que es por tu mala memoria, pero tu amigo/a piensa que es por descuido (*carelessness*) o desinterés. Intenta obtener la información que olvidaste o explicarle a tu amigo/a tus dificultades sin que se enoje.

PUEDO comentar los fenómenos naturales.

Practice more at vhlcentral.com.

Audio: Reading

IMAGINA

La cordillera de los Andes

Imagina una cadena de montañas[1] de más de 8.900 kilómetros (5.500 millas) con picos nevados[2] que se elevan a más de 6.959 metros (22.831 pies), numerosos volcanes activos, enormes glaciares y lagunas escondidas en la niebla[3]. Ésta es la **cordillera de los Andes**, que atraviesa el oeste de Suramérica desde su extremo sur hasta su extremo norte. Esta geografía contribuye al carácter distintivo de países como **Ecuador**, **Colombia** y **Venezuela**. Los Andes son la cadena montañosa más extensa del planeta y la segunda de mayor altura[4] después del Himalaya. Hagamos un recorrido por la región para conocer algunas de sus maravillas naturales.

Comencemos en Ecuador. ¿Sabías que este país, con una superficie un poco menor que la del estado de Nevada, tiene la densidad de volcanes más alta del mundo? Existen más de treinta volcanes en Ecuador. El **Sangay**, el más activo del país, y el **Guagua Pichincha**, situado en las afueras de la capital, **Quito**, expulsan gases y cenizas de forma constante.

Muy cerca de Quito, encontramos el **Parque Nacional Cotopaxi**, cuyo atractivo principal es el **volcán Cotopaxi**, el segundo más alto del país y tal vez el más popular entre los turistas. El Cotopaxi asciende a 5.897 metros (19.347 pies) y su pico nevado puede verse a cientos de kilómetros de distancia. Su última erupción mayor fue en 1904, pero desde

Volcán Cotopaxi, Ecuador

entonces ha producido erupciones menores, emisiones de vapor y cenizas, y pequeños temblores[5], lo que indica que puede haber más erupciones en el futuro.

Ahora pasemos a Colombia. Su **cordillera Oriental** es una de las subcordilleras[6] de los Andes. Aquí encontramos el **Parque Nacional Natural El Cocuy**, una de las reservas naturales más extensas del país. El Cocuy se encuentra a unos 270 kilómetros (168 millas) al noreste de la capital, **Bogotá**, y contiene un ecosistema con más de veinte picos nevados, entre ellos el **Pan de Azúcar** y el **Púlpito del Diablo**. También hay lagunas de origen glaciar y páramos[7] con flora y fauna característicos de los bosques andinos.

Terminemos nuestro recorrido en Venezuela. Aquí, en las montañas al sureste de **Caracas**, está el **Parque Nacional Canaima**. Su principal atractivo es el **Salto Ángel**, la catarata[8] más alta del mundo. Compara sus 979 metros (3.212 pies) de altura con los 54 metros (176 pies) de las del Niágara. Se pueden hacer excursiones entre **Caracas** y el salto. Ya sea en avión o en lancha[9] por el **río Churún**, se puede disfrutar de la belleza de esta catarata.

Después de unos días en esta región, regresamos a casa con recuerdos de nuestras aventuras en los Andes del norte. ¡Y sólo visitamos una pequeña parte de estos tres países!

[1] **cadena...** *mountain range* [2] **picos**... *snow-capped peaks* [3] *fog* [4] *height* [5] *tremors* [6] *subranges* [7] *high-altitude grasslands* [8] *waterfall* [9] *motorboat*

Bogotá, Colombia

LOS ANDES

COLOMBIA | ECUADOR | VENEZUELA

El español de los Andes del norte

Colombia

bacano/a	que gusta, fabuloso; *great!*
culebra	deuda; *debt*
mecato	golosina; *snacks*
pelado/a	adolescente; *teenager, kid*
tinto	café; *coffee*
trancón	embotellamiento; *traffic jam*

Ecuador

caleta	casa; *house*
chiva	bicicleta; *bicycle*
guagua	niño/a; hijo/a; *kid; son/daughter*
guambra	joven, muchacho/a; *youngster*
leche	suerte; *luck*

Venezuela

bonche	fiesta; *party*
burda	mucho/a; *a lot of*
cambur	plátano; *banana*
chamo/a	chico/a; *boy/girl; dude*
pana	amigo/a, compañero/a; *partner*

Animales de los Andes

El cóndor Es el ave más grande de **Suramérica**. Con las alas[1] extendidas mide hasta tres metros (unos diez pies) de ancho. Los **cóndores** pueden vivir hasta cincuenta años y por lo  general forman parejas que duran toda la vida. Tanto las hembras[2] como los machos[3] comparten las responsabilidades en la crianza[4] de los polluelos[5]. El cóndor puede recorrer unos 325 km (202 millas) por día y volar a una altura de 5.500 metros (18.045 pies) en busca de comida. En vez de matar a otros animales, el cóndor prefiere comer los restos[6] de animales muertos. De este animal sólo existen dos especies en el mundo: el cóndor de los Andes y el cóndor de California. Es el ave nacional de Ecuador y Colombia.

La alpaca Pertenece a la misma familia que los camellos y está relacionada también con la **llama** y la **vicuña,** que también habitan en la cordillera andina. Mide aproximadamente un metro (3 pies). La **alpaca** es muy valorada por su lana[7], que puede tener más de veinte matices[8]. Hoy día, se utiliza la lana de alpaca para hacer distintos productos, como suéteres, gorros[9], chaquetas y  alfombras[10]. Esta lana es considerada una de las más finas y suaves del mundo.

El puma Es natural de **América** y es uno de los felinos más representativos de la región andina. Puede vivir en ecosistemas  muy diversos, desde el nivel del mar hasta los 4.500 metros (14.764 pies) de altura. El **puma** es el segundo felino más grande de América. El puma puede trepar[11], saltar[12] y nadar con gran agilidad, aunque no se ve en el agua con frecuencia. Se alimenta de mamíferos[13] de todos los tamaños, desde roedores[14] hasta venados[15] grandes. También ataca animales domésticos como caballos y ovejas, razón por la cual ha sido cazado hasta el punto de estar en peligro de extinción.

[1] *wings* [2] *females* [3] *males* [4] *rearing* [5] *chicks* [6] *carcasses* [7] *wool* [8] *shades* [9] *caps, hats* [10] *rugs* [11] *climb* [12] *jump* [13] *mammals* [14] *rodents* [15] *deer*

GALERÍA DE CREADORES

Audio: Reading

MÚSICA CLÁSICA
Gustavo Dudamel

Nacido en Venezuela en 1981, este director de orquesta es uno de los más aclamados por el público, no sólo por su calidad artística, sino por el carisma que transmite. Sus padres eran músicos y él se formó en el Sistema Nacional de Orquestas y Coros Juveniles e Infantiles, un programa de formación artística venezolano, fundado por el maestro José Antonio Abreu. Se hizo director de la Orquesta Sinfónica Juvenil Simón Bolívar de Venezuela (ahora la Orquesta Sinfónica Simón Bolívar de Venezuela) a los dieciocho años. Actualmente, es el director musical y artístico de la Filarmónica de Los Ángeles. Su creatividad ha dado auge (*boom*) a la música clásica en los últimos años. Estableció la Fundación Gustavo Dudamel en 2012 para "ampliar el acceso a la música y a las artes, proporcionando herramientas y oportunidades para que los jóvenes den forma a su futuro creativo".

MÚSICA POPULAR Shakira

Shakira nació en Barranquilla, Colombia, en 1977 y comenzó a escribir canciones a los ocho años. Sus padres pronto reconocieron su vocación musical y, con apenas catorce años, la impulsaron a grabar su primer disco. En 2001 consiguió el éxito internacional con el álbum *Servicio de lavandería,* con nueve canciones en inglés y cuatro en español. Esta cantautora colombiana es una estrella del pop-rock latino y una de las cantantes más famosas y queridas en la actualidad. Realizó giras (*tours*) en cinco continentes y cantó con artistas aplaudidos. Sus conocidas canciones en español e inglés recorren el mundo entero. Fue la voz de las canciones oficiales de la Copa Mundial de Fútbol en 2010 y 2014. Hoy en día, es Embajadora de Buena Voluntad de UNICEF por su trabajo humanitario a través de las fundaciones Pies Descalzos y ALAS.

ESCULTURA Marisol Escobar

De adolescente en Venezuela, Marisol Escobar (1930–2016) pasó por una etapa en la que imitaba a santos, vírgenes y mártires. Hacía penitencias como caminar de rodillas hasta sangrar y permanecer en silencio por largos períodos. Estas experiencias, y la influencia del catolicismo en general, le han dado a su arte un fuerte componente espiritual, lleno de elementos naturales y sobrenaturales. Lo natural es evidente en su uso frecuente de la madera y la terracota, y lo sobrenatural se expresa en sus creaciones abstractas, hechas con diferentes combinaciones de pinturas, grabados, dibujos y esculturas. Aquí vemos su obra *Presidente Charles de Gaulle* (1967).

PINTURA/MURALISMO

Oswaldo Guayasamín

Cuando un turista llega al aeropuerto de Barajas en Madrid o visita la UNESCO en París, puede admirar uno de los murales de Oswaldo Guayasamín (1919–1999). El pintor y muralista ecuatoriano de fama mundial colaboró con dos de los gigantes del muralismo mexicano: José Clemente Orozco y David Alfaro Siqueiros. Mantuvo también fuertes lazos de amistad con Gabriel García Márquez y Pablo Neruda. Al morir, Guayasamín dejó toda su colección artística al pueblo de Ecuador, ya que en vida éste fue una de sus principales fuentes de inspiración. Aquí observamos al artista dando unas últimas pinceladas (*brushstrokes*) a su obra *El grito*.

¿Qué aprendiste?

1

Cierto o falso Indica si estas afirmaciones son ciertas o falsas. Corrige las falsas.

1. La cordillera de los Andes tiene picos nevados y glaciares.
2. El Parque Nacional Natural El Cocuy es la principal zona volcánica de Colombia.
3. Ecuador es el país con mayor densidad de volcanes.
4. Hace más de un siglo que los volcanes Sangay y Guagua Pichincha no hacen erupción.
5. El Salto Ángel es la catarata más alta del mundo.
6. Los cóndores forman parejas temporales para reproducirse.
7. Al morir, Oswaldo Guayasamín dejó su colección artística al presidente de Ecuador.
8. Gustavo Dudamel es el director de la Filarmónica de Los Ángeles.

2

Preguntas Contesta las preguntas.

1. ¿Cuál es el atractivo principal del Parque Nacional Cotopaxi?
2. ¿En qué país está el Parque Nacional Canaima?
3. ¿Qué animales pertenecen a la familia de la alpaca?
4. ¿Cuáles especies de cóndores se conocen en la actualidad?
5. ¿Por qué razón el puma se encuentra en peligro de extinción?
6. ¿Qué artista de la Galería te interesa más? ¿Por qué?

3

Los Andes En parejas, pregúntense uno a otro si les gustaría viajar a los lugares de la lista. Mencionen las razones por las que se animarían a ir a estos lugares o si encuentran algún motivo para no visitarlos.

Lugares

1. Lagunas glaciares cerca del pico nevado Púlpito del Diablo, en Colombia
2. El Parque Nacional Cotopaxi cerca de Quito, en Ecuador
3. El Salto Ángel al sureste de Caracas, en Venezuela
4. El Parque Nacional Natural el Cocuy, en Colombia
5. El volcán Sangay en las afueras de Quito, en Ecuador

Practice more at **vhlcentral.com**.

PROYECTO

Fotografías descriptivas

Imagina que eres fotógrafo/a y quieres solicitar empleo en una revista turística. Te han pedido que saques fotos para un reportaje sobre la **cordillera de los Andes** en **Colombia**, **Ecuador** y **Venezuela**.

Busca la información que necesites en Internet.

- Investiga sobre tres maravillas naturales o animales de los Andes.
- Escoge fotografías que reflejen su magnitud y belleza.
- Describe cada foto a la clase y explica por qué la escogiste.

PUEDO investigar las maravillas naturales de Colombia, Ecuador y Venezuela.

 Video

Un bosque tropical

Ahora que ya has leído sobre las maravillas que esconde la cordillera de los Andes, mira este episodio de **Flash cultura** para conocer la riqueza del bosque tropical lluvioso de Puerto Rico, con su sorprendente variedad de árboles milenarios.

Vocabulario

la brújula *compass*
la caminata *hike*
la cascada *waterfall*
el chapuzón *dip*
la cima *peak*

estar en forma *to be fit*
la lupa *magnifying glass*
el/la nene/a *kid*
subir *to climb*
la torre *tower*

1 Preparación ¿Te gusta estar en contacto con la naturaleza? ¿De qué manera? ¿Has visitado alguno de los bosques nacionales de tu país? ¿Cuál(es)?

2 Comprensión Indica si estas afirmaciones son ciertas o falsas. Después, en parejas, corrijan las falsas.

1. El nombre *Yunque* proviene del español y significa "dios de la montaña".
2. El Yunque es la reserva forestal más antigua del hemisferio occidental.
3. El símbolo de Puerto Rico es el arroz con gandules.
4. Para llegar a la cima es necesario estar en forma y llevar brújula, agua, mapa, etc.
5. Una caminata hasta la cima puede llevar hasta dos días.
6. Como la cima está rodeada de nubes, los árboles no pueden crecer mucho.

3 Expansión En parejas, contesten estas preguntas.

1. Imagina que sólo puedes llevar tres de los objetos del equipo para llegar a la cima del Yunque. ¿Cuáles llevarías? ¿Por qué?
2. ¿Alguno de los atractivos del Yunque te anima (*encourages you*) a visitar este bosque en tus próximas vacaciones? ¿Cuál? ¿Por qué?
3. ¿Qué tipo de comida llevas cuando vas de excursión? ¿Qué otras cosas llevas en la mochila?

Corresponsal: Diego Palacios
País: Puerto Rico

En el Yunque hay más especies de árboles que en ningún otro de los bosques nacionales, muchos de los cuales son cientos de veces más grandes, como el Parque Yellowstone o el Yosemite.

Nadar en los ríos del Yunque es uno de los pasatiempos favoritos de los puertorriqueños, como lo es meterse debajo de las cascadas.

El Yunque es el único Bosque Tropical Lluvioso del Sistema Nacional de Bosques de los Estados Unidos.

PUEDO conversar sobre un bosque tropical en Puerto Rico.

 Practice more at **vhlcentral.com**.

Tutorial

TALLER DE CONSULTA

These grammar topics are covered in the **Manual de gramática, Lección 5.**

5.4 *Qué* vs. *cuál*, p. 394

5.5 The neuter *lo*, p. 396

¡ATENCIÓN!

Note that all of the future tense endings carry a written accent except in the **nosotros/as** form.

5.1 The future

Forms of the future tense

—*No me separaré de ti.*

- The future tense (**el futuro**) takes the same endings for all **–ar, –er,** and **–ir** verbs. For regular verbs, the endings are added to the infinitive.

The future tense		
hablar	**deber**	**abrir**
hablaré	deberé	abriré
hablarás	deberás	abrirás
hablará	deberá	abrirá
hablaremos	deberemos	abriremos
hablaréis	deberéis	abriréis
hablarán	deberán	abrirán

- For verbs with irregular future stems, the same endings are added to the irregular stem.

infinitive	stem	future
caber	cabr–	cabré, cabrás, cabrá, cabremos, cabréis, cabrán
haber	habr–	habré, habrás, habrá, habremos, habréis, habrán
poder	podr–	podré, podrás, podrá, podremos, podréis, podrán
querer	querr–	querré, querrás, querrá, querremos, querréis, querrán
saber	sabr–	sabré, sabrás, sabrá, sabremos, sabréis, sabrán
poner	pondr–	pondré, pondrás, pondrá, pondremos, pondréis, pondrán
salir	saldr–	saldré, saldrás, saldrá, saldremos, saldréis, saldrán
tener	tendr–	tendré, tendrás, tendrá, tendremos, tendréis, tendrán
valer	valdr–	valdré, valdrás, valdrá, valdremos, valdréis, valdrán
venir	vendr–	vendré, vendrás, vendrá, vendremos, vendréis, vendrán
decir	dir–	diré, dirás, dirá, diremos, diréis, dirán
hacer	har–	haré, harás, hará, haremos, haréis, harán

Uses of the future tense

- In Spanish, as in English, the future tense is one of many ways to express actions or conditions that will happen in the future.

Present indicative

Llegan a Caracas mañana.
They arrive in Caracas tomorrow.
(conveys a sense of certainty that the action will occur)

Present subjunctive

Prefiero que lleguen a Caracas mañana.
I prefer that they arrive in Caracas tomorrow.
(refers to an action that has yet to occur)

ir a + [*infinitive*]

Van a llegar a Caracas mañana.
They are going to arrive in Caracas tomorrow.
(expresses the near future; is commonly used in everyday speech)

Future tense

Llegarán a Caracas mañana.
They will arrive in Caracas tomorrow.
(expresses an action that will occur; often implies more certainty than ir a + [*infinitive*])

- The English word *will* can refer either to future time or to someone's willingness to do something. To express willingness, Spanish uses the verb **querer** + [*infinitive*], not the future tense.

¿Quieres contribuir a la protección del medio ambiente?
Will you contribute to the protection of the environment?

Quiero ayudar, pero no sé por dónde empezar.
I'll help, but I don't know where to begin.

- In Spanish, the future tense may be used to express conjecture or probability, even about present events. English expresses this in various ways, using words and expressions such as *wonder, bet, must be, may, might,* and *probably.*

¿Qué hora **será**?
I wonder what time it is.

Ya **serán** las dos de la mañana.
It must be 2 a.m. by now.

¿**Estará** lloviendo en Medellín?
Do you think it's raining in Medellín?

Hará un poco de sol y un poco de viento.
It's probably a bit sunny and windy.

- When the present subjunctive follows a conjunction of time like **cuando, después (de) que, en cuanto, hasta que,** and **tan pronto como**, the future tense is often used in the main clause of the sentence.

Nos **quedaremos** lejos de la costa **hasta que pase** el huracán.
We'll stay far from the coast until the hurricane passes.

En cuanto termine de llover, **regresaremos** a casa.
As soon as it stops raining, we'll go back home.

Tan pronto como salga el sol, **iré** a la playa a tomar fotos.
As soon as the sun comes up, I'll go to the beach to take photos.

¡ATENCIÓN!

The future tense is used less frequently in Spanish than in English.

Te llamo mañana.
I'll call you tomorrow.

Espero que vengan.
I hope they will come.

TALLER DE CONSULTA

For a detailed explanation of the subjunctive with conjunctions of time, see **6.1, pp. 212–213.**

Práctica

1 **Horóscopo chino** En el horóscopo chino cada signo está representado por un animal. Completa las predicciones para la serpiente, conjugando los verbos en el futuro.

TRABAJO Esta semana tú (1) _____ (tener) que trabajar duro. (2) _____ (salir) poco y no (3) _____ (poder) divertirte. Pero (4) _____ (valer) la pena. Muy pronto (5) _____ (conseguir) el puesto que esperas.

DINERO (6) _____ (venir) dificultades económicas. No malgastes tus ahorros.

SALUD El médico (7) _____ (resolver) tus problemas respiratorios, pero tú (8) _____ (deber) cuidarte la garganta.

AMOR (9) _____ (recibir) una noticia muy buena. Una persona especial te (10) _____ (decir) que te ama. (11) _____ (venir) días felices.

2 **Predicciones** En parejas, escriban el horóscopo de su compañero/a. Utilicen verbos en futuro y las frases de la lista. Luego, compartan sus predicciones con la clase.

decir secretos	haber una sorpresa	recibir una visita
empezar una relación	hacer daño	tener suerte
festejar	hacer un viaje	venir amigos
ganar/perder dinero	poder solucionar problemas	viajar al extranjero

Dragón:
1940-1952-1964-
1976-1988-2000

Serpiente:
1941-1953-1965-
1977-1989-2001

Caballo:
1942-1954-1966-
1978-1990-2002

Cabra:
1943-1955-1967-
1979-1991-2003

Mono:
1944-1956-1968-
1980-1992-2004

Gallo:
1945-1957-1969-
1981-1993-2005

Perro:
1946-1958-1970-
1982-1994-2006

Cerdo:
1947-1959-1971-
1983-1995-2007

Rata:
1948-1960-1972-
1984-1996-2008

Buey:
1949-1961-1973-
1985-1997-2009

Tigre:
1950-1962-1974-
1986-1998-2010

Conejo:
1951-1963-1975-
1987-1999-2011

3 **Tus planes** En parejas, pregúntense qué planes tienen para el próximo verano. Pueden hacerse preguntas que no estén en la lista. Después, compartan la información con la clase.

1. ¿Trabajarás? ¿En qué?
2. ¿Tomarás clases? ¿De qué?
3. ¿Te irás de viaje? ¿Adónde?
4. ¿Saldrás por las noches? ¿Con quién?
5. ¿Harás algo extraordinario? ¿Qué?
6. ¿Protegerás el medio ambiente? ¿Cómo?
7. ¿Harás ejercicio al aire libre? ¿Dónde?
8. ¿Mejorarás tu vida? ¿Cómo?

Comunicación

4

Viaje de aventura Tú y tu compañero/a están planeando un viaje de dos semanas. Decidan cuándo y a cuál de estos países irán y qué harán allí, usando el anuncio como guía. Conjuguen los verbos en el futuro.

ECOTURISMO

Colombia

- acampar en la costa
- hacer *rafting* por el río Tobia
- visitar la región amazónica colombiana
- disfrutar de la naturaleza y las playas en el Parque Nacional Tayrona

Ecuador

- montar a caballo en las montañas
- bucear en el mar
- ir en bicicleta de montaña
- viajar en kayak por las islas Galápagos con las tortugas marinas, las focas y los delfines

Venezuela

- explorar un tramo de los Andes
- ascender un tepuy (*flat-topped mountain*)
- hacer una expedición por un río
- explorar las islas del Parque Nacional Mochima en kayak

5

¿Qué será de...? Todo cambia con el tiempo. En parejas, conversen sobre el futuro de cada lugar, producto o animal.

- las ballenas
- Venecia
- el libro impreso (*printed*)
- la televisión
- Internet

- las hamburguesas
- el hielo (*ice*) en los polos norte y sur
- la selva amazónica
- Los Ángeles
- el petróleo

6

¿Dónde estarán en veinte años? En grupos de tres, hagan una lista de cinco personas famosas y anticipen lo que será de ellas dentro de veinte años.

7

Situaciones En parejas, seleccionen uno de estos temas e inventen un diálogo usando el tiempo futuro.

1. Dos jóvenes han terminado sus estudios y hablan sobre lo que harán para convertirse en millonarios.

2. Dos ladrones/as acaban de robar todo el dinero de un banco internacional y lo han escondido en el congelador (*freezer*) de un(a) amigo/a. Ahora se preguntan cómo escaparán de la policía.

3. Dos hermanas han decidido convertir su granja (*farm*) en un centro de ecoturismo. Deben desarrollar atracciones para los turistas.

4. Dos inventores/as se reúnen para participar en un intercambio (*exchange*) de ideas. El objetivo es controlar, reducir y eliminar la contaminación del aire en las ciudades. Cada uno/a dice lo que inventará para conseguirlo.

PUEDO conversar sobre el futuro.

Tutorial

5.2 The conditional

Dijeron que el eclipse total del
*Sol **ocurriría** a las cinco.*

- The conditional tense (**el condicional**) takes the same endings for all **–ar, –er,** and **–ir** verbs. For regular verbs, the endings are added to the infinitive.

The conditional

dar	ser	vivir
daría	sería	viviría
darías	serías	vivirías
daría	sería	viviría
daríamos	seríamos	viviríamos
daríais	seríais	viviríais
darían	serían	vivirían

- Verbs with irregular future stems have the same irregular stem in the conditional.

infinitive	stem	conditional
caber	cabr–	cabría, cabrías, cabría, cabríamos, cabríais, cabrían
haber	habr–	habría, habrías, habría, habríamos, habríais, habrían
poder	podr–	podría, podrías, podría, podríamos, podríais, podrían
querer	querr–	querría, querrías, querría, querríamos, querríais, querrían
saber	sabr–	sabría, sabrías, sabría, sabríamos, sabríais, sabrían
poner	pondr–	pondría, pondrías, pondría, pondríamos, pondríais, pondrían
salir	saldr–	saldría, saldrías, saldría, saldríamos, saldríais, saldrían
tener	tendr–	tendría, tendrías, tendría, tendríamos, tendríais, tendrían
valer	valdr–	valdría, valdrías, valdría, valdríamos, valdríais, valdrían
venir	vendr–	vendría, vendrías, vendría, vendríamos, vendríais, vendrían
decir	dir–	diría, dirías, diría, diríamos, diríais, dirían
hacer	har–	haría, harías, haría, haríamos, haríais, harían

Uses of the conditional

- The conditional is used to express what *would* occur under certain circumstances.

  ¿Qué ciudad de Ecuador visitarías primero?
  Which city in Ecuador would you visit first?

  Iría primero a Quito y después a Guayaquil.
  First I would go to Quito and then to Guayaquil.

- The conditional is also used to make polite requests.

  ¿Podrías pasarme ese mapa, por favor?
  Could you pass me that map, please?

  ¿Le importaría (a usted) cuidar mis plantas?
  Would you mind taking care of my plants?

- Just as the future tense is one of several ways of expressing a future action, the conditional is one of several ways of expressing a future action as perceived in the past. In this case, the conditional expresses what someone said or thought *would* happen.

  Dicen que mañana hará viento.
  They say it will be windy tomorrow.

  Creía que hoy haría viento.
  I thought it would be windy today.

  Dicen que mañana va a hacer viento.
  They say it's going to be windy tomorrow.

  Creía que hoy iba a hacer viento.
  I thought it was going to be windy today.

- In Spanish, the conditional may be used to express conjecture or probability about a past event. English expresses this in various ways using words and expressions such as *wondered, must have been,* and *was probably.*

  ¿A qué hora regresaría?
  I wonder what time he returned.

  Serían las ocho.
  It must have been eight o'clock.

TALLER DE CONSULTA

The conditional is also used in contrary-to-fact sentences. See **9.3, p. 325.**

¿No sería ahora el momento justo para ir de vacaciones a San Andrés?

Práctica

1 **Ambición** Completa el diálogo con el condicional de los verbos.

DARÍO Si yo pudiera formar parte de esta organización, (1) _____ (estar) dispuesto (*ready*) a ayudar en todo lo posible.

CONSUELO Sí, lo sé, pero tú no (2) _____ (poder) hacer mucho. No tienes la preparación necesaria. Tú (3) _____ (necesitar) estudios de biología.

DARÍO Bueno, yo (4) _____ (ayudar) con las cosas menos difíciles. Por ejemplo, (5) _____ (hacer) el café para las reuniones.

CONSUELO Estoy segura de que todos (6) _____ (agradecer) tu colaboración. Les preguntaré si necesitan ayuda.

DARÍO Eres muy amable, Consuelo. (7) _____ (dar) cualquier cosa por trabajar con ustedes. Y (8) _____ (considerar) la posibilidad de volver a la universidad para estudiar biología. (9) _____ (tener) que trabajar duro, pero lo (10) _____ (hacer) porque no (11) _____ (saber) qué hacer sin un buen trabajo. Por eso sé que el esfuerzo (12) _____ (valer) la pena.

2 **Cortesía** Cambia estos mandatos por mandatos indirectos que usen el condicional.

Mandatos directos	Mandatos indirectos
1. Dale de comer al perro.	¿Podrías darle de comer al perro, por favor?
2. No malgastes el agua.	
3. Compra un carro híbrido.	
4. Planta un árbol.	
5. Deja de molestar al gato.	
6. Usa sólo papel reciclado.	
7. No tires basura en la calle.	

3 **Lo que hizo Irma** Utilizamos el condicional para expresar el futuro en el contexto de una acción pasada. Explica lo que quiso hacer Irma e inventa lo que al final pudo hacer.

Modelo **pensar / desayunar**
Irma pensó que desayunaría con su amiga Gabi,
pero Gabi no tenía hambre.

1. pensar / comer
2. decir / poner
3. imaginar / tener
4. escribir / venir
5. contarme / querer
6. suponer / hacer
7. explicar / salir
8. calcular / valer

Practice more at
vhlcentral.com.

Comunicación

4

De vacaciones Tu tío Ignacio y su familia van a Ciudad Bolívar en Venezuela. Ellos te han llamado para pedirte consejos sobre lo que deben hacer. En grupos de cuatro, háganles sugerencias de acuerdo a sus gustos y a la información de la Nota cultural. Usen el condicional.

Modelo Tía Rosa y Eduardito podrían visitar el Ecomuseo.

Nota
CULTURAL

El estado de **Bolívar**, en el sur de **Venezuela**, limita al norte con el **río Orinoco** y al sur con el estado de **Amazonas** y **Brasil**. La capital del estado se llama **Ciudad Bolívar** y se distingue por sus casas de estilo colonial. También cuenta con un importante museo que presenta el lado moderno de la ciudad: el **Museo de Arte Moderno Jesús Soto**. En la región también encontramos dos parques nacionales que ofrecen una abundante flora y fauna.

Tía Rosa: No le gusta estar al aire libre. Odia los mosquitos.

Tío Ignacio: Le encanta acampar.

María Fernanda: Le encantan los animales salvajes.

Eduardito: Le gusta jugar con la computadora y leer.

5

¿Qué harías? Piensa en lo que harías en estas situaciones. Luego, en parejas, compartan sus reacciones usando el condicional.

1.
2.
3.
4.
5.

PUEDO decir qué haría en diferentes situaciones.

Tutorial

5.3

Relative pronouns

The relative pronoun *que*

—*Será como una bombilla **que** se*
apaga y se vuelve a encender.

TALLER DE CONSULTA

See **Manual de gramática 5.4,
p. 394,** to review the uses of **qué**
and **cuál** in asking questions.

¡ATENCIÓN!

Relative pronouns are used
to connect short sentences
or clauses to create longer,
more fluid sentences. Unlike
the interrogative words **qué,
quién(es),** and **cuál(es),**
relative pronouns never carry
accent marks.

- **Que** (*that, which, who*) is the most frequently used relative pronoun (**pronombre relativo**). It can refer to people or things, subjects or objects, and can be used in restrictive clauses (without commas) or nonrestrictive clauses (with commas). Note that while some relative pronouns may be omitted in English, they must always be used in Spanish.

  El incendio **que** vimos ayer destruyó la tercera parte del bosque.
  The fire (that) we saw yesterday destroyed a third of the forest.

  Los ciudadanos **que** van a la manifestación exigen respuestas del gobierno.
  The citizens who are going to the protest demand answers from the government.

  La inundación fue causada por la lluvia, **que** ha durado más de dos semanas.
  The flood was caused by the rain, which has lasted over two weeks.

- In a restrictive (without commas) clause where no preposition or personal **a** precedes the relative pronoun, always use **que**.

  Las ballenas **que** encontraron en la playa estaban vivas.
  The whales they found on the beach were alive.

El que/La que

- After prepositions, **que** follows the definite article: **el que, la que, los que,** or **las que.** The article must agree in gender and number with the antecedent (the noun or pronoun to which it refers). When referring to *things* (but not *people*), the article may be omitted after short prepositions, such as **en, de,** and **con.**

  La mujer **para la que** trabajo
  llegará a las seis.
  *The woman (whom) I work for
  will arrive at six.*

  El edificio **en (el) que** viven es viejo.
  The building (that) they live in is old.

- **El que, la que, los que,** and **las que** are also used for clarification to refer to a previously mentioned person or thing.

  Hablé con los vecinos que tienen perros pero no con **los que** tienen gatos.
  I talked to the neighbors who have dogs but not to the ones who have cats.

  Si puedes optar entre dos compañías, elige **la que** paga más.
  If you can choose between two companies, pick the one that pays more.

El cual/La cual

- **El cual, la cual, los cuales,** and **las cuales** are generally interchangeable with **el que, la que, los que,** and **las que** after prepositions. They are often used in more formal speech or writing. Note that when **el cual** and its forms are used, the definite article is never omitted.

  El edificio **en el cual** viven es viejo.
  The building in which they live is old.

Quien/Quienes

- **Quien** (sing.) and **quienes** (pl.) only refer to people. **Quien(es)** can therefore generally be replaced by forms of **el que** and **el cual,** although the reverse is not always true.

  Los investigadores, **quienes (los que/los cuales)** estudian la erosión, son de Ecuador.
  The researchers, who are studying erosion, are from Ecuador.

  El investigador **de quien (del que/del cual)** hablaron era mi profesor.
  The researcher (whom) they spoke about was my professor.

- Although **que** and **quien(es)** may both refer to people, their use depends on the structure of the sentence. In restrictive clauses (without commas), only **que** is used if no preposition or personal **a** is necessary. If a preposition or personal **a** is necessary, **quien** (or a form of **el que/el cual**) is used instead.

  La gente **que** vive en la capital está harta del smog.
  The people who live in the capital are tired of the smog.

  Esperamos una respuesta de los biólogos **a quienes (a los que/a los cuales)** llamamos.
  We're waiting for a response from the biologists (whom) we called.

- In nonrestrictive clauses (with commas) that refer to people, **que** is more common in spoken Spanish, but **quien(es)** (or a form of **el que/el cual**) is preferred in written speech.

  Juan y María, **que** viven conmigo, me regañan si dejo las luces prendidas.
  Juan and María, who live with me, scold me if I leave the lights on.

  Las expertas, **quienes** por fin concedieron la entrevista, no mencionaron la sequía.
  The experts, who finally granted the interview, didn't mention the drought.

The relative adjective *cuyo*

- The relative adjective **cuyo (cuya, cuyos, cuyas)** means *whose* and agrees in number and gender with the noun it precedes. When asking to whom something belongs, use **¿de quién(es)?**, not a form of **cuyo**.

  El equipo, **cuyo** proyecto aprobaron, viajará a las islas Galápagos en febrero.
  The team, whose project they approved, will travel to the Galapagos Islands in February.

  La colega, **cuyas** ideas mejoraron el plan, no tiene tiempo para realizar el proyecto.
  The colleague, whose ideas improved the plan, doesn't have time to do the project.

  ¿De quién es este mapa de Venezuela?
  Whose map of Venezuela is this?

  Es mío, pero no es un mapa. Es un atlas **cuyos** autores son venezolanos.
  It's mine, but it's not a map. It's an atlas whose authors are Venezuelan.

TALLER DE CONSULTA

The neuter forms **lo que** and **lo cual** are used when referring to situations or abstract concepts that have no gender. See **Manual de gramática 5.5, p. 396.**

¿Qué es lo que te molesta?
What is it that's bothering you?

Ella habla sin parar, lo cual me enoja mucho.
She won't stop talking, which is making me really angry.

¡ATENCIÓN!

When used with **a** or **de**, the contractions **al que/al cual** and **del que/del cual** are formed.

Práctica

1

Relativos Selecciona la palabra o frase adecuada para completar cada oración.

1. El señor Gómez, _____ empresa se dedica al ecoturismo, está en una reunión.
   a. cuya   b. cuyo   c. cuyos

2. Hay muchos tóxicos _____ se contamina el agua.
   a. con la que   b. con los que   c. con quienes

3. El científico, _____ busca una solución para el consumo de energía, hace estudios en Chicaque.
   a. del cual   b. quien   c. quienes

4. Los amigos _____ me viste quieren visitar el Parque Natural Chicaque.
   a. en quien   b. de quien   c. con quienes

2

El ozono Completa el artículo de una revista científica con los pronombres relativos de la lista. Algunos pronombres pueden repetirse.

LA CAPA DE OZONO

con quien

cuyas

cuyo

de las cuales

de que

del que

el cual

en que

las cuales

que

quien

La capa de ozono está formada por un gas, (1) _____ se encuentra en la estratosfera. Este gas (2) _____ nos protege de la radiación ultravioleta ha empezado a desaparecer en algunas regiones del planeta, (3) _____ la Antártida es la zona (4) _____ está en mayor peligro.

Los seres humanos y la naturaleza causan este daño a la capa de ozono. La gente lo hace con los gases (5) _____ se usan en aerosoles y refrigeradores. La naturaleza lo hace con las erupciones volcánicas, (6) _____ emiten un gas llamado cloro, (7) _____ propiedades dañan el ozono. Este problema del ozono, sobre (8) _____ muchos científicos hablan, puede tener consecuencias negativas para la salud de las personas.

3

Seamos concisos Combina estas oraciones usando un pronombre o adjetivo relativo apropiado.

Modelo   **El consumo de energía es un problema. El gobierno habla del consumo de energía.**
El consumo de energía es un problema del cual el gobierno habla.

1. Los jóvenes son estudiantes universitarios. Los jóvenes luchan contra la deforestación.

2. La manifestación será mañana en la plaza. Te hablé de la manifestación.

3. El gobierno aprobó una ley. El contenido de la ley apoya el reciclaje.

4. La gente no puede bañarse en el río. Las aguas del río están contaminadas.

5. La empresa tiene proyectos de urbanización. La empresa está en crisis.

Practice more at
vhlcentral.com.

Comunicación

4 **Tus prioridades**

A. Completa el recuadro de acuerdo con tus hábitos y opiniones.

	Sí	No	Depende
1. No uso un carro. Siempre viajo en autobús o en bicicleta.	☐	☐	☐
2. Como frutas y verduras orgánicas.	☐	☐	☐
3. Reciclo latas, productos de plástico y de papel.	☐	☐	☐
4. Apago las luces de los cuartos donde no hay nadie.	☐	☐	☐
5. En invierno me pongo un abrigo en casa en vez de subir la calefacción.	☐	☐	☐
6. En verano no uso el aire acondicionado, sólo abro las ventanas.	☐	☐	☐
7. Quiero tener una casa con paneles solares o una turbina de viento.	☐	☐	☐
8. Participo en organizaciones que protegen el medio ambiente.	☐	☐	☐
9. Sólo el gobierno debe preocuparse por el medio ambiente.	☐	☐	☐
10. Conducir un carro no perjudica al medio ambiente.	☐	☐	☐
11. Sólo las grandes empresas son responsables de la contaminación.	☐	☐	☐
12. Es imposible proteger todas las especies en peligro de extinción.	☐	☐	☐

B. En parejas, compartan la información del recuadro. Después, usando pronombres relativos, informen a la clase de lo que hayan aprendido sobre su compañero/a.

Modelo Rafael come verduras y frutas orgánicas que compra en el mercado al aire libre. Es una persona a quien no le gusta la contaminación causada por pesticidas y herbicidas.

5 **¿Quién es quién?** La clase se divide en dos equipos. Un(a) integrante del equipo A piensa en un(a) compañero/a y da tres pistas. El equipo B tiene que adivinar de quién se trata. Si adivina con la primera pista, obtiene 3 puntos; con la segunda, obtiene 2 puntos; con la tercera, obtiene 1 punto.

Modelo Estoy pensando en alguien con quien almorzamos.
Estoy pensando en alguien cuyos ojos son marrones.
Estoy pensando en alguien que lleva pantalones azules.

6 **Evolución de ideas** En parejas, hagan una lista de cinco creencias (*beliefs*) erróneas que los humanos hemos tenido en los últimos cien años acerca de estos temas. Escriban oraciones y usen por lo menos tres pronombres relativos distintos.

Modelo Los árboles que crecen en la selva amazónica aportan menos oxígeno a la atmósfera de lo que pensábamos.

- la salud
- el medio ambiente
- la familia
- la guerra
- el universo

PUEDO expresar hábitos y opiniones.

Síntesis

Pronóstico del tiempo

	Hoy	Mañana	Pasado mañana
Buenos Aires			
	Máx. / Mín.	Máx. / Mín.	Máx. / Mín.
	15° C / 9 °C	19 °C / 9 °C	12 °C / 8 °C
Caracas			
	Máx. / Mín.	Máx. / Mín.	Máx. / Mín.
	34 °C / 26 °C	34 °C / 26 °C	36 °C / 25 °C
Ciudad de México			
	Máx. / Mín.	Máx. / Mín.	Máx. / Mín.
	24 °C / 14 °C	22 °C / 13 °C	22 °C / 12 °C
Quito			
	Máx. / Mín.	Máx. / Mín.	Máx. / Mín.
	18 °C / 10 °C	22 °C / 9 °C	23 °C / 10 °C
Santo Domingo			
	Máx. / Mín.	Máx. / Mín.	Máx. / Mín.
	32 °C / 24 °C	32 °C / 23 °C	32 °C / 23 °C

1

El pronóstico En parejas, seleccionen dos de las ciudades incluidas en el informe del tiempo y describan el pronóstico de esos lugares para los tres días. Utilicen los usos del futuro presentados en la lección.

2

La isla Imagina que tú y tu compañero/a han naufragado (*shipwrecked*) en una isla desierta. Piensa en los problemas a los que se podrían enfrentar (*be faced with*). Coméntalos con tu compañero/a para ver qué haría él/ella en cada situación.

> **Modelo**   —No hay agua potable.
> —Bebería agua de coco.

3

El parque En grupos pequeños, elijan un parque nacional de su país. Escriban un informe con una breve descripción del parque y su medio ambiente usando el vocabulario de esta lección y algunos de los pronombres relativos que han aprendido.

PUEDO hacer un informe del tiempo.

Preparación

Vocabulario de la lectura		Vocabulario útil
el/la chamán/chamana *shaman (religious figure believed to have magical or supernatural powers)*	**el medicamento** *medication*	**la dolencia** *ailment*
el/la curandero/a *folk healer*	**la semilla** *seed*	**el efecto invernadero** *greenhouse effect*
el/la encargado/a *person in charge*	**la Tierra** *Earth*	**el pulmón** *lung*
el hecho *fact*	**la utilidad** *usefulness*	**el reciclaje** *recycling*
la madera *wood*		**reciclar** *to recycle*
		el reto *challenge*

1

Emparejar Une cada palabra con su definición.

1. curandero _____
2. medicamento _____
3. pulmón _____
4. madera _____
5. semilla _____
6. Tierra _____

a. órgano donde ocurre la respiración
b. el planeta donde vivimos
c. persona que cura con remedios naturales
d. parte dura de una fruta o vegetal de la cual crecen nuevas frutas y vegetales
e. material sólido de un árbol que tiene múltiples usos
f. sustancia que se consume para curar una enfermedad

2

La madre naturaleza En parejas, túrnense para contestar las preguntas y expliquen sus respuestas.

1. ¿Cómo te gusta disfrutar de la naturaleza? ¿Qué experiencia al aire libre recuerdas?
2. ¿Has estado en una selva o en un bosque muy grande? ¿Cómo te sentiste?
3. ¿Tomas medicamentos naturales cuando te sientes enfermo/a? ¿Por qué?
4. ¿Te preocupa el destino de las culturas indígenas de América? ¿Por qué? ¿Cómo se deben proteger?
5. ¿Crees que la tecnología resolverá todos los problemas medioambientales? ¿Qué papel juega la tecnología? ¿Cuáles son sus límites?
6. ¿Alguna vez has tomado un curso de educación ambiental? Si contestaste que sí, ¿qué aprendiste? Si contestaste que no, ¿te gustaría tomar uno? ¿Qué aprenderías?

3

Recursos y destino Trabajen en grupos de tres y sigan estos pasos.

A. Escriban una lista de todos los productos que ustedes han utilizado en las últimas 24 horas. Al lado de cada uno, enumeren los recursos naturales que se utilizaron para producirlo.

B. Expliquen el papel de la biodiversidad en la producción de las comodidades (*comforts*) de la vida moderna. ¿Cómo nos beneficiamos de las plantas y los animales?

C. ¿Por qué es paradójica la explotación humana de la biodiversidad? Expliquen y luego compartan sus impresiones con la clase.

La selva amazónica: biodiversidad curativa

Cultura en pantalla

Explora **vhlcentral.com** y y mira el videoclip sobre las **Plantas medicinales** y su uso en Paraguay.

CULTURA

 Audio: Reading

Sólo se conoce una fracción de los millones de especies de plantas y animales que viven en las selvas tropicales de la Tierra. Con una superficie de 5.500.000 km², la selva amazónica es el hábitat de millones de estos organismos. Esta selva es el ecosistema más diverso del planeta, hecho que se refleja especialmente en los árboles, de los que se reconocen más de 16.000 especies diferentes.

La gran riqueza de su vegetación ha sido durante siglos de gran utilidad para los habitantes de la cuenca° amazónica. Frutas poco conocidas en nuestra cultura occidental, como el túpiro, el copoazú o el temare, les sirven de alimento. Los árboles, algunos de los cuales llegan a medir noventa metros, les proveen de maderas de gran calidad. Y sus bosques, aparte de ser la morada° natural de los espíritus de sus religiones, también les proporcionan un enorme surtido° de plantas medicinales.

Este uso de las plantas como medicinas se remonta° a épocas precolombinas en que las culturas indígenas descubrieron las propiedades curativas de la vegetación que las rodeaba. Los chamanes y curanderos eran, y todavía son, los encargados de recoger las plantas y las muestras° de los árboles. La tradición indica que tenían que entrar a las zonas más apartadas° e impenetrables de la selva para buscarlas, pues se creía que cuanto más difícil era el acceso a los remedios, más poderosos eran sus efectos curativos.

Hoy, las plantas son el origen de más del 25% de los medicamentos que se encuentran en las farmacias del mundo. Muchas de ellas provienen de° la selva en la cuenca del río Amazonas. La mayor presencia en el mercado de este tipo de medicinas se debe al creciente interés de la industria farmacéutica por métodos de

basin
dwelling
assortment
dates back
samples
isolated
originate from

Desaparecen las culturas amazónicas

Se estima que hace más de quinientos años vivían cerca de diez millones de indígenas en la región amazónica. Hoy día hay menos de 500.000. Tan sólo en Brasil unas noventa tribus indígenas han desaparecido desde comienzos del siglo XX. Y en países como Perú, Colombia, Ecuador y Venezuela cada año se reduce aún más la población indígena de la región amazónica.

curación que han sido usados con éxito durante miles de años.

En el noroeste de la selva amazónica, por ejemplo, los indígenas usan más de 1.300 plantas medicinales. Una de ellas es el curare, una sustancia que los indígenas suramericanos ponían en la punta° de sus flechas° para paralizar a los animales que cazaban para comer. Actualmente, la tubocurarina, derivada del curare, se utiliza en todo el mundo como anestesia. Otro remedio que se está haciendo muy popular es la semilla de guaraná, que favorece al corazón y a la memoria, y es más poderosa que el ginseng.

Desafortunadamente, la deforestación de esta zona está reduciendo su área aceleradamente. Esto afecta a todos los seres que habitan allí y pone en peligro de extinción a cientos de especies animales y vegetales. Es por esto que tanto gobiernos locales como organizaciones de todo el mundo están luchando° para proteger sus extraordinarios recursos naturales y preservar las culturas de sus habitantes. ■

tip
arrows
fighting

Análisis

1 **Comprensión** Contesta las preguntas con oraciones completas.

1. ¿Por qué crees que se dice que la selva amazónica es "el pulmón de la Tierra"?

2. ¿Por qué es considerada como el ecosistema más variado del planeta?

3. ¿Qué tareas realizan los chamanes y los curanderos?

4. ¿Por qué entran a zonas muy apartadas para conseguir medicinas?

5. ¿Qué porcentaje de los medicamentos que se venden en las farmacias del mundo proviene de las plantas?

6. ¿A qué se debe el uso de tantas medicinas de origen vegetal?

7. ¿Cuáles son las consecuencias de la deforestación de la selva amazónica?

8. ¿Cuántos indígenas vivían en la región amazónica hace más de quinientos años? ¿Y ahora?

2 **Informe** Tú y tu compañero/a participan en un concurso (*contest*) para desarrollar un nuevo medicamento hecho con ingredientes vegetales provenientes de la selva amazónica. Escriban un informe para su página web sobre la importancia de cuidar de la biodiversidad y de las culturas indígenas de la selva amazónica. Expliquen los problemas que existen y las soluciones.

PROTEGER LA SELVA AMAZÓNICA

La selva amazónica es la más extensa del mundo. Su biodiversidad guarda un número infinito de secretos que pueden ayudar a curar muchas enfermedades. Por lo tanto, es esencial que...

3 **En peligro de extinción: ¿Sí o no?** En grupos de cuatro, hablen de las causas, los efectos, las posibles soluciones y el futuro de estos problemas medioambientales. Después, dividan la clase en optimistas y pesimistas, y discutan sobre el porvenir del planeta. ¿Está en peligro de extinción?

- La destrucción de selvas tropicales
- El efecto invernadero
- La contaminación del aire
- La extinción de culturas indígenas
- La contaminación de océanos, ríos y mares
- El calentamiento global

Practice more at **vhlcentral.com**.

PUEDO investigar la selva amazónica.

Preparación

Sobre el autor

Jaime Sabines (1926–1999) fue uno de los más grandes poetas mexicanos. Licenciado en Lengua y Literatura Española por la Universidad Nacional Autónoma de México (UNAM), estuvo muy involucrado en la política de su país. Su poesía se distingue por su lenguaje coloquial que nos habla de la realidad de todos los días. En 1972, obtuvo el Premio Villaurrutia y, en 1983, le concedieron el Premio Nacional de Literatura.

Vocabulario de la lectura		**Vocabulario útil**
a cucharadas *in spoonfuls*	**intoxicar** *to poison*	**el antídoto** *antidote*
ahogarse *to suffocate, to drown*	**la pata de conejo** *rabbit's foot*	**la felicidad** *happiness*
aliviar *to relieve, to soothe*	**el pedazo** *piece*	**la rutina diaria** *daily routine*
el frasquito *little bottle*	**el/la preso/a** *prisoner*	**el símbolo** *symbol*
la hoja *leaf*		

1

Vocabulario Escoge la mejor opción para completar las oraciones.

1. Armando fue al médico porque por las noches sentía que se _____.
   a. ahogaba   b. aliviaba

2. El médico le dio _____ con medicina.
   a. un pedazo   b. un frasquito

3. Él le preguntó al médico cómo debía tomarse la medicina. El médico le respondió que dos _____ al día.
   a. cucharadas   b. hojas

4. También quería saber cuándo se iba a _____ de sus síntomas.
   a. aliviar   b. intoxicar

5. El médico le dijo que necesitaba descansar más y simplificar su _____.
   a. pata de conejo   b. rutina diaria

2

La felicidad En el poema que van a leer, Jaime Sabines habla de la esperanza e ilusión que hay que tener en la vida. En parejas, contesten las preguntas.

1. ¿Son felices a pesar de los problemas cotidianos? ¿Cómo lo logran?

2. Cuando tienen problemas que no pueden solucionar, ¿qué hacen para sentirse mejor?

3. ¿Es posible ser feliz siempre? Expliquen.

4. Hagan una lista de cinco cosas bellas que piensan que tiene la vida. Compártanla después con la clase.

3

La luna En parejas, hagan una lista de ideas, situaciones y/o personas relacionadas con la luna. Sean creativos. Después, compartan su lista con la clase.

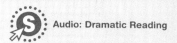
Audio: Dramatic Reading

LA LUNA

Jaime Sabines

La luna se puede tomar a cucharadas
o como una cápsula cada dos horas.
Es buena como hipnótico y sedante
y también alivia
5 a los que se han intoxicado de filosofía.
Un pedazo de luna en el bolsillo°   *pocket*
es mejor amuleto° que la pata de conejo: *charm, amulet*
sirve para encontrar a quien se ama,
para ser rico sin que lo sepa nadie
10 y para alejar° a los médicos y a las clínicas.   *keep away*
Se puede dar de postre a los niños
cuando no se han dormido,
y unas gotas° de luna en los ojos de los ancianos°   *drops / elderly*
ayudan a bien morir.

15 Pon una hoja tierna° de la luna   *tender*
debajo de tu almohada°   *pillow*
y mirarás lo que quieras ver.
Lleva siempre un frasquito del aire de la luna
para cuando te ahogues,
20 y dales la llave de la luna
a los presos y a los desencantados°.   *disenchanted*
Para los condenados° a muerte   *condemned*
y para los condenados a vida
no hay mejor estimulante que la luna
25 en dosis precisas y controladas.

Análisis

1 **Comprensión** Elige el párrafo que mejor resume lo que expresa el poema.

1. Las responsabilidades de la vida moderna traen estrés y dificultan las relaciones personales. La luna, con su influencia negativa, intoxica a las personas y es causa de conflictos.

2. El poema les recomienda la luna a niños y adultos contra una variedad de problemas y para tener mejor suerte. Un postre de luna ayuda a los niños a dormirse. Una dosis de luna alivia cuando uno se ahoga.

2 **Interpretar** Contesta las preguntas. Luego, explícale tus respuestas a la clase.

1. ¿Cuál es el tema principal del poema? ¿Cuáles son los temas secundarios?

2. Lee estos versos. ¿Qué crees que quiere expresar el poeta?

> Un pedazo de luna en el bolsillo
> es mejor amuleto que la pata de conejo:
> sirve para encontrar a quien se ama,
> para ser rico sin que lo sepa nadie
> y para alejar a los médicos y a las clínicas.

3. ¿Qué relación hay entre llaves y presos? ¿Qué quiere decir el poeta con esa imagen?

4. En tu opinión, ¿qué simboliza la luna? Sustituye la luna con otro símbolo que represente las mismas ideas. ¿Funciona? ¿Por qué?

5. ¿Qué efecto causa el poeta cuando recomienda la luna en "dosis precisas y controladas"?

3 **Símbolos** Los símbolos están en nuestro día a día. En parejas, mencionen cinco símbolos conocidos por todos y expliquen lo que simbolizan.

> **Modelo** Un corazón simboliza el amor.

4 **¿Y tú?** El poeta hace recomendaciones para que seamos más felices. ¿Qué les dirías a estas personas si te preguntaran qué hacer para solucionar sus problemas?

- un(a) enamorado/a que no es correspondido/a
- alguien que acaba de perder su empleo
- un(a) preso/a que es inocente
- una pareja que está muy enamorada pero que se pelea constantemente

5 **Escribir** Escribe diez consejos para que todos seamos felices. Sigue el **Plan de redacción**.

Plan de redacción

Consejos para ser feliz

1 Esquema Prepara un esquema con las diez actitudes hacia la vida que crees necesarias para ser feliz. Organiza tus ideas para no repetir ni olvidar nada.

2 Título Elige un título simbólico para tu decálogo.

3 Contenido Escribe los diez consejos. Utiliza el subjuntivo, el condicional, mandatos y pronombres relativos.

PUEDO dar consejos para ser feliz.

 Practice more at vhlcentral.com.

Nuestro mundo

Vocabulary Tools

La naturaleza

el árbol *tree*
el bosque *forest*
la cordillera *mountain range*
la costa *coast*
el desierto *desert*
la luna *moon*
el mar *sea*
el paisaje *landscape, scenery*
el río *river*
la selva (tropical) *(tropical) rain forest*
el sol *sun*
la tierra *land, earth*
___
al aire libre *outdoors*
escaso/a *scant, scarce*
potable *drinkable*
protegido/a *protected*
puro/a *pure, clean*
seco/a *dry*

Los animales

el águila (f.) *eagle*
el ave (f.), el pájaro *bird*
la ballena *whale*
la especie en peligro (de extinción)
    endangered species
la foca *seal*
el lagarto *lizard*
el león *lion*
el lobo *wolf*
el mono *monkey*
el oso *bear*
el pez *fish*
la serpiente *snake*
el tigre *tiger*
la tortuga (marina) *(sea) turtle*

Los fenómenos naturales

el calentamiento *warming*
la erosión *erosion*
el huracán *hurricane*
el incendio *fire*
la inundación *flood*
la lluvia *rain*
la sequía *drought*
el terremoto *earthquake*

La ecología

la basura *trash*
la capa de ozono *ozone layer*
el combustible *fuel*
el consumo de energía *energy consumption*
la contaminación *pollution*
la deforestación *deforestation*
el desarrollo *development*
la energía (eólica, nuclear, renovable, solar)
    (wind, nuclear, renewable, solar) energy
la fuente *source*
el medio ambiente *environment*
el peligro *danger*
el petróleo *oil*
el porvenir *future*
los recursos *resources*
el smog *smog*
___
agotar *to use up*
aguantar *to put up with, to tolerate*
amenazar *to threaten*
cazar *to hunt*
conservar *to preserve*
contagiar *to infect*
contaminar *to pollute*
desaparecer *to disappear*
destruir *to destroy*
echar *to throw away*
empeorar *to get worse*
extinguirse *to become extinct*
malgastar *to waste*
mejorar *to improve*
prevenir *to prevent*
proteger *to protect*
resolver (o:ue) *to solve, to resolve*
respirar *to breathe*
urbanizar *to urbanize*
___
dañino/a *harmful*
desechable *disposable*
híbrido/a *hybrid*
renovable *renewable*
tóxico/a *toxic*

Cortometraje

el augurio *omen; sign*
la bombilla *light bulb*
la lucidez *lucidity; clarity*
la máscara de soldadura *welding mask*

la óptica *optical shop*
la oscuridad *darkness*
el taller *workshop*
___
asustar *to scare*
brindar *to provide, to offer*
cubrir, tapar *to cover*
envejecer *to age*
fundirse *to burn out*
sumir *to plunge, to sink*
verter (e:ie) *to pour*
___
absorto/a *engrossed*
despejado/a *clear, cloudless*
preparado/a *ready; prepared*

Cultura

el/la chamán/chamana *shaman*
el/la curandero/a *folk healer*
la dolencia *ailment*
el efecto invernadero *greenhouse effect*
el/la encargado/a *person in charge*
el hecho *fact*
la madera *wood*
el medicamento *medication*
el pulmón *lung*
el reciclaje *recycling*
el reto *challenge*
la semilla *seed*
la Tierra *Earth*
la utilidad *usefulness*
___
reciclar *to recycle*

Literatura

el antídoto *antidote*
la felicidad *happiness*
el frasquito *little bottle*
la hoja *leaf*
la pata de conejo *rabbit's foot*
el pedazo *piece*
el/la preso/a *prisoner*
la rutina diaria *daily routine*
el símbolo *symbol*
___
ahogarse *to suffocate, to drown*
aliviar *to relieve, to soothe*
intoxicar *to poison*
___
a cucharadas *in spoonfuls*

Objetivos comunicativos: Repaso

PUEDO hablar sobre la naturaleza.
• Describe un aspecto de la naturaleza: un paisaje,
  un animal, etc.

PUEDO conversar sobre el futuro.
• Indica lo que harás en los próximos diez años para
  proteger el medio ambiente.

PUEDO decir qué haría en diferentes situaciones.
• Haz una lista de cinco cosas que harías para mejorar
  el mundo si fueras multimillonario/a.

PUEDO investigar las maravillas naturales de Colombia,
Ecuador y Venezuela.
• Describe una de las maravillas naturales de los Andes.

El valor de las ideas

Las épocas más difíciles de la historia, como las de guerra y dictadura, muestran a la vez lo peor y lo mejor de la humanidad. La solidaridad y la protección de los derechos humanos, así como la denuncia de la opresión, de la intolerancia y de la falta de libertad, han caracterizado la literatura y el cine de habla hispana. ¿Cómo asegurarnos de que los gobiernos respeten la libertad y los derechos humanos?

Objetivos comunicativos:

- Hablar sobre la política
- Conversar sobre situaciones políticas en el futuro
- Hacer comparaciones
- Investigar la cultura chilena

200 CORTOMETRAJE

En el corto *Justo*, la directora argentina **Paula Romero Levit** pregunta qué es justo cuando se trata de quiénes se sientan en un autobús.

206 IMAGINA

Recorre la diversidad natural y cultural de **Chile**, y descubre las creaciones de cuatro destacados artistas de la nación andina. Después, podrás conocer el gran dilema nacional que enfrenta **Puerto Rico**.

225 CULTURA

Infórmate en el artículo *Chile: dictadura y democracia* sobre una de las épocas más dramáticas de la historia de este país. Además, en el videoclip **Cultura en pantalla** podrás aprender sobre **Chile y la Operación Cóndor**.

229 LITERATURA

En *Caso Gaspar*, la escritora argentina **Elsa Bornemann** describe lo que pasa cuando un joven decide ser diferente.

203

208

198 PARA EMPEZAR

212 ESTRUCTURAS

6.1 The subjunctive in adverbial clauses

6.2 The past subjunctive

6.3 Comparatives and superlatives

233 VOCABULARIO

Destino:
CHILE

Creencias e ideologías

Las leyes y los derechos

los derechos humanos *human rights*
la desobediencia civil *civil disobedience*
la (des)igualdad *(in)equality*
el/la juez(a) *judge*
la (in)justicia *(in)justice*
la libertad *freedom*
la lucha *struggle, fight*
el tribunal *court*
___

abusar *to abuse*
aprobar (o:ue) una ley
  to pass a law
convocar *to summon*
defender (e:ie) *to defend*
derogar *to abolish, to repeal*
encarcelar *to imprison*
juzgar *to judge*
___

analfabeto/a *illiterate*
(des)igual *(un)equal*
(in)justo/a *(un)fair*
oprimido/a *oppressed*

La política

el abuso *abuse*
la armada *navy*
la bandera *flag*

la creencia *belief*
la crueldad *cruelty*
la democracia *democracy*

la dictadura *dictatorship*
el ejército *army*

el gobierno *government*
la guerra (civil) *(civil) war*
el partido político *political party*
la paz *peace*

el poder *power*
la política *politics*
las relaciones exteriores *foreign relations*
la victoria *victory*
___

dedicarse a *to devote oneself to*
elegir (e:i) *to elect*
ganar/perder (e:ie) las elecciones *to
  win/to lose an election*
gobernar (e:ie) *to govern*
influir *to influence*
votar *to vote*

___

conservador(a) *conservative*
liberal *liberal*
pacífico/a *peaceful*
pacifista *pacifist*

La gente

el/la abogado/a *lawyer*
el/la activista *activist*
el/la ladrón/ladrona *thief*

el/la manifestante *demonstrator*
el/la político/a *politician*

el/la presidente/a *president*
el/la terrorista *terrorist*
la víctima *victim*

La seguridad y la amenaza

la amenaza *threat*
el arma (f.) *weapon*
el escándalo *scandal*
la (in)seguridad *(in)security; (lack of)
  safety*
el temor *fear*
el terrorismo *terrorism*
la violencia *violence*
___

chantajear *to blackmail*
destrozar *to destroy, to ruin*
espiar *to spy*
huir *to flee*
pelear *to fight, to quarrel*
secuestrar *to kidnap, to hijack*

Práctica

1 **Antónimos** Selecciona de la lista el antónimo de cada palabra.

bandera	escándalo	perder
derogar	liberal	temor
dictadura	paz	víctima

1. aprobar _____
2. democracia _____
3. ganar _____
4. terrorista _____
5. guerra _____
6. conservador _____

2 **¿Cuál es?** Indica a qué palabra de la lista se refiere cada descripción.

abogada	ladrona	político
armada	manifestante	secuestrar
crueldad	oprimido	tribunal
desobediencia	poder	votar

_____ 1. Mujer que defiende a un(a) acusado/a

_____ 2. Retener a una persona contra su voluntad para pedir dinero a cambio de su libertad

_____ 3. Estado de la persona que es víctima de una tiranía

_____ 4. Hombre cuyo empleo es un cargo público en el gobierno

_____ 5. Fuerzas navales de un país

_____ 6. Conducta que ignora intencionalmente las reglas o leyes establecidas por una autoridad

_____ 7. Persona que toma parte en una protesta a favor de un cambio social

_____ 8. Trato despiadado (*merciless*) e inhumano hacia otra persona o ser vivo

_____ 9. Mujer que roba

_____ 10. Ejercer (*exercise*) el derecho de elegir un(a) candidato/a en las urnas (*ballot box*)

3 **Titulares** En parejas, hablen de noticias recientes sobre la política o la sociedad. Expliquen cada una, usando como mínimo dos palabras de la lista u otras del vocabulario nuevo.

> **Modelo** El partido liberal declaró ayer que pelearía por los derechos de los indígenas.

chantajear	huir	pacifista
destrozar	igualdad	pelear
escándalo	ladrón	político
espiar	liberal	seguridad

PUEDO hablar sobre la política.

Practice more at
vhlcentral.com.

Preparación

Vocabulario del corto

el asiento *seat*
chorear *to rob* (Arg.)
el colectivo *bus* (Arg.)
estar de pie *to stand*
indemnizar *to compensate*
la justeza *fairness*
manosear *to grope*
marearse *to get carsick/seasick*

parado/a *on one's feet*
el pasillo *aisle*
perjudicar *to harm*
plantear *to propose, to suggest*
raro/a *strange*
la suerte *luck*

Vocabulario útil

afortunado/a *lucky*
ceder *to give up; to yield*
discapacitado/a *disabled*
equitativo/a *equitable; fair*

EXPRESIONES

andá a saber *who knows* (Arg.)
estar (todo) armado *to be (completely) staged*
¡Por eso! *That's what I mean!*
taladrar los oídos *to be ear-splitting*
tocarle a alguien *to be someone's turn*
tomarle el pelo a alguien *to pull someone's leg*

---

1 **Vocabulario** Indica la palabra que no corresponde al grupo.

1. a. pagar   b. indemnizar   c. perjudicar
2. a. justo   b. oprimido   c. equitativo
3. a. dar   b. ceder   c. aprobar
4. a. asiento   b. temor   c. silla
5. a. chantajear   b. sugerir   c. plantear

2 **Fotogramas** En parejas, observen los fotogramas y contesten las preguntas.

- ¿Dónde están estas personas? ¿Para qué están allí?
- ¿Qué les acaba de suceder?
- ¿Cómo crees que se sienten?
- ¿Qué imaginas que harán después?

3

Preparación En parejas, elijan tres de los siguientes sinónimos de la palabra **justo** y den ejemplos de casos o situaciones que ilustran ese significado de la palabra. Luego, compartan sus respuestas con la clase.

> **Modelo** El juez fue imparcial cuando juzgó el caso basado solamente en sus méritos.

- decente
- equitativo
- exacto
- honesto

- imparcial
- neutral
- objetivo

4

Injusticias cotidianas En parejas, elijan dos de estas situaciones y comenten qué harían en cada caso. Evalúen primero las posibles reacciones y por último decidan cuál es la mejor.

- Entrando al supermercado, ves una larga fila de personas que esperan para ser atendidas por un cajero. Tú ves que alguien se adelanta a los demás sin que ellos lo noten.
- En el autobús lleno, sube una mujer embarazada y nadie le da el asiento. Tú estás parado/a.
- Sólo tú sabes que, por un error del profesor, un(a) compañero/a ha recibido injustamente una nota excelente en un examen. Corregir ese error no mejorará ni tu calificación ni la de nadie.
- Mientras estás de visita en otro país, ves una manifestación en contra de una ley que protege el medio ambiente.

5

Transporte público En parejas, háganse las preguntas y respondan con sus experiencias personales y opiniones.

1. ¿Cuál es el peor aspecto de viajar en un transporte público (metro, autobús urbano o de larga distancia, tren, etc.)? ¿Y el mejor?

2. ¿De qué modo crees que la relación entre los pasajeros está afectada por la tecnología?

3. ¿Cuál ha sido tu mejor experiencia viajando en transporte público? ¿Por qué disfrutaste de ese viaje?

6

Predicciones En grupos de tres, especulen sobre cómo será el transporte público en el futuro. Tengan en cuenta estos factores del mundo actual.

- las aplicaciones de transporte con conductor (como Uber y Lyft)
- el teletrabajo
- la crisis medioambiental
- la posibilidad de nuevas pandemias
- la realidad virtual
- las formas de pago a través del teléfono celular

Practice more at
vhlcentral.com.

Video

ARGUMENTO *Los pasajeros de un colectivo están decididos a terminar con la injusticia de la suerte.*

PASAJERA 2 Es que no es justo, porque me pare donde me pare y me ponga donde me ponga, y lo digo de verdad, siempre me toca un asiento.

PASAJERA 4 La verdad es que justo no es. Me corrijo. Justo, lo que se dice justo, de justeza sí es. Justo se para donde se vacía un asiento. Justo de justicia no es.

PASAJERA 2 Cada vez que baje un pasajero que estaba sentado, llamaremos al número más bajo disponible.

PASAJERO 7 Me quiero quedar acá.
PASAJERA 2 No, pero chabón, no es lo que vos querés, no es lo que vos tenés ganas, acá estamos buscando justicia.

CONDUCTOR Tenemos que superarnos. Tenemos un minuto para intercambiar asientos y reacomodarnos.

CONDUCTOR ¿Cómo no lo pensamos?

Nota CULTURAL

Eva Perón

Eva Perón (1919–1952), esposa del presidente argentino Juan Domingo Perón, se hizo una figura política muy querida en la década de 1940. De orígenes humildes, llegó a ejercer una gran influencia como un emblema de la lucha por los derechos de los pobres, los trabajadores, las mujeres y los oprimidos. Su muerte a los 33 años de edad la convirtió en todo un mito. Se han hecho espectáculos de Broadway basados en su vida. Su nombre está indeleblemente vinculado con la defensa de los desposeídos (*dispossessed*) en Argentina y con la idea de que el Estado debe estar a su servicio y garantizar sus derechos. Una de sus frases más famosas, y también una de las más controversiales, es "Donde hay una necesidad, nace un derecho".

Análisis

1 **Comprensión** Indica si estas afirmaciones son ciertas o falsas. Corrige las falsas.

1. Cuando la protagonista grita "¡No!", un pasajero piensa que le robaron.
2. La protagonista cree que merece la buena suerte porque hace cosas buenas por los demás.
3. Una pasajera cree que el escándalo por el que grita la protagonista es una actuación.
4. El plan para eliminar la suerte funciona perfectamente desde un comienzo.
5. Una pasajera se queja de que la gente que vive cerca de las terminales nunca encuentra asientos vacíos.
6. Otra pasajera opina que las personas que trabajan paradas todo el día merecen especial consideración.
7. El color del boleto indica el momento en que un(a) pasajero/a sube al colectivo.
8. Un pasajero inesperado hace que todos los otros pasajeros terminen parados.

2 **Interpretación** Contesta las preguntas.

1. ¿Por qué dice la protagonista que es un problema que le toca sentarse?
2. ¿Cómo quiere terminar con la suerte la protagonista?
3. ¿Qué quiere decir un pasajero cuando opina que el sentarse debería ser un derecho y no una obligación?
4. ¿Qué sugiere el corto sobre las dificultades de hacer un sistema justo?
5. ¿Por qué un pasajero dice, al final, "Si no es para todos, que no sea para ninguno"?

3 **Desafortunada fortuna** En parejas, imaginen el día en la vida de la protagonista, antes y después del incidente del colectivo. Consideren estas preguntas.

- ¿A qué se dedicó en el barrio de emergencia (*poor neighborhood*)?
- ¿Qué le sucedió cuando regresó a su casa?
- ¿Qué otro episodio afortunado le sucedió?

4 **El final** En parejas, hablen sobre el final del cortometraje, usando estas preguntas como guía.

- ¿Qué decidieron hacer los pasajeros?
- ¿Cómo llegaron a esa decisión?
- ¿Cómo crees que se sienten?
- ¿Cuál es la moraleja (*moral*) de este final?
- ¿De qué otra manera podrían haber resuelto la situación?

5 **Una alegoría** En grupos de tres, examinen los diferentes personajes del colectivo, considerando que cada uno de ellos puede representar un sector de la sociedad. Para guiarse utilicen la tabla. Si el colectivo es como un país, ¿qué representa cada uno de ellos?

Personaje	Actitud, acciones y personalidad	¿Qué pueden representar?
		personas comunes y corrientes, de buen corazón
	conduce toma decisiones hace que los demás actúen propone mejorar…	el presidente del país
		los jóvenes idealistas
	luchadora se expresa bien ha sufrido injusticias…	
	joven profesional…	
	intolerante…	

6 **Suerte en el amor** En parejas, imaginen que son dos amigos/as. Un(a) amigo/a es "afortunado/a en el juego y desafortunado/a en el amor". Tiene muchísima suerte jugando a las cartas o a la lotería; por otra parte, tiene mala suerte con sus novios/as, que a menudo le causan infelicidad. El/La otro/a intenta darle algunos consejos prácticos. Improvisen su conversación. Después, represéntenla delante de la clase.

PUEDO opinar sobre lo que es justo.

Practice more at
vhlcentral.com.

Audio: Reading

IMAGINA CHILE

Rompecabezas de maravillas

Formación rocosa La Portada en una playa cerca de Antofagasta, Chile

Cuenta la leyenda que cuando Dios terminó de crear el mundo le sobraron multitud de montañas, bosques, desiertos, valles, ríos y glaciares. Decidió entonces juntar todos esos trozos sueltos[1], como un gran rompecabezas[2], y llevarlos hasta un lugar remoto en los confines de la Tierra: ese lugar es Chile.

Su geografía está enmarcada por el **océano Pacífico** al oeste y la **cordillera de los Andes** al este. Su territorio se distribuye entre el continente americano y un gran número de islas que hacen que Chile ponga pie en un segundo continente: **Oceanía**. El país tiene dimensiones excepcionales: 4.270 kilómetros (2.653 millas) de longitud y una anchura[3] promedio de 177 kilómetros (110 millas).

Entre la gran cantidad de islas del territorio chileno existen algunas que inspiraron relatos fantásticos y novelas de aventuras. El **archipiélago de Juan Fernández**, de origen volcánico, incluye la **isla de Robinson Crusoe**. En ella, el marino escocés **Alexander Selkirk**, a quien se considera una de las posibles fuentes[4] de la famosa novela de **Daniel Defoe**, vivió cuatro años como náufrago[5] solitario.

La misteriosa **isla de Pascua**[6] está ubicada[7] en la **Polinesia**, en Oceanía. Además de contar con una belleza

Los moáis

natural extraordinaria, conserva las ruinas de los **Rapa Nui**, una cultura prehistórica. Por toda la isla, se encuentran más de 600 enormes esculturas de piedra. Estas esculturas, llamadas **moáis**, son únicas en el mundo. Se cree que con estas estatuas, los nativos representaban a sus antepasados para que proyectaran sobre ellos su poder sobrenatural.

En el extremo sur del continente se halla la **isla de Tierra del Fuego**, que Chile comparte con Argentina.

Un poco más al norte, podemos ver los glaciares y los impresionantes picos montañosos del **Parque Nacional Torres del Paine**; y en el norte del país reina el **desierto de Atacama**, que cubre los 130.000 km^2 (32 millones de acres) más áridos de todo el planeta. En la ciudad de Antofagasta, por ejemplo, caen sólo tres milímetros de lluvia por año. Esta zona reúne maravillas tan variadas como aguas termales, géiseres, un oasis donde habitan flamencos rosados, valles esculpidos por el viento y vestigios arqueológicos de pueblos precolombinos que atraen incesantemente a los turistas.

Signos vitales

Los **mapuches**, también conocidos como **araucanos**, forman uno de los pueblos originarios del territorio de **Chile** y **Argentina.** Han conservado hasta hoy su lengua, el **mapudungun**, sus creencias y sus ritos. Lucharon primero contra la dominación del imperio inca y después contra la conquista española. En la actualidad buscan la reivindicación[8] de la propiedad de la tierra, el respeto por su forma de vida tradicional y vencer[9] la discriminación.

[1] **trozos sueltos** *loose bits* [2] *puzzle* [3] *width* [4] *sources* [5] *castaway* [6] *Easter Island* [7] *located* [8] *claim* [9] *overcome*

¡Visitemos Chile!

Centros de esquí Gracias a los picos de los **Andes**, en **Chile** se encuentran excelentes centros de esquí. Preparados para acoger[1] a los que practican cualquier deporte de invierno, están situados en todo el centro y sur de Chile. Varios de estos centros de esquí están a poca distancia de la ciudad de **Santiago**, como **El Colorado** o **Valle Nevado**. Esto permite una escapada hacia allí durante el fin de semana.

Volcanes **Chile** es también un país de volcanes: en toda su extensión existen más de 2.000. De éstos, 500 están aún en actividad, como el **Villarrica**, llamado *Rucapillán* ("casa de los espíritus") por los mapuches. No lejos de ahí, se puede visitar

Temuco, ciudad industrial y capital regional, donde el poeta **Pablo Neruda** pasó su infancia y adolescencia.

Mariscos Chile, que posee una costa privilegiada, es uno de los países con mayor variedad de fauna marina en todo el mundo. Se puede encontrar allí mariscos[2] únicos, como **locos**, **picorocos** y **piures**[3], muy apreciados en la gastronomía. Para disfrutarlos, basta visitar los pueblos pesqueros[4] de la costa o los restaurantes del Mercado Central de Santiago.

Valparaíso Esta ciudad portuaria[5] cuenta con un centro histórico de fama mundial. Su diseño urbano entrelaza[6] exitosamente el estilo colonial español con otros estilos europeos como el **victoriano**, llevado hasta allí por inmigrantes ingleses y desarrollado en el

siglo XIX. Fue declarada **Patrimonio de la Humanidad** por la **UNESCO** en 2003.

[1] *to receive* [2] *seafood; shellfish* [3] **locos...** *abalone, barnacles, and red sea squirts* [4] **pueblos...** *fishing villages* [5] *port* [6] *intertwines*

El español de Chile

billullo	dinero; *money*
cacho	problema, situación difícil; *problem*
capear	no ir a clase; *to play hookie*
caperuzo/a	inteligente, astuto/a; *smart, clever*
carrete	fiesta
fome	aburrido/a; *boring, dull*
funar	echar a perder; *to ruin*
harto/a	muy, mucho/a; *very, a lot (of)*
polera	camiseta; *T-shirt*
pololo/a	novio/a; *boyfriend/girlfriend*

Expresiones

al tiro	ahora mismo, inmediatamente; *right now, immediately*
andar pato	no tener nada de dinero; *not to have two nickels to rub together*
¿Cachai?	¿Entendiste?; *Do you understand?*
caldo de cabeza	estar demasiado preocupado/a por algo; *to be too worried about something*
Estoy piola.	Estoy muy bien.; *I'm great.*

GALERÍA DE CREADORES

Audio: Reading

MÚSICA Y ARTE Violeta Parra

Considerada la iniciadora de la Nueva Canción Chilena, Violeta Parra (1917–1967) fue una artista de extraordinaria riqueza creativa, quien logró revitalizar la cultura popular de Chile. Es conocida por sus grabaciones y recitales de canciones tradicionales y propias, como *Gracias a la vida*, que fue popularizada en los Estados Unidos por Joan Baez. También se dedicó a la pintura, la escultura, la cerámica y el arte de bordado de arpilleras (*burlap embroidery*). Hoy día la Fundación Violeta Parra preserva el patrimonio de esta artista universal.

LITERATURA Isabel Allende

En 1973 el presidente chileno Salvador Allende fue asesinado. Dos años después, su sobrina Isabel Allende escapó del país para exiliarse en Venezuela, donde publicó en 1982 su primera novela, *La casa de los espíritus*, que fue muy bien recibida por el público. Esta novela también se popularizó en los Estados Unidos, donde vive hoy la escritora, al ser publicada en inglés y, sobre todo, al aparecer la versión cinematográfica. La familia, el amor y el poder son temas recurrentes en la obra de Isabel Allende. Sus libros incluyen títulos como *Eva Luna*, *El plan infinito*, *Paula*, *Retrato en sepia* y *La suma de los días*.

CINE Miguel Littín

El director de cine Miguel Littín nació en Chile en 1942. El gobierno del nuevo presidente Salvador Allende lo designó a la cabeza de la productora estatal Chile Films en 1971. Durante el período subsiguiente dirigió películas de gran calidad, como *El chacal de Nahueltoro*. Los hechos reales que narra esta película causaron gran conmoción; sin embargo, fue un éxito con los críticos y el público. Muchas de las películas de Littín tienen carácter político. Entre ellas, *Actas de Marusia* y *Alsino y el cóndor* fueron nominadas al Óscar a la mejor película extranjera en 1975 y 1982 respectivamente. Estos logros le merecieron a Littín el reconocimiento internacional.

PINTURA Y ESCULTURA MATTA

El pintor y escultor MATTA (1911–2002) es considerado como el artista chileno más importante del siglo XX. En 1937 conoció en París a André Breton y se unió al movimiento surrealista. Marcel Duchamp, Salvador Dalí e Yves Tanguy son algunos de los artistas que influyeron en su obra. Sobre sus lienzos (*canvases*) creó mundos imaginarios en los que trató de representar las fuerzas del universo que influyen en el hombre contemporáneo. Aquí vemos el óleo *L'Etang de No* (1958) del artista.

¿Qué aprendiste?

1

Cierto o falso Indica si estas afirmaciones son ciertas o falsas. Corrige las falsas.

1. La isla de Pascua se encuentra en la Polinesia.
2. Los mapuches y los araucanos tienen lenguas y costumbres distintas.
3. Violeta Parra es la autora de la canción *Gracias a la vida*, que la cantante Joan Baez popularizó en los Estados Unidos.
4. Considerando su larga costa, la variedad de mariscos que se encuentra en Chile es pequeña.
5. La película *El chacal de Nahueltoro* provocó una gran conmoción social por los hechos reales que narra.
6. Inmigrantes de otros países latinoamericanos llevaron el estilo victoriano a Valparaíso.

2

Preguntas Contesta las preguntas.

1. ¿En qué ciudad creció el poeta chileno Pablo Neruda?
2. ¿A qué movimiento se unió el escultor MATTA en París?
3. ¿Por qué representaban los Rapa Nui a sus antepasados?
4. ¿Cuáles son los temas más recurrentes de las novelas de Isabel Allende?
5. ¿Qué centros de esquí están a poca distancia de Santiago?
6. ¿Qué artista de la Galería te interesa más? ¿Por qué?

3

Personajes Escoge uno de los personajes de la sección **Galería de creadores**. Explica por qué escogiste ese personaje y qué características de su biografía te impresionaron. Después, comparte tus pensamientos con la clase.

4

Opiniones En parejas, imaginen que van a viajar a Chile próximamente. Hagan una lista de los lugares que quieren visitar y respondan:

- ¿Por qué les gustaría conocer un lugar como Chile?
- ¿Qué esperan aprender de ese viaje?
- ¿Qué los atrae de cada lugar que quieren visitar?

Practice more at
vhlcentral.com.

PROYECTO

De norte a sur

Crea un itinerario de quince días de vacaciones en Chile. Investiga la información que necesites en Internet.

- Empieza en el norte del país y termina en el sur.
- Selecciona los lugares que quieres visitar, combinando las montañas, el mar y las ciudades.
- Menciona la ropa más adecuada para cada tramo (*stage*).
- Presenta tu itinerario a la clase con fotografías y un mapa.

PUEDO investigar la cultura chilena.

 Video

Puerto Rico: ¿nación o estado?

En las páginas anteriores has empezado a explorar la identidad cultural y nacional, y los conflictos que hay entre ellas. En este episodio de **Flash cultura**, conocerás la situación actual de Puerto Rico y las distintas opiniones que tienen sobre el tema sus habitantes.

Corresponsal: Diego Palacios
País: Puerto Rico

Cuando estás aquí, no sabes si estás en un país latinoamericano o si estás en los Estados Unidos.

Vocabulario

la aduana *customs*	**los impuestos** *taxes*
el buzón *mailbox*	**permanecer** *to remain*
el comercio *trade*	**la tarjeta postal** *postcard*

1 **Preparación** ¿Hablas de política con tus amigos? ¿Lees o escuchas las noticias? ¿Te interesa conocer la situación política de tu país? ¿Y la de otros países? ¿Qué sabes de la política de Puerto Rico?

2 **Comprensión** Indica si estas afirmaciones son ciertas o falsas. Después, corrige las falsas.

1. Los ciudadanos de Puerto Rico son estadounidenses.
2. La moneda de Puerto Rico es el peso.
3. El gobierno de los Estados Unidos se ocupa de las relaciones exteriores, el comercio y la aduana de Puerto Rico.
4. A los puertorriqueños también se les dice *boricuas*.
5. Los puertorriqueños quieren que su país sea independiente.

3 **Expansión** En parejas, contesten estas preguntas.

1. ¿Te gusta enviar tarjetas postales cuando viajas? ¿Por qué? ¿A quién le enviarías una desde Puerto Rico?
2. ¿Piensas que el debate sobre política puede convertirse realmente en un deporte nacional? ¿Podría pasar algo parecido en tu país con algún tema? ¿Con cuál?
3. De las tres opciones planteadas en el video (que Puerto Rico permanezca como estado asociado, que se convierta en un estado o que sea un país independiente), ¿cuál te parece a ti la más acertada? ¿Por qué?

En Puerto Rico, puedes tomar el sol en la playa, beber agua de coco y enviarle tarjetas postales a tus amigos.

El debate se ha convertido en el deporte nacional de Puerto Rico.

PUEDO hablar sobre la política de Puerto Rico.

 Practice more at **vhlcentral.com**.

Tutorial

6.1

The subjunctive in adverbial clauses

- In Spanish, adverbial clauses are commonly introduced by conjunctions. Certain conjunctions require the subjunctive, while others can be followed by the subjunctive or the indicative, depending on the context.

Conjunctions that require the subjunctive

- Certain conjunctions are always followed by the subjunctive because they introduce actions or states that are uncertain or have not yet happened. These conjunctions commonly express purpose, condition, or intent.

MAIN CLAUSE	CONNECTOR	SUBORDINATE CLAUSE
No habrá justicia para las víctimas	sin que	encarcelen a los criminales.

Conjunctions that require the subjunctive

a menos que *unless*	**en caso (de) que** *in case*
antes (de) que *before*	**para que** *so that, in order*
con tal (de) que *provided that, as long as*	**sin que** *without, unless*

El Ejército siempre debe estar preparado **en caso de que haya** un ataque.
The army must always be prepared, in case there is an attack.

El candidato hablará con su familia **antes de que conceda** la derrota.
The candidate will talk to his family before he concedes defeat.

- If there is no change of subject in the sentence, always use the infinitive after the prepositions **para** and **sin**, and drop the **que**.

La abogada investigará todos los detalles del caso **para defender** a su cliente.
The lawyer will investigate every detail of the case in order to defend her client.

—*Tenemos un minuto **para** intercambiar asientos y reacomodarnos.*

- The use of the infinitive without **que** when there is no change of subject is optional after the prepositions **antes de**, **con tal de**, and **en caso de**. After **a menos que**, however, always use the subjunctive.

Debo leer sobre el candidato **antes de votar** por él.
I must read about the candidate before voting for him.

La senadora va a perder **a menos que mejore** su imagen.
The senator is going to lose unless she improves her image.

TALLER DE CONSULTA

The following grammar topics are covered in the **Manual de gramática, Lección 6.**

6.4 Adverbs, p. 398

6.5 Diminutives and augmentatives, p. 400

¡ATENCIÓN!

An adverbial clause (**cláusula adverbial**) is one that modifies or describes verbs, adjectives, or other adverbs. It describes how, why, when, or where an action takes place.

Conjunctions followed by the subjunctive or the indicative

- If the action in the main clause has not yet occurred, then the subjunctive is used after conjunctions of time or concession.

*Los pasajeros se sentarán **tan pronto como** el hombre discapacitado baje.*

¡ATENCIÓN!

Note that although **después (de) que** and **luego (de) que** both mean *after*, the latter expression is used less frequently in spoken Spanish.

Conjunctions followed by the subjunctive or the indicative

a pesar de que *despite*	**hasta que** *until*
aunque *although; even if*	**luego (de) que** *after*
cuando *when*	**mientras que** *while*
después (de) que *after*	**siempre que** *as long as*
en cuanto *as soon as*	**tan pronto como** *as soon as*

Trabajaremos duro **hasta que** no **haya** más abusos de poder.
We will work hard until there are no more abuses of power.

Aunque mejore la seguridad, siempre tendrán miedo de viajar en avión.
Even if security improves, they will always be afraid to travel by plane.

Cuando hablen con la prensa, van a exigir la libertad para los prisioneros.
When they speak with the press, they are going to demand freedom for the prisoners.

- If the action in the main clause has already happened, or happens habitually, then the indicative is used in the adverbial clause.

Tan pronto como se supieron los resultados, el partido anunció su victoria.
As soon as the results were known, the party announced its victory.

Mi padre y yo siempre nos peleamos **cuando hablamos** de política.
My father and I always fight when we talk about politics.

- **A pesar de**, **después de**, and **hasta** can also be followed by an infinitive, instead of **que** + [*subjunctive*], when there is no change of subject.

Algunos ladrones se reformarán **después de salir** de la cárcel.
Some thieves will reform after leaving jail.

Algunos ladrones se reformarán **después de que salgan** de la cárcel.
Some thieves will reform after they leave jail.

Práctica

1 **Declaraciones** Elige la conjunción adecuada para completar la conversación entre un periodista y la gobernadora Ibáñez.

PERIODISTA Gobernadora Ibáñez, ¿qué le parecieron las declaraciones del presidente?

GOBERNADORA (1) (Aunque / Cuando) yo generalmente no pienso igual que él, en este caso creo que todos debemos trabajar juntos (2) (a pesar de que / para que) la situación económica mejore. (3) (Hasta que / Tan pronto como) el presidente vuelva de su viaje por Asia, insistiré en hablar con él sobre mis ideas.

PERIODISTA ¿Cuándo me dijo que va a hablar con él?

GOBERNADORA (4) (En cuanto / Aunque) regrese la semana que viene. Quiero hablar con él (5) (sin que / para que) sepa que todos los miembros del partido estamos dispuestos (*willing*) a trabajar muy duro (6) (con tal de que / luego que) la situación de este país mejore.

2 **Completar** Completa las oraciones usando el indicativo, el subjuntivo o el infinitivo.

1. El candidato no va a viajar a menos que su esposa lo _____ (acompañar).
2. El abogado va a hablar con el presidente antes de que _____ (llegar) los manifestantes.
3. Los liberales y los conservadores hacen todo lo necesario con tal de _____ (ganar) las elecciones.
4. Los miembros del partido se fueron tan pronto como _____ (saber) que habían perdido las elecciones.
5. Los políticos viajan por el país para _____ (hablar) con la gente.
6. El pueblo votará por la candidata con tal de no _____ (ver) al otro candidato ganar.
7. La gente recuerda las promesas de los políticos cuando _____ (votar).
8. El alcalde olvidó sus promesas después de _____ (ganar) las elecciones.
9. El tribunal no podrá continuar sin _____ (juzgar) al acusado.
10. Los periodistas van a estar con los candidatos hasta que _____ (terminar) las elecciones.

3 **Tendencias políticas** Forma oraciones completas usando los elementos. Usa el presente del indicativo para el primer verbo y haz otros cambios que sean necesarios.

Modelo **(nosotros) / escuchar / debates / con tal de que / candidato / inspirarnos**
Escuchamos los debates con tal de que el candidato nos inspire.

1. (yo) / llamarte / mañana / en cuanto / (ellas) / llegar / manifestación
2. cada año / partido / anunciar / victoria / después de que / contarse / último voto
3. gobiernos / chantajear / víctimas / para que / nadie / descubrir / injusticias
4. (tú) / siempre / pelear / por / nuestros derechos / sin que / (nosotros) / pedírtelo
5. guerra civil / ir / empezar / antes de que / políticos / poder / explicar / escándalos
6. presidentes / aprobar / leyes / inútil / mientras que / (nosotros) / destrozar / medio ambiente

Practice more at
vhlcentral.com.

Comunicación

4

Instrucciones La primera dama le dejó una lista de tareas a su secretario. Luego se dio cuenta de que había olvidado ciertos detalles y dejó otra lista. En parejas, túrnense para unir los detalles de las dos listas. Después, inventen dos oraciones adicionales. Usen estas conjunciones.

Modelo **Pídele los archivos de todas sus decisiones. / ¡Puede pasar el juez!**
Le pido los archivos de todas sus decisiones en caso de que pase el juez.

a menos que	cuando	para que
a pesar de que	en caso de que	siempre que
con tal de que	en cuanto	tan pronto como

Lista de tareas ✍

1. Contesta llamadas y correos electrónicos.
2. Escríbeles cartas a los senadores.
3. No hagas declaraciones.
4. Dile al ministro de educación que lo llamaré.

Lista de tareas ✍

1. ¡Deben ser urgentes!
2. ¡Tienen que saber que no estaré en mi oficina!
3. ¡Pueden llamar los periodistas!
4. ¡Debe acabarse primero el almuerzo de gala!

5

Posibilidades En parejas, túrnense para completar estas oraciones y expresar sus puntos de vista.

1. Terminaré mis estudios a tiempo a menos que…
2. Me iré a vivir a otro país en caso de que…
3. Ahorraré mucho dinero para que…
4. Yo cambiaré de carrera en cuanto…
5. Me jubilaré cuando…

6

Programa En grupos de cuatro, imaginen que son los asesores (*advisors*) de un político. Expliquen qué hará el candidato en distintas situaciones usando conjunciones con el subjuntivo.

Modelo Para que los ecologistas estén contentos, el alcalde dará más dinero para limpiar el río. Volverá a ser una parte importante en la vida de los ciudadanos con tal de que toda la comunidad ayude a mantenerlo.

PUEDO conversar sobre situaciones políticas en el futuro.

Tutorial

6.2

The past subjunctive

Forms of the past subjunctive

TALLER DE CONSULTA

See **2.1, pp. 56–57,**
for the preterite forms
of regular, irregular, and
stem-changing verbs.

- The past subjunctive (**el pretérito imperfecto del subjuntivo**) of all verbs is formed by dropping the **–ron** ending from the **ustedes/ellos/ellas** form of the preterite and adding the past subjunctive endings.

The past subjunctive

caminar (caminaron)	perder (perdieron)	vivir (vivieron)
caminara	perdiera	viviera
caminaras	perdieras	vivieras
caminara	perdiera	viviera
camináramos	perdiéramos	viviéramos
caminarais	perdierais	vivierais
caminaran	perdieran	vivieran

¡ATENCIÓN!

The past subjunctive is also
referred to as the imperfect
subjunctive (**el imperfecto
del subjuntivo**).

The **nosotros/as** form of the
past subjunctive always takes
a written accent.

Queríamos que el gobierno **respetara** los derechos humanos.
We wanted the government to respect human rights.

Me pareció increíble que los liberales **perdieran** las elecciones.
It seemed unbelievable to me that the liberals lost the election.

Nos sorprendió que el abogado no **supiera** cómo reaccionar ante la amenaza.
It surprised us that the lawyer did not know how to react to the threat.

- Verbs that have stem changes or irregularities in the **ustedes/ellos/ellas** form of the preterite have those same irregularities in all forms of the past subjunctive.

infinitive	preterite form	past subjunctive forms
pedir	pidieron	pidiera, pidieras, pidiera, pidiéramos, pidierais, pidieran
sentir	sintieron	sintiera, sintieras, sintiera, sintiéramos, sintierais, sintieran
dormir	durmieron	durmiera, durmieras, durmiera, durmiéramos, durmierais, durmieran
influir	influyeron	influyera, influyeras, influyera, influyéramos, influyerais, influyeran
saber	supieron	supiera, supieras, supiera, supiéramos, supierais, supieran
ir/ser	fueron	fuera, fueras, fuera, fuéramos, fuerais, fueran

- In Spain and other parts of the Spanish-speaking world, the past subjunctive is also used with an alternate set of endings: **–se, –ses, –se, –semos, –seis, –sen**. You will also see these forms in literary texts.

Marcos me pidió que **fuera/fuese** con él al tribunal.
Marcos asked me to go with him to court.

Nadie creyó que **estuviéramos/estuviésemos** entre los manifestantes.
No one believed that we were among the demonstrators.

Uses of the past subjunctive

- The past subjunctive is required in the same contexts as the present subjunctive, except that the point of reference is in the past. When the verb in the main clause is in the past, the verb in the subordinate clause is in the past subjunctive.

Present time	Past time
Ellos sugieren que **vayamos** a la reunión. *They suggest that we go to the meeting.*	Ellos sugirieron que **fuéramos** a la reunión. *They suggested that we go to the meeting.*
Espero que no **tengan** problemas con los políticos. *I hope they won't have any problems with the politicians.*	Esperaba que no **tuvieran** problemas con los políticos. *I was hoping they wouldn't have any problems with the politicians.*
Necesitamos un presidente que **apoye** nuestra causa. *We need a president who will support our cause.*	Necesitábamos un presidente que **apoyara** nuestra causa. *We needed a president who would support our cause.*
Tú la defiendes aunque **sea** culpable. *You defend her even though she's guilty.*	Tú la defendiste aunque **fuera** culpable. *You defended her even though she was guilty.*

- The expression **como si** (*as if*) is always followed by the past subjunctive.

  Habla de la guerra **como si** no le **importara**.
  He talks about the war as if he didn't care.

  ¿Por qué siempre me andas espiando **como si fuera** un ladrón?
  Why do you always go around spying on me as if I were a thief?

  Reaccionarán **como si trajéramos** malas noticias.
  They will react as if we brought bad news.

  Me saludó **como si** no me **conociera**.
  She greeted me as if she didn't know me.

- The past subjunctive is commonly used with **querer** to make polite requests, to express wishes, or to soften statements.

  Quisiera verlos hoy, por favor.
  I'd like to see you today, please.

  Quisiéramos paz y justicia para nuestro pueblo.
  We wish for peace and justice for our people.

—Oficial, sólo *quisiera* quedarme acá.

TALLER DE CONSULTA

The past subjunctive is also frequently used in **si** clauses. See **9.3**, **pp. 324–325**.

¿Tú te imaginas qué pasaría si a cada uno se le ocurriera venir vestido de acuerdo con su religión?
Can you imagine what would happen if everyone decided to come dressed according to his or her religion?

¡ATENCIÓN!

When using the past subjunctive of **querer** or the conditional of any verb in a main clause, use the past subjunctive in the subordinate clause.

Quisiéramos que volvieran mañana.
We'd like you to return tomorrow.

Sería mejor que me dijeras la verdad.
It would be better for you to tell me the truth.

Práctica

1

Viñas de Chile Completa este párrafo con el pretérito imperfecto del subjuntivo.

Miren, me dijo que era importante que nosotros
(1) _____ (poner) el vino en un lugar oscuro y sin
corrientes de aire. Me sugirió que lo (2) _____ (guardar)
en el sótano (*basement*) de la casa, donde hay una temperatura
baja y constante. También me recomendó que (3) _____
(mantener) el sótano con un nivel de humedad de un 70%
como si (4) _____ (ser) absolutamente esencial. Y claro,
me dijo que sólo (5) _____ (comprar) vinos de calidad,
como los chilenos o argentinos. A mí me pareció curioso que
me (6) _____ (aconsejar) comprar vinos argentinos, porque otros chilenos
con los que hablé me pidieron que nunca los (7) _____ (comprar). ¿Qué les
parecen estos consejos? Papá, me dijo que no (8) _____ (dudar) en llamarlo
si tienes alguna pregunta.

Bodega de la viña Errazuriz

Nota
CULTURAL

Los **vinos** producidos en **Chile** son reconocidos en todo el mundo por su gran calidad. En el siglo XVI, el conquistador **Francisco de Aguirre** plantó las primeras viñas (*vines*) del país. Hoy, el corazón de la producción vinícola se encuentra en los valles alrededor de **Santiago**, zona ideal para el cultivo de la uva por su clima.

2

¿Qué le pidieron? Lucía Bermúdez es rectora (*chancellor*) de una universidad. En parejas, usen la tabla para preparar un diálogo en el que ella cuenta lo que le pidieron el primer día de clases.

Modelo —¿Qué le pidió su secretaria?
—Mi secretaria me pidió que le diera menos trabajo.

Personajes	Verbo	Actividad
los profesores los estudiantes el club ecologista los vecinos de la universidad el entrenador del equipo de fútbol	me pidió que me pidieron que	construir un estadio nuevo hacer menos ruido plantar más árboles dar más días de vacaciones comprar más computadoras

3

Dueño estricto En parejas, imaginen que ustedes compartían un apartamento. Túrnense para comentar las reglas del edificio y usen el pretérito imperfecto del subjuntivo.

Modelo **No cocinar comidas aromáticas**
El dueño del apartamento me dijo/pidió/ordenó que no cocinara comidas aromáticas.

1. No usar la calefacción en abril.
2. Limpiar los pisos dos veces al día.
3. No recibir visitas en el apartamento después de las 10 de la noche.
4. No traer mascotas
5. Sacar la basura todos los días.
6. No encender las luces antes de las 8 de la noche.

Practice more at
vhlcentral.com.

Comunicación

4

De niño En parejas, háganse estas preguntas sobre su niñez. Después, añadan información adicional usando un verbo distinto en el pretérito imperfecto del subjuntivo.

Modelo — **¿Esperabas que tus padres te compraran videojuegos?**

— Sí, y también esperaba que me dieran más independencia./
No, pero esperaba que me llevaran al cine todos los sábados.

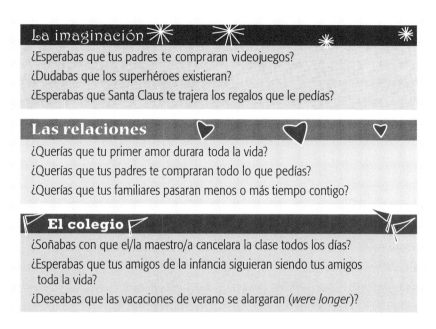

La imaginación

¿Esperabas que tus padres te compraran videojuegos?

¿Dudabas que los superhéroes existieran?

¿Esperabas que Santa Claus te trajera los regalos que le pedías?

Las relaciones

¿Querías que tu primer amor durara toda la vida?

¿Querías que tus padres te compraran todo lo que pedías?

¿Querías que tus familiares pasaran menos o más tiempo contigo?

El colegio

¿Soñabas con que el/la maestro/a cancelara la clase todos los días?

¿Esperabas que tus amigos de la infancia siguieran siendo tus amigos toda la vida?

¿Deseabas que las vacaciones de verano se alargaran (*were longer*)?

5

¿Qué sucedió? En parejas, preparen una conversación inspirada en esta situación utilizando el pretérito imperfecto del subjuntivo. Después, represéntenla ante la clase.

Rosaura y Orlando fueron de viaje a Chile el año pasado. Rosaura se enojó con Orlando porque él se quedó en el hotel y no quiso acompañarla a esquiar. A ella le encanta el esquí, pero a él no. Ahora están planeando otras vacaciones y discuten sobre lo que pasó durante las últimas.

Modelo ROSAURA Quería que tú me acompañaras.

ORLANDO Era importante que tú entendieras mis gustos.

PUEDO hablar sobre la niñez.

Tutorial

Comparatives and superlatives

Comparisons of inequality

- With adjectives, adverbs, nouns, and verbs, use these constructions to make comparisons of inequality (*more than/less than*).

más/menos + ⎡ *adjective* / *adverb* / *noun* ⎤ + que   ⎡ *verb* ⎤ + más/menos que

Adjective	Noun
Sus creencias son **menos liberales que** las mías.	El presidente tenía **menos poder que** el ejército.
His beliefs are less liberal than mine.	*The president had less power than the army.*

Adverb	Verb
¡Llegaste **más tarde que** yo!	¡**Nos peleamos más que** los niños!
You arrived later than I did!	*We fight more than the kids do!*

- Before a number (or equivalent expression), *more/less than* is expressed with **más/menos de**.

Necesito un vuelo a Santiago, pero no puedo pagar **más de** quinientos dólares.
I need a flight to Santiago, but I can't pay more than five hundred dollars.

Será difícil, señor. Déjeme buscar y le aviso en **menos de** una hora.
That will be difficult, sir. Let me look, and I'll let you know in less than an hour.

Comparisons of equality

- The following constructions are used to make comparisons of equality (*as... as*).

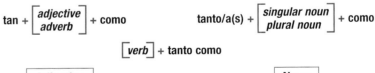

tan + ⎡ *adjective* / *adverb* ⎤ + como   tanto/a(s) + ⎡ *singular noun* / *plural noun* ⎤ + como

⎡ *verb* ⎤ + tanto como

Adjective	Noun
El debate de anoche fue **tan aburrido como** el de la semana pasada.	La señora Pacheco habló con **tanta convicción como** el señor Quesada.
Last night's debate was as boring as last week's.	*Mrs. Pacheco spoke with as much conviction as Mr. Quesada.*

Adverb	Verb
Nosotros discutimos **tan intensamente como** los candidatos.	Ambos candidatos son insoportables. Ella **miente tanto como** él.
We argued as intensely as the candidates.	*Both candidates are unbearable. She lies as much as he does.*

Superlatives

- Use this construction to form superlatives (**superlativos**). The noun is preceded by a definite article, and **de** is the equivalent of *in*, *on*, or *of*.

$$\text{el/la/los/las} + \boxed{noun} + \text{más/menos} + \boxed{adjective} + \text{de}$$

Ésta es **la playa más bonita de** la costa chilena.
This is the prettiest beach on the coast of Chile.

Es **el hotel menos caro del** pueblo.
It is the least expensive hotel in town.

- The noun may also be omitted from a superlative construction.

Me gustaría comer en **el** restaurante **más elegante del** barrio.
I would like to eat at the most elegant restaurant in the neighborhood.

Las Dos Palmas es **el más elegante de** la ciudad.
Las Dos Palmas is the most elegant one in the city.

Irregular comparatives and superlatives

Adjective	Comparative form	Superlative form
bueno/a *good*	**mejor** *better*	**el/la mejor** *best*
malo/a *bad*	**peor** *worse*	**el/la peor** *worst*
grande *big*	**mayor** *bigger*	**el/la mayor** *biggest*
pequeño/a *small*	**menor** *smaller*	**el/la menor** *smallest*
viejo/a *old*	**mayor** *older*	**el/la mayor** *oldest*
joven *young*	**menor** *younger*	**el/la menor** *youngest*

- When **grande** and **pequeño** refer to size and not age or quality, the regular comparative and superlative forms are used.

Ernesto es **más pequeño** que yo.   Ese edificio es **el más grande** de todos.
Ernesto is smaller than I am.   *That building is the biggest one of all.*

- When **mayor** and **menor** refer to age, they follow the noun they modify. When they refer to quality, they precede the noun.

Lucía es mi hermana **menor**.   La corrupción es el **menor** problema del candidato.
Lucía is my younger sister.   *Corruption is the least of the candidate's problems.*

- The adverbs **bien** and **mal** also have irregular comparatives.

bien *well*	**mejor** *better*
mal *badly*	**peor** *worse*

Ayúdame, que **tú** lo haces **mejor que yo**.
Give me a hand; you do it better than I do.

¡ATENCIÓN!

Absolute superlatives
The suffix **–ísimo/a** is added to adjectives and adverbs to form the *absolute superlative.*

This form is the equivalent of *extremely* or *very* before an adjective or adverb in English.

malo → malísimo

mucha → muchísima

rápidos → rapidísimos

fáciles → facilísimas

Adjectives and adverbs with stems ending in **c, g,** or **z** change spelling to **qu, gu,** and **c** in the absolute superlative.

rico → riquísimo

larga → larguísima

feliz → felicísimo

Adjectives that end in **–n** or **–r** form the absolute by adding **–císimo/a.**

joven → jovencísimo

trabajador → trabajadorcísimo

Práctica

1 **El mejor** Marta y Roberto son de diferentes partidos políticos. Completa su diálogo utilizando las palabras de la lista.

como	más	mejor	peor
malísimo	mayor	muchísimos	que

ROBERTO Mi candidato está tan preparado para ser presidente de este país
(1) _____ el tuyo. Estudió en la (2) _____ universidad del país y ha sido uno de los abogados (3) _____ reconocidos de los últimos cinco años. Además, habla (4) _____ idiomas.

MARTA ¡Sólo habla español! Mi hermana (5) _____ trabaja en la oficina de tu candidato y dice que es el (6) _____ abogado de la ciudad.

ROBERTO No te creo. Es verdad que no ha tenido mucha suerte últimamente, pero ha perdido menos casos (7) _____ tu candidato, que es un abogado (8) _____.

2 **Oraciones**

A. Escribe oraciones con superlativos usando la información del cuadro.

Modelo *Harry Potter* es el libro más popular del siglo.

Harry Potter	libro	popular
Sofía Vergara	banda	famosa
La Antártida	jugador	joven
Taylor Swift	continente	frío
El Nilo	cantante	rico
Disneylandia	actriz	largo
Patrick Mahomes	montaña	importante
BTS	río	alta
El monte Everest	país	feliz
China	lugar	poblado

B. Ahora, vuelve a escribir oraciones, pero esta vez usa comparativos.

Modelo *Harry Potter* es más popular que *El señor de los anillos*.

Practice more at
vhlcentral.com.

Comunicación

3

Cita Anoche tuviste una cita a ciegas (*blind date*). En parejas, hablen sobre la cita usando comparativos y superlativos. Utilicen las palabras de la lista.

Modelo La cita de anoche fue la peor de mi vida porque fue aburrida.

carne	conversación	pelo
carro	ensalada	restaurante
chistes	película	ropa

4

¿Punta Arenas o Miami? Néstor y Ofelia están planeando unas vacaciones. Néstor quiere ir a Miami, pero Ofelia prefiere visitar Punta Arenas.

A. En parejas, decidan qué frases de la lista corresponden a cada lugar y completen la tabla.

> 1. Hacer un crucero por la Antártida
> 2. Hacer un crucero por el Caribe
> 3. Hace mucho calor
> 4. Hace mucho frío
> 5. Ir a la playa con pantalones cortos y camiseta
> 6. Ir a la playa con abrigo y guantes
> 7. Visitar la Plaza de Armas
> 8. Visitar la Pequeña Habana

Punta Arenas	Miami
Frases:	Frases:

B. Ahora, dramaticen un diálogo entre Néstor y Ofelia. Cada uno tiene que explicar las razones por las cuales prefiere ir a cada lugar. Utilicen comparativos y superlativos.

5

Debate presidencial En grupos de tres, representen un debate en el que dos de ustedes son candidatos/as presidenciales. La tercera persona es un(a) periodista que hace preguntas. Usen oraciones con comparativos y superlativos.

PUEDO hacer comparaciones.

Síntesis

¡Luchemos unidos contra la corrupción!

Porque Temuco lo merece. . .
Vote por Marcelo Rojas para gobernador
Partido Conservador

**Para que haya más trabajo en Temuco
Vote por Patricia Salazar para gobernar con decisión
Partido Liberal**

Para una sociedad más justa
Antonio Morales es la solución.
Por un Temuco mejor. . .
Vote Partido Ecologista

Por un Temuco que progresa
Celeste Ortega es tu mejor opción.
Para encaminarnos a un futuro mejor
vota por el **Partido Avance Democrático**

1 **Entrevista** En la ciudad chilena de Temuco hay elecciones para elegir alcalde. Aquí tienen algunos carteles publicitarios de cuatro partidos políticos imaginarios. En parejas, seleccionen uno de ellos y escriban una entrevista al/a la candidato/a realizada por un(a) periodista local. Deben usar oraciones adverbiales con subjuntivo y las conjunciones que aprendieron en esta lección.

2 **Pedidos** Los políticos reciben muchos pedidos durante sus campañas electorales. En grupos pequeños, imaginen que tuvieron una audiencia con uno de los candidatos para alcalde. Describan cinco cosas que le pidieron. Deben usar el pretérito imperfecto del subjuntivo.

Modelo Le pedimos que bajara los impuestos.

3 **Sistema electoral** Usando oraciones con comparativos y superlativos, escriban su opinión sobre el sistema electoral. ¿Les gusta? ¿Creen que es justo? ¿Cambiarían algo? ¿Por qué? Después compartan con la clase sus opiniones en un debate abierto.

PUEDO opinar sobre el sistema electoral.

Preparación

Vocabulario de la lectura

derrocar *to overthrow*
derrotar *to defeat*
la ejecución *execution*
ejercer (el poder) *to exercise/ exert (power)*
fortalecer *to strengthen*
el fracaso *failure*
la fuerza *force*

el golpe de estado *coup d'état*
la huelga *strike*
el informe *report*
la ley *law*
el orgullo *pride*
el secuestro *kidnapping*
la trampa *trap*

Vocabulario útil

encabezar *to lead*
el juicio *trial*
promulgar *to enact (a law)*
rescatado/a *rescued*
tener derecho a *to have the right to*

1

Palabras Elige la palabra de la lista que corresponde a cada descripción.

derrotar	informe
fortalecer	ley
fracaso	orgullo
fuerza	secuestro
huelga	trampa

_____ 1. regla o norma

_____ 2. poder, fortaleza, vigor

_____ 3. acción de retener a una persona y no dejarla libre

_____ 4. opuesto de éxito

_____ 5. vencer, ganar

_____ 6. exposición oral o texto que describe la situación de algo

_____ 7. forma de protesta en la que se decide no trabajar

_____ 8. hacer que algo o alguien sea más fuerte

2

Contextos Escribe cinco oraciones con palabras del vocabulario, diferentes de las utilizadas en la actividad 1.

3

Los gobiernos En parejas, contesten las preguntas y expliquen sus respuestas.

1. ¿Qué formas de gobierno conocen?

2. ¿En qué se diferencian las formas de gobierno que conocen?

3. ¿Qué tipo de gobierno tiene su país?

4. ¿De qué beneficios disfrutan gracias al tipo de gobierno de su país? ¿Qué desventajas tiene?

5. ¿Cómo participan en la vida política de su país?

Chile: dictadura y democracia

▶ **Cultura en pantalla**

CULTURA

Explora **vhlcentral.com** y mira el videoclip sobre **Chile y la Operación Cóndor**.

Audio: Reading

El 11 de septiembre de 1973, Chile, considerado por décadas como uno de los países de mayor tradición democrática de Hispanoamérica, sufrió un golpe militar liderado por Augusto Pinochet. El golpe derrocó al presidente socialista Salvador Allende. El gobierno, que caía por la fuerza, había durado tan sólo tres años. Este breve período se había visto marcado por grandes dificultades económicas, huelgas y violencia en las calles. La oposición, con la ayuda de los servicios secretos estadounidenses, había impuesto grandes obstáculos a la economía chilena para desequilibrarla.

Esta crisis social e institucional culminó con el golpe de estado. Desde ese día, el general Augusto Pinochet ejerció el poder de forma dictatorial. La prioridad de su gobierno fue eliminar a la oposición tomando como primera medida° la eliminación de todos los partidos políticos. Este objetivo no sólo se persiguió° con las leyes, sino también de manera arbitraria, ya que se violaron sistemáticamente los derechos humanos. Miembros de partidos políticos y sindicatos fueron detenidos y llevados a centros preparados para la tortura. De muchos de ellos no se supo nunca nada; de otros, se tiene la certeza° de que fueron ejecutados°.

El gobierno militar estableció una política económica neoliberal que mejoró la economía chilena, redujo con éxito la inflación y aumentó la producción. Este éxito económico ha sido en muchas ocasiones la tarjeta de presentación° de la dictadura de Pinochet. Sus críticos, sin embargo, afirman que estas medidas económicas aumentaron las desigualdades sociales porque privilegiaban a los más ricos.

Confiado° en su victoria, el general se presentó como candidato presidencial en un plebiscito° que él mismo propuso. Éste se celebró en 1988 y, para sorpresa de muchos, fue derrotado. Pinochet había

caído en su propia trampa y su fracaso abrió las puertas a elecciones libres al año siguiente, las primeras en casi veinte años. Augusto Pinochet salió del poder en 1990. A partir de esa fecha, Chile empezó el proceso de transición democrática.

Hoy, la sociedad chilena sigue dividida a la hora de juzgar los años de dictadura. Una parte de la población ve a Pinochet, quien murió el 10 de diciembre de 2006, como un cruel dictador que impuso un estado dictatorial manchado por la sangre° de sus enemigos políticos. Otros ven en él a un héroe que intervino en la historia del país para salvarlo del comunismo. Hasta hace poco, todavía algunos negaban la existencia de los secuestros y las ejecuciones denunciados° por los familiares de los desaparecidos. La búsqueda de pruebas° y la publicación de informes han confirmado la ocurrencia de estos crímenes.

Uno de ellos, el informe Valech (conocido oficialmente como Informe de la Comisión Nacional sobre Prisión Política y Tortura), fue publicado el 29 de noviembre de 2004. Su misión era ofrecer un reconocimiento público y oficial de los abusos a los derechos humanos cometidos por el gobierno militar de Augusto Pinochet en Chile entre 1973 y 1990. El presidente chileno Ricardo Lagos, electo en el año 2000, formó una comisión para ello. Con el testimonio de más de treinta y cinco mil personas, se constataron° los crímenes y se ofreció compensación económica y cobertura sanitaria° a las víctimas de la represión militar.

En un día histórico de enero de 2005, el ejército chileno aceptó su responsabilidad institucional en los abusos del pasado. En palabras del expresidente Lagos, la mirada a la historia reciente ha servido para fortalecer la convivencia° y la unidad de todos los chilenos, que ya pueden mirar con orgullo hacia un futuro mejor. ■

measure
was pursued
certainty
executed
calling card
Confident
referendum

stained by the blood
reported
proof
verified
health coverage
coexistence

*Fotos p. 226: izq. **Salvador Allende**; der. **Augusto Pinochet***

Análisis

1 **Comprensión** Contesta las preguntas con oraciones completas.

1. ¿Qué sucedió con el gobierno de Salvador Allende?
2. ¿Qué ocurrió con la economía chilena durante el gobierno de Allende?
3. ¿Qué tipo de gobierno estableció Pinochet?
4. ¿Qué prioridad tuvo el gobierno de Pinochet? ¿Cómo consiguió este objetivo?
5. ¿Qué ocurrió en el plebiscito de 1988? ¿Cuáles fueron las consecuencias?
6. ¿Qué piensan hoy los chilenos sobre el gobierno de Pinochet?
7. ¿Cuál fue el propósito del informe Valech?
8. ¿Qué ocurrió en enero de 2005?

2 **Responsables** En parejas, lean este fragmento con pasajes extraídos del artículo y contesten las preguntas.

> Hoy, la sociedad chilena sigue dividida. Una parte de la población ve a Pinochet como un cruel dictador. Otros ven en él a un héroe. Hasta hace poco, todavía algunos negaban la existencia de secuestros y ejecuciones.

- ¿Recuerdan alguna situación de opinión dividida del público en su país? ¿Cuál?
- ¿Quiénes son/fueron los protagonistas?
- ¿Cuáles son/fueron las circunstancias?
- ¿En qué se parece/parecía la situación a lo descrito en el pasaje?
- ¿En qué se diferencia/diferenciaba?

3 **Completar** En parejas, completen las oraciones con sus opiniones.

1. Un buen líder es una persona que...
2. El gobierno de cada país debe garantizar...
3. El abuso de poder en el gobierno ocurre cuando...
4. El abuso de poder también ocurre en la vida cuando...
5. Las leyes y los derechos nos ayudan a...

4 **El juicio** En grupos de tres, elijan uno de los casos y preparen un pequeño juicio. Uno/a de ustedes hará el papel de juez(a) y los demás representarán las posturas opuestas para cada tema. El/La juez(a) hará preguntas y al final dará su veredicto.

- Licencias de conducir a los 15 años de edad
- No fumar en lugares públicos
- Conscripción (*draft*) en tiempos de guerra

Practice more at
vhlcentral.com.

PUEDO hablar sobre la política.

Preparación

Sobre la autora

Elsa Bornemann (1952–2013) fue una escritora argentina cuyos numerosos libros para niños acompañaron a muchas generaciones de lectores en Argentina y América Latina desde la década de 1970. Fue una políglota que dominó lenguas modernas y muertas. Se graduó de Profesora en Letras en la Universidad de Buenos Aires, ciudad donde vivió y enseñó durante toda su vida. Escribió cuentos, novelas, poemas, canciones y obras de teatro que le valieron premios dentro y fuera del país. Entre sus colecciones de cuentos más celebrados se encuentran *¡Socorro!* (cuentos de terror, de 1988), *La edad del pavo* (humorísticos, de 1990), *El espejo distraído* (fantásticos, de 1971) y *Un elefante ocupa mucho espacio* (1975), en el que está incluido "Caso Gaspar".

Vocabulario de la lectura		Vocabulario útil
a fin de *in order to*	**el feriado** *holiday*	**la cadena de mando** *chain of command*
antojarse *to feel like*	**el mantel** *tablecloth*	**detener** *to arrest*
aturdir *to stun*	**la suela** *sole*	**excéntrico/a** *eccentric*
boquiabierto/a *open-mouthed; astounded*	**el timbre** *doorbell*	**el/la incomformista** *nonconformist*
la destreza *skill*	**la vereda** *sidewalk (Arg.)*	
el empeño *effort; determination*		

1

Vocabulario Completa las oraciones con palabras del vocabulario.

1. Aprendió a tejer la semana pasada, pero ya lo hace con una _____ admirable.

2. ¡Cuidado! ¡Sube ya mismo a la _____, que ese camión viene muy rápido!

3. Suena el _____. ¿Quién será?

4. ¡Qué suerte que mis botas tienen una _____ gruesa! Mira el clavo (*nail*) que pisé.

5. Si pones _____ y no dejas de intentarlo, lo lograrás.

6. _____ convencerla, usó todo tipo de argumentos.

2

Rutinas En parejas, contesten las preguntas.

1. ¿Qué ventajas y desventajas tienen las rutinas?

2. ¿Qué tipo de personas o personalidades prefieren las rutinas?

3. ¿Se esfuerzan ustedes por romper la rutina cada tanto? ¿Por qué? ¿Cómo?

4. ¿Qué profesiones les parecen rutinarias? ¿Por qué?

5. ¿Qué opinan de los pasatiempos? ¿Tienen algunos? ¿Por qué hay personas que tienen pasatiempos y otras no?

Practice more at vhlcentral.com.

Caso Gaspar

ELSA BORNEMANN

Aburrido de recorrer la ciudad con su valija a cuestas° para vender —por lo menos— doce manteles diarios, harto de gastar suelas, cansado de usar los pies, Gaspar decidió caminar sobre las manos. Desde ese momento, todos los feriados del mes se los pasó encerrado en el altillo de su casa, practicando posturas frente al espejo. Al principio, le costó bastante esfuerzo mantenerse en equilibrio con las piernas para arriba, pero al cabo de reiteradas pruebas el buen muchacho logró marchar del revés con asombrosa habilidad. Una vez conseguido esto, dedicó todo su empeño para desplazarse° sosteniendo la valija con cualquiera de sus pies descalzos°. Pronto pudo hacerlo y su destreza lo alentó°.

—¡Desde hoy, basta de zapatos! ¡Saldré a vender mis manteles caminando sobre las manos! —exclamó Gaspar una mañana, mientras desayunaba. Y —dicho y hecho— se dispuso a iniciar esa jornada de trabajo andando sobre las manos.

Su vecina barría la vereda cuando lo vio salir. Gaspar la saludó al pasar, quitándose caballerosamente la galera°: —Buenos días, doña Ramona. ¿Qué tal los canarios?

Pero como la señora permaneció boquiabierta, el muchacho volvió a colocarse la galera y dobló la esquina. Para no fatigarse, colgaba un rato de su pie izquierdo y otro del derecho la valija con los manteles, mientras hacía complicadas contorsiones a fin de alcanzar los timbres de las casas sin ponerse de pie.

on his back

to move

barefoot

encouraged

top hat

5

10

15

20

25

30

35

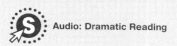
Audio: Dramatic Reading

Lamentablemente, a pesar de su entusiasmo, esa mañana no vendió ni siquiera un mantel.. ¡Ninguna persona 40 confiaba en ese vendedor domiciliario que se presentaba caminando sobre las manos!

—Me rechazan porque soy el primero que se atreve a cambiar la costumbre de marchar sobre las piernas... Si supieran 45 qué distinto se ve el mundo de esta manera, me imitarían...Paciencia... Ya impondré la moda de caminar sobre las manos...

got ready —pensó Gaspar, y se aprestó° a cruzar una amplia avenida.

—Me rechazan porque soy el primero que se atreve a cambiar la costumbre de marchar sobre las piernas...

50 Nunca lo hubiera hecho: ya era el mediodía... los autos circulaban casi pegados unos contra otros. Cientos de personas transitaban apuradas de aquí para allá.

55 —¡Cuidado! ¡Un loco suelto! —gritaron a coro al ver a Gaspar. El muchacho las escuchó divertido y siguió atravesando la avenida sobre sus manos, lo *cool as a cucumber* más campante°.

60 —¿Loco yo? Bah, opiniones...

crowded together Pero la gente se aglomeró° de inmediato a su alrededor y los vehículos lo aturdieron con sus bocinazos, tratando de deshacer el *gridlock* atascamiento° que había provocado con su 65 singular manera de caminar. En un instante, tres vigilantes° lo rodearon.

police officers (Arg.)

—Está detenido —aseguró uno de ellos, tomándolo de las rodillas, mientras los otros dos se comunicaban por radioteléfono 70 con el Departamento Central de Policía.

¡Pobre Gaspar! Un camión celular lo condujo a la comisaría más próxima, y allí fue interrogado por innumerables policías:

—¿Por qué camina con las manos? ¡Es muy sospechoso! ¿Qué oculta en esos 75 guantes? ¡Confiese! ¡Hable!

Ese día, los ladrones de la ciudad asaltaron los bancos con absoluta tranquilidad: toda la policía estaba ocupadísima con el "Caso Gaspar—sujeto 80 sospechoso que marcha sobre las manos".

A pesar de que no sabía qué hacer para salir de esa difícil situación, el muchacho mantenía la calma y —¡sorprendente!— continuaba haciendo equilibrio sobre 85 sus manos ante la furiosa mirada de tantos vigilantes. Finalmente se le ocurrió preguntar:

—¿Está prohibido caminar sobre las manos? 90

El jefe de policía tragó saliva y le repitió la pregunta al comisario número 1, el comisario número 1 se la transmitió al número 2, el número 2 al número 3, el número 3 al número 4... 95 En un momento, todo el Departamento Central de Policía se preguntaba: ¿Está PROHIBIDO CAMINAR SOBRE LAS MANOS? Y por más que buscaron en pilas de libros durante varias 100 horas, esa prohibición no apareció. No, señor. ¡No existía ninguna ley que prohibiera marchar sobre las manos ni tampoco otra que obligara a usar exclusivamente los pies! 105

Así fue como Gaspar recobró la libertad de hacer lo que se le antojara, siempre que no molestara a los demás con su conducta. Radiante, volvió a salir a la calle andando sobre las manos. Y por la calle debe 110 encontrarse en este momento, con sus guantes, su galera y su valija, ofreciendo manteles a domicilio... ¡Y caminando sobre las manos! ■

Análisis

1 **Comprensión** Indica si estas oraciones son ciertas o falsas. Corrige las falsas.

1. Gaspar vende manteles a domicilio.
2. Gaspar practica cómo caminar sobre las manos para vender más manteles.
3. Cuando Gaspar sale a vender caminando sobre las manos, tiene mucho éxito.
4. Gaspar cree que con el tiempo va a imponer la moda de caminar sobre las manos.
5. Como Gaspar produce un atascamiento, tres vigilantes lo detienen.
6. Gaspar tiene miedo al ver a los policías y se pone de pie.
7. La ley prohíbe caminar sobre las manos, pero dejan libre a Gaspar luego de explicárselo.
8. Gaspar vuelve a salir a vender manteles caminando sobre las manos, feliz y optimista.

2 **Interpretar** Contesta estas preguntas.

1. ¿Por qué Gaspar quiere andar sobre las manos?
2. ¿Cómo lleva la valija con los manteles que quiere vender?
3. ¿Por qué cree Gaspar que la gente lo va a imitar?
4. ¿Qué piensa la gente cuando lo ve cruzar la avenida caminando sobre las manos?
5. ¿Qué le piden los policías que "confiese"?
6. ¿Qué pasa mientras la policía se ocupa de investigar el caso Gaspar?
7. ¿Qué problema tiene el Departamento Central de Policía con el caso Gaspar?
8. ¿Qué hace Gaspar al recuperar su libertad?

3 **Caos y control** En parejas, escriban una lista con al menos cuatro funciones que debe cumplir la policía. Luego, comenten si la policía cumple con ellas en este cuento y por qué.

4 **Escribir** Imagina que han pasado diez años y que Gaspar tenía razón: con el tiempo se puso de moda caminar sobre las manos en su ciudad. Tú eres historiador/a y vas a escribir un artículo académico que explique el origen y el éxito de esta costumbre. Usa la información del texto y supleméntala con tu imaginación.

> **Plan de redacción**

Escribir un artículo académico

1 **Origen** Explica el origen de esta costumbre y las primeras reacciones.

2 **Seguidores** Imagina cómo se puso de moda y evolucionó esta costumbre.

3 **Filosofía** Al final de tu artículo, piensa en esta pregunta: ¿Qué efecto ha tenido que tantas personas vean el mundo al revés?

4 **Público** Piensa en los lectores de tu artículo académico. ¿Qué nivel de formalidad debe tener tu artículo? Revísalo.

 Practice more at **vhlcentral.com**.

PUEDO comentar el rol de la policía.

Creencias e ideologías

 Vocabulary Tools

Las leyes y los derechos

los derechos humanos *human rights*
la desobediencia civil *civil disobedience*
la (des)igualdad *(in)equality*
el/la juez(a) *judge*
la (in)justicia *(in)justice*
la libertad *freedom*
la lucha *struggle, fight*
el tribunal *court*

abusar *to abuse*
aprobar (o:ue) una ley *to pass a law*
convocar *to summon*
defender (e:ie) *to defend*
derogar *to abolish, to repeal*
encarcelar *to imprison*
juzgar *to judge*

analfabeto/a *illiterate*
(des)igual *(un)equal*
(in)justo/a *(un)fair*
oprimido/a *oppressed*

La política

el abuso *abuse*
la armada *navy*
la bandera *flag*
la creencia *belief*
la crueldad *cruelty*
la democracia *democracy*
la dictadura *dictatorship*
el ejército *army*
el gobierno *government*
la guerra (civil) *(civil) war*
el partido político *political party*
la paz *peace*
el poder *power*
la política *politics*
las relaciones exteriores *foreign relations*
la victoria *victory*

dedicarse a *to devote oneself to*
elegir (e:i) *to elect*
ganar/perder (e:ie) las elecciones
  to win/lose an election
gobernar (e:ie) *to govern*
influir *to influence*
votar *to vote*

conservador(a) *conservative*
liberal *liberal*
pacífico/a *peaceful*
pacifista *pacifist*

La gente

el/la abogado/a *lawyer*
el/la activista *activist*
el/la ladrón/ladrona *thief*
el/la manifestante *demonstrator*
el/la político/a *politician*
el/la presidente/a *president*
el/la terrorista *terrorist*
la víctima *victim*

La seguridad y la amenaza

la amenaza *threat*
el arma (f.) *weapon*
el escándalo *scandal*
la (in)seguridad *(in)security; (lack of) safety*
el temor *fear*
el terrorismo *terrorism*
la violencia *violence*

chantajear *to blackmail*
destrozar *to destroy, to ruin*
espiar *to spy*
huir *to flee*
pelear *to fight, to quarrel*
secuestrar *to kidnap, to hijack*

Cortometraje

el asiento *seat*
el colectivo *bus* (Arg.)
la justeza *fairness*
el pasillo *aisle*
la suerte *luck*

ceder *to give up; to yield*
chorear *to rob* (Arg.)
estar de pie *to stand*
indemnizar *to compensate*
manosear *to grope*
marearse *to get carsick/seasick*
perjudicar *to harm*
plantear *to propose, to suggest*

afortunado/a *lucky*

discapacitado/a *disabled*
equitativo/a *equitable; fair*
parado/a *on one's feet*
raro/a *strange*

Cultura

la ejecución *execution*
el fracaso *failure*
la fuerza *force*
el golpe de estado *coup d'état*
la huelga *strike*
el informe *report*
el juicio *trial*
la ley *law*
el orgullo *pride*
el secuestro *kidnapping*
la trampa *trap*

derrocar *to overthrow*
derrotar *to defeat*
ejercer (el poder) *to exercise/ exert (power)*
encabezar *to lead*
fortalecer *to strengthen*
promulgar *to enact (a law)*
tener derecho a *to have the right to*

rescatado/a *rescued*

Literatura

la cadena de mando *chain of command*
la destreza *skill*
el empeño *effort; determination*
el feriado *holiday*
el/la inconformista *nonconformist*
el mantel *tablecloth*
la suela *sole*
el timbre *doorbell*
la vereda *sidewalk* (Arg.)

antojarse *to feel like*
aturdir *to stun*
detener *to arrest*

boquiabierto/a *open-mouthed; astounded*
excéntrico/a *eccentric*

a fin de *in order to*

Objetivos comunicativos: Repaso

PUEDO hablar sobre la política.
- Describe la política y el gobierno de tu país, estado o pueblo/ciudad.

PUEDO conversar sobre las situaciones políticas en el futuro.
- Haz cinco predicciones políticas. Usa conjunciones con el subjuntivo.

PUEDO hacer comparaciones.
- Escribe cinco oraciones con comparativos y superlativos que comparen gobiernos, partidos políticos y/o políticos.

PUEDO investigar la cultura chilena.
- Describe algo que aprendiste sobre Chile en esta lección.

Perspectivas laborales

Pasamos un tercio de la vida educándonos para luego trabajar durante los dos tercios restantes. Durante la juventud hacemos planes y alimentamos ilusiones para el futuro. ¿Te sientes preparado/a para comenzar una carrera? ¿Te será más fácil encontrar trabajo que a tus padres o más difícil? ¿Qué situaciones favorables y qué retos anticipas?

Objetivos comunicativos:

• Dar consejos de trabajo
• Decir qué se hace
• Hacer una entrevista de trabajo
• Investigar las culturas de Bolivia y Paraguay

238 CORTOMETRAJE

En el cortometraje *La jaula* del director español **Nacho Solana**, un hombre de negocios trata de lograr el equilibrio profesional/personal.

244 IMAGINA

¿Qué sabes de **Bolivia** y **Paraguay**? Descubre aquí algunas particularidades culturales, lingüísticas, históricas y naturales de estos dos países vecinos.

261 CULTURA

En el artículo *Recursos naturales: una salida al mundo*, verás cómo Bolivia y Paraguay han transformado sus economías a pesar de una considerable desventaja geográfica en común. Además, aprenderás sobre los **Indígenas bolivianos y el negocio de los hidrocarburos** en el videoclip **Cultura en pantalla.**

265 LITERATURA

Un excombatiente busca trabajo en el cuento *El carretillero*, de la escritora paraguaya **Nila López**.

241

247

236 PARA EMPEZAR

250 ESTRUCTURAS

7.1 The present perfect

7.2 The present perfect subjunctive

7.3 Uses of se

269 VOCABULARIO

Destino:

BOLIVIA Y PARAGUAY

BOLIVIA

PARAGUAY

El trabajo y las finanzas

El mundo laboral

el almacén *department store; warehouse*

el aumento de sueldo *pay raise*
la compañía *company*
el desempleo *unemployment*
la empresa (multinacional) *(multinational) company*
el horario de trabajo *work schedule*
el impuesto *tax*
el mercado *market*
el presupuesto *budget*
el puesto *position, job*
la reunión *meeting*
el sindicato *labor union*
el sueldo (mínimo) *(minimum) wage*

acosar *to harass*
administrar *to manage, to run*
ascender (e:ie) *to rise, to be promoted*
contratar *to hire*
despedir (e:i) *to fire*
estar a la/en venta *to be for sale*

¡En venta!

estar bajo presión *to be under pressure*
exigir *to demand*
ganarse la vida *to earn a living*
jubilarse *to retire*
renunciar *to quit*
solicitar *to apply for*
tener conexiones *to have connections; to have influence*

administrativo/a *administrative*
(in)capaz *(in)capable, (in)competent*
desempleado/a *unemployed*
perezoso/a *lazy*
trabajador(a) *hard-working*

La economía

los ahorros *savings*
la bancarrota *bankruptcy*
la bolsa de valores *stock market*
el cajero automático *ATM*

la crisis económica *economic crisis*
la cuenta corriente *checking account*
la cuenta de ahorros *savings account*
la deuda *debt*
la pobreza *poverty*
la riqueza *wealth*
la tarjeta de crédito *credit card*
la tarjeta de débito *debit card*

ahorrar *to save*
aprovechar *to take advantage of*
cobrar *to charge, to be paid*
depositar *to deposit*
gastar *to spend*
invertir (e:ie) *to invest*
pedir (e:i) prestado/a *to borrow*
prestar *to lend*

a corto/largo plazo *short-/long-term*
financiero/a *financial*

La gente en el trabajo

el/la asesor(a) *consultant, advisor*
el/la contador(a) *accountant*
el/la dueño/a *owner*
el/la ejecutivo/a *executive*
el/la empleado/a *employee*
el/la gerente *manager*
el hombre/la mujer de negocios *businessman/woman*

el/la obrero/a *blue-collar worker*
el/la socio/a *partner; member*
el/la vendedor(a) *salesman/woman*

agotado/a *exhausted*

dispuesto/a (a) *ready, willing (to)*
estresado/a *stressed (out)*
exitoso/a *successful*

Práctica

1 🔗

Definir Indica a qué palabra se refiere cada definición.

agotado/a	deuda	obrero/a
aprovechar	dispuesto/a	presupuesto
ascender	gerente	renunciar
desempleo	invertir	solicitar

_____ 1. Pasar a una categoría o puesto superior

_____ 2. Obligación que tiene una persona de devolverle dinero a otra

_____ 3. Cálculo de los gastos (*expenses*) necesarios para realizar un proyecto

_____ 4. Falta de empleo

_____ 5. Abandonar un proyecto o puesto de trabajo

_____ 6. Pedir un trabajo siguiendo los pasos adecuados

_____ 7. Preparado/a para hacer algo y con la voluntad de hacerlo

_____ 8. Poner dinero o tiempo en algo para después sacar un beneficio

_____ 9. Obtener la máxima ventaja de una situación

_____ 10. Sin fuerzas o energía a causa del cansancio

2 🔗

Renuncia Completa la carta de renuncia con la palabra más adecuada según el contexto.

Lamento informarle que voy a (1) _____ (exigir / renunciar) al cargo (*position*) de asistente (2) _____ (dispuesto / administrativo).

Dejo la compañía porque no obtuve el (3) _____ (aumento de sueldo / sindicato) prometido. Ya llevo cuatro años aquí y todavía gano el (4) _____ (puesto / sueldo) mínimo. Además, por el (5) _____ (impuesto / horario de trabajo) inflexible, salgo demasiado tarde en las noches.

Aunque me preocupa quedar (6) _____ (desempleado / agotado), voy a buscar otras formas de (7) _____ (ganarme la vida / riqueza) decentemente.

Espero que antes de (8) _____ (cobrar / contratar) nuevos empleados, haga un (9) _____ (impuesto / presupuesto) a (10) _____ (estar a la venta / largo plazo), para cumplir las promesas hechas a los trabajadores.

3 🔗 👥

Soluciones En parejas, busquen soluciones a estas situaciones. Cada uno/a debe dar al menos dos consejos a las personas. Utilicen tantas palabras del vocabulario como puedan.

ANA "No tengo trabajo, pero sí tengo muchas deudas. Soy demasiado joven para tener tantos problemas. Estoy dispuesta a aceptar el sueldo mínimo".

TERESA "Mi trabajo consiste en vender un producto defectuoso. Odio tener que mentir a los clientes. Quiero renunciar, pero temo no conseguir otro trabajo".

JORGE "Estoy cansado de trabajar más horas que un reloj y cobrar el sueldo mínimo. Tengo tres hijos pequeños. Mi esposa es ejecutiva y gana mucho dinero, pero siempre está fuera de casa. Estoy agotado".

PUEDO dar consejos de trabajo.

 Practice more at **vhlcentral.com**.

Preparación

Vocabulario del corto

el ascenso *promotion*
la clave *key*
culpar *to blame*
la eficacia *efficiency*
la factura *bill*
el finiquito *severance package*

halagar *to flatter*
la hipoteca *mortgage*
la jaula *cage*
recalentado/a *reheated*
reconocer *to recognize; to admit*
tentar (e:ie) *to tempt*

Vocabulario útil

la excusa *excuse*
manipular *to manipulate*
la propuesta *proposal, offer*
la recompensa *reward*

EXPRESIONES

a ver *well; let's see*

¿Cómo lo ves? *What do you think?; How do you see it?*

como tú veas *as you wish; it's up to you*

no cortarse un pelo *not to hold anything back*

siempre estar a tiempo de *to always have the option of*

---

1 **Vocabulario** Completa la conversación con palabras y expresiones del vocabulario.

RAFAEL Esta vez sí tienes que venir a la fiesta. (1) _____

PEDRO Me (2) _____ mucho tu invitación. Pero no puedo.

RAFAEL (3) _____ ... siempre buscas (4) _____ para no divertirte. ¿De qué se trata ahora?

PEDRO Es que me faltan camisas, un traje, zapatos...

RAFAEL No (5) _____ a la ropa.

PEDRO Lo siento. Para mí la ropa es (6) _____ para sentirme bien.

RAFAEL Te presto una camisa.

PEDRO Gracias por la (7) _____, pero ¿cómo voy a ponerme tu ropa?

RAFAEL Pues bien, lo intenté. (8) _____

2 **Fotograma** En parejas, observen el fotograma y contesten las preguntas.

- ¿Cuántos años crees que tiene el/la autor(a) de este dibujo? ¿Por qué?
- ¿Quién es, qué hace y cómo se siente el personaje dibujado a la izquierda?
- ¿Quién crees que está mirando este dibujo?

3 **Preparación** En parejas, consideren el significado del epígrafe (la cita al principio del cortometraje), y luego contesten las preguntas.

> El problema ahora es que la jaula está en el interior del pájaro.
> David Eloy Rodríguez

- ¿Cuándo podemos decir que una persona tiene una "jaula interior"?
- ¿Qué ejemplos de "jaulas interiores" conoces?
- ¿Qué sugiere la palabra **ahora** en esta cita?

4 **Autoexplotación** En grupos de tres, analicen esta cita del filósofo de lo contemporáneo Byung-Chul Han. ¿Qué significa autoexplotarse? Den ejemplos concretos. Después, compartan sus respuestas con la clase.

> El exceso de trabajo y rendimiento se agudiza (*worsens*) y se convierte en autoexplotación. Ésta es mucho más eficaz que la explotación por otros, pues va acompañada de un sentimiento de libertad. El explotador es al mismo tiempo el explotado. Byung-Chul Han

5 **Ofertas irresistibles** Ordena las ofertas, de la más a la menos atractiva. Luego, comenta con dos compañeros/as el orden que elegiste.

- diez millones de dólares
- diez años más de vida
- fama y gloria
- el amor de todo un continente
- inmunidad a las enfermedades

6 **Dilemas** En parejas, lean las situaciones. ¿Qué harían en cada caso? ¿Cómo determinaron sus prioridades?

> Hoy hay un concierto de tu cantante favorito, a quien quieres ver en vivo hace años. Estás por salir y un amigo te llama, desesperado, porque su novia lo dejó. Te pide que vayas a verlo.

> Esta noche tu hermana va a bailar en un espectáculo para el que se estuvo preparando durante meses. A la misma hora, tienes una entrevista para un trabajo fantástico en una discoteca.

> Vas a jugar en un torneo de tenis en dobles. Puedes jugar con tu mejor amigo/a (que es un jugador mediocre) o con un excelente jugador a quien no conoces.

Video

ARGUMENTO *Un hombre de negocios, esposo y padre de familia tiene que entender quién es y decidir quién desea ser.*

LAURA No puedes seguir a este ritmo. Mírate, estás agotado. ¿Has hablado con Álex?

CARLOS Álex, quiero dejar el trabajo.
ÁLEX Vale, he de reconocer que no me esperaba algo así. Siéntate, por favor. ¿Qué vas a hacer?

ÁLEX Suena fantástico. Ojalá pudiéramos decir también adiós a las facturas, adiós a la hipoteca.
CARLOS Sí, sí, ojalá, ojalá. Pero es que me estoy perdiendo demasiadas cosas. Apenas veo a mi hijo.

CARLOS No ha sido una decisión fácil.
ÁLEX Como tú veas. Es una pena que me digas esto hoy.

LAURA A ver, las condiciones son muy buenas.

CARLOS Ey, pirata, ¿qué haces despierto?

Nota CULTURAL

Globalizados

La globalización ha hecho que los estilos de vida no sean específicos de una región o lugar. El trabajo en las empresas multinacionales es tan estresante en un país como en otro, los hábitos se han vuelto más homogéneos e incluso la arquitectura y la moda poco a poco se tornan similares. Esto es especialmente cierto en las grandes ciudades, que son los lugares más conectados con el resto del mundo. Tal vez la comida sea uno de los aspectos que diferencian más los estilos de vida. España es uno de los países europeos de menor consumo de comida rápida. Pero por supuesto que existen las principales cadenas de comida rápida, que ofrecen platos adaptados al gusto local como las McCroquetas de jamón.

Análisis

1

Comprensión Indica si estas afirmaciones son ciertas o falsas. Corrige las falsas.

1. Carlos come la tortilla recalentada.
2. Álex dice que le parece natural que Carlos quiera renunciar a su trabajo.
3. Carlos no le da explicaciones de su renuncia a Álex.
4. Álex comenta que otros compañeros de Carlos no tienen esos problemas.
5. Laura opina que Álex no es un ejemplo de cómo debe actuar Carlos.
6. Para Laura, la propuesta de Álex no es buena.
7. Después de la reunión, Álex prepara el contrato para proponerle a Carlos convertirse en director financiero.
8. Para convertirse en director financiero, Carlos sólo debe llevar el contrato firmado a Recursos Humanos.

2

Interpretar Contesta las preguntas.

1. ¿Crees que Carlos y su familia están acostumbrados a que él llegue tarde del trabajo? ¿Cómo lo sabes?
2. ¿Consideras que es fácil para Carlos decirle a Álex que renuncia? ¿Por qué?
3. ¿Es cierto que Carlos "no se cortó un pelo" en la conversación con Álex? ¿Cómo lo sabes?
4. ¿Supones que Carlos y Laura han planeado qué hacer después de que él renuncie al trabajo? ¿Por qué?
5. ¿Por qué se enoja Carlos con su hijo?

3

Manipulaciones En parejas, examinen la conversación entre Álex y Carlos. Para comenzar, completen esta lista de frases, acciones y gestos de Álex. Luego, hablen sobre cómo Álex manipula la situación.

Acciones o frases	Detalles y gestos
"Siéntate, por favor".	Señala la silla con gesto amable.
"Sois muy valientes. Si pudiera…"	
	En tono de burla.
"Quizá no deberías culpar al trabajo…"	
	Se levanta y se acerca a Carlos.
	Va a buscar el contrato y lo deja caer sobre el escritorio.
"Si no lo quieres, puedes romper el contrato…"	

4

Ecos y repeticiones En grupos de tres, analicen qué efecto producen los saltos entre el presente (la noche en que conversan Laura y Carlos) y el pasado (la tarde en que conversan Carlos y Álex). Contesten estas preguntas.

1. ¿Cuándo ocurre el primer salto al pasado?
2. ¿Qué tipos de comentarios hace Laura sobre la conversación de Carlos y Álex?
3. ¿Cómo se relacionan el pasado y el presente?
4. ¿Se confunden el Álex de la tarde con el Carlos de la noche? ¿Cómo?

5

¿Qué piensan? En parejas, imaginen lo que sienten y piensan Carlos y Laura al final del corto sobre lo que pasó, sobre lo que harán, sobre su hijo, sobre su esposo/a, etc.

6

El equilibrio En parejas, conversen sobre el equilibrio profesional/personal. Usen estas preguntas como guía.

- ¿Cuál es el equilibrio apropiado entre el trabajo y la vida personal?
- ¿Qué factores influyen en el desequilibrio profesional/personal?
- ¿Qué pierden las personas que siempre trabajan hasta tarde y los fines de semana? ¿Qué recompensas hay para estas personas?
- ¿Qué pierden las personas que nunca trabajan horas extras? ¿Qué recompensas hay para estas personas?

7

Situaciones En parejas, elijan una de estas situaciones e improvisen un diálogo. Después, represéntenlo delante de la clase.

el ascenso	dispuesto/a	no cortar un pelo
el aumento de sueldo	exigir	la propuesta
la clave	el horario de trabajo	la recompensa
¿Cómo lo ves?	la jaula	reconocer
Como tú veas.	manipular	tentar

A

Hace dos años que ustedes son novios/as. Tú trabajas en una empresa multinacional con sede en Quito, y te han ofrecido un puesto de gerente que requiere vivir allí al menos tres años. Quieres aceptar esta oportunidad y también continuar con tu relación. Intenta encontrar una solución con tu pareja.

B

Tu amigo/a no sabe qué hacer. Debe elegir entre un trabajo de gerente que paga muy bien pero representa mucho estrés y otro trabajo que le da mucha más libertad pero paga menos. Intenta ayudarlo/la a tomar una decisión.

PUEDO conversar sobre el equilibrio profesional/personal.

Practice more at **vhlcentral.com**.

Audio: Reading

IMAGINA
Haciendo historia

BOLIVIA Y

Existen hechos y personas que aparecen en un determinado momento y cambian el curso de la historia. Así, lo que antes no se valoraba resurge como nuevo, y trae consigo su valioso[1] pasado. Las mujeres de la comunidad indígena aimara de **Bolivia** conocidas como "cholas", y el idioma guaraní, en **Paraguay**, han recorrido un largo camino hasta convertirse en entidades fundamentales y revalorizadas de estas dos culturas suramericanas.

Las **cholas** bolivianas se reconocen por sus faldas de varios pliegues[2] y enaguas[3] por debajo, su pelo partido en dos trenzas[4], mantones[5], su típico sombrero bombín[6] y un aguayo[7] en la espalda. Históricamente, trabajaron de manera incansable en tareas domésticas o ventas ambulantes. Hasta hace unas décadas, fueron rechazadas por la sociedad boliviana: se les negaba el acceso a determinados lugares, no podían ocupar puestos de gobierno ni recibir educación superior. Pero los tiempos cambiaron y la hora de su reivindicación llegó. La lucha de estas mujeres por sus derechos encontró un camino próspero con los movimientos de revalorización indígena que dio lugar a la inclusión, el respeto y la jerarquía de los pueblos indígenas. Hoy en día, las cholas son piezas fundamentales en la economía boliviana y un ícono de la moda. Se dedican al comercio local y a la importación de mercadería[8] de Chile, China y Panamá. Además, desempeñan funciones en el gobierno, en los medios de comunicación y en la educación, lo que es un claro reflejo de la superación y del valor de estas mujeres tenaces y resilientes.

Paraguay, por su lado, también narra una historia de adaptación y resurgimiento del idioma **guaraní**, luego

Una chola boliviana delante del lago Titicaca

de sufrir prolongados ataques y supresiones. Esta lengua indígena, fruto de la tradición oral y abundante en sonidos guturales y nasales, lleva 500 años de historia. En el pasado, el guaraní se reservaba para los ámbitos familiares e informales y no se enseñaba en las escuelas. En la actualidad es altamente valorado por la sociedad; casi el 90% de los paraguayos hablan guaraní, aunque el 95% de la población es mestiza. El español se usa casi exclusivamente en el gobierno y en los negocios. El guaraní es símbolo de reivindicación nacional, orgullo y continuidad de las tradiciones ancestrales. En la constitución de 1992, se declaró que Paraguay es un país oficialmente bilingüe.

El guaraní y las cholas conocen de resistencia. Han sufrido adversidades y obstáculos. Conocen de superación. Representan a sus naciones ante el mundo. Son símbolos de sus culturas y sus economías. Y son ejemplos de valorización.

Signos vitales

En **Bolivia**, se encontraron **aguayos** en tumbas indígenas de hace miles de años. Son textiles con hilado[9] fino hechos de lana de camélidos. **Paraguay** es un país donde abunda la artesanía en cerámica, principalmente de origen guaraní. Ambos productos son característicos de su cultura y generan grandes ingresos por medio del comercio interno y el turismo.

Una artesana guaraní de Paraguay

[1] *valuable* [2] *pleats* [3] *petticoats* [4] *braids* [5] *shawls* [6] *bowler hat* [7] *strong piece of linen used to carry objects on the back* [8] *goods* [9] *thread*

PARAGUAY

Viaje por Bolivia y Paraguay

Tereré Es una bebida típica de Paraguay. Se prepara con yerba mate[1], agua fría y hielo, muchas veces acompañados de hierbas medicinales. Su origen data de la época precolombina y durante la época de las misiones jesuíticas se convirtió en la bebida tradicional del pueblo guaraní. El tereré ofrece beneficios como el aumento de energía, la reducción de inflamación intestinal y el alivio de molestias estomacales.

Salar de Uyuni El Salar de Uyuni, conocido como el "mar de sal", es el más grande del mundo y se encuentra en los **Andes bolivianos**. Es tan grande que puede verse desde el espacio. Hace miles de años, ocuparon esta superficie dos lagos que,

por la falta de afluentes[2], fueron secándose hasta formar esta extensión de sal. El Salar de Uyuni es fuente de minerales como magnesio, boro, cloruro de sodio y, sobre todo, litio.

Bordado *Ao Po'i* En lengua guaraní, significa "tejido fino". Es una técnica de bordado[3] originaria de **Yataity** en Paraguay que se mantiene viva en el tiempo desde el siglo XIX. Su confección requiere de mucho esfuerzo y se pueden realizar diversos puntos de bordado, cada uno con un significado distinto. El bordado *Ao Po'i* es un símbolo nacional y fuente de ingreso de cientos de artesanos paraguayos.

Charango Si bien su uso se conoce en otros países, se cree que el charango se originó en suelo boliviano. Es un instrumento musical hecho de madera, con cuerdas[4] y sonidos muy agudos, con forma de guitarra. Estudios

aseguran que proviene del siglo XVIII. La cuna[5] de este instrumento es el departamento de **Potosí**, aunque actualmente el festival de charango más famoso del mundo se celebra en la ciudad de **Aiquile**, departamento de **Cochabamba**.

El español de Bolivia y Paraguay

argel	(para personas y cosas) antipático/a; desagradable; *unpleasant; horrible* (Par.)
camba	persona oriunda de la zona de Santa Cruz, Beni y Pando (Bol.)
colla	descendiente incaico oriundo de la zona de La Paz, Oruro, Potosí, Cochabamba y Chuquisaca (Bol.)
¿Cómo es?	(forma común de saludar entre jóvenes) ¿Qué tal?; *What's up?* (Bol.)
chango/a	persona; *person* (Bol.)
chapar	besar; *to kiss* (Bol.)
chasqui	persona muy rápida (originalmente mensajero incaico); *a very fast person* (Bol.)
–ingo/a	diminutivo usado en vez del más común **–ito/a** (común en el sur del país); por ejemplo, **chiquitingo/a** en vez de **chiquitito/a**; *very small* (Bol.)
ingueroviable	increíble; *incredible* (Par.)
julepe	susto muy grande; *big scare* (Par.)
perro/a	amigo/a; *friend* (Par.)

[1] *a plant grown in South America used to prepare herbal beverages* [2] *tributaries* [3] *embroidery* [4] *strings* [5] *birthplace*

GALERÍA DE CREADORES

Audio: Reading

LITERATURA Augusto Roa Bastos

Distinguido hombre de letras de Paraguay, Augusto Roa Bastos (1917–2005) nació y murió en su querida ciudad de Asunción, aunque estuvo exiliado en otros países por muchos años. Uno de los temas principales de sus novelas fue el abuso del poder. Su defensa de la democracia le mereció innumerables premios —como el Cervantes, el mayor premio literario de la lengua española— y la gran admiración y respeto de su país y de todo el mundo hispanohablante. Algunos de sus libros más leídos son *Hijo de hombre*, *Yo el Supremo* y *El trueno entre las hojas*.

MÚSICA Ernesto Cavour Aramayo

Nacido en 1940 en La Paz, este músico, artista y teórico de la música andina es especialista en charango, un instrumento creado por los indígenas bolivianos. Ha creado, además, otros instrumentos musicales que enriquecieron el folclore de su país. Empezó su carrera como solista en 1957. Luego formó grupos como Los Jairas y el Trío Domínguez, Favre, Cavour. Con ellos dio a conocer la música tradicional boliviana en Europa. Ha editado numerosas grabaciones y fundó la Sociedad Boliviana del Charango. Además, ha escrito libros sobre música y métodos de enseñanza musical.

PINTURA Graciela Rodo Boulanger

La boliviana Graciela Rodo Boulanger, nacida en 1935, empezó a estudiar arte a los 11 años y, cuando tenía 18 años, ya había hecho exposiciones y recitales de piano en Argentina, Austria y Suiza. Muchas de sus obras muestran temas e imágenes infantiles combinados con colores y elementos culturales netamente bolivianos. En 1979, la UNICEF la designó para realizar el afiche del Año Internacional del Niño. Aquí se ve su obra *Altamar*.

POESÍA Josefina Plá

Doctora Honoris Causa de la Universidad Nacional de Paraguay, Dama de la Orden de Isabel la Católica (España) y Medalla del Ministerio de Cultura de San Pablo (Brasil) son sólo tres de los incontables honores internacionales que recibió la escritora Josefina Plá (1903–1999). Aunque nació en las Islas Canarias, España, llegó a Paraguay de joven y ahí realizó su intensa carrera literaria. Se distinguió por su poesía y dramaturgia, aunque trabajó en todos los géneros literarios y publicó más de cincuenta libros. Sus obras incluyen *Aquí no ha pasado nada, El polvo enamorado* y *La muralla robada*.

¿Qué aprendiste?

1 **Cierto o falso** Indica si estas afirmaciones son ciertas o falsas. Corrige las falsas.

1. Las cholas bolivianas son de origen quechua.
2. En la actualidad, las cholas se dedican al cultivo de alimentos en el campo.
3. Las cholas ahora pueden participar en la educación y en puestos del gobierno.
4. El guaraní es una bebida típica de Paraguay.
5. El guaraní se consideraba informal y de bajo prestigio en Paraguay.
6. El Salar de Uyuni es fuente de minerales como el litio.
7. El bordado *Ao Po'i* es muy sencillo y rápido de elaborar.
8. Uno de los beneficios del tereré es que ayuda a dormir.

2 **Preguntas** Contesta las preguntas.

1. ¿Qué importante premio ganó el escritor paraguayo Augusto Roa Bastos?
2. ¿En qué disciplina se destaca Graciela Rodo Boulanger?
3. ¿Qué simbolizan el guaraní en Paraguay y las cholas en Bolivia?
4. ¿Cuál es la vestimenta típica de las cholas bolivianas?
5. ¿Qué significa *Ao Po'i* en guaraní?
6. ¿Qué artista de la Galería te interesa más? ¿Por qué?

3 **Personajes** En parejas, busquen más información sobre uno de los personajes de la **Galería de creadores**. Después, expongan ante la clase las razones por las cuales escogieron a este personaje y, también, la información que les haya parecido más importante sobre su vida y sus obras.

4 **Nuevas culturas** En grupos, imaginen que van a viajar a Bolivia o Paraguay. Hagan una lista de los lugares, productos y prácticas culturales que les gustaría explorar. Usen la guía:

• ¿Por qué les gustaría viajar a Paraguay o a Bolivia? ¿Qué los atrae más de estos dos países?

• ¿Qué esperan aprender en su viaje?

• ¿Qué les dicen del país los idiomas, la comida, la ropa y los productos que se utilizan? ¿Cómo se comparan con los productos o prácticas culturales de los Estados Unidos?

Practice more at **vhlcentral.com**.

PROYECTO

Una entrevista

En parejas, imaginen que son periodistas y viajan a Bolivia o Paraguay. Su misión es entrevistar a una chola o a un hablante de guaraní de más de 40 años.

• Investiguen en Internet toda la información que necesiten.

• Preparen las preguntas y respuestas de su entrevista. Incluyan el trabajo de la persona y su importancia en la economía de su país.

• Presenten su entrevista a la clase.

PUEDO investigar las culturas de Bolivia y Paraguay.

Video

El mundo del trabajo

Tener un trabajo que te guste es vital para la felicidad. En este episodio de **Flash cultura** te llevamos a Quito, donde conocerás a diversos profesionales de la capital ecuatoriana y sabrás si les gusta o no su trabajo.

Vocabulario

la elevación *altitude*
fastidiosa *obnoxious*
el mirador *lookout*
las peculiaridades *idiosyncrasies*
el retrato *portrait*

1

Preparación ¿Qué trabajo te gustaría hacer en el futuro? ¿Qué trabajo no harías bajo ninguna circunstancia? ¿Qué estarías dispuesto/a a sacrificar para conseguir el trabajo que más deseas?

2

Comprensión Indica si estas afirmaciones son ciertas o falsas. Después, en parejas, corrijan las falsas.

1. Las mujeres policía en Quito trabajan cinco horas diarias.
2. La peluquería de don Alfredo está debajo del palacio presidencial.
3. Algunas de las personas entrevistadas no parecen felices con sus trabajos.
4. Los guías de Klein Tours organizan excursiones por toda la cordillera de los Andes.
5. Los volcanes más visitados de Ecuador son el Cotopaxi, el Chimborazo y el Antisana.
6. Klein Tours contribuye al desarrollo económico de Ecuador.

3

Expansión En parejas, contesten estas preguntas.

1. ¿Creen que el jefe de una compañía es más feliz que el resto de los empleados? ¿Por qué?
2. ¿Creen que las condiciones de trabajo de la gente de Quito son justas? Den ejemplos.
3. ¿Qué creen que mantiene motivados a los empleados de Klein Tours? ¿Por qué?

Corresponsal: Mónica Díez
País: Ecuador

¡Qué hermosa vista!, ¿verdad? Ahora estamos en la colina del Panecillo, un mirador desde el cual puedes observar toda la ciudad de Quito. Pero hoy vamos a hablar de algo que nos afecta a todos. Adivina qué es: ¡el trabajo, por supuesto!

Nuestra principal estrategia de ventas° es promover nuestra naturaleza, nuestra historia, nuestra cultura y nuestra gente. [...] La mayoría de nuestros visitantes vienen de Estados Unidos, Alemania, Francia y todo el resto del mundo.

Te ofrecemos experiencia, conocimiento y diversión. [...] Conoces a mucha gente interesante y sobre todo tienes la oportunidad de promocionar al país.

estrategia de ventas *sales strategy*

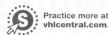
Practice more at
vhlcentral.com.

PUEDO hablar sobre el mundo del trabajo en Ecuador.

Tutorial

7.1 The present perfect

—*¿Has hablado con Álex?*

TALLER DE CONSULTA

See the **Manual de gramática, Lección 7** for these grammar topics.

7.4 Past participles used as adjectives, p. 402

7.5 Time expressions with hacer, p. 404

- In Spanish, as in English, the present perfect tense (**el pretérito perfecto**) expresses what *has happened*. It generally refers to recently completed actions or to a past that still bears relevance in the present.

  La gerente **ha cambiado** mi horario de trabajo dos veces este mes.
  The manager has changed my work schedule twice this month.

  Josefina se jubiló el año pasado, pero aún no **ha decidido** qué va a hacer.
  Josefina retired last year, but she still hasn't decided what she is going to do.

- Form the present perfect with the present tense of the verb **haber** and a past participle. Regular past participles are formed by adding **–ado** to the stem of **–ar** verbs, and **–ido** to the stem of **–er** and **–ir** verbs.

The present perfect		
comprar	**beber**	**recibir**
he comprado	he bebido	he recibido
has comprado	has bebido	has recibido
ha comprado	ha bebido	ha recibido
hemos comprado	hemos bebido	hemos recibido
habéis comprado	habéis bebido	habéis recibido
han comprado	han bebido	han recibido

TALLER DE CONSULTA

When used as adjectives (**la puerta** *abierta*, **los documentos** *escritos*), past participles must agree in number and gender with the noun or pronoun they modify. See **Manual de gramática, 7.4, p. 402.**

While English speakers often use the present perfect to express actions that *continue* into the present time, Spanish uses the phrase **hace** + [*period of time*] + **que** + [*present tense*]. See **Manual de gramática, 7.5, p. 404.**

- Note that past participles do not change form in the present perfect tense.

  No **he recibido** la tarjeta de débito. Mis hijos no **han recibido** las suyas tampoco.
  I haven't received the debit card. My children haven't received theirs, either.

  No se la **hemos mandado** porque el contador no **ha mandado** el correo todavía.
  We haven't sent it to you because the accountant hasn't sent the mail yet.

- To express that something *has just happened*, use **acabar de** + [*infinitive*], not the present perfect.

  Le **acabamos de ofrecer** el puesto.
  We have just offered him/her the position.

- When the stem of an **–er** or **–ir** verb ends in **a, e,** or **o**, the past participle requires a written accent (**–ído**) to maintain the correct stress. No accent mark is needed for stems ending in **u**.

ca-er → caído	**le-er → leído**
o-ír → oído	**constru-ir → construido**

- Several verbs have irregular past participles.

abrir	**abierto**	**morir**	**muerto**
cubrir	**cubierto**	**poner**	**puesto**
decir	**dicho**	**resolver**	**resuelto**
descubrir	**descubierto**	**romper**	**roto**
escribir	**escrito**	**ver**	**visto**
hacer	**hecho**	**volver**	**vuelto**

—Le **he dicho** lo que pensamos.

He escrito varias veces al gerente. ¿Por qué no me **ha abierto** la cuenta?
I have written the manager several times. Why hasn't he opened the account for me?

Hablé con el gerente y ya **hemos resuelto** el problema.
I spoke with the manager, and we have already resolved the problem.

- In the present perfect, pronouns and the word **no** precede the verb **haber**.

  ¿Por qué **no has depositado** más dinero en tu cuenta de ahorros?
  Why haven't you deposited more money in your savings account?

  Porque ya **lo he invertido** en la bolsa de valores.
  Because I have already invested it in the stock market.

—No **ha sido** una decisión fácil.

Práctica

1

Mentiras Completa el diálogo con las formas del pretérito perfecto de los verbos.

DIRECTORA ¿Dónde (1) _____ (estar) tú toda la mañana y qué (2) _____ (hacer) con mi computadora portátil?

SECRETARIO Ay, (yo) (3) _____ (tener) la peor mañana de mi vida... Resulta que ayer fui a cinco bancos con su computadora portátil y creo que la olvidé en alguna parte.

DIRECTORA Me estás mintiendo, en realidad la (4) _____ (romper), ¿no?

SECRETARIO No, no la (5) _____ (romper); la (6) _____ (perder). Por eso esta mañana (7) _____ (volver) a todos los bancos y le (8) _____ (preguntar) a todo el mundo si la (9) _____ (ver).

DIRECTORA ¿Y?

SECRETARIO Todos los gerentes me (10) _____ (decir) que vuelva mañana.

2

¿Qué has hecho? Escribe una oración indicando si has hecho o no cada actividad. Si no la has hecho, añade más información.

> **Modelo** Ir a Bolivia
> No he ido a Bolivia, pero he viajado a Paraguay.

1. Viajar a un país hispanohablante
2. Ganar la lotería
3. Estar bajo presión
4. Estar en bancarrota
5. Comer caracoles (*snails*)
6. Ahorrar diez mil dólares
7. Conocer al presidente del país
8. Estar despierto/a por más de dos días
9. Tener una entrevista de trabajo
10. Enfermarse durante unas vacaciones

3

Empleo Juan Carlos responde las preguntas de su amigo Marcos sobre todo lo que ha hecho hasta ahora para buscar un empleo como programador. En parejas, ordenen cronológicamente lo que ha hecho y, luego, representen la conversación ante la clase utilizando el pretérito perfecto.

> **Modelo** MARCOS: ¿Qué has hecho primero?
> JUAN CARLOS: Primero he...

_____	a. Leer los anuncios
_____	b. Entrevistarme con el gerente
_____	c. Escribir un currículum vitae (*résumé*)
_____	d. Enviar el currículum vitae
_____	e. Planear una entrevista con el gerente
_____	f. Estudiar programas de computación en la universidad

Practice more at
vhlcentral.com.

Comunicación

Preguntas En parejas, háganse preguntas sobre sus experiencias en cada una de estas categorías. Usen el pretérito perfecto. Después, háganse una pregunta más sobre una categoría que no aparezca en la lista.

> **Modelo** **los parques nacionales**
> —¿Has visitado el Parque Nacional Madidi?
> —No, no he visitado el Parque Nacional Madidi.

1. otros países	5. la comida
2. los deportes	6. los empleos
3. los idiomas extranjeros	7. el cine
4. las compras	8. las personas famosas

20 preguntas En grupos de tres, cada uno piensa en una persona famosa sin decir quién es. Túrnense para hacer preguntas usando el pretérito perfecto para adivinar el nombre de cada celebridad.

Carta En grupos de tres, imaginen que han estado en Bolivia durante algunos días por razones de trabajo. Escriban una carta contándole a un(a) amigo/a qué actividades han realizado de acuerdo a los dibujos. Usen el pretérito perfecto y sean creativos/as.

> **Nota CULTURAL**
>
> El **Parque Nacional Madidi** de Bolivia, ubicado en la cordillera de **los Andes**, cuenta con uno de los ecosistemas mejor preservados de **Suramérica**. En este parque enorme viven más especies protegidas que en cualquier otro parque en el mundo.

PUEDO decir qué he hecho.

Tutorial

7.2

The present perfect subjunctive

*—Y me halaga que **hayas pensado** en mí para este puesto.*

TALLER DE CONSULTA

The past perfect subjunctive is covered in **8.2, p. 288**. To review the present and past subjunctive, see **3.1, pp. 96–98; 4.1, pp. 136–137; 6.1, pp. 212–213**; and **6.2, pp. 216–217**.

- The present perfect subjunctive (**el pretérito perfecto del subjuntivo**) is formed with the present subjunctive of **haber** and a past participle.

The present perfect subjunctive

cerrar	perder	asistir
haya cerrado	haya perdido	haya asistido
hayas cerrado	hayas perdido	hayas asistido
haya cerrado	haya perdido	haya asistido
hayamos cerrado	hayamos perdido	hayamos asistido
hayáis cerrado	hayáis perdido	hayáis asistido
hayan cerrado	hayan perdido	hayan asistido

- The present perfect subjunctive is used to refer to recently completed actions or past actions that still bear relevance in the present. It is used mainly in the subordinate clause of a sentence whose main clause expresses will, emotion, doubt, or uncertainty.

Present perfect indicative	Present perfect subjunctive
Luis **ha dejado** de usar su tarjeta de crédito.	No creo que Luis **haya dejado** de usar su tarjeta de crédito.
Luis has stopped using his credit card.	*I don't think Luis has stopped using his credit card.*

¡ATENCIÓN!

In a multiple-clause sentence, the choice of tense for the verb in the subjunctive depends on *when* the action takes place in each clause. The present perfect subjunctive is used primarily when the action of the main clause is in the present tense, but the action in the subordinate clause is in the past.

- Note the different contexts in which you must use the subjunctive tenses you have learned so far.

Present subjunctive	Present perfect subjunctive	Past subjunctive
Las empresas multinacionales **buscan** empleados que **hablen** varios idiomas.	**Prefieren** contratar a los que **hayan viajado** al extranjero.	Antes, casi todas **insistían** en que los solicitantes **tuvieran** cinco años de experiencia.
Multinational companies are looking for employees who speak several languages.	*They prefer to hire those who have traveled abroad.*	*In the past, almost all of them insisted that applicants have five years of experience.*

Práctica y comunicación

Nota
CULTURAL

El **Centro de Artes Visuales**, en **Asunción, Paraguay**, es el resultado de la unión de tres museos: el **Museo del Barro**, que presenta colecciones de arte popular; el **Museo de Arte Indígena**, que muestra colecciones de arte de las diferentes etnias, y el **Museo Paraguayo de Arte Contemporáneo**, que exhibe obras de arte urbano iberoamericano.

1 **Seleccionar** Elige la opción correcta.

1. Es imposible que el nivel de desempleo (ha / haya) subido.

2. Prefieren contratar un empleado que (ha / haya) trabajado en una empresa multinacional.

3. Estoy seguro de que el nuevo gerente se (ha / haya) aprendido todos nuestros nombres.

4. Busco al joven que (ha / haya) solicitado empleo en el Museo del Barro.

5. No creo que la bancarrota (ha / haya) sido la mejor opción.

2 **Mentirosa** Tu amiga Isabel te ha llamado para contarte todos sus éxitos en España. Contesta diciéndole que no crees nada de lo que te dice. Usa el pretérito perfecto del subjuntivo, y los verbos y expresiones de la lista.

No creo	Es improbable
Dudo	No es cierto
Es imposible	No es probable

Isabel	Tú
1. He ido de compras con Letizia Ortiz, la reina de España.	1. _____
2. Mi jefe me ha aumentado el sueldo un 100%.	2. _____
3. Mi compañía me ha declarado la mejor empleada del año.	3. _____
4. El rey Felipe ha visitado la oficina donde trabajo.	4. _____
5. El gerente me ha pedido que me quede en España para siempre.	5. _____

3 **Competencia profesional** En parejas, imaginen que los/las dos eran candidatos/as para mejor empleado/a del año. Uno/a de ustedes ha ganado el premio y, cuando salen de la empresa, se encuentran y discuten. Representen la situación usando el pretérito perfecto del subjuntivo.

> **Modelo** —¿Quieres saber la verdad? Me sorprende que te hayan elegido a ti.
> —¿Por qué? ¿Dudas que yo haya hecho un buen trabajo este año?

PUEDO expresar mi opinión sobre lo que otra persona ha hecho.

Practice more at **vhlcentral.com**.

Tutorial

7.3

Uses of *se*

The passive *se*

TALLER DE CONSULTA

In passive constructions, the object of a verb becomes the subject of the sentence.

Active: **La compañía necesita más fondos**. *The company needs more funds.*
Passive: **Se necesitan más fondos**. *More funds are needed.*

For more on the passive voice, see **10.1, p. 354.**

- In Spanish, the pronoun **se** is often used to express the passive voice when the agent performing the action is not stated. The third person singular verb form is used with singular nouns, and the third person plural form is used with plural nouns.

  Se subirán los impuestos a final de año.
  Taxes will be raised at the end of the year.

  Se necesita un cajero automático en este edificio.
  An ATM is needed in this building.

Se busca *director financiero.*

- When the passive **se** refers to a specific person or persons, the personal **a** is used and the verb is always singular.

  Se despidió al vendedor por llegar tarde.
  The salesperson was fired for being late.

  Se informó a los dueños de los cambios en el presupuesto.
  The owners were informed of the budget changes.

The impersonal *se*

- **Se** is also used with third person singular verbs in impersonal constructions where the subject of the sentence is indefinite. In English, the words *one, people, we, you,* or *they* are often used for this purpose.

  Se habla mucho de la crisis.
  People are talking about the crisis a lot.

  Se dice que es mejor prestar que pedir prestado.
  They say it is better to lend than to borrow.

  ¿**Se puede** vivir sin dinero?
  Can one live without money?

  No **se debe** invertir todo en la bolsa de valores.
  You shouldn't invest everything in the stock market.

- Constructions with the impersonal **se** are often used on signs and warnings.

  Se habla español.
  We speak Spanish.

  Se busca camarero.
  Waiter wanted.

  Se alquilan apartamentos.
  Apartments for rent.

  No se aceptan tarjetas de crédito.
  We don't accept credit cards.

Se to express unexpected events

*Al hijo **se le dañó** el contrato.*

- **Se** is also used in statements that describe accidental or unplanned incidents. In this construction, the agent who performs the action is de-emphasized, implying that the incident is not his or her direct responsibility.

	INDIRECT OBJECT PRONOUN	VERB	SUBJECT
Se	**me**	**perdió**	**el reloj.**

- In this construction, the person(s) to whom the event happened is/are expressed as an indirect object. What would normally be the direct object of the English sentence becomes the subject of the Spanish sentence.

	INDIRECT OBJECT PRONOUN	VERB	SUBJECT
Se	**me**	**acabó**	**el dinero.**
	te	**cayeron**	**las gafas.**
	le	**ocurrió**	**una buena idea.**
	nos	**dañó**	**la radio.**
	os	**olvidaron**	**las llaves.**
	les	**perdió**	**el documento.**

- These verbs are frequently used with **se** to describe unplanned events.

acabar *to finish, to run out*	**olvidar** *to forget*
caer *to fall, to drop*	**perder (e:ie)** *to lose*
dañar *to damage, to break*	**quedar** *to leave behind*
ocurrir *to occur*	**romper** *to break*

Se me quedó la tarjeta de crédito en el almacén.
I left my credit card at the store.

Se nos dañó la computadora en la reunión con los ejecutivos.
Our computer broke at the meeting with the executives.

- To clarify or emphasize the person(s) to whom the unexpected occurrence happened, the construction sometimes begins with **a** + [*noun*] or **a** + [*prepositional pronoun*].

A María siempre se le olvida pagar los impuestos.
María always forgets to pay her taxes.

A mí se me cayeron todos los documentos en medio de la calle.
I dropped all the documents in the middle of the street.

Práctica

1

Unir Une las frases de la columna A con las frases correspondientes de la columna B.

A	B
_____ 1. A la empresa	a. se les pagó el sueldo mínimo.
_____ 2. A los empleados	b. se le dio un aumento.
_____ 3. A mí	c. se nos depositó el sueldo en la cuenta.
_____ 4. A nosotros	d. se le exigió pagar más impuestos.
_____ 5. A ti	e. se te olvidó pagar la tarjeta de crédito.
	f. se me dañó la computadora.

2

Completar La empresa para la que trabajas ha cambiado algunas reglas. Complétalas con frases impersonales con **se**.

Las nuevas reglas de la oficina son:

1. _____ (trabajar) de ocho a seis.

2. No _____ (deber) comer en las oficinas.

3. _____ (prohibir) los teléfonos celulares.

4. _____ (tener) sólo veinte minutos para almorzar.

5. No _____ (permitir) las llamadas telefónicas personales.

6. _____ (prohibir) escuchar la radio en la oficina.

3

Accidentes

A. Describe qué sucedió en cada situación. Usa **se** y el verbo entre paréntesis.

> **Modelo** **No encuentro las llaves por ningún lado. (perder)**
> Se me perdieron las llaves.

1. Dejamos el presupuesto en la oficina. (olvidar)

2. Un virus atacó la computadora que compré hace poco. (dañar)

3. Después de pagar todas las deudas, Julián y Pati no tenían más dinero en la cuenta. (acabar)

4. Tienes varias ideas buenas para luchar contra la pobreza. (ocurrir)

5. Tony no recuerda dónde puso las solicitudes (*applications*) que llevaba para las entrevistas. (perder)

6. Iba con demasiada prisa y tropecé (*tripped*). Ahora los papeles están por todo el suelo. (caer)

7. No pensamos que los vasos estuvieran en peligro en el nuevo lavaplatos. (romper)

8. Carlos y Emilia dijeron que traerían las fotos de sus últimas vacaciones, pero no las tienen. (olvidar)

B. Usando las oraciones anteriores como modelo, describe tres situaciones que te hayan pasado a ti o a alguien que conoces.

Practice more at
vhlcentral.com.

Comunicación

4

La escuela Marcos y Marta son estudiantes, y les cuentan a sus padres qué se hace en la escuela. En parejas describan lo que se hace usando el **se** impersonal y las notas de Marcos y Marta.

Aprender a...

Comer en...

Estudiar...

Hacer...

Compartir...

Hablar con...

Jugar...

Usar...

Practicar...

Escribir...

5

Oraciones En parejas, imaginen que son dueños de una empresa y van a hablar con sus empleados sobre algunas decisiones que se han tomado. Formen oraciones con los elementos de la lista e inventen otros.

contratar	el dinero
exigir	dos ingenieros/as
no se puede	mientras usan la computadora
se decidió	nuevos/as empleados/as
se despidió	para el puesto
se entrevistaron	para los sueldos
se me acabó	perezosos/as
	tres estudiantes

6

Carteles En parejas, imaginen qué otras cosas se hacen en el lugar donde se encuentra cada cartel. Escriban oraciones usando **se**. Luego, la clase tiene que adivinar qué lugar están describiendo.

Modelo —Se prestan libros. Se estudia y se consultan diccionarios. Se pide y se da información para hacer investigaciones.
—Es la biblioteca.

Se prohíbe hablar.

Se venden insectos.

Se leen las manos.

Se necesitan estudiantes de español.

Sólo se habla guaraní.

PUEDO decir qué se hace.

Síntesis

Luis Gabriel

Rosa

Paula Andrea

Víctor

Juan Enrique

Camila

1 **Entrevista de trabajo** En parejas, representen una entrevista de trabajo entre un(a) gerente y un(a) candidato/a a un puesto. Decidan cuál de las personas en las fotos es quién y cuál es el puesto que se ofrece. Usen el pretérito perfecto y la tabla como guía.

Entrevista de trabajo	
Experiencia	Nombre de la compañía, tipo de trabajo, tiempo en la compañía
Educación	Lugar de estudio (universidad, escuela secundaria, etc.), título(s)
Otras habilidades	Pasatiempos, conocimientos de computación, idiomas
Expectativas económicas	Sueldo, beneficios
Expectativas de trabajo	Responsabilidades

2 **Carta** En grupos pequeños, imaginen que un(a) compañero/a de trabajo ha sido despedido/a injustamente. Escríbanle una carta al/a la dueño/a de la compañía en la que expresen su asombro (*astonishment*) por lo sucedido. Recuerden que ustedes todavía trabajan allí. Usen el presente del subjuntivo y el pretérito perfecto del subjuntivo.

3 **Consecuencias** En parejas, escojan tres acontecimientos y escriban dos consecuencias lógicas para cada uno usando construcciones con **se** y frases impersonales.

Modelo **Una crisis económica**
Se pierden los empleos. Se ahorra el dinero.

- El traslado de su lugar de trabajo
- Un(a) nuevo/a jefe/a
- Una huelga de trabajadores
- La pérdida de todos sus ahorros
- Un aumento de sueldo
- Un aumento en las horas de trabajo

PUEDO hacer una entrevista de trabajo.

Preparación

Vocabulario de la lectura

abastecer *to supply*
desaprovechar *to waste, to misuse*
el hallazgo *finding*
el/la inversionista *investor*

la represa *dam*
las riquezas *riches*
el yacimiento *deposit*

Vocabulario útil

la cantera *quarry*
la compra *purchase*
la escasez *shortage*
el gasoducto *gas pipeline*
quejarse *to complain*

1

Emparejar Relaciona cada frase de la columna A con la mejor opción de la columna B.

A

_____ 1. Expresar insatisfacción, protestar

_____ 2. Una persona que da dinero a una empresa para después recibir beneficios

_____ 3. Construcción que sirve para desviar (*divert*) el curso de un río y contener el agua

_____ 4. Insuficiencia de un recurso necesario o dificultad para conseguirlo

_____ 5. Acción de pagar dinero a cambio de un producto

B

a. represa
b. compra
c. inversionista
d. quejarse
e. escasez

2

Recursos naturales En parejas, contesten estas preguntas.

1. ¿Qué recursos naturales tiene la región donde viven?
2. ¿Cómo los/las benefician a ustedes personalmente esos recursos naturales?
3. ¿Qué empleos existen gracias a esos recursos?
4. ¿Cómo se aprovechan económicamente los recursos del país donde viven? ¿Cómo se malgastan?
5. ¿Qué compañías dedicadas a la explotación de recursos naturales existen en su país?
6. Miren el mapa de Suramérica en la página xxxi. ¿Qué recursos naturales creen que hay en cada región?

3

Apoyo y oposición En grupos de tres, opinen si apoyan o si están en contra de la explotación de los recursos naturales. Tengan en cuenta:

- Los efectos de la explotación de los recursos en la naturaleza
- La política para aprovechar económicamente los recursos
- Los empleos que crea la explotación de los recursos
- La importancia de conservar los recursos para el futuro
- Los costos de importar recursos
- Los efectos de la explotación de los recursos en la salud de las personas

Recursos naturales: una salida al mundo

▶ **Cultura en pantalla**

Visita **vhlcentral.com** y encuentra más información sobre los **Indígenas bolivianos y el negocio de los hidrocarburos.**

CULTURA

Ⓢ Audio: Reading

Los recursos naturales incluyen no sólo las materias primas° como los combustibles, los minerales y los metales, sino también los animales, las plantas, los alimentos, el suelo, el agua, el aire y los ecosistemas que los humanos pueden aprovechar y cuidar. Son precisamente los recursos naturales los que han facilitado a países como Bolivia y Paraguay la apertura° de sus economías al mundo entero. Veamos cómo ambos países se han convertido en potencias exportadoras de gas natural y de energía eléctrica a pesar de presentar una desventaja geográfica común: carecer° de una salida directa al mar.

La producción de energía paraguaya dependía en gran medida del aprovechamiento de la madera, pero entre 1961 y 2008 se fue reduciendo gradualmente la superficie forestal en el país. Esto condujo a la disminución en la explotación maderera y obligó a considerar otras fuentes de energía. Al no existir la infraestructura adecuada para producir energía hidráulica, los ríos, como el poderoso Paraná, y sus afluentes° eran desaprovechados. Ante las necesidades energéticas del país, se analizaron las posibilidades de generar energía eléctrica. Por eso se pensó en construir una represa en la frontera con Brasil y permitir a los Estados Unidos levantar una central termonuclear en territorio paraguayo. Sin embargo, las propuestas de asociación por parte del gobierno paraguayo e inversionistas brasileños y argentinos cambiaron el rumbo° de estos proyectos. Se decidió entonces la construcción de tres grandes represas: la del Acaray, la del Itaipú, en compañía con Brasil, y la de Yacyretá, en alianza con Argentina.

La central hidroeléctrica Acaray fue la primera construida en Paraguay. La represa binacional del Itaipú es una de las más grandes del mundo y corresponde en igual porcentaje tanto a Brasil como a Paraguay. Por su parte, la central de Yacyretá abastece el 15% de la demanda eléctrica anual argentina. Estas represas han generado grandes riquezas y han logrado que Paraguay pueda abastecerse a sí mismo y convertirse en el mayor exportador de energía eléctrica de Latinoamérica.

raw materials
opening
lack
tributaries
direction

Bolivia y los carros del futuro

Debajo de los desiertos de sal bolivianos se encuentra casi la mitad de las reservas mundiales de litio°, un mineral necesario para la fabricación de las baterías de carros híbridos y eléctricos. De acuerdo con las reformas constitucionales adoptadas en Bolivia en 2009, los pueblos indígenas podrían tener derecho a explotar los minerales que se encuentran debajo de su territorio. ¿Podrá competir la explotación minera artesanal de los indígenas bolivianos con otras industrias de producción de litio en Latinoamérica? ¿Cómo se controlará la explotación de este mineral? ¿Cómo será el diálogo entre las empresas de explotación y el gobierno y el pueblo bolivianos? Son muchos los interrogantes, pero el potencial es enorme.

lithium

Hace unas décadas Bolivia exportaba principalmente metales y soja°. Esto cambió entre 1997 y 2005 cuando aumentaron en un 600% las reservas de gas natural confirmadas en el país gracias al hallazgo de nuevos yacimientos. Así, Bolivia escaló hasta el segundo puesto en Latinoamérica en reservas de gas, después de Venezuela. No obstante, Bolivia continúa siendo un fuerte exportador agrícola y minero. Entre los metales explotados y exportados se encuentran oro, plata, zinc y estaño°. Sin embargo, el gas natural es el recurso que le ha generado más desarrollo y riquezas y se ha convertido en el principal producto de exportación, siendo Brasil y Argentina los clientes más importantes. Gracias a sus extensas reservas, las regiones del Tarija, Potosí y Santa Cruz han sido las más beneficiadas. Las condiciones de trabajo han mejorado, y quienes empezaron como pequeños productores están expandiendo actualmente sus compañías mineras.

Paraguay y Bolivia han recibido propuestas para ampliar sus mercados a nivel internacional. Esto les abre estupendos horizontes y mercados y, lo más importante, les da a ambos países la oportunidad de sobresalir° como grandes proveedores° de energía. Los convierte en candidatos, ¿por qué no?, a alcanzar poderío económico a nivel mundial. ■

soy
tin
excel
suppliers

Análisis

1 Comprensión Contesta las preguntas.

1. ¿En qué son potencias Paraguay y Bolivia en la actualidad?
2. Antes de la electricidad, ¿cuál era una de las principales fuentes de energía en Paraguay?
3. ¿Cuáles son las tres grandes represas que existen en Paraguay?
4. ¿Qué países se asociaron con Paraguay para construir las represas?
5. Antes del gas natural, ¿qué productos eran los que más exportaba Bolivia?
6. ¿Qué recursos naturales abundan en la tierra boliviana?
7. ¿Por qué en las provincias bolivianas de Tarija, Potosí y Santa Cruz se han mejorado las condiciones de trabajo y están creciendo las pequeñas empresas mineras?
8. Existen otros recursos naturales además de las materias primas, ¿puedes mencionar por lo menos tres de ellos?

2 Análisis En parejas, contesten las preguntas y expliquen sus respuestas.

1. ¿Cuáles creen que son los aspectos positivos y negativos de la explotación de los recursos naturales en Bolivia y Paraguay? ¿Por qué?
2. ¿Creen que estos países pueden llegar a ser potencias mundiales si siguen haciendo buen uso de sus recursos? ¿Qué más tendrían que hacer para lograrlo?
3. ¿Conocen otros países donde la explotación y exportación de recursos naturales hayan sido fundamentales para su desarrollo económico y social? ¿Cuáles? ¿Qué recursos tienen? Compara estos países con Bolivia y Paraguay.
4. ¿Qué impacto puede tener en Bolivia la explotación del litio? ¿Creen que la posible explotación del litio por comunidades indígenas locales podría mejorar sus condiciones actuales sin afectar sus tradiciones o, por el contrario, podría causar un efecto cultural adverso?

3 Recursos naturales

A. En grupos de tres realicen una lluvia de ideas y escriban dos listas: una de recursos naturales renovables y otra de recursos no renovables.

B. En los mismos grupos, elijan una de las dos listas y respondan estas preguntas:

Recursos renovables
Del listado, ¿cuál creen que sea el recurso más caro? ¿Cuál es el más utilizado en sus casas? Entre ellos, ¿cuál es el menos aprovechado? ¿Piensan que los recursos renovables podrían volverse no renovables? Expliquen la respuesta.

Recursos no renovables
¿Cuál es el recurso no renovable más barato? ¿Qué recurso es el más escaso en el país donde estudian? ¿Cuál creen que sea el recurso no renovable que más se importa en los Estados Unidos? ¿Piensan que es importante ayudar a reducir el consumo de recursos no renovables? ¿Por qué? ¿Será más bien una responsabilidad de los gobiernos de los países?

Practice more at vhlcentral.com.

PUEDO investigar las economías de Bolivia y Paraguay.

Preparación

Sobre la autora

Nila López (1954–) estudió psicopedagogía y se dedicó a la enseñanza en varias instituciones de su país natal, Paraguay. Se ha dedicado al periodismo y a las industrias editorial y televisiva, como escritora, presentadora, actriz, guionista y productora. Sus poemas, novelas, obras de teatro y cuentos están dirigidos a diferentes públicos, entre ellos los adolescentes y niños. Entre muchos otros temas, su obra explora las idiosincrasias de los paraguayos con relación al mundo y a sí mismos, así como aspectos felices y dolorosos de tener esa nacionalidad.

Vocabulario de la lectura	**Vocabulario útil**
acarrear *to haul; to carry*	**la capacidad** *ability*
el buey *ox*	**consolar (o:ue)** *to console*
la carreta *cart*	**la (in)dignidad** *(in)dignity*
la carretilla *wheelbarrow*	**la pesadilla** *nightmare*
endurecer *to harden*	**el respeto** *respect*
el/la excombatiente *war veteran*	
la limosna *spare change*	
sitiado/a *under siege*	
el trajín *hustle and bustle*	
la trinchera *trench*	

1

Vocabulario Completa las oraciones con palabras del vocabulario.

1. No dejes _____ tu corazón y siempre intenta ser generoso y comprensivo.

2. El _____ tuvo dificultades al regresar de la guerra a vivir en su pueblecito.

3. Desde muy temprano, los domingos que hay partido hay mucho _____ cerca del estadio de fútbol.

4. Dar _____ no es una solución definitiva, pero puede ayudar a alguien con necesidades urgentes.

5. Tuvimos que _____ los materiales de construcción hasta otra ciudad.

6. El _____ viejo sigue tirando de la carreta con la poca energía que le queda.

2

Trabajos En parejas, contesten las preguntas. Usen ejemplos concretos en sus respuestas.

1. ¿Crees que los trabajos modifican la manera de ser de las personas? ¿Sus maneras de estar y relacionarse con los demás? ¿Sus maneras de hablar?

2. ¿Hay trabajos que sólo pueden ser hechos por personas de cierta edad? ¿Cuáles y por qué?

3. Suele decirse que los trabajos monótonos y repetitivos producen "alienación", es decir, una pérdida del sentimiento de la propia identidad. ¿Qué trabajos te parecen "alienantes"?

4. ¿Es mejor tener un trabajo que sea divertido o trabajar para ganar dinero y divertirse fuera del trabajo? ¿Por qué?

El carretillero

Nila López

Todo comenzó un día cualquiera sitiado por la desesperanza. Anastasio Pereira, como otros excombatientes, había agotado sus recursos intentando conseguir alguna ocupación, por más humilde e insalubre que fuera.

Viejo pero muy lúdico, él era inteligente, sabía leer y escribir. ¿A quién sino a su "compí°" de siempre, a Barreto, se le iba a ocurrir semejante idea? "La única solución es que vengas conmigo al mercado, ya estamos censados°, ya nos respetan, ya somos cerca de mil".

"Pero —dijo tímidamente Pereira— ¿te parece pío que es con mi fuerza bruta que yo puedo hacer todavía algo por mi gente, por mi país?" "No importa —replicó Barrero—, en la trinchera no te preocupabas de por qué y para qué estabas allí luchando por tu patria".

Yo no sé —se entristeció don Anastasio— si acarrear bolsas bajo el sol de la siesta puede ser una contribución para el país. ¿Acaso le voy a defender a alguien así? Para mí, un hombre nunca puede ser comparado con una mula. Yo pienso, yo siento.

Para mí, un hombre nunca puede ser comparado con una mula.

—Tenés fuerza también. Tenés fuerza todavía. Si no podés hacer otra cosa, si ya golpeaste montones de puertas que no se abrieron o se cerraron con violencia contra tu cara, no te vas a quedar en la calle todo el día. Por lo menos no es algo tan humillante como cuidar autos, porque ahí sí, estás parado únicamente, y la gente te da una limosna por conmiseración. Aquí cobrarás lo justo, a cambio de tu trabajo. Y la paga es al instante. Cincuenta, cien que van sumando.

—Bueno...

Mientras esperaban el ómnibus, don Anastasio se preguntaba si ésa no era una claudicación°. ¿Puede un hombre culto° —se decía— ser carretillero? ¡Él había leído libros!

¿Puede un hombre culto —se decía— ser carretillero? ¡Él había leído libros!

Y con la carretilla, empuñó sus mangos° con rabia. Se resistió un poco... Para él esto significaba convertirse en el buey de la carreta. Pero, como suele suceder, don Anastasio se fue acostumbrando, y llegó a sentirse parte de ese mundo donde las arrobas° se determinan "a ojo°" y los olores marean° al principio hasta que ya uno mismo los busca, se vuelven casi necesarios.

La changa° cotidiana, hecha de sudores°, le fue endureciendo los delicados músculos. Aprendió a gritar y hasta a atropellar todo lo que encontraba enfrente, acuciado por el ritmo de ese trajín, contagiado, en fin, de la brusquedad imperante en ese laberinto de gente y mercancía.

Nada lo detenía. Ni el frío en las madrugadas de julio.

A veces, exhausto, convertía su ganapán en cama e intentaba dormir. Pero siempre soñaba que transportaba cajones y cajones perseguido por una música endiablada, cada vez más rápido, derribando a su paso a miles de soldados.

No transcurrió mucho tiempo para que Anastasio Pereira descubriera la trampa: ésta también era una guerra. Aquí no había sargentos, tenientes, capitanes, comandantes... Aquí había gente igual que él, gente sin rótulos°, gente peleando para salvar° el día. ■

buddy

registered

capitulation / educated

handles

units of weight / approximately / make sick

odd job; gig / blood, sweat, and tears

names / to save

Análisis

1 **Comprensión** Indica si estas afirmaciones son ciertas o falsas. Corrige las falsas.

1. Anastasio Pereira es un excombatiente que busca trabajo.

2. A Anastasio le cuesta conseguir trabajo porque él quiere una buena ocupación en que lo traten bien.

3. Barreto, un amigo de Anastasio, le propone ir a trabajar con él al mercado.

4. Barreto consuela a Anastasio diciendo que hay ocupaciones peores que trabajar en el mercado, como cuidar autos.

5. A Anastasio le gusta la idea de acarrear bolsas para hacer una contribución al país.

6. Anastasio es fuerte y se acostumbra fácilmente al nuevo trabajo.

7. El trabajo físico lo deja tan cansado que suele dormir muy plácidamente.

8. Comprende que trabajar de carretillero es similar a estar en una guerra.

2 **Interpretar** Contesta las preguntas y explica tus respuestas.

1. ¿Qué capacidades tiene Anastasio Pereira que lo hacen especial?

2. ¿Qué opina Barreto de las limosnas que da la gente por conmiseración?

3. ¿Es agradable el ambiente del mercado? ¿Por qué sí o no?

4. ¿Qué actitud tiene la sociedad en general hacia los excombatientes?

3 **Adaptaciones** En grupos de tres, piensen en estas situaciones e imaginen cómo se adaptarían a su nueva vida. ¿Qué dificultades pueden enfrentar? ¿Cómo van a adaptarse?

- Hace cuatro años ganaste medallas de oro en natación en los Juegos Olímpicos. Ahora ya no puedes competir porque ya no eres tan rápido.

- Un día ibas cantando por la calle, alguien te grabó y subió el video a Internet. El video se viralizó y ahora te has vuelto una sensación de la red.

- Cuando eras niño/a, fuiste un(a) conocido/a actor/actriz de cine y televisión. Ahora tienes quince años; ya no puedes hacer los mismos papeles.

4 **Escribir** Imagina que eres un(a) periodista que escribe un editorial sobre la situación de los excombatientes a partir del ejemplo de Anastasio Pereira. Usa la información del texto junto a tus opiniones sobre lo que se debe hacer.

Plan de redacción

Escribir un editorial

1 **Una escena** Comienza por describir una imagen impactante de Anastasio Pereira. ¿Dónde está? ¿Cuál es su trabajo? ¿En qué estado se encuentra? ¿Qué ropa tiene?

2 **Una historia** A partir de lo que sabes y puedes imaginar de Anastasio Pereira, cuenta la historia de su vida. ¿Luchó por la patria? ¿Qué le pasó al regresar de la guerra? ¿Cómo lo trató la sociedad?

3 **Un reclamo** Con pasión, exige que los lectores tomen medidas para ayudar e integrar a Anastasio Pereira en la sociedad. ¿Cómo debería la sociedad tratar a excombatientes como él? ¿Tiene la sociedad una deuda con él? ¿Cómo puede contribuir él a la sociedad?

Practice more at vhlcentral.com.

PUEDO opinar sobre la situación de los excombatientes.

El trabajo y las finanzas

 Vocabulary Tools

El mundo laboral

el almacén *department store; warehouse*
el aumento de sueldo *pay raise*
la compañía *company*
el desempleo *unemployment*
la empresa (multinacional) *(multinational) company*
el horario de trabajo *work schedule*
el impuesto *tax*
el mercado *market*
el presupuesto *budget*
el puesto *position, job*
la reunión *meeting*
el sindicato *labor union*
el sueldo (mínimo) *(minimum) wage*

acosar *to harass*
administrar *to manage, to run*
ascender (e:ie) *to rise, to be promoted*
contratar *to hire*
despedir (e:i) *to fire*
estar a la/en venta *to be for sale*
estar bajo presión *to be under pressure*
exigir *to demand*
ganarse la vida *to earn a living*
jubilarse *to retire*
renunciar *to quit*
solicitar *to apply for*
tener conexiones *to have connections; to have influence*

administrativo/a *administrative*
(in)capaz *(in)capable, (in)competent*
desempleado/a *unemployed*
perezoso/a *lazy*
trabajador(a) *hard-working*

La economía

los ahorros *savings*
la bancarrota *bankruptcy*
la bolsa de valores *stock market*
el cajero automático *ATM*
la crisis económica *economic crisis*
la cuenta corriente *checking account*
la cuenta de ahorros *savings account*
la deuda *debt*
la pobreza *poverty*

la riqueza *wealth*
la tarjeta de crédito *credit card*
la tarjeta de débito *debit card*

ahorrar *to save*
aprovechar *to take advantage of*
cobrar *to charge, to be paid*
depositar *to deposit*
gastar *to spend*
invertir (e:ie) *to invest*
pedir (e:i) prestado/a *to borrow*
prestar *to lend*

a corto/largo plazo *short-/long-term*
financiero/a *financial*

La gente en el trabajo

el/la asesor(a) *consultant, advisor*
el/la contador(a) *accountant*
el/la dueño/a *owner*
el/la ejecutivo/a *executive*
el/la empleado/a *employee*
el/la gerente *manager*
el hombre/la mujer de negocios *businessman/woman*
el/la obrero/a *blue-collar worker*
el/la socio/a *partner; member*
el/la vendedor(a) *salesman/woman*

agotado/a *exhausted*
dispuesto/a (a) *ready, willing (to)*
estresado/a *stressed (out)*
exitoso/a *successful*

Cortometraje

el ascenso *promotion*
la clave *key*
la eficacia *efficiency*
la excusa *excuse*
la factura *bill*
el finiquito *severance package*
la hipoteca *mortgage*
la jaula *cage*
la propuesta *proposal, offer*
la recompensa *reward*

culpar *to blame*
halagar *to flatter*

manipular *to manipulate*
reconocer *to recognize; to admit*
tentar (e:ie) *to tempt*

recalentado/a *reheated*

Cultura

la cantera *quarry*
la compra *purchase*
la escasez *shortage*
el gasoducto *gas pipeline*
el hallazgo *finding*
el/la inversionista *investor*
la represa *dam*
las riquezas *riches*
el yacimiento *deposit*

abastecer *to supply*
desaprovechar *to waste, to misuse*
quejarse *to complain*

Literatura

el buey *ox*
la capacidad *ability*
la carreta *cart*
la carretilla *wheelbarrow*
el/la excombatiente *war veteran*
la (in)dignidad *(in)dignity*
la limosna *spare change*
la pesadilla *nightmare*
el respeto *respect*
el trajín *hustle and bustle*
la trinchera *trench*

acarrear *to haul; to carry*
consolar (o:ue) *to console*
endurecer *to harden*

sitiado/a *under siege*

Objetivos comunicativos: Repaso

PUEDO dar consejos de trabajo.
• Dile a un(a) compañero/a qué hacer para obtener un buen puesto.

PUEDO decir qué se hace.
• Indica qué se hace en tu universidad. Usa el **se** impersonal para hacer una lista de cinco acciones cotidianas.

PUEDO hacer una entrevista de trabajo.
• Describe cómo prepararte para una entrevista de trabajo.

PUEDO investigar las culturas de Bolivia y Paraguay.
• Describe algo que aprendiste sobre Bolivia o Paraguay en esta lección.

LECCIÓN 8

Ciencia y tecnología

Hoy en día, la ciencia y la tecnología avanzan a pasos agigantados con relación a otras épocas. Mucho camino ha recorrido la humanidad desde que se inventó la rueda, hace más de cinco mil años. Hoy, sumas astronómicas de dinero se invierten en experimentos tecnológicos y científicos que parecen de ciencia ficción. ¿Crees que todos los avances científicos y tecnológicos son beneficiosos?

Objetivos comunicativos:
- Opinar sobre la ciencia y la tecnología
- Hablar sobre la clonación y otros avances científicos
- Describir lo que había pasado
- Investigar la cultura peruana

274 CORTOMETRAJE

El director de cine **Mateo Ramírez-Louit** nos presenta en *El clon* una tensa historia sobre las implicaciones éticas de la clonación de seres humanos.

280 IMAGINA

Realiza un breve e informativo recorrido por la historia de **Lima**. Luego, conoce algunas de las **contribuciones tecnológicas** de la América austral a la tecnología moderna.

295 CULTURA

En *Delicias peruanas*, aprende sobre un centro de la gastronomía global. Además, en el videoclip **Cultura en pantalla** podrás conocer a dos cocineros innovadores de Perú.

299 LITERATURA

En *La intrusa*, cuento del escritor argentino **Pedro Orgambide**, la llegada amenazante de una "novedad" invade la rutina de un hombre honrado y trabajador ejemplar.

277

281

272 PARA EMPEZAR

286 ESTRUCTURAS

8.1 The past perfect

8.2 The past perfect subjunctive

8.3 Uses of the infinitive

303 VOCABULARIO

Destino:
PERÚ

La tecnología y la ciencia

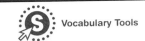
Vocabulary Tools

La tecnología

la aplicación *app*
la arroba *@ symbol*
el blog *blog*
el buscador *search engine*
el ciberespacio *cyberspace*
la computadora portátil *laptop*
la contraseña *password*

el corrector ortográfico *spell checker*
la dirección electrónica *e-mail address*
el enlace *link*
la herramienta *tool*
la informática *computer science*
el mensaje (de texto) *(text) message*
el nombre de usuario *user name*
el programa (de computación) *software*
la red *the Web*
la tableta *tablet (computer)*
el (teléfono) celular
  cell phone

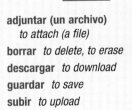

adjuntar (un archivo)
  to attach (a file)
borrar *to delete, to erase*
descargar *to download*
guardar *to save*
subir *to upload*

avanzado/a *advanced*
en línea *online*
inalámbrico/a *wireless*
innovador(a) *innovative*
revolucionario/a *revolutionary*

Los inventos y la ciencia

el ADN *DNA*
el avance *advance, breakthrough*
la célula *cell*

el desafío *challenge*
el descubrimiento *discovery*
el experimento *experiment*
el gen *gene*
la genética *genetics*
el invento *invention*
la novedad *new development*
la patente *patent*
la teoría *theory*

alcanzar *to reach, to attain*
clonar *to clone*
comprobar (o:ue) *to prove, to confirm*
contribuir *to contribute*
crear *to create*
curar *to cure*
fabricar *to manufacture*
inventar *to invent*

(bio)químico/a *(bio)chemical*
especializado/a *specialized*
(poco) ético/a *(un)ethical*

El universo y la astronomía

el agujero negro *black hole*
el espacio *space*

la estrella (fugaz) *(shooting) star*
la galaxia *galaxy*
la gravedad *gravity*
el planeta *planet*
la supervivencia *survival*
el telescopio *telescope*

aterrizar *to land*
explorar *to explore*

extraterrestre *extraterrestrial, alien*

Los científicos

el/la astronauta *astronaut*
el/la astrónomo/a *astronomer*
el/la biólogo/a *biologist*
el/la (bio)químico/a *(bio)chemist*
el/la científico/a *scientist*

el/la físico/a *physicist*
el/la ingeniero/a *engineer*
el/la investigador(a) *researcher*
el/la matemático/a *mathematician*

Práctica

1

No pertenece Identifica la palabra que no pertenece al grupo.

1. ADN • célula • contraseña • gen
2. astronauta • red • planeta • aterrizar
3. descargar • curar • adjuntar • guardar
4. patente • extraterrestre • espacio • agujero negro
5. científico • biólogo • herramienta • químico
6. novedad • descubrimiento • gravedad • avance

2

Se necesita... ¿Qué se necesita para hacer posible lo siguiente? Añade el artículo correcto *un* o *una*.

buscador	contraseña	dirección electrónica	planeta
célula	corrector ortográfico	experimento	teléfono celular
computadora portátil	desafío	patente	telescopio

1. Para encontrar una lista de sitios web útiles, se necesita _____.
2. Para recibir correo electrónico, se necesita _____.
3. Para trabajar en la playa, se necesita _____.
4. Para hacer una llamada en un autobús, se necesita _____.
5. Para escribir sin errores en la computadora, se necesita _____.
6. Para entrar en una cuenta en línea, se necesita _____.
7. Para proteger un invento, se necesita _____.
8. Para observar las estrellas y galaxias desde la Tierra, se necesita _____.

3

Actualidad científica Parece que la biotecnología no tiene límites. ¿Qué opinas tú sobre el tema?

A. Marca las afirmaciones con las que estás de acuerdo.

☐ 1. La clonación de seres humanos es una herramienta importante para luchar contra las enfermedades genéticas.

☐ 2. La genética ha ido demasiado lejos. El hombre no puede jugar a alterar la naturaleza humana. No es ético y sólo produciría sufrimiento.

☐ 3. Es injusto gastar dinero en experimentos genéticos cuando hay gente que muere de hambre.

☐ 4. Debemos seguir desarrollando la biotecnología para que un día los seres humanos seamos inmortales.

☐ 5. La clonación de seres humanos nos hará perder el respeto por la vida humana.

☐ 6. Clonar seres humanos en un mundo superpoblado (*overpopulated*) no tiene sentido.

B. Ahora, compara tus opiniones con las de un(a) compañero/a. ¿Cuáles son los aspectos positivos y negativos de la manipulación genética?

PUEDO opinar sobre la ciencia y la tecnología.

Practice more at
vhlcentral.com.

Preparación

Vocabulario del corto

autosubvencionarse *to cover one's own expenses*

condenado/a *condemned*

la editorial *publisher*

la imprenta *printer*

los ingresos *income*

las lentillas *contact lenses*

el relato *short story*

someterse a *to undergo*

el tocho *tome*

Vocabulario útil

la clave *key*

el complejo de inferioridad/superioridad *inferiority/superiority complex*

el desenlace *outcome*

la mente *mind*

el/la propietario/a *owner*

EXPRESIONES

de todas formas *at any rate*

echar una mano *to help*

hacerse pasar por *to pass oneself off as*

ir a medias *to split fifty-fifty*

mala racha *rough patch*

ponerse en serio *to get serious*

saltarse una ley *to break a law*

1

Completar Elige la mejor opción.

1. Laura va a _____ a una operación de apendicitis.

   a. someterse   b. autosubvencionarse   c. condenarse

2. Su familia tiene _____ suficientes para pagar sus estudios.

   a. mentes   b. propietarios   c. ingresos

3. Prefiero llevar gafas porque las _____ me irritan los ojos.

   a. editoriales   b. claves   c. lentillas

4. Raquel prefiere _____ sus estudios trabajando antes que pedirles dinero a sus padres.

   a. autosubvencionarse   b. hacerse pasar por   c. ir a medias

5. Sara y yo queremos _____ con nuestras clases de francés.

   a. saltarnos una ley   b. ponernos en serio   c. hacernos pasar

---

2

Escribir En parejas, escriban oraciones combinando un elemento de cada columna. Si quieren, pueden usar la misma palabra en dos o más oraciones.

propietario/a	investigar	imprenta
novelista	estar	mente
relato	guardar	clave
científico/a	escribir	revolucionario/a
psicólogo/a	tener	feliz

3

¿Y si...? En parejas, imaginen cómo sería la convivencia con un(a) hermano/a gemelo/a. Escriban una lista de las ventajas y las desventajas de una relación con una persona idéntica.

4

Conócete a ti mismo En parejas, comenten sus respuestas a cada uno de los siguientes enunciados.

	Sí	No	A veces
1. Me molesta más el desorden de los demás (*others*) que el mío propio.	☐	☐	☐
2. Para mí, el fin justifica los medios (*means*).	☐	☐	☐
3. Para mí, es más importante el tiempo que el dinero.	☐	☐	☐
4. Prefiero dar regalos que recibirlos.	☐	☐	☐
5. Necesito que los demás reconozcan mis éxitos.	☐	☐	☐
6. Nunca me pongo en serio con mis objetivos personales.	☐	☐	☐
7. Si un mesero me cobra de menos, se lo digo inmediatamente.	☐	☐	☐
8. Me gusta criticar a los demás, pero no acepto que me critiquen a mí.	☐	☐	☐

5

Clonación En grupos, respondan a estas preguntas.

1. ¿Qué saben sobre la clonación?

2. ¿Puede haber diferencias de personalidad entre dos personas genéticamente idénticas?

3. ¿Les gustaría ser clonados? ¿Por qué?

Ciencia y tecnología

Video

ARGUMENTO *Un escritor en crisis decide clonarse y descubre las trágicas consecuencias de jugar con la identidad.*

VENDEDOR ¿El señor Abel Ramos?
ABEL Soy yo.
VENDEDOR *Cloning Solution.*

ABEL ¿Y el clon será exactamente igual a mí?
VENDEDOR Al cien por cien. De todas formas, el clon se someterá a un proceso al que llamamos "pulido genético". Él no heredará su alergia al polen ni tampoco su miopía.

CLON ¿Qué? ¿Sorprendido? Déjame pasar, anda, que me han puesto una ropa horrible.

CLON ¡Qué! ¿Te ha gustado lo que he escrito?
ABEL Está bien. ¿Cómo te ha ido con el editor?
CLON Bien, me he comprometido a escribirle una historia larga, en un mes y medio.

ABEL ¿Te pasa algo?
CLON Lo único que te pido es que si vamos a medias en las obligaciones, también vayamos a medias en los beneficios.

EDITOR ¿Y el final?

Análisis

1

Contextos En grupos, identifiquen quién dice cada cita (*quote*) y a quién se la dice. Después, comenten la importancia de cada una de estas citas en el cortometraje.

Modelo
"En su caso, será un precio simbólico".

"Déjame pasar que me han puesto una ropa horrible".

"Por cierto, mañana tengo que ir a ver a Emilio a la editorial, y me va fatal".

"He conseguido dos entradas para el concierto. Ya no tienes la excusa del dinero".

"No se preocupe, ya no va a volver a despertarse".

2

Comprensión Contesta las preguntas con oraciones completas.

1. ¿Quién es Abel Ramos y dónde trabaja?
2. ¿Qué problema quiere solucionar Abel clonándose a sí mismo?
3. ¿Qué quiere saber Abel antes de firmar el contrato?
4. Según el representante de *Cloning Solution*, ¿de qué ventajas disfrutaría Abel si firmara el contrato?
5. ¿Qué defectos de Abel no tiene el clon?
6. ¿Cómo se siente Abel cuando ve a su clon por primera vez?
7. ¿Qué le sugiere el editor al clon para que los libros de Abel se vendan más?
8. ¿A qué se compromete el clon con el editor?
9. ¿Qué le exige el clon a Abel?

3

Analizar En parejas, contesten las preguntas y expliquen sus respuestas con ejemplos del corto.

1. ¿Por qué sugiere el editor escribir una novela?
2. ¿Creen que el vendedor de *Cloning Solution* llega a la casa de Abel por sorpresa o que tenía una cita?
3. ¿Creen que Abel tenía un complejo de inferioridad con respecto al clon?
4. ¿Sabe Ana que Abel está pasando por una mala racha de trabajo?
5. ¿En qué podría haber notado Ana la diferencia entre Abel y el clon?
6. ¿Por qué a Abel le irrita tanto el clon?
7. ¿Qué momento de la historia es clave para el desenlace final?

4 **El bueno y el malo** En parejas, respondan a estas preguntas.

1. ¿Quién es el villano de este cortometraje, el clon o Abel? ¿Por qué?

2. ¿Creen que el autor del corto llama Abel a su personaje por alguna razón?

3. ¿Por qué no tiene nombre el clon?

4. ¿Qué nombre le pondrían ustedes al clon?

5. ¿Creen que Abel estaba pensando en matar a su clon?

6. ¿Creen que el clon mata a Abel para preservar su vida?

7. ¿Qué conclusión pueden sacar sobre la relación entre los dos personajes?

5 **¿Quién es quién?** Resume en un párrafo las diferencias y las semejanzas de personalidad entre Abel y el clon. Haz referencia a los ejemplos del corto. Ten en cuenta las siguientes preguntas:

- ¿Cuál de los dos es mejor escritor?
- ¿Cuál de los dos se muestra más seguro?
- ¿Cuál de ellos es más astuto?
- ¿Cuál tiene más derecho a vivir?

6 **Ciencia y sociedad** En parejas, miren estas imágenes y contesten las preguntas. Luego, compartan sus ideas con la clase.

 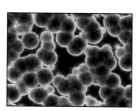 

- ¿Qué tecnologías se representan en estas imágenes?
- ¿Cuál de estas tecnologías tiene mayor impacto en sus vidas?
- ¿Cuál de estas tecnologías presenta más problemas éticos?
- ¿Qué avances importantes se han producido en cada una de estas áreas?
- ¿Qué gran avance científico les gustaría ver durante las próximas décadas?

PUEDO hablar sobre la clonación y otros avances científicos.

Practice more at vhlcentral.com.

Audio: Reading

IMAGINA

PERÚ

Lima vista de noche

Lima: el encanto de la historia

Entre los siglos XVI y XVIII, **Lima** era una metrópoli con tanta riqueza y poder que no había muchas ciudades del mundo que pudieran competir con ella. Fue fundada en 1535 por el conquistador español **Francisco Pizarro**. La necesidad de tener un puerto[1] al mar lo llevó a establecer la ciudad en la costa del **Pacífico**. La llamó **Ciudad de los Reyes,** pero Lima, el nombre quechua, prevaleció[2].

Los conquistadores pisaron[3] estas tierras en busca de plata y oro, y las llenaron de historias de ambición, de fe y de venganza[4]. El corazón de la ciudad sigue en el mismo sitio desde los años coloniales. **La Plaza de Armas**, rodeada de edificios históricos, refleja las complejas[5] relaciones sociales y políticas de aquella época. Hoy día, todavía se encuentra allí el **Palacio de Gobierno**, construido bajo las órdenes de Francisco Pizarro.

Los conventos, palacios y mansiones de Lima nos cuentan la fascinante historia de esta ciudad. Las familias adineradas[6] que querían construir una mansión tenían que seguir ciertas normas. Cuanto más poderosa e importante era una familia, más cerca de la plaza se encontraba su vivienda. El **Tribunal de la Santa Inquisición**, establecido en **Perú** en 1570, llevaba a cabo sus juicios en esta plaza, y en su mismo centro se ejecutaba a los condenados.

Los balcones de las casas coloniales, famosos por su omnipresencia y por su variedad, reflejan el estilo arquitectónico mudéjar[7], resultado de la mezcla de las culturas musulmana, judía y cristiana de la **España** de la época. Los balcones de Lima hacen uso de enrejados[8] que no dejan pasar la luz. Ideales para las temperaturas del norte de **Marruecos**[9] y ciertas zonas de España, se adecuaron perfectamente a las temperaturas cálidas[10] de Lima. Su conveniencia no era exclusivamente climática, pues a través de los pequeños orificios se ocultaban los rostros[11] de las mujeres nobles que querían ver lo que ocurría en las calles, sin necesidad de salir.

Lima no sólo ofrece la grandeza arquitectónica de su pasado colonial. En el distrito **Pachacamac** se encuentra un santuario que data del siglo V, anterior a la llegada de los incas, en el cual se veneraba[12] al dios del mismo nombre. Por otra parte, una visita al distrito de **Miraflores** nos muestra la Lima contemporánea. Sus edificios se alternan con parques, centros comerciales, teatros y galerías de arte. Miraflores es la zona de paseo por excelencia.

Aunque Lima fue destruida casi en su totalidad por un terremoto en 1746, los limeños, a través de la reconstrucción, garantizaron la continuidad de la larga historia de la capital peruana.

Signos vitales

Lima tiene más de diez millones de habitantes. Son en su mayoría mestizos, es decir, tienen una mezcla de orígenes europeos e indígenas. El gran crecimiento en su población se inició en los años sesenta, cuando muchos peruanos abandonaron las zonas rurales para vivir en la capital.

[1] port [2] prevailed [3] walked on [4] revenge [5] complex [6] wealthy [7] Mudejar (architectural style) [8] lattices [9] Morocco [10] hot [11] faces [12] worshipped

¡Conozcamos Perú!

Las líneas de Nazca
Sobrevolando[1] la pampa de Jumana, se ven las famosas **líneas de Nazca**. Estos trazos[2], discernibles únicamente desde el aire, representan figuras geométricas, humanas y animales, entre otras. Entre 200 y 700 d.C., la civilización nazca las grabó en el desierto. Los antropólogos, intentando descifrar el misterio que encierran estos dibujos[3], han considerado varias teorías, pero la verdad absoluta sobre estas líneas continúa siendo un enigma.

Cuzco La ciudad de **Cuzco** era la más importante de los **Andes** durante el imperio incaico. Fue la capital y sede[4] del gobierno de esta civilización, lo que la convirtió en centro cultural y religioso. En la actualidad, es una de las ciudades precolombinas más importantes

del continente y por ello es visita inevitable para quien quiera conocer un poco más sobre la historia y costumbres de los incas.

Parque Nacional del Manu
Para aquéllos que disfrutan del turismo ecológico, el **Parque Nacional del Manu** ofrece todo lo que puedan desear. Por siglos, conservó su biodiversidad gracias a su difícil acceso. Este parque cuenta con 15.000 tipos de plantas diferentes. En tan sólo una hectárea de su terreno, se han encontrado hasta 250 variedades de árboles. Además, es el hábitat de algunas especies animales poco comunes, como armadillos y nutrias[5] gigantes.

Iquitos La ciudad más grande de la selva de **Perú**, **Iquitos**, es también una de las ciudades más importantes en la orilla[6] del **Amazonas** y una puerta de ingreso para navegar por el río. Fue fundada por jesuitas en el siglo XVIII, y durante la primera parte

del siglo XX vivió un auge[7] económico con el cultivo de goma[8]. Actualmente, es considerada una ciudad muy viva, segura e ideal para conocer la cultura indígena de la región. Aun hoy día, sólo se puede acceder a Iquitos por barco o avión.

[1] *Flying over* [2] *lines* [3] *drawings* [4] *seat* [5] *otters* [6] *bank* [7] *boom* [8] *rubber*

El español de Perú

arruga	deuda; estafa; *debt; fraud*
asado/a	enojado/a, molesto/a; *upset*
bobo	corazón; *heart*
café	regaño; *scolding*
causa	amigo
chaufa	adiós
encamotado/a	enamorado/a; *in love*
pata	amigo/a; individuo; *friend; guy, dude*
quincearse	equivocarse; *to be wrong/mistaken*
tono	fiesta

Expresiones

al polo	muy frío (bebidas); *very cold (drinks)*
¡Como cancha!	¡Mucho!; *A lot!*
estar muñequeado/a	estar nervioso/a; *to be nervous*
mi collera	mi amigo/a íntimo/a
tirar caña	manejar un carro; *to drive*
tirar lenteja	mirar; curiosear; *to look at; to browse*

GALERÍA DE CREADORES

Audio: Reading

MÚSICA Tania Libertad

La UNESCO ha nombrado a Tania Libertad "Artista por la Paz" en varias ocasiones. Esta cantante peruana, radicada en México, es considerada una embajadora artística de Latinoamérica. Su discografía incluye más de treinta álbumes que reflejan su versatilidad. Esta artista sin fronteras interpreta todo tipo de géneros —música africana, música folclórica, rancheras, boleros, salsa, rumba, *rock*— con la misma pasión y autenticidad que cautivan a todo aquél que la escucha. Los que la han visto cantar en vivo describen la experiencia como conmovedora (*moving*), mágica y casi espiritual.

LITERATURA Mario Vargas Llosa

Perú y su realidad son el escenario de la mayoría de las novelas de Mario Vargas Llosa, prestigiosa figura del panorama literario hispanoamericano de la segunda mitad del siglo XX. Saltó a la fama internacionalmente en 1963 con la publicación de *La ciudad y los perros*. En 1993 publicó sus memorias, *El pez en el agua*, donde habla de su fracaso en las elecciones presidenciales de su país en 1990. Después de muchas más novelas y numerosos premios literarios internacionales, fue galardonado (*awarded*) en 2010 con el Premio Nobel de Literatura. Es, además de novelista, crítico literario y columnista de prensa, uno de los intelectuales contemporáneos más activos.

MÚSICA
Los Hermanos Santa Cruz

En 1988 se formó el grupo musical Hermanos Santa Cruz. Son sobrinos del fundador de Cumanana, una de las primeras formaciones de músicos profesionales dedicadas a mantener viva la música afroperuana y sus temas. Aunque la base de su música es afroperuana, los Hermanos Santa Cruz la combinan con otros elementos contemporáneos y el resultado es un sonido (*sound*) musical muy interesante, cuyo éxito ha sido abrumador (*overwhelming*) en Perú y en el extranjero. Su estilo alegre y enérgico está lleno de calor y color.

CINE Claudia Llosa

Sobrina del escritor Mario Vargas Llosa, Claudia Llosa nació en Lima en 1976 y, actualmente, vive en Barcelona, España. Se graduó como Licenciada en dirección cinematográfica en 1998 y continuó sus estudios en distintas universidades prestigiosas. Su primera película, *Madeinusa* (2006), recibió numerosos premios internacionales, y la segunda fue nominada al Óscar como mejor película de habla no inglesa. Su proyecto *Distancia de rescate* se estrenó en 2021. Tanto la estética como los temas de sus obras no pasan inadvertidos (*unnoticed*) para la crítica internacional, lo que ha llevado a Llosa a ser premiada en numerosas oportunidades.

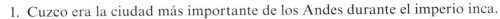

¿Qué aprendiste?

1

Cierto o falso Indica si estas afirmaciones son ciertas o falsas. Corrige las falsas.

1. Cuzco era la ciudad más importante de los Andes durante el imperio inca.
2. El fundador de Lima fue un conquistador portugués.
3. El Tribunal de la Santa Inquisición se estableció en Perú.
4. La ciudad de Lima se conserva igual desde su fundación.
5. Las líneas de Nazca están en la pampa de Jumana.
6. Tania Libertad es una de las actrices más famosas de Perú.

2

Preguntas Contesta las preguntas.

1. ¿Por qué se estableció la ciudad de Lima en la costa del Pacífico?
2. ¿Quién ordenó la construcción del Palacio de Gobierno?
3. ¿Por qué se pudo conservar la biodiversidad del Parque Nacional del Manu?
4. ¿Qué tipo de música quiere mantener viva el grupo Hermanos Santa Cruz?
5. ¿Cuál es el escenario de la mayoría de las novelas de Mario Vargas Llosa?
6. ¿Qué artista de la Galería te interesa más? ¿Por qué?

3

Seleccionar Escoge a uno de los personajes de la sección **Galería de creadores**. Explica por qué escogiste a ese personaje y qué características de su biografía te impresionaron. Después, comparte tus pensamientos con la clase.

4

Describir En parejas, cada uno/a describa uno de los lugares de la sección **Imagina**. El/La otro/a debe adivinar de qué lugar se trata.

5

Viajar En parejas, imaginen que van a viajar a Perú próximamente. Hagan una lista de los lugares que quieren visitar y respondan:

- ¿Por qué les gustaría conocer un país como Perú?
- ¿Qué esperan aprender de ese viaje?
- ¿Qué piensan empacar en sus maletas para el viaje?

Practice more at **vhlcentral.com**.

PROYECTO

El misterio de las líneas de Nazca

Imagina que eres antropólogo/a y vas a hacer una presentación sobre las líneas de Nazca. Investiga en Internet la información que necesites.

- Recopila fotos de las líneas de Nazca.
- Escribe un resumen de la historia de las líneas de Nazca.
- Describe las teorías que encuentres e inventa tu propia teoría. ¿Qué dicen las líneas sobre la civilización nazca?
- Haz tu presentación ante la clase. Explícales tu teoría del origen de las líneas.

PUEDO investigar la cultura peruana.

 Video

Inventos argentinos

Después de ver un trágico drama de ciencia ficción, pasemos al lado más amable (*kinder*) de la tecnología. En este episodio de **Flash cultura**, descubrirás la gran variedad de inventos argentinos que han marcado un antes y un después en la historia de la humanidad.

Vocabulario

la birome (Arg.) *ballpoint pen*
el frasco *bottle*
la jeringa descartable *disposable syringe*
la masa (cruda) *(raw) dough*
la pluma *fountain pen*
la sangre *blood*
el subterráneo *subway*
la tinta *ink*

1

Preparación ¿Qué creaciones argentinas conoces hasta ahora? ¿Cuál te parece más interesante? ¿Por qué?

2

Comprensión Indica si estas afirmaciones son ciertas o falsas. Después, en parejas, corrijan las falsas.

1. La primera línea de metro en Latinoamérica se construyó en Montevideo.
2. El sistema de huellas dactilares fue creación de un policía de Buenos Aires.
3. El helicóptero de Raúl Pescara, además de eficaz, es un helicóptero seguro y capaz de moverse en dos direcciones.
4. El *by-pass* y la jeringa descartable son inventos argentinos.
5. Una birome es un bolígrafo.
6. La compañía Estmar inventó los zapatos ideales para bailar tango.

3

Expansión En parejas, contesten estas preguntas.

1. ¿Qué invento les parece más importante? ¿Por qué?
2. Si estuvieran en Argentina, ¿qué harían primero: ir a una función de tango, visitar un museo de ciencia y tecnología o comerse una empanada?
3. Si tuvieran que prescindir de (*do without*) un invento argentino, ¿de cuál sería? ¿Por qué creen que es el menos importante?

PUEDO hablar sobre los inventos argentinos.

Corresponsal: Silvina Márquez
País: Argentina

El colectivo es un autobús de corta distancia inventado por dos porteños° en 1928.

La mejor manera de identificar personas mediante sus huellas dactilares° se la debemos a un policía de Buenos Aires.

El semáforo° especial permite, mediante sonidos, avisarles a los ciegos°, o a los no videntes, cuándo pueden cruzar la calle.

porteños *residents of Buenos Aires* **huellas dactilares** *fingerprints*
semáforo *crosswalk signal* **ciegos** *blind people*

 Practice more at
vhlcentral.com.

Tutorial

8.1

The past perfect

- The past perfect tense (**el pluscuamperfecto**) is formed with the imperfect of **haber** and a past participle. As with other perfect tenses, the past participle does not change form.

The past perfect

viajar	perder	incluir
había viajado	había perdido	había incluido
habías viajado	habías perdido	habías incluido
había viajado	había perdido	había incluido
habíamos viajado	habíamos perdido	habíamos incluido
habíais viajado	habíais perdido	habíais incluido
habían viajado	habían perdido	habían incluido

- In Spanish, as in English, the past perfect expresses what someone *had done* or what *had occurred* before another action or condition in the past.

Decidí comprar una cámara digital nueva porque la vieja se me **había roto** varias veces.
I decided to buy a new digital camera because the old one had broken several times.

Cuando por fin les dieron la patente, otros ingenieros ya **habían inventado** una tecnología mejor.
When they were finally given the patent, other engineers had already invented a better technology.

- **Antes, aún, nunca, todavía,** and **ya** are often used with the past perfect to indicate that one past action occurred before another. Note that these adverbs, as well as pronouns and the word **no,** may not come between **haber** and the past participle.

Antes de decírselo a Abel, el clon ya se había comprometido con Emilio.

Cuando apagué la computadora, **aún no había guardado** el documento. ¡Lo perdí!
When I shut down the computer, I hadn't yet saved the document. I lost it!

Él **ya** me **había explicado** la teoría, pero no la entendí hasta que vi el experimento.
He had already explained the theory to me, but I didn't understand it until I saw the experiment.

Nunca había visto una estrella fugaz tan luminosa **antes.**
I had never seen such a bright shooting star before.

Los ovnis **todavía no habían aterrizado,** pero los terrícolas ya estaban corriendo.
The UFOs hadn't yet landed, but the Earthlings were already running.

Práctica y comunicación

1 Completar Jorge Báez, un médico dedicado a la genética, ha recibido un premio por su trabajo. Completa su discurso de agradecimiento con el pluscuamperfecto.

Muchas gracias por este premio. Recuerdo que antes de cumplir 12 años ya (1) _____ (decidir) ser médico. A esa edad, mi madre ya me (2) _____ (llevar) al hospital donde ella trabajaba y recuerdo que la primera vez me (3) _____ (fascinar) los médicos vestidos de blanco. Luego, cuando cumplí 26 años, ya me (4) _____ (pasar) tres años estudiando las propiedades de los genes humanos, en especial desde que (5) _____ (ver) un programa en la televisión sobre la clonación. Cuando terminé mis estudios de postgrado, ya se (6) _____ (hacer) grandes adelantos científicos…

2 Explicación Reescribe las oraciones usando el pluscuamperfecto.

> **Modelo** **Me duché a las 7:00. Antes de ducharme hablé con mi hermano.**
> Ya había hablado con mi hermano antes de ducharme.

1. Salí de casa a las 8:00. Antes de salir de casa miré mi correo electrónico.
2. Llegué a la oficina a las 8:30. Antes de llegar a la oficina tomé un café.
3. Se apagó la computadora a las 10:00. Guardé los documentos a las 9:55.
4. Fui a tomar un café. Antes, comprobé que todo estaba bien.

3 Informe En parejas, imaginen que son policías y deben preparar un informe sobre este accidente. Inventen una historia sobre lo que había ocurrido en las vidas de los personajes dos horas antes, dos minutos antes y dos segundos antes del accidente. Usen el pluscuamperfecto.

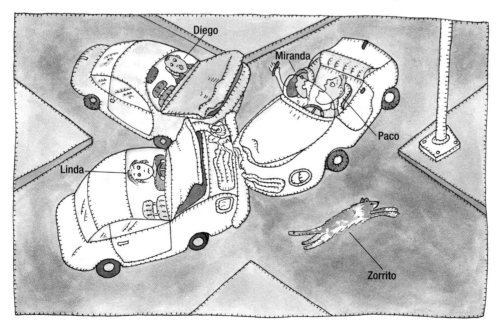

PUEDO describir lo que había pasado.

Practice more at
vhlcentral.com.

Tutorial

8.2

The past perfect subjunctive

- The past perfect subjunctive (**el pluscuamperfecto del subjuntivo**) is formed with the past subjunctive of **haber** and a past participle.

A Abel le disgustó que el clon
hubiera escrito *mejor que él.*

TALLER DE CONSULTA

The alternative past subjunctive forms of **haber** may also be used with the past participle to form the past perfect subjunctive. See **6.2, p. 216.**

Ojalá hubieras/hubieses contribuido al proyecto de astronomía.
I wish you had contributed to the astronomy project.

———

The past perfect subjunctive is also frequently used in **si** clauses. See **9.3, p. 325.**

Si no se te hubiera/hubiese perdido el celular, te habríamos llamado.
If you hadn't lost your cell phone, we would have called you.

The past perfect subjunctive

cambiar	poder	sentir
hubiera cambiado	hubiera podido	hubiera sentido
hubieras cambiado	hubieras podido	hubieras sentido
hubiera cambiado	hubiera podido	hubiera sentido
hubiéramos cambiado	hubiéramos podido	hubiéramos sentido
hubierais cambiado	hubierais podido	hubierais sentido
hubieran cambiado	hubieran podido	hubieran sentido

- The past perfect subjunctive is used in subordinate clauses under the same conditions for other subjunctive forms, and in the same way the past perfect is used in English (*I had talked, you had spoken,* etc.). It refers to actions or conditions that *had taken place* before another past occurrence.

Le molestó que los otros investigadores no **hubieran asistido** a su conferencia.

It annoyed her that the other researchers hadn't attended her lecture.

A pesar de que nos mostró fotos, dudábamos que el científico **hubiera visto** un ovni.

Despite the pictures that he showed us, we doubted that the scientist had seen a UFO.

- When the action in the main clause is in the past, both the past subjunctive and the past perfect subjunctive can be used in the subordinate clause. Note, however, how the sequence of events differs.

Past subjunctive	Past perfect subjunctive
Tú no pensabas que el telescopio **costara** tanto, ¿verdad?	Tú no pensabas que el telescopio **hubiera costado** tanto, ¿verdad?
You didn't think the telescope would (was going to) cost so much, right?	*You didn't think the telescope (had already) cost so much, right?*
La empresa buscó una bioquímica que **viviera** en la zona.	La empresa buscó una bioquímica que **hubiera vivido** en la zona.
The company looked for a biochemist who lived (was living) in the area.	*The company looked for a biochemist who had (might have) lived in the area.*

Práctica y comunicación

1

Seleccionar Combina las expresiones de la segunda columna con las de la primera para formar oraciones completas con el pluscuamperfecto del subjuntivo.

_____ 1. Esperaba que tú

_____ 2. Dudaba que los estudiantes de la clase de química

_____ 3. Le molestó que el director del laboratorio no lo

_____ 4. Ojalá ellos te

_____ 5. Fue una lástima que ella no

a. hubieran dado la patente.

b. hubieran apagado sus teléfonos celulares.

c. hubiera podido venir a la conferencia.

d. hubiera contratado para trabajar en el proyecto.

e. hubieras encontrado algo en la red, pero no tuviste suerte.

2

Conferencia Completa cada oración para explicar lo que ocurrió durante una conferencia científica. Usa el pluscuamperfecto del subjuntivo del verbo.

1. La ingeniera Penélope Torres temió que su asistente _____ (borrar) su presentación.

2. No se habló de los desafíos profesionales antes de que todos los participantes _____ (hacer) sus presentaciones.

3. Fue necesario que nosotros _____ (asistir) a la ceremonia de apertura (*opening*).

4. Algunos científicos dudaron que tú _____ (resolver) las dificultades técnicas.

5. Mis jefes no pensaron que yo los _____ (ver) en la entrada del auditorio.

6. El organizador no encontró investigadores que _____ (escribir) sobre las influencias de la economía.

3

Tarjeta Ayer preparaste un plato peruano llamado *Papas rellenas* y tu mejor amigo/a tuvo una reacción alérgica. Escribe una tarjeta pidiéndole disculpas. Usa el pluscuamperfecto del subjuntivo con las expresiones de la lista y tres más.

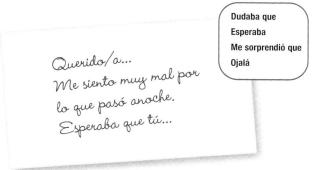

Querido/a...
Me siento muy mal por
lo que pasó anoche.
Esperaba que tú...

Dudaba que
Esperaba
Me sorprendió que
Ojalá

4

Historia En parejas, imaginen que son periodistas que investigan la vida de un famoso y excéntrico científico peruano llamado Astor Gómez. Hace un mes que su familia y sus colegas no lo ven, y sólo se ha encontrado una nota debajo de su microscopio que dice: "Ojalá hubiera sido un extraterrestre". Inventen una historia que explique la frase encontrada. Usen el pluscuamperfecto del subjuntivo.

PUEDO especular sobre lo que había pasado.

Nota CULTURAL

Los ingredientes más utilizados en la comida peruana son **la papa**, **el maíz** y **el ají** (*pepper*). La papa se ha adaptado a los diversos climas del país y cuenta con 4.000 variedades distintas. Por otra parte, la gastronomía peruana tiene por lo menos treinta y cinco formas diferentes de preparar el maíz: tostado, molido (*ground*), hervido (*boiled*), etc. En algunos platos típicos se pueden saborear variedades de ají, como los llamados **ají amarillo** y **rocoto**.

Practice more at
vhlcentral.com.

Tutorial

8.3

Uses of the infinitive

—¿*Usted cree que alguien como yo puede* **convivir** *con un clon?*

—*Dentro de unos días se preguntará cómo ha podido* **vivir** *todos estos años sin él. El clon no sólo le hará compañía, le podrá* **echar** *una mano en las tareas del hogar.*

¡ATENCIÓN!

An infinitive is the unconjugated form of a verb and ends in **–ar,** **–er,** or **–ir.**

- The infinitive (**el infinitivo**) is commonly used after other conjugated verbs, especially when there is no change of subject. **Deber, decidir, desear, necesitar, pensar, poder, preferir, querer,** and **saber** are all frequently followed by infinitives.

Mis primos **han decidido comprarle** una computadora a mi abuela.
My cousins have decided to buy a computer for my grandmother.

¡Qué buena idea! No sabía que ella **quería tener** una.
What a good idea! I didn't know that she wanted to have one.

TALLER DE CONSULTA

To review the use of object pronouns with infinitives, see **3.2, p. 102**.

- Verbs of perception, such as **escuchar, mirar, oír, sentir,** and **ver,** are followed by the infinitive even if there is a change of subject. The use of an object pronoun with the conjugated verb distinguishes the two subjects and eliminates the need for a subordinate clause.

Te **oigo hablar**, ¡pero no entiendo nada!
I hear you speaking, but I don't understand anything!

Si la **ven salir**, avísenme enseguida.
If you see her leave, let me know immediately.

- Many verbs of influence, such as **dejar, hacer, mandar, permitir,** and **prohibir,** may also be followed by the infinitive. Here again, the object pronoun makes a subordinate clause unnecessary.

La profesora **nos hizo leer** artículos sobre el ADN.
The teacher made us read articles about DNA.

El comité **me ha dejado continuar** con los experimentos.
The committee has allowed me to continue with the experiments.

- The infinitive may be used with impersonal expressions, such as **es bueno, es fácil**, and **es importante**. It is required after **hay que** and **tener que**.

Es importante utilizar el corrector ortográfico.
It is important to use the spell checker.

¿**Es ético clonar** a un ser humano?
Is it ethical to clone a human being?

—*Me gustaría que te quedases, pero* **tengo que seguir** *escribiendo.*

TALLER DE CONSULTA

See **Manual de gramática, 8.4, p. 406,** and **8.5, p. 408,** to learn more about prepositions.

- In Spanish, unlike in English, the gerund form of a verb (*talking, working,* etc.) may not be used as a noun or in giving instructions. The infinitive form, with or without the definite article **el,** is used instead.

Ver es **creer.**
Seeing is believing.

Descargar es fácil.
Downloading is easy.

El arte de **mirar**
The art of looking

- You will often see infinitives where English uses commands on signs and written instructions.

Empujar
Push

No fumar
No smoking

Seguir con cuidado
Proceed with caution

- After prepositions, the infinitive is used.

—*Venía a eliminar a su clon.*

El Dr. Pérez necesitó veinte años **para demostrar** sus teorías.
Dr. Pérez needed twenty years in order to prove his theories.

Él no podrá abrir el documento **sin instalar** el programa.
He won't be able to open the document without installing the program.

- Many Spanish verbs follow the pattern of [*conjugated* verb] + [*preposition*] + [*infinitive*]. The prepositions for this pattern are **de, a,** or **en.**

acabar de *to have just (done something)*	**quedar en** *to agree (to)*
aprender a *to learn (to)*	**tardar en** *to take time (to)*
enseñar a *to teach (to)*	**tratar de** *to try (to)*

Me **enseñó a crear** un podcast.
She taught me how to create a podcast.

Trato de estudiar todos los días.
I try to study every day.

Su computadora **tarda en encenderse**.
His computer takes a while to start.

Quedamos en hacerlo.
We agreed to do it.

- **Deber** + **de** + [*infinitive*] suggests probability.

La bióloga **debe de** anunciar sus resultados hoy.
The biologist probably announces her results today.

but

La bióloga **debe** anunciar sus resultados hoy.
The biologist has to announce her results today.

Práctica

1 **La Luna** Rellena cada espacio con dos palabras: una de la primera columna y una de la segunda. Conjuga los verbos según sea necesario.

desear	conseguir
importante	convencer
necesitar	hablar
para	hacer
pensar	investigar
querer	seguir

Los científicos de la NASA (1) _____ la superficie de la Luna. (2) _____ el dinero necesario para el proyecto, primero ellos (3) _____ a la opinión pública de que es (4) _____ invirtiendo dinero público en estas aventuras espaciales. (5) _____ en todos los medios de comunicación posibles para explicar sus objetivos. (6) _____ mucha publicidad en los próximos meses.

2 **Oraciones** Forma oraciones usando los elementos dados. Añade preposiciones cuando sea necesario.

> **Modelo** el científico / querer / encontrar / una vacuna
> El científico quiere encontrar una vacuna.

1. nosotros / desear / encontrar / una cura
2. Luis / pensar / ser / bioquímico
3. mi madre / querer / comprar / una tableta
4. Marisa / me / enseñar / usar / el telescopio
5. el profesor / tratar / explicar / el problema
6. yo / acabar / romper / mi cámara digital
7. ustedes / deber / observar / el experimento
8. tú / poder / contratar / al ingeniero

3 **Recomendaciones** Nuria quiere ser ingeniera. En parejas, háganle recomendaciones usando las frases y los verbos de la lista.

hay que	aprender
ser bueno	estudiar
ser fácil	explorar
ser importante	investigar
ser necesario	leer
ser urgente	tratar
tener que	viajar

Comunicación

4

Entrevista En parejas, improvisen una entrevista entre un(a) bioquímico/a que desarrolló una pastilla adelgazante (*weight-loss*) y un(a) profesor(a) de educación física. Usen estos verbos. Representen la entrevista ante la clase.

acabar de	quedar en
aprender a	tardar en
enseñar a	tratar de

5

Extraterrestre Un extraterrestre aterrizó cerca de su escuela y ahora no puede volver a su planeta de origen. ¿Qué tiene que hacer para aprender a adaptarse a la vida en la Tierra? En parejas, escriban una lista usando por lo menos cinco infinitivos. Después, compártanla con la clase.

6

Anuncio Tú y tus compañeros/as son científicos/as y han inventado un producto revolucionario. Ahora deben prepararse para anunciar este invento a la prensa. En grupos de cuatro, preparen un anuncio que incluya las palabras y frases del cuadro.

acabar de	ser fácil
aprender a	ser importante
quedar en	tardar en
querer	tratar de

7

Viaje espacial Trabajen en grupos pequeños. Imaginen que hacen un viaje al espacio. Usen el infinitivo para escribir oraciones sobre las cosas que hicieron y vieron en su viaje.

En el planeta _____	Los habitantes de este planeta...
aprendimos a _____	acaban de _____
es fácil _____	tienen que _____
es importante _____	tratan de _____

PUEDO describir un viaje al espacio.

Síntesis

¡Invasión marciana!

Te levantas de la cama y, como todas las mañanas, enciendes la radio. Allí se oye la voz agitada del locutor anunciando que unos extraterrestres están atacando la ciudad. Se oyen ruidos extraños, gente gritando y, de repente, una gran explosión. Algo asustado°, sales a la calle y ves a tus vecinos empacando sus cosas en el carro a toda velocidad. En todo tu barrio la gente está asustada y parece no saber qué hacer. Tú también sientes pánico y no sabes si lo que está ocurriendo es verdad, o si es una pesadilla.

Algo así ocurrió el 30 de octubre de 1938, cuando el cineasta estadounidense Orson Welles transmitió una adaptación de *La guerra de los mundos*, del escritor H. G. Wells, en su programa de radio. Pero la adaptación que hizo Welles no era una simple lectura del texto. La historia estaba disfrazada° de efectos especiales y era interrumpida por partes° informativos de unos astrónomos que acababan de ver unas extrañas° explosiones en Marte°. Se oían gritos, el reportero lloraba. La atmósfera de la transmisión era de un realismo total. Los que no oyeron el principio del programa pensaron que un ejército marciano estaba invadiendo la Tierra.

El programa de Orson Welles produjo reacciones de histeria colectiva°. Algunos se encerraron en los sótanos° de sus casas con pistolas. Otros se pusieron toallas mojadas° en la cara para protegerse del gas venenoso de los marcianos. El programa fue motivo de escándalo e indignación cuando se reveló la verdad. También demostró el poder de una narración bien hecha. Fue uno de los momentos más gloriosos (y terribles) de la historia de la radio. ■

frightened

disguised
reports

strange/Mars

*mass
hysteria
basements*

wet

1 Relato En parejas, imaginen que están en 1938 y forman parte del público que creyó en la invasión de extraterrestres. Preparen un párrafo explicando los detalles sobre lo que pasó el 30 de octubre en su barrio y lo que hicieron ustedes. Usen el pluscuamperfecto del indicativo (y del subjuntivo cuando sea necesario) y el pretérito.

2 Productores En parejas, imaginen que son los productores del programa de radio de Orson Welles. Utilizando el pluscuamperfecto del subjuntivo, escriban tres cosas que hubieran hecho para evitar el pánico entre el público.

3 Situaciones En grupos pequeños, escojan una situación y discutan qué se debería hacer en caso de que ésta ocurriera. Deben utilizar el infinitivo. Compartan sus ideas con la clase.

- Una invasión extraterrestre
- El impacto de un meteorito contra la Tierra
- La clonación de seres humanos
- El descubrimiento de una vacuna para curar todas las enfermedades

PUEDO discutir qué se debe hacer.

Preparación

Vocabulario de la lectura

la cocina *cuisine*
deleitar *to delight*
el manjar *delicacy*
la olla de barro *clay pot*
el paladar *palate*

profundizar *to deepen*
la receta *recipe*
el sabor *flavor*
el sinfín *endless number*
sobresaliente *outstanding*

Vocabulario útil

agrio/a *sour*
amargo/a *bitter*
dulce *sweet*
picante *spicy*
salado/a *salty*

1 **Sinónimos** Empareja los sinónimos.

_____ 1. gustar
_____ 2. excelente
_____ 3. gastronomía
_____ 4. infinidad
_____ 5. delicia
_____ 6. ácido

a. cocina
b. manjar
c. sobresaliente
d. sinfín
e. agrio
f. deleitar

2 **Encuesta** Completa la encuesta. Compara tus resultados con los de un(a) compañero/a. ¿Quién ha probado más cocinas?

¿En cuáles de estos restaurantes has comido?

Asia		África		Europa		América	
afgano	☐	etíope	☐	alemán	☐	argentino	☐
camboyano	☐	marroquí	☐	español	☐	colombiano	☐
chino	☐	nigeriano	☐	francés	☐	cubano	☐
coreano	☐	senegalés	☐	griego	☐	brasileño	☐
indio	☐			irlandés	☐	jamaicano	☐
indonesio	☐			italiano	☐	mexicano	☐
libanés	☐			polaco	☐	peruano	☐
japonés	☐			portugués	☐	salvadoreño	☐
pakistaní	☐			ruso	☐	venezolano	☐
tailandés	☐			turco	☐		
tibetano	☐						
vietnamita	☐						

3 **Gastronomía** En parejas, contesten estas preguntas.

1. ¿Ustedes son *foodies*? ¿Por qué sí o no?
2. ¿Cuáles son sus platos favoritos?
3. ¿Qué restaurantes étnicos les gustan?
4. ¿Qué cocinas nacionales quieren probar?
5. ¿Qué saben de la gastronomía peruana?

Delicias peruanas

Visita **vhlcentral.com** y conoce a dos cocineros peruanos y el restaurante Central.

Audio: Reading

La gastronomía de una región expresa su cultura e identidad. Y la cocina peruana no es la excepción. La conjunción de ingredientes naturales y ⁵ nativos, recetas ancestrales, climas variados y técnicas que se actualizan constantemente hacen de Perú una cuna de sabores que marcan tendencia y lo distinguen internacionalmente.

¹⁰ El origen de la cocina peruana data de la época incaica°. Con la conquista española, atravesó un desarrollo cultural determinante que añadió ingredientes, sabores y técnicas culinarias. Las olas ¹⁵ migratorias del siglo XIX realzaron° esta variedad y, hoy en día, la cocina peruana ha evolucionado hasta el punto de gozar de un prestigio mundial sobresaliente. Lima ha sido distinguida como capital gastronómica ²⁰ de Latinoamérica en 2016 y es la sede de la Feria Gastronómica Internacional desde 2008. Nada es casualidad°. Elegido por la *Food and Travel Magazine*, la OEA y los *World Travel Awards* como uno de los ²⁵ mejores destinos culinarios del mundo, Perú presume sus galardones° y los honra. Por su fama mundial, muchos turistas llegan a este país sólo para probar sus delicias culinarias.

La cocina peruana se clasifica en seis ³⁰ regiones, en referencia a la historia y geografía del país. La cocina de Lima, una de las más importantes del mundo, tiene herencia africana, indígena y china. Platos como el emblemático cebiche y la causa limeña son ³⁵ típicos de allí.

Si hablamos de platos exóticos, la cocina de la Amazonía ofrece un sinfín gracias a la biodiversidad de recursos: hay carnes de todo tipo, y muchas recetas tienen el plátano ⁴⁰ como estrella.

La cocina Andina es saludable y nutritiva, y se caracteriza por el uso de hornos de leña° y ollas de barro, que producen un aroma peculiar; abundan los postres con maíz, ⁴⁵ frutas y leche.

La cocina de Arequipa también se caracteriza por restaurantes o picanterías° que ofrecen sabores a base del calor de la leña

Incan (línea 11)
highlighted (línea 15)
coincidence; chance (línea 22)
awards (línea 26)
firewood (línea 43)
cheap restaurants specializing in spicy dishes (línea 47)

Perú posee una de las mayores biodiversidades del planeta. Su clima permite el cultivo de una amplia variedad de alimentos. Dentro de sus joyas se destacan las especies nativas como la papa y la quinua que, gracias a sus grandes propiedades nutricionales, son llamadas superalimentos. En Perú se cultivan casi 4.000 variedades de papa y seis de las diez variedades de cacao, "el alimento de los dioses".

que intensifica los aromas. Manjares como el chicharrón° de cerdo deleitan a los visitantes. ⁵⁰ *pork crackling*

Gracias a su clima cálido, la Costa Norte es rica en variedad de pescados y mariscos. En esta región también se destacan las yucas fritas.

Por su lado, la cocina Novoandina ⁵⁵ sigue una tendencia innovadora que busca redescubrir ingredientes nativos de los Andes y combinarlos con sabores de otras regiones. Entre sus platos se destacan la ensalada de caracoles° con quinua. ⁶⁰ *snails*

Con tanta variedad, no queda paladar insatisfecho en Perú. Su historia está marcada por la tradición y la innovación. Chefs como Gastón Acurio, Marisa Guiulfo, Teresa Ocampo, Pedro ⁶⁵ Miguel Schiaffino, Virgilio Martínez y Pía León son insignias de su país en la geografía mundial. Sus deseos por mantener sus tradiciones gastronómicas, actualizar técnicas culinarias, profundizar ⁷⁰ conocimientos y mostrar su cultura desde la esencia de la cocina tradicional destacan aún más la importancia de Perú como centro de la gastronomía global.

Con manjares por doquier°, la cocina ⁷⁵ *all over the place* peruana se ha valorizado como nunca antes, y mientras el mundo la destaque y solicite, seguirá dando mucho de qué hablar. ∎

Análisis

1

Comprensión Contesta las preguntas con oraciones completas.

1. ¿Cuál es el origen de la cocina peruana?
2. ¿Qué otras influencias tuvo la cocina peruana?
3. ¿Por qué la gastronomía peruana se destaca en el mundo?
4. ¿Cómo se clasifica la gastronomía peruana?
5. ¿Cuál de las regiones ofrece platos exóticos?
6. ¿Qué permite el clima de Perú?

2

Interpretar En parejas, contesten las preguntas.

1. ¿Qué importancia tiene la comida peruana en la actualidad?
2. ¿Piensas que, a pesar de la globalización, la comida sigue definiendo a las culturas? ¿Por qué?
3. ¿Por qué es importante que la comida prehispánica haya pervivido (*endured*) con el paso de los años?
4. ¿Hay algún ingrediente que esté muy presente en la dieta de tu país? ¿Qué sabores de tu país le podrían parecer extraños a un(a) peruano/a?
5. ¿Te gusta el cacao? ¿Por qué crees que se le llama al cacao "el alimento de los dioses"?
6. ¿Qué otra gastronomía hispana conoces? ¿En qué se parece a la peruana y en qué se diferencia?

3

Situación En parejas, improvisen esta conversación. Incluyan por lo menos cinco palabras o expresiones de la lista.

cacao	platos nativos
clima	prestigio mundial
conquista española	quinua
época incaica	regiones
papas	técnicas actualizadas

Ha abierto un restaurante del chef peruano Gastón Acurio en tu comunidad. Llama a un(a) amigo/a que no conoce la cocina peruana y trata de convencerlo/la para que te acompañe. Recuerda incluir información sobre el origen, la importancia y los ingredientes nativos de la gastronomía peruana.

4

Comparaciones En grupos de tres, investiguen sobre un plato de una de las regiones mencionadas en el artículo y graben un podcast comparándolo con un plato típico del país donde ustedes viven. Usen la guía.

- Nombre y origen del plato
- Ingredientes
- Preparación
- Momento del día en el que se come
- Región en la que se prepara
- Importancia
- Similitudes y diferencias con tu cultura

Practice more at vhlcentral.com.

PUEDO investigar la cocina peruana.

Preparación

Sobre el autor

Ya desde su juventud, el escritor argentino **Pedro Orgambide** (1929–2003) mostró interés por la literatura social. Publicó sus primeros poemas en 1942, y con tan sólo 19 años publicó su primer libro, *Mitología de la adolescencia* (1948). En 1974, se exilió en México, donde su trayectoria literaria continuó sumando títulos. De vuelta en Argentina en 1983, trabajó como creativo de publicidad y guionista de televisión. Durante la década de los noventa fue especialmente prolífico: novelas, ensayos, biografías, cuentos y prólogos se añaden a la lista, casi interminable (*endless*), de sus publicaciones.

Imagen del video
Flores para Pedro Orgambide,
de la Fundación Biblioteca
Virtual Miguel de Cervantes

Vocabulario de la lectura
arruinar *to ruin*
el/la intruso/a *intruder*
la máquina *machine*
el pedazo de lata *piece of junk*
pegar *to hit*
sospechoso/a *suspicious*

Vocabulario útil
capacitar *to prepare*
envidioso/a *envious, jealous*
la multa *fine*
reemplazar *to replace*
sustituir *to substitute*
la vanguardia *vanguard*

1

Vocabulario

A. Completa cada oración con la palabra correspondiente.

arruinado	multa
envidiosa	sospechoso
máquina	sustituir

1. A nadie se le ocurrió que el acusado más _____ pudiera ser inocente.
2. A Teresa no le gusta que su amiga reciba tantos regalos. Es muy _____.
3. Fue muy duro para ella saber que la iban a _____ por otra persona.
4. No pudo hacer otra cosa más que llorar cuando supo que se había _____.
5. Estacioné mi carro en la esquina y me pusieron una _____.

B. En parejas, elijan una de las oraciones de la parte A y escriban una breve historia inspirándose en ella. Cuando terminen, compartan su historia con la clase.

2 **Preguntas** En parejas, túrnense para contestar las preguntas. Expliquen sus respuestas.

1. ¿Alguna vez has tenido miedo de que otra persona te sustituya en el puesto de trabajo u ocupe tu lugar?
2. Al llegar a un lugar nuevo, ¿has sentido que tu presencia amenaza la posición de alguien más? ¿Cómo resolviste la situación?
3. ¿Te consideras envidioso/a o te alegras del bien ajeno (*are you happy for other people*)?

LA INTRUSA

Pedro Orgambide

Sí, confieso que la insulté, Señor Juez, y que le pegué con todas mis fuerzas. Fui yo quien le dio con el fierro. Le gritaba y estaba como loco.

 Audio: Dramatic Reading

Ella tuvo la culpa, Señor Juez. Hasta entonces, hasta el día que llegó, nadie se quejó de mi conducta. Puedo decirlo con la frente bien alta°. Yo era el primero en llegar a la oficina y el último en irme. Mi escritorio era el más limpio de todos. Jamás me olvidé de cubrir la máquina de calcular, por ejemplo, o de planchar° con mis propias manos el papel carbónico°.

El año pasado, sin ir muy lejos, recibí una medalla del mismo gerente. En cuanto a ésa, me pareció sospechosa desde el primer momento. Vino con tantas ínfulas° a la oficina. Además ¡qué exageración! recibirla con un discurso, como si fuera una princesa. Yo seguí trabajando como si nada pasara. Los otros se deshacían en elogios°. Alguno deslumbrado°, se atrevía a rozarla° con la mano. ¿Cree usted que yo me inmuté° por eso, Señor Juez? No. Tengo mis principios° y no los voy a cambiar de un día para el otro. Pero hay cosas que colman la medida°. La intrusa, poco a poco, me fue invadiendo. Comencé a perder el apetito. Mi mujer me compró un tónico, pero sin resultado. ¡Si hasta se me caía el pelo, señor, y soñaba con ella! Todo lo soporté°, todo. Menos lo de ayer. "González —me dijo el gerente— lamento° decirle que la empresa ha decidido prescindir° de sus servicios".

Veinte años, Señor Juez, veinte años tirados a la basura. Supe que ella fue con la alcahuetería°. Y yo, que nunca dije una mala palabra, la insulté. Sí, confieso que la insulté, Señor Juez, y que le pegué con todas mis fuerzas. Fui yo quien le dio° con el fierro°. Le gritaba y estaba como loco. Ella tuvo la culpa°. Arruinó mi carrera, la vida de un hombre honrado°, señor. Me perdí por una extranjera, por una miserable computadora, por un pedazo de lata, como quien dice°.

con... *with my head held high*

5 *smooth out/***papel...** *carbon paper*

arrogance

10

Los otros... *praised her to the skies dazzled/***tocarla**

me preocupé

15 *principles*

colman... *are too much*

20

tolerated

I am sorry

25 *do without*

gossip

30 *hit*

metal bar

Ella... *It was her fault.*

honesto

35

como... *so to speak*

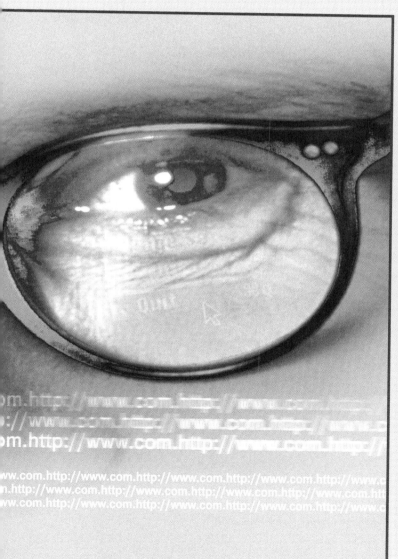

Análisis

1 **Comprensión** Contesta las preguntas con oraciones completas.

1. ¿Quién está contando la historia?
2. ¿Qué cosas hacía el hombre para ser considerado un buen empleado?
3. ¿Cómo fue recibida la intrusa en la oficina?
4. ¿Cómo afectó al hombre su llegada?
5. ¿Qué hizo su esposa para ayudarlo?
6. ¿Cuántos años trabajó el hombre en la empresa?
7. ¿Por qué le está dando explicaciones a un juez?
8. ¿Quién es la intrusa?

2 **Interpretar** Contesta las siguientes preguntas y explica tus respuestas.

1. ¿Crees que el enojo del hombre es justificado?
2. ¿Qué habrías hecho tú en su lugar?
3. ¿Piensas que la actitud del gerente fue correcta?
4. ¿Cuál crees que va a ser la sentencia del juez?
5. ¿Qué técnicas usa Orgambide para engañar al lector?
6. ¿Por qué escoge sorprendernos al final, en lugar de revelar desde el principio la identidad de la intrusa?

3 **Tecnologías** Hagan una lista con los efectos positivos y negativos del uso de la tecnología en el trabajo. Escriban un diálogo en el que cada uno/a de ustedes defienda una posición opuesta. Luego represéntenlo frente a la clase.

> **Modelo** —El correo electrónico facilita mucho el trabajo.
> —Sí, pero los empleados pierden mucho tiempo revisando su correo personal.

4 **Escribir** Imagina que eres publicista y tienes que escribir un folleto para una campaña publicitaria. Elige el invento que consideres el más importante de los últimos tiempos y escribe todos los detalles que creas necesarios para promoverlo. Usa el infinitivo y el pluscuamperfecto.

Plan de redacción

Campaña publicitaria

1 **Presentación** Da el nombre técnico del objeto junto con el nombre de la marca. Preséntalo describiendo sus características y usos. Da o inventa también el eslogan del producto.

2 **Exposición** Explica por qué piensas que es tan importante y cómo ha afectado la calidad de vida.

3 **Conclusión** Expresa tus ideas sobre cómo va a evolucionar este invento en el futuro.

 Practice more at vhlcentral.com.

PUEDO evaluar el uso de la tecnología en el trabajo.

La tecnología y la ciencia

 Vocabulary Tools

La tecnología

la aplicación *app*
la arroba *@ symbol*
el blog *blog*
el buscador *search engine*
el ciberespacio *cyberspace*
la computadora portátil *laptop*
la contraseña *password*
el corrector ortográfico *spell checker*
la dirección electrónica *e-mail address*
el enlace *link*
la herramienta *tool*
la informática *computer science*
el mensaje (de texto) *(text) message*
el nombre de usuario *user name*
el programa (de computación) *software*
la red *the Web*
la tableta *tablet (computer)*
el (teléfono) celular *cell phone*

adjuntar (un archivo) *to attach (a file)*
borrar *to delete, to erase*
descargar *to download*
guardar *to save*
subir *to upload*

avanzado/a *advanced*
en línea *online*
inalámbrico/a *wireless*
innovador(a) *innovative*
revolucionario/a *revolutionary*

Los inventos y la ciencia

el ADN *DNA*
el avance *advance, breakthrough*
la célula *cell*
el desafío *challenge*
el descubrimiento *discovery*
el experimento *experiment*
el gen *gene*
la genética *genetics*
el invento *invention*
la novedad *new development*
la patente *patent*
la teoría *theory*

alcanzar *to reach, to attain*
clonar *to clone*
comprobar (o:ue) *to prove, to confirm*

contribuir *to contribute*
crear *to create*
curar *to cure*
fabricar *to manufacture*
inventar *to invent*

(bio)químico/a *(bio)chemical*
especializado/a *specialized*
(poco) ético/a *(un)ethical*

El universo y la astronomía

el agujero negro *black hole*
el espacio *space*
la estrella (fugaz) *(shooting) star*
la galaxia *galaxy*
la gravedad *gravity*
el planeta *planet*
la supervivencia *survival*
el telescopio *telescope*

aterrizar *to land*
explorar *to explore*

extraterrestre *extraterrestrial, alien*

Los científicos

el/la astronauta *astronaut*
el/la astrónomo/a *astronomer*
el/la biólogo/a *biologist*
el/la (bio)químico/a *(bio)chemist*
el/la científico/a *scientist*
el/la físico/a *physicist*
el/la ingeniero/a *engineer*
el/la investigador(a) *researcher*
el/la matemático/a *mathematician*

Cortometraje

la clave *key*
el complejo de inferioridad/superioridad
  inferiority/superiority complex
el desenlace *outcome*
la editorial *publisher*
la imprenta *printer*
los ingresos *income*
las lentillas *contact lenses*
la mente *mind*
el/la propietario/a *owner*

el relato *short story*
el tocho *tome*

autosubvencionarse *to cover one's
  own expenses*
someterse a *to undergo*

condenado/a *condemned*

Cultura

la cocina *cuisine*
el manjar *delicacy*
la olla de barro *clay pot*
el paladar *palate*
la receta *recipe*
el sabor *flavor*
el sinfín *endless number*

deleitar *to delight*
profundizar *to deepen*

agrio/a *sour*
amargo/a *bitter*
dulce *sweet*
picante *spicy*
salado/a *salty*
sobresaliente *outstanding*

Literatura

el/la intruso/a *intruder*
la máquina *machine*
la multa *fine*
el pedazo de lata *piece of junk*
la vanguardia *vanguard*

arruinar *to ruin*
capacitar *to prepare*
pegar *to hit*
reemplazar *to replace*
sustituir *to substitute*

envidioso/a *envious, jealous*
sospechoso/a *suspicious*

Objetivos comunicativos: Repaso

PUEDO opinar sobre la ciencia y la tecnología.
• Indica lo que piensas sobre un aspecto de la tecnología.

PUEDO hablar sobre la clonación y otros avances científicos.
• Describe un avance científico.

PUEDO describir lo que había pasado.
• Indica lo que había ocurrido antes de un invento o descubrimiento reciente.

PUEDO investigar la cultura peruana.
• Describe la gastronomía peruana.

Escapar y divertirse

Hay personas para quienes la vida no tiene sentido sin rutina, y hay personas para quienes la rutina destruye la esencia de su vida. Descansar y salir de la rutina diaria es tan importante para la salud física y mental como disfrutar del trabajo. Sin embargo, ¿por cuánto tiempo es posible escaparse cuando la tecnología nos mantiene conectados las 24 horas del día?

Objetivos comunicativos:
- Conversar sobre las diversiones
- Hablar sobre viajar
- Especular sobre lo que habrá pasado
- Hablar sobre situaciones hipotéticas
- Investigar las culturas de Argentina y Uruguay

308 CORTOMETRAJE

En el cortometraje *No me ama*, el director y actor argentino **Martín Piroyanski** habla, con sentido del humor, de las inseguridades propias de las relaciones de pareja.

314 IMAGINA

Descubre qué maravillas esconden **Argentina** y **Uruguay**, dos países con una variada oferta de recursos para relajar el cuerpo y enriquecer la mente. Además, descubrirás los contrastes entre la Argentina rural y la Argentina urbana.

329 CULTURA

¿Qué puedes hacer en **Buenos Aires** durante tres días? En el artículo *Fin de semana en Buenos Aires* encontrarás ideas para todos los gustos y descubrirás que "¡Todo menos aburrirme!" es la única respuesta posible. Además, aprenderás cómo **Cruzar la 9 de julio** en el videoclip **Cultura en pantalla**.

333 LITERATURA

La mancha de humedad, de la escritora uruguaya **Juana de Ibarbourou**, es la historia de una niña que aprende a usar la imaginación para divertirse.

311

316

Destino:

ARGENTINA Y URUGUAY

URUGUAY

ARGENTINA

306 PARA EMPEZAR
320 ESTRUCTURAS

9.1 The future perfect

9.2 The conditional perfect

9.3 **Si** clauses

337 VOCABULARIO

Las diversiones

 Vocabulary Tools

Los deportes

el/la aficionado/a *fan*
el alpinismo/andinismo *mountain climbing*

el/la atleta/deportista *athlete*
el boliche *bowling*
la carrera *race*
el club deportivo *sports club*
los deportes extremos *extreme sports*
el equipo *team*
el esquí alpino/de fondo *downhill/ cross-country skiing*

apostar (o:ue) *to bet*
empatar *to tie (a game)*
ganar/perder (e:ie) un partido *to win/ to lose a game*
gritar *to shout*

lastimar(se) *to injure (oneself)*
marcar (un gol/un punto) *to score (a goal/a point)*
silbar (a) *to whistle (at)*
vencer *to defeat*

El tiempo libre

el/la aguafiestas *party pooper*
el/la anfitrión/anfitriona *host/hostess*
el billar *billiards*

el boleto/la entrada *ticket*
las cartas/los naipes *(playing) cards*
la comedia *comedy*
el concierto *concert*
el conjunto/grupo musical *musical group, band*
los dardos *darts*
el espectáculo *show, performance*
el/la espectador(a) *spectator*
la feria *fair*
el juego de mesa *board game*
la lotería *lottery*
el/la músico/a *musician*
la obra de teatro *theater play*
el ocio *leisure*
el parque de atracciones *amusement park*
los ratos libres/el tiempo libre *free time*
el recreo *recreation*
el teatro *theater*
el videojuego *video game*

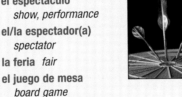

actuar *to act*
aplaudir *to applaud*
brindar *to toast (drink)*
celebrar *to celebrate*
charlar *to chat*
coleccionar *to collect*
conseguir (e:i) (entradas) *to get (tickets)*
correr la voz *to spread the word*
divertirse (e:ie) *to have a good time*
entretenerse *to amuse oneself*
estrenar (una película) *to release (a movie)*
festejar *to celebrate*
hacer cola *to wait in line*
reunirse (con) *to get together (with)*
salir (a comer/a tomar algo) *to go out (to eat/to have a drink)*

valer la pena *to be worth it*

aburrido/a *boring*
agotado/a *sold out*
animado/a *lively*
entretenido/a *entertaining*

Práctica

1

¿Dónde están? Indica en qué lugar están estas personas.

1. Llegamos muy temprano, pero había una cola larguísima. ¿Y si no conseguíamos entradas? ¿Y si estaban agotadas las localidades (*seats*)?

   a. zoológico   b. teatro   c. supermercado   d. gimnasio

2. Había máquinas que subían, bajaban, daban vueltas hacia la derecha y hacia la izquierda. La más espectacular dibujaba un laberinto de líneas en el aire.

   a. oficina   b. rascacielos   c. parque de atracciones   d. partido de fútbol

3. Yo no sabía que cuatro personas pudieran hacer tanto ruido en un campo de fútbol lleno de gente. Mi novio se divertía, pero yo no entendía nada de lo que decían.

   a. playa   b. restaurante   c. ópera   d. concierto

4. Aquí la gente suda (*sweat*), pero a mí no me gusta sudar cuando hago ejercicio; por eso, me gusta nadar. Mi hermano es el dueño y no tengo que pagar.

   a. club deportivo   b. museo   c. cine   d. bar

2

Celebraciones Completa la conversación.

aburridos	apostado	equipo	perder
aficionado	brindando	espectáculo	silbando
aguafiestas	empató	festejar	tomar algo
animadas	entretenida	gritando	valió la pena

PEDRO Mario, ¿vamos o qué? ¿Estás listo? Apúrate, que llegamos tarde.

MARIO Lo siento, pero no puedo ir a la fiesta de tu novia. Hay partido de fútbol.

PEDRO ¿Qué partido de fútbol? Dale, vamos. No seas (1) _____.

MARIO No, es que soy (2) _____ al fútbol, eso es todo.

PEDRO Las fiestas de mi novia son más (3) _____ y más entretenidas que los (4) _____ partidos de fútbol. Todos son iguales…Veintidós tontos corriendo detrás de una pelota, la gente (5) _____ histéricamente y (6) _____.

MARIO Es la final de la Copa Mundial. ¡Argentina contra Brasil! Es el (7) _____ del año. He invitado a todos mis amigos. Y cuando termine el partido, vamos a (8) _____ para (9) _____ la victoria.

PEDRO Estás muy seguro de la victoria de tu (10) _____.

MARIO Estoy más que seguro, estoy segurísimo. Argentina no puede (11) _____. Tiene que ganar; he (12) _____ todos mis ahorros. ¡Tiene que ganar!

PEDRO Disfruta de la pantalla gigante. ¡Espero que no tengas que venderla!

3

Un fin de semana extraordinario Juan y Marcela, dos amigos con personalidades muy diferentes, tienen que pasar un fin de semana juntos en una ciudad que nunca han visitado. Hacen muchas sugerencias interesantes, pero todo lo que uno propone, el otro lo rechaza con alguna explicación. En parejas, improvisen una conversación utilizando las palabras del vocabulario.

 PUEDO conversar sobre las diversiones.

 Practice more at
vhlcentral.com.

Preparación

Vocabulario del corto

alejarse to move away	**el hipódromo** racetrack
divino/a beautiful	**insensible** insensitive
enloquecido/a ecstatic	**parco/a** tight-lipped
estallar to blow one's top	**previo/a a** prior to
explotar to take advantage of	**sacar el tema** to bring up the subject
	el trámite process

Vocabulario útil

el afecto affection
aliviado/a relieved
decisivo/a decisive
la escena scene
el lenguaje corporal body language
sincerarse to come clean
la travesía journey

EXPRESIONES

che friend, mate, pal, man

Chocolate por la noticia. Tell me something I don't know!

con cara de pollito mojado with puppy dog eyes

hacerse a la idea to be resigned to the idea

la necesidad imperiosa overwhelming need

seguir la corriente (a alguien) to act as if in agreement (with someone)

total... at the end of the day...

---

1 **Definiciones** Empareja cada definición con la palabra correcta.

_____ 1. decir la verdad a alguien   a. sincerarse

_____ 2. manifestar violentamente un sentimiento   b. parco

_____ 3. liberado de algo   c. trámite

_____ 4. que habla poco   d. estallar

_____ 5. proceso   e. aliviado

2 **Vocabulario** Completa las oraciones con las palabras de la lista.

enloquecido	hipódromo	parco
escena	insensible	sacar el tema

1. El profesor de física es un hombre _____ que siempre dice lo mínimo.

2. Mi _____ favorita de la película es en la que el protagonista canta.

3. A Sebastián le encantan los caballos, por eso va todos los fines de semana al _____.

4. Miguel es una persona _____ que siempre ofende con sus palabras.

5. Ana no quiso _____ en la reunión.

3

Invitación Completa el correo con las palabras del vocabulario.

> ✉ **Mensaje** — Recibidos —Viaje a Montevideo   21 de julio de 2021, 10:09 AM   — + ✕
>
> **De**   Verónica <veronica@micorreo.com>
>
> **Para**   Felipe <felipe@micorreo.com>
>
> Bandeja de entrada   Responder   Reenviar
>
> Querido Felipe:
>
> Te he notado un poco (1) _____ conmigo. Discúlpame por (2) _____ pero quiero que solucionemos nuestros problemas. Sabes que siento mucho (3) _____ por ti, así que creo que es mejor (4) _____ con las personas que uno quiere y no (5) _____ sin hablar de los problemas. Por esto te propongo que viajemos juntos a Uruguay, es un lugar (6) _____ y sé que te va a encantar. El (7) _____ es muy sencillo, sólo tenemos que confirmar los días de viaje para hacer las reservaciones. Creo que voy a (8) _____ de alegría.
>
> Espero tu respuesta,
>
> Verónica
>
> 📁 Más recientes   🗑 5 de 1202   ⏮ Anteriores

4

Nuevas aventuras En parejas, conversen sobre estas preguntas.

1. ¿Crees que es importante viajar? ¿Por qué?

2. ¿Cuál es el viaje que más recuerdas? ¿Adónde fuiste? ¿Qué lugares conociste?

3. ¿Qué tipo de viajes disfrutas más? ¿Prefieres los viajes llenos de aventuras o los viajes tranquilos en los que puedes relajarte y descansar? ¿Por qué?

4. ¿Qué opinas de los viajes en pareja o con amigos/as? ¿Te gusta viajar solo/a o prefieres hacerlo acompañado/a? ¿Por qué?

5. Si tuvieras la oportunidad de viajar a cualquier lugar del mundo, ¿adónde irías? ¿Por qué?

5

¿Quiénes son? En parejas, miren el fotograma y discutan quiénes creen que son las personas que aparecen allí.

- ¿Cuál es la relación entre estas dos personas?

- ¿Qué están haciendo?

- ¿Cuáles son sus planes?

- ¿Cómo crees que es su personalidad?

Video

ARGUMENTO *Una pareja de novios de Argentina decide hacer un viaje a Uruguay.*

ÉL Si está todo bien en Buenos Aires, no veo por qué las cosas puedan llegar a cambiar en Uruguay. Todo lo contrario, se van a poner mejor incluso. Va a estar buenísimo.

ÉL Yo sé que me quiere, sí, me quiere, de eso estoy seguro, pero, ¿me ama? Ahora que lo pienso, nunca me lo dijo.

ÉL ¿Cuál es la diferencia entre que me lo diga con palabras a que lo exprese? ¡Ninguna! Por eso, está todo bien, todo perfecto. Igual, no estaría nada mal que me lo dijera.

ÉL ¡No me ama! ¡Claro! ¡Es eso! ¡No me ama! Es así de simple. Cuando alguien no ama al otro, no le dice que lo ama.

ÉL Esto es una bomba de tiempo. Se va a enamorar del primer *hippy* con guitarra que sepa tocar tres acordes de los Beatles.

ÉL Éste es el momento. Sí, se lo digo ahora. Éste es el silencio previo a la tragedia.

Análisis

1

Comprensión Elige la opción correcta para formar oraciones verdaderas.

1. Los protagonistas de *No me ama* viajan a Uruguay (en avión / en autobús).
2. El personaje masculino del corto también es (el narrador / fotógrafo profesional).
3. El protagonista le regala a su novia (una guitarra / una cámara fotográfica).
4. A los protagonistas les gustan (las actividades al aire libre / los juegos de mesa).
5. A María le encantan (los gatos / los caballos).

2

Interpretar En parejas, comenten las posibles respuestas a estas preguntas sobre el cortometraje.

1. ¿Por qué el protagonista piensa que ellos no se conocen completamente?
2. ¿Por qué él cree que viajar con su novia María va a poner a prueba la relación?
3. ¿Por qué está tan seguro de que María no lo ama?
4. ¿Por qué decide pelear con María mientras ella mira los caballos?
5. ¿Por qué crees que la actitud de María es tan tranquila con su novio?

3

Gestos En grupos de tres, escojan tres escenas clave del cortometraje. ¿Cuáles son las actitudes y las expresiones de los protagonistas en cada escena?

4

Opiniones En parejas, contesten las preguntas y expliquen sus respuestas.

Viajar juntos pone a prueba
un montón de cosas.

1. ¿Les parece que *No me ama* es una historia exagerada o creen que podría ser un reflejo de la realidad?
2. ¿Se identifican con alguno de los protagonistas?
3. ¿Por qué creen que no se dice el nombre del protagonista en el cortometraje?
4. El protagonista se considera a sí mismo un "neurótico". ¿Están de acuerdo? ¿Por qué?
5. ¿Creen que el viaje a Uruguay fue decisivo para la pareja?
6. ¿Creen que para María el viaje es tan importante como para su novio? ¿Por qué?
7. ¿Creen que el protagonista hubiera dudado de los sentimientos de su novia si no hubieran salido de viaje juntos? ¿Por qué?
8. ¿Qué conclusión se puede extraer de este cortometraje?

5 **¿Son compatibles?** En grupos, escriban una lista de las actividades que los protagonistas del cortometraje hacen durante su viaje a Uruguay. Describan la actitud de ella y la de él en cada una de las situaciones.

6 **En breve** Resume en un párrafo la historia que acabas de ver. Ten en cuenta:

- ¿Dónde sucede la historia?
- ¿Cuándo ocurre?
- ¿Quiénes son los personajes?
- ¿Qué es lo que sucede?
- ¿Cuál es el final de la historia?

7 **Mesa redonda** En grupos de tres, analicen las citas. Después, compartan sus opiniones con el resto de la clase.

> *"Viajar sirve para ajustar la imaginación a la realidad, y para ver las cosas como son en vez de pensar cómo serán". Samuel Johnson*

> "Un viaje es como el matrimonio. La manera certera de estar errados es pensar que tenemos el control". *John Steinbeck*

> *"Nuestro destino nunca es un lugar, sino una nueva forma de ver las cosas". Henry Miller*

> "He llegado a la conclusión de que la forma más segura para descubrir si ciertas personas te agradan o las odias es viajar con ellas". *Mark Twain*

> "Viajar y cambiar de lugar revitaliza la mente". *Séneca*

8 **Viajar** En parejas, imaginen que son dos amigos/as que viajan juntos/as a un país de Latinoamérica. Sus personalidades son muy diferentes y discuten mucho durante el viaje. Preparen una conversación en la que expongan lo que les molesta de su compañero/a de viaje y busquen soluciones para cada situación. Utilicen, al menos, seis palabras de la lista.

aliviado/a	decisivo/a	parco/a
la escena	alejarse	previo/a
el lenguaje corporal	estallar	sacar el tema
sincerarse	explotar	
la travesía	el hipódromo	

PUEDO hablar sobre viajar.

Practice more at
vhlcentral.com.

Audio: Reading

IMAGINA

Diversiones para todos

Cuando viajas, ¿buscas aventura, sofisticación, tranquilidad, naturaleza, cultura…? ¿Por qué no un poco de todo? Si viajas por **Argentina** y **Uruguay**, tendrás la oportunidad de admirar espectáculos naturales únicos, practicar deportes, disfrutar de la calma de paisajes de enorme belleza y visitar ciudades cosmopolitas.

Por donde mires, tienes para elegir. Al oeste, Argentina está separada de Chile por los **Andes**, que le proporcionan espléndidos lugares para esquiar. Al noroeste, la historia late[1] profundamente en los restos[2] arqueológicos de los pueblos originarios[3] de la región y en las huellas[4] de la guerra de la Independencia. En el noreste, puedes quedarte boquiabierto[5] frente al impresionante espectáculo de las **Cataratas del Iguazú**. Ya en el centro del país, las extensas llanuras[6] de la **Pampa** invitan a montar a caballo y recorrerlas hasta el horizonte.

Al sur se encuentra la **Patagonia argentina**, tierra de vientos y mares turbulentos, donde puedes visitar el glaciar **Perito Moreno**, avistar ballenas[7] en **Península Valdés** o esquiar en **Bariloche**, rodeado de un paisaje de lagos y montañas. Además, toda esa zona es considerada una especie de meca de los dinosaurios por la gran cantidad de fósiles que se han encontrado allí.

Basta una hora para cruzar en barco por el **Río de la Plata**, desde la cosmopolita **Buenos Aires**, en Argentina, hasta **Colonia**, encantadora ciudad uruguaya de fascinante arquitectura colonial que fue reconocida como Patrimonio de la Humanidad por la UNESCO.

Uruguay posee paisajes inigualables, complejos termales, playas y ciudades de activa vida cultural y turística, como su capital **Montevideo**, cuyos edificios son una interesante combinación de estilos coloniales, italianos y modernos con toques[8] de *art decó*. No hay que perderse el **carnaval**, que se celebra en toda la ciudad desde su comienzo oficial a mediados de enero, con el desfile[9] inaugural, hasta principios de marzo.

ARGENTINA

Cataratas del Iguazú

Si quieres relajarte todavía más y disfrutar de una experiencia única, debes visitar uno de los balnearios[10] más exclusivos de América del Sur y punto de encuentro del *jet set* internacional: **Punta del Este**. Esta ciudad de gran elegancia se encuentra donde termina el Río de la Plata y se abre al océano Atlántico. Es el lugar ideal para practicar deportes náuticos como *windsurf, jet-ski* o navegación a vela.

La actividad no para por la noche: cuando el sol se oculta, puedes disfrutar de las diversiones nocturnas que ofrece la ciudad en bares, discotecas o casinos. Tal vez tengas la suerte de encontrarte con algunos "ricos y famosos" que se refugian allí para descansar y divertirse durante el verano: ¡los meses de diciembre, enero y febrero!

Signos vitales

La **murga** es uno de los fenómenos típicos del **carnaval de Montevideo**. Es un conjunto de personas que se reúnen para tocar tambores, cantar y hacer teatro. Las murgas se burlan con frecuencia de los políticos y de las personalidades famosas.

[1] *pulsates* [2] *remains* [3] *native people* [4] *traces* [5] *speechless* [6] *plains* [7] **avistar...** *go whale-watching* [8] *touches* [9] *parade* [10] *resorts*

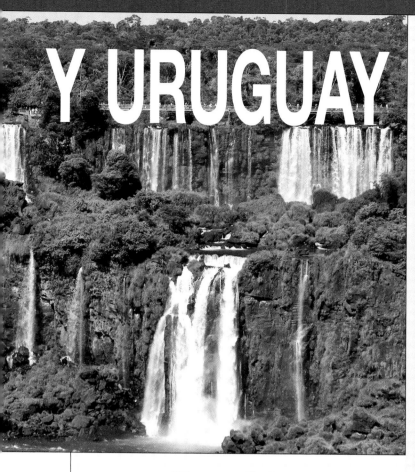

Y URUGUAY

¡Exploremos Montevideo y Buenos Aires!

El Río de la Plata Cuando Juan Díaz de Solís lo avistó por primera vez en 1516, creyó que era un mar y, por eso, lo llamó Mar Dulce. De hecho, el Río de la Plata es el río más ancho[1] del mundo: mide 48 kilómetros (30 millas) en la parte más angosta. En este gran estuario desembocan[2] las aguas del río Uruguay y el río Paraná. Sus márgenes[3] dividen a Argentina y Uruguay.

Puerto Madero En una época los grandes almacenes[4] de ladrillo a la orilla del **Río de la Plata** estaban abandonados y llenos de ratones. Ahora, se han convertido en oficinas, restaurantes, apartamentos, y hasta en una universidad. Esta elegante zona de Buenos Aires está otra vez

viva y llena de gente. Recientemente se han hallado allí restos de embarcaciones hundidas[5] en el Río de la Plata desde el siglo XVI en adelante; los arqueólogos afirman que esa zona es un gran cementerio de barcos.

El español de Argentina y Uruguay

afanar	robar, cobrar de más; *to steal, to rip off*
agarrada	disputa; *quarrel*
amarrete/a	tacaño/a; *stingy*
berreta	ordinario; *vulgar*
birome	bolígrafo, pluma; *pen*
bodrio	aburrimiento; *boredom*
bondi	ómnibus, autobús; *bus*
busarda	barriga; *belly*
chanta	informal, tramposo; *informal, cheater*
escrachar	poner en evidencia; *to show somebody up*
gamba	servicial; *helpful, obliging*
gil	tonto; *fool*
guita	dinero; *money*
laburo	trabajo; *job*
macana	locura, mentira, estupidez; *trouble, lie, stupidity*
macanudo	excelente; *great*
naso	nariz; *nose*
pibe/a	niño/a; *boy/girl*
remera	camiseta; *T-shirt*

La Feria de San Telmo y el Mercado del Puerto Estos son dos mercados famosos de Buenos Aires y Montevideo. La **Feria de San Telmo** en la Plaza Dorrego de Buenos Aires brilla cada domingo desde 1970. En sus puestos[6] de antigüedades, pueden encontrarse desde tocadiscos[7] hasta medallas de la Segunda Guerra Mundial. En la calle, pueden verse espectáculos artísticos. El **Mercado del Puerto** es, desde 1868, un centro de actividad constante en Montevideo. Actualmente es un área de restaurantes de mariscos y carnes.

El carnaval de Montevideo
Con una duración de cuarenta días, se dice que es el carnaval más largo del mundo. Aunque se celebra en todo el país, los eventos más conocidos ocurren en la capital. El desfile de **Llamadas** es especialmente famoso y celebra

las tradiciones y la herencia africanas de Uruguay.

[1] **más...** *widest* [2] *flow (into)* [3] *banks* [4] *warehouses* [5] **embarcaciones...** *sunken ships* [6] *stalls* [7] *record players*

GALERÍA DE CREADORES

Audio: Reading

LITERATURA Jorge Luis Borges
"Siempre imaginé el Paraíso como una especie de biblioteca". Jorge Luis Borges (1899–1986), el genio literario argentino, es un elemento central de la cultura argentina moderna. La literatura fue su pasión, y su creatividad e imaginación se anticipan por décadas a temas como la "realidad virtual". Leer a Borges es entrar al mundo de un hombre con conocimientos enciclopédicos, un autor que puede escribir sobre un crimen en París, un sueño en Persia o un paseo por la ciudad de Buenos Aires. Algunas de sus obras más conocidas son *El Aleph, Ficciones, Historia de la eternidad* y *El libro de arena*, entre otras.

MÚSICA FOLCLÓRICA Soledad Pastorutti
A los 11 años, esta santafesina nacida en Arequito, Argentina, en 1980 recorría los festivales y peñas folclóricas (*folk clubs*) de la mano de su padre. A los 15 años, saltó a la fama en la escena folclórica argentina cantando chacareras y zambas (*Argentinian folk dances*), y revoleando (*spinning*) el poncho. Gracias a su voz inconfundible y su carisma, Soledad Pastorutti fue y es un ícono que encabezó una nueva generación de jóvenes folcloristas. Hoy sigue cantando y componiendo, experimentando con nuevos ritmos pero sin olvidarse de sus raíces folclóricas. También es actriz.

LITERATURA Cristina Peri Rossi

Nacida en Montevideo, pero radicada en España desde 1972, adonde llegó como exiliada política, Cristina Peri Rossi es una de las escritoras contemporáneas más conocidas. En su literatura expresa dudas, emociones y deseos comunes en todos los seres humanos. A veces sus textos pueden ser irónicos o satíricos, pero siempre, aún detrás de algo cómico, existe un tema muy serio y básico de la existencia humana. Algunas de las obras de esta escritora uruguaya son *Cosmoagonías, Inmovilidad de los barcos, El amor es una droga dura* y *Cuando fumar era un placer.*

MÚSICA Julio Sosa

Julio Sosa (1926–1964) fue uno de los cantantes de tango más famosos de la segunda mitad del siglo XX y brilló durante las décadas de 1950 y 1960: lo apodaron "el varón del tango", nombre que también tuvo su primer disco de larga duración. Nació en Uruguay, de una familia muy pobre, por lo que tuvo que trabajar en todo tipo de oficios; mientras tanto, participaba en todos los concursos de canto que podía. Poco a poco le llegó el reconocimiento que lo llevaría al éxito popular. Pero su pasión por los autos y por la velocidad desmedida lo llevó a sufrir varios accidentes de tránsito; finalmente, murió en Buenos Aires, a causa de una colisión, a los 38 años de edad. A su velatorio concurrió una multitud.

¿Qué aprendiste?

1

Cierto o falso Indica si estas afirmaciones son ciertas o falsas. Corrige las falsas.

1. La Pampa está en el noreste de Argentina.
2. Soledad Pastorutti canta chacareras y zambas.
3. La murga está formada por un grupo de personas que tocan tambores, cantan y hacen teatro.
4. El balneario más exclusivo de América del Sur es Colonia.
5. Julio Sosa fue un popular cantante argentino de tangos.
6. *Ficciones* es una de las obras más famosas de Cristina Peri Rossi.

2

Preguntas Contesta las preguntas.

1. ¿Dónde se pueden avistar las ballenas en la Patagonia argentina?
2. ¿Cuándo comienza el carnaval en Montevideo?
3. ¿Cómo imaginaba el Paraíso el escritor Jorge Luis Borges?
4. ¿A qué edad saltó a la fama Soledad Pastorutti?
5. ¿Cuál fue el apodo de Julio Sosa?
6. ¿De quiénes se burlan las murgas?
7. ¿Cuál de los artistas de la Galería te interesa más? ¿Por qué?

3

Seleccionar Escoge uno de los personajes de la sección **Galería de creadores**. Explica por qué escogiste ese personaje y qué características de su biografía te impresionaron. Después, comparte tus pensamientos con la clase.

4

Adivinar En parejas, cada uno describe uno de los lugares o actividades presentados en la sección **Imagina**. El otro debe adivinar de qué lugar o actividad se trata.

5

Presentación En parejas, hagan una lista de los personajes argentinos o uruguayos que conocen. Cada uno debe escoger uno de ellos y buscar información sobre su historia. Preparen una presentación para la clase.

Practice more at
vhlcentral.com.

PROYECTO

Misión: Inmersión y diversión

Imagina que este verano vas de intercambio a Argentina o a Uruguay. Tu objetivo principal es mejorar tu español y sumergirte en la cultura argentina o uruguaya, ¡pero también quieres divertirte y comer bien! Decide dónde prefieres ir para disfrutar de tus actividades favoritas. Investiga la información que necesites en Internet.

- Escoge entre una ciudad, una playa, el campo, el desierto o las montañas.
- Busca fotos e información sobre las actividades que ofrece ese lugar.
- Busca información sobre la comida típica del lugar.
- Explica a la clase dónde harás tu intercambio y por qué.

PUEDO investigar las culturas de Argentina y Uruguay.

Lo mejor de Argentina

Video

Ya conoces los grandes tesoros naturales de Argentina, pero ¿qué sabes sobre la forma de vida de sus habitantes? En este episodio de **Flash cultura** exploraremos la vida urbana y rural en este fascinante país.

Vocabulario

a las apuradas *in a hurry*
ajetreado/a *busy*
la caña *straw*
chupar *to suck*
intercambiar *to exchange*
la parrilla *grill*
reconocido/a *renowned*
la tertulia *gathering*

1 Preparación ¿Te gusta bailar? ¿Alguna vez tomaste clases para aprender algún ritmo latinoamericano? ¿Te gustaría bailar tango?

2 Comprensión Indica si estas afirmaciones son ciertas o falsas. Después, corrige las falsas.

1. El Café Tortoni se encuentra en el centro de Buenos Aires.
2. Las tertulias del Tortoni eran reuniones de artistas que se hacían por las mañanas para conversar e intercambiar ideas.
3. Carlos Gardel fue un reconocido escritor argentino.
4. El instrumento más importante del tango es el bandoneón.
5. Actualmente, sólo los ancianos bailan en las milongas.
6. El mate es una bebida para compartir.

3 Expansión En parejas, contesten estas preguntas.

1. Si fueran al Tortoni, ¿pedirían un café, un submarino o un agua tónica, como hacía Borges?
2. ¿Se animarían a aprender a bailar tango delante de todos en la Plaza Dorrego? ¿Les gustaría probar el mate?
3. Si viajaran a la Argentina y tuvieran poco tiempo, ¿cuál de estas actividades preferirían: visitar los cafés porteños, comprar antigüedades en San Telmo, ir a una milonga o comer un asado en una estancia? ¿Por qué?

PUEDO hablar sobre qué hacer en Argentina.

Corresponsal: Silvina Márquez
País: Argentina

La capital argentina tiene una de las culturas de café más famosas del mundo.

En la Plaza Dorrego… todos los domingos hay un mercado al aire libre° donde venden antigüedades… también se puede disfrutar… del tango.

En una estancia°… podemos… disfrutar un asado°… y… andar a caballo°.

mercado al aire libre *open-air market* **estancia** *ranch*
asado *barbecue* **andar a caballo** *ride horses*

Practice more at
vhlcentral.com.

Tutorial

9.1

The future perfect

- The future perfect tense (**el futuro perfecto**) is formed with the future of **haber** and a past participle.

TALLER DE CONSULTA

The following grammar topic is covered in the **Manual de gramática, Lección 9.**

9.4 Transitional expressions, p. 410

To review irregular past participles, see **7.1, p. 251**.

The future perfect

ganar	perder	salir
habré ganado	habré perdido	habré salido
habrás ganado	habrás perdido	habrás salido
habrá ganado	habrá perdido	habrá salido
habremos ganado	habremos perdido	habremos salido
habréis ganado	habréis perdido	habréis salido
habrán ganado	habrán perdido	habrán salido

- The future perfect is used to express what *will have happened* at a certain point. The phrase **para** + [*time expression*] is often used with the future perfect.

Para el mes que viene, ya **se habrá estrenado** la película.
By next month, the movie will have already been released.

El partido de fútbol **habrá terminado para** las diez de la noche.
The soccer game will be over by 10 p.m.

- **Antes de (que), cuando, dentro de,** and **hasta (que)** are also used with time expressions or other verb forms to indicate *when* the action in the future perfect *will have happened*.

Cuando lleguemos al estadio, ya **habrá empezado** el partido.
When we get to the stadium, the game will have already started.

Lo **habré terminado dentro de** dos horas.
I will have finished it within two hours.

TALLER DE CONSULTA

To review the subjunctive after conjunctions of time or concession, see **6.1, p. 212.**

To express probability regarding present or future occurrences, use the future tense. See **5.1, pp. 174–175.**

- The future perfect may also express supposition or probability regarding a past action.

*¿**Habrá disfrutado** viajar conmigo?*

¿**Habrán ganado** el juego?
I wonder if they've won the game.

Carlos **habrá marcado** dos goles, por lo menos.
I'm sure Carlos will have scored at least two goals.

Práctica y comunicación

1 **Completar** Completa el diálogo entre el jugador de fútbol Diego Sarazona y un aficionado. Usa el futuro perfecto de los verbos.

AFICIONADO Diego, seguramente tú (1) _____ (comprar) entradas para ir a ver el partido del domingo entre Boca Juniors y River Plate.

SARAZONA No, pero antes de que comience el partido ya las (2) _____ (conseguir).

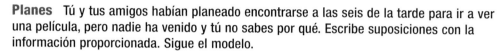

AFICIONADO ¿Crees que va a ser un partido complicado?

SARAZONA No, para el medio tiempo ya se (3) _____ (definir) quién será el ganador. Es más, para ese entonces todos nosotros, los aficionados del Boca Juniors, (4) _____ (festejar) la victoria.

AFICIONADO ¿Y los aficionados del River Plate?

SARAZONA Ellos ya (5) _____ (comprender) que no vale la pena ir a este tipo de partido porque siempre pierden.

2 **Planes** Tú y tus amigos habían planeado encontrarse a las seis de la tarde para ir a ver una película, pero nadie ha venido y tú no sabes por qué. Escribe suposiciones con la información proporcionada. Sigue el modelo.

Modelo **Mis amigos pensaron que soy aburrido/a.**
Mis amigos habrán pensado que soy aburrido/a.

1. Entendí mal los planes.
2. Me dejaron un mensaje telefónico.
3. No consiguieron entradas.
4. No escuché el timbre (*doorbell*).
5. Uno de mis amigos tuvo un accidente.
6. Llegaron antes de las seis.

7. Me equivoqué de día.
8. Me engañaron.
9. Fue una broma.
10. Lo soñé.
11. ¿?
12. ¿?

3 **El futuro**

A. Haz estas preguntas a un(a) compañero/a. Anota sus respuestas.

- Cuando terminen las próximas vacaciones de verano, ¿qué habrás hecho?

- Antes de terminar tus estudios universitarios, ¿qué aventuras habrás tenido?

- Dentro de diez años, ¿dónde habrás estado y a quién habrás conocido?

- Cuando tengas cuarenta años, ¿qué decisiones importantes habrás tomado?

- Para el año 2040, ¿qué altibajos (*ups and downs*) habrás experimentado?

- Cuando seas abuelo/a, ¿qué lecciones habrás aprendido de la vida?

B. Ahora, comparte las respuestas de tu compañero/a con la clase.

PUEDO especular sobre lo que habrá pasado.

Practice more at
vhlcentral.com.

Tutorial

9.2

The conditional perfect

Siempre pienso en qué me
***habría dicho** ella.*

- The conditional perfect tense (**el condicional perfecto**) is formed with the conditional of **haber** and a past participle.

The conditional perfect

tomar	correr	subir
habría tomado	habría corrido	habría subido
habrías tomado	habrías corrido	habrías subido
habría tomado	habría corrido	habría subido
habríamos tomado	habríamos corrido	habríamos subido
habríais tomado	habríais corrido	habríais subido
habrían tomado	habrían corrido	habrían subido

TALLER DE CONSULTA

To review irregular past participles, see **7.1, p. 251**.

The conditional perfect is frequently used after **si** clauses that contain the past perfect subjunctive. See **9.3, p. 325**.

- The conditional perfect tense is used to express what *would have occurred* but did not.

    Juan y Lidia **habrían ido** al partido, pero ya tenían otros planes.
    Juan and Lidia would have gone to the game, but they already had other plans.

    Habrías ganado la lotería.
    You would have won the lottery.

    Alda **habría jugado** mejor que Lourdes.
    Alda would have played better than Lourdes.

    Creo que Andrés **habría sido** un gran atleta.
    I think Andrés would have been a great athlete.

*En ese momento lo **habría pensado,***
pero ahora no estoy seguro.

- The conditional perfect may also express probability or conjecture about the past.

    Era imposible que ganaran el partido. ¿No **habrían comprado** al árbitro?
    It was impossible that they could have won the game. Don't you think they had paid off the referee?

Práctica y comunicación

1 **Completar** Completa las oraciones con el condicional perfecto.

1. No me gustó la película. Otro director _____ (imaginar) un final más interesante.

2. Nosotros _____ (salir) a comer, pero no encontré mi tarjeta de crédito.

3. Ellos _____ (estrenar) la película la semana pasada, pero la estrella no pudo asistir y tuvieron que aplazar el estreno.

4. Al espectador le _____ (gustar) el espectáculo si no hubiera sido tan largo.

5. Ustedes _____ (jugar) al tenis, pero estaba lloviendo.

2 **Un final distinto** En parejas, conecten a los héroes con sus historias. Luego, utilicen el condicional perfecto para inventar un final distinto. Sigan el modelo.

Modelo **El gladiador Máximo / muere en el Coliseo.**
En nuestra historia, el gladiador no habría muerto en el Coliseo.
Él habría triunfado y…

Tony Stark	se pasa al Lado Oscuro.
Robin Hood	sigue al conejo por el túnel.
Harry Potter	desintegra a Thanos.
Anakin Skywalker	se enamora de Marian.
Alicia	escapa de los ataques de Voldemort.

3 **¿Qué habrían hecho?** En parejas, miren los dibujos y túrnense para decir lo que habrían hecho en cada situación. Usen al menos seis palabras de la lista. Utilicen el condicional perfecto.

cerrajero (*locksmith*)	golpearse	llave
comprar	gritar	médico
enojarse	helado	mentir
ensuciar (*to get dirty*)	llamar	traje (*suit*)

PUEDO describir lo que habría ocurrido.

Practice more at
vhlcentral.com.

Tutorial

9.3

Si clauses

- **Si** (*if*) clauses express a condition or event upon which another condition or event depends. Sentences with **si** clauses are often hypothetical statements. They contain a subordinate clause (**si** clause) and a main clause (result clause).

Si ella se pone complicada, me alejo un poco, tomamos aire el uno del otro y listo.

TALLER DE CONSULTA

For other transitional expressions that express cause and effect, see **Manual de gramática, 9.4, p. 410**.

¡ATENCIÓN!

Si (*if*) does not carry a written accent. However, **sí** (*yes*) does carry a written accent.

Si puedes, ven.
Come if you can.

Sí, puedo.
Yes, I can.

- The **si** clause may be the first or second clause in a sentence. Note that a comma is used only when the **si** clause comes first.

    Si tienes tiempo, ven con nosotros al parque de atracciones.
    If you have time, come with us to the amusement park.

    Iré con ustedes **si** no tengo que trabajar.
    I'll go with you if I don't have to work.

Hypothetical statements about possible events

- In hypothetical statements about conditions or events that are possible or likely to occur, the **si** clause uses the present indicative. The main clause may use the present indicative, the future indicative, **ir a** + [*infinitive*], or a command.

Si clause: Present indicative		Main clause
Si usted no **juega** a la lotería, *If you don't play the lottery,*	PRESENT TENSE	no **puede** ganar. *you can't win.*
Si Gisela **está** dispuesta a hacer cola, *If Gisela is willing to wait in line,*	FUTURE TENSE	**conseguirá** entradas, seguro. *she'll definitely get tickets.*
Si marcan un solo gol más, *If they score just one more goal,*	IR A + [INFINITIVE]	**van a ganar** el partido. *they are going to win the game.*
Si sales temprano del trabajo, *If you leave work early,*	COMMAND	**vámonos** a un concierto. *let's go to a concert.*

Hypothetical statements about improbable situations

- In hypothetical statements about current conditions or events that are improbable or contrary-to-fact, the **si** clause uses the past subjunctive. The main clause uses the conditional.

¡ATENCIÓN!

A contrary-to-fact situation is one that is possible, but will probably not happen and/or has not occurred.

Si clause: Past subjunctive	Main clause: Conditional
Si tuviéramos boletos, *If we had tickets,*	**iríamos** al concierto. *we would go to the concert.*
Si no **estuviera** tan cansada, *If I weren't so tired,*	**saldría** a cenar contigo. *I'd go out to dinner with you.*

Hypothetical statements about the past

- In hypothetical statements about contrary-to-fact situations in the past, the **si** clause describes what *would have happened* if another event or condition *had occurred*. The **si** clause uses the past perfect subjunctive. The main clause uses the conditional perfect.

Si clause: Past perfect subjunctive	Main clause: Conditional perfect
Si no me **hubiera lastimado** el pie, *If I hadn't injured my foot,*	**habría ganado** la carrera. *I would have won the race.*
Si me **hubieras llamado** antes, *If you had called me sooner,*	**habríamos podido** reunirnos. *we would have been able to get together.*

Habitual conditions and actions in the past

- In statements that express habitual past actions that are not contrary-to-fact, both the **si** clause and the main clause use the imperfect.

Si clause: Imperfect	Main clause: Imperfect
Si Milena **tenía** tiempo libre, *If Milena had free time,*	siempre **iba** a la playa. *she would always go to the beach.*
De niño, **si iba** a la feria, *As a child, if I'd go to the fair,*	siempre **me montaba** en la montaña rusa. *I would always ride the roller coaster.*

*Ella nunca **decía** lo que sentía **si** yo no lo **mencionaba** primero.*

Práctica

1

Situaciones Completa las oraciones.

A. Situaciones probables o posibles

1. Si mi amiga Teresa no _____ (venir) pronto, tendremos que hacer cola.

2. Si tú no _____ (trabajar) hoy, vamos a la feria.

B. Situaciones hipotéticas sobre eventos improbables

3. Si mis padres estuvieran aquí, yo no _____ (poder) salir con mis amigos todas las noches.

4. Si mi novia tuviera más tiempo libre, ella _____ (pasar) todo el día jugando al tenis.

C. Situaciones hipotéticas sobre el pasado

5. Si mi tía la aguafiestas no hubiera venido a pasar las vacaciones conmigo, yo _____ (divertirse) mucho más.

6. Si el anfitrión _____ (ser) más simpático, la fiesta habría sido más divertida.

2

Si trabajara menos Carolina y Leticia trabajan cuarenta horas por semana y se imaginan qué harían si trabajaran menos horas. Completa el diálogo con el condicional o el imperfecto del subjuntivo.

CAROLINA Estoy todo el día en la oficina, pero si (1) _____ (trabajar) menos, tendría más tiempo para divertirme. Si sólo viniera a la oficina algunas horas por semana, (2) _____ (practicar) el andinismo más a menudo.

LETICIA ¿Andinismo? ¡Qué aburrido! Si yo tuviera más tiempo libre, (3) _____ (hacer) todas las noches lo mismo: (4) _____ (ir) al teatro, luego (5) _____ (salir) a cenar y, para terminar la noche, (6) _____ (hacer) una fiesta para celebrar que ya no tengo que ir a trabajar por la mañana. Si nosotras (7) _____ (tener) la suerte de no tener que trabajar nunca más, (8) _____ (pasarse) todo el día sin hacer absolutamente nada.

CAROLINA ¿Te imaginas? Si la vida (9) _____ (ser) así, seríamos mucho más felices, ¿no crees?

3

Si yo hubiera sido En parejas, imaginen cómo habrían sido sus vidas si hubieran sido uno de estos personajes.

Modelo uno de los Beatles

Si yo hubiera sido uno de los Beatles, habría tenido millones de aficionados a mi música y habría viajado por todo el mundo.

- la Madre Teresa de Calcuta
- Benjamin Franklin
- Bruce Lee
- Nelson Mandela
- la Princesa Diana de Inglaterra
- Jorge Luis Borges
- ¿?

Practice more at
vhlcentral.com.

Comunicación

4

¿Qué harías? En parejas, miren los dibujos y túrnense para preguntarse qué harían si les ocurriera lo que muestra cada dibujo. Sigan el modelo y sean creativos/as.

> **Modelo** —¿Qué harías si encontraras diez mil dólares en la calle?
> —Si yo encontrara diez mil dólares en la calle, seguramente llamaría a la policía y preguntaría si alguien lo había reclamado.

1. Tu suegro viene de visita sin avisar.

2. Te invitan a bailar tango.

3. Se descompone tu carro en el desierto.

4. Te quedas atrapado/a en un ascensor.

5

¿Qué pasaría? En parejas, pregúntense qué hacían, hacen, harían o habrían hecho en estas situaciones.

> **Modelo** **Si fueras un(a) atleta famoso/a...**
> Si fuera un(a) atleta famoso/a, donaría parte de mi sueldo para construir más escuelas.

1. Si hoy hubieras tenido el día libre...
2. Si, de niño/a, tus padres te regañaban...
3. Si suspendieran las clases durante una semana...
4. Si ves a tu novio/a con otro/a en el cine...
5. Si descubrieras que tienes el poder de ser invisible...

6

¡Qué desilusión! Imagina que vas a un concurso de la televisión en donde se elige al/a la artista que va a ser el nuevo ídolo de la música. Tú crees que actuaste bien, pero perdiste la competencia. En parejas, hablen de todo lo que habrían hecho de forma diferente si hubieran tenido una segunda oportunidad y de lo que habrían hecho si hubieran ganado.

> **Modelo** Si hubiera tenido una segunda oportunidad, habría contratado a Shakira para que me enseñara a bailar... Y si hubiera ganado, habría invitado a todos mis amigos a celebrarlo en un club...

PUEDO hablar de situaciones hipotéticas.

Síntesis

¿Qué pasará?

La clase se divide en cuatro grupos. Primero, cada grupo tiene que leer y tomar notas de las opiniones que tienen sus miembros sobre estos cuatro temas. Después, hagan las actividades.

1 La industria de los videojuegos es cada vez más grande y popular. Muchas personas se preocupan por el impacto psicológico y social que este tipo de juegos, cada vez más violentos, puede tener en niños, e incluso en adultos. Las compañías que los fabrican se defienden diciendo que estos juegos no incrementan la violencia del consumidor.

2 A pesar de que apostar dinero en el béisbol es ilegal en muchos estados, es un negocio millonario difícil de detener. En muchos casos, incluso los mismos directivos de los equipos están involucrados en el asunto. Hubo casos de jugadores que apostaron a favor de sus propios equipos, ¡y también contra sus equipos!

3 En los Estados Unidos se puede consumir alcohol legalmente cuando se tiene veintiún años de edad. Sin embargo, en muchos otros países la edad legal es dieciocho años. Algunos opinan que la edad legal en los Estados Unidos debería ser reducida, mientras otros creen que el límite de veintiún años es correcto.

4 Se estima que el 75% de los usuarios de plataformas de *streaming* comparte su contraseña con familiares y amigos, lo que supone una gran pérdida de ingresos para las compañías de entretenimiento por suscripción. Hay quienes opinan que compartir contraseñas debería estar permitido, ya que los usuarios pagan por retransmitir los contenidos en un número determinado de dispositivos (*devices*) simultáneamente. Por el contrario, según las compañías, una cuenta sólo debería ser usada por personas que habitan en un mismo hogar.

1 **Predicciones** ¿Qué creen que habrá pasado dentro de cinco años respecto a cada tema? Escriban dos predicciones de lo que creen que va a ocurrir en cada caso. Recuerden que deben usar el futuro perfecto.

2 **Intercambiar** Intercambien sus predicciones con otro grupo de la clase. Discutan qué podría ocurrir si se cumplieran los pronósticos del otro grupo.

3 **Compartir** Después, compartan todas las predicciones con la clase y analicen sus posibles consecuencias.

PUEDO hacer predicciones.

Preparación

Vocabulario de la lectura

el amanecer *dawn*
la antigüedad *antique*
la capilla *chapel*
la madrugada *early morning*

la milonga *type of dance; tango club/event*
pasear *to go for a walk*
el recorrido *route, trip*
rodeado/a *surrounded*

Vocabulario útil

el destino *destination*
el diseño *design*
trasnochar *to stay up late/all night*

Nota
CULTURAL

Milonga

Esta palabra se refiere a un estilo musical, predecesor del tango. También se usa para referirse a los lugares o los eventos en los que se baila tango, milonga y valses criollos.

1 **Elegir** Indica qué palabra no pertenece al grupo.

1. tango • milonga • mambo • rodeado
2. iglesia • edificio • diseño • capilla
3. madrugada • amanecer • tarde • antigüedad
4. boleto • gráfico • diseño • dibujo
5. camino • ruta • concierto • recorrido

2 **Encuesta de turismo** Completa la encuesta de turismo y luego habla con un(a) compañero/a sobre tus respuestas.

Encuesta de turismo

Indique con números del **1** (menos importante) al **5** (más importante) la importancia que tienen estos aspectos para usted como turista a la hora de visitar una ciudad.

Clima	1	2	3	4	5
Historia	1	2	3	4	5
Proximidad a su casa o ciudad	1	2	3	4	5
Hoteles	1	2	3	4	5
Lugares de compras	1	2	3	4	5
Museos	1	2	3	4	5
Precios	1	2	3	4	5
Restaurantes	1	2	3	4	5
Transporte público	1	2	3	4	5
Vida nocturna (teatros, discotecas, etc.)	1	2	3	4	5
Seguridad ciudadana	1	2	3	4	5

¿Cuál es su ciudad preferida para visitar? ¿Por qué?

Fin de semana en Buenos Aires

hectic/seductive

Esta agitada° y seductora° ciudad se extiende a lo largo del Río de la Plata. Los porteños, como se les llama a los habitantes de Buenos Aires, poseen una elaborada y rica identidad cultural. En la ciudad abundan los museos, las casas de tango y milongas, y los teatros. Así que una visita de tres días es apenas tiempo suficiente para recorrer los sitios más conocidos.

La Avenida 9 de Julio es un indiscutible punto de referencia. Llamada así en conmemoración de la independencia argentina, esta calle tiene 140 metros de ancho, lo que la convierte en una de las más anchas del mundo, y se extiende desde el barrio de Retiro, al norte, hasta la estación de trenes de Constitución, en el sur. En el centro, encontramos el Obelisco, símbolo de la ciudad, que mide más de 67 metros de altura. Se erigió en 1936 como homenaje al cuarto centenario de la fundación de la ciudad por Pedro de Mendoza.

Comenzando nuestro recorrido por San Telmo, podemos pasear por la Plaza Dorrego, popular por su mercado de antigüedades y sus variadas presentaciones artísticas. También en el sur está el barrio La Boca, cuya calle-museo Caminito es famosa por el colorido de sus casas, sus exposiciones permanentes de arte y la presencia de músicos y bailarines de tango. Allí se encuentra también La Bombonera, el estadio de fútbol del Club Atlético Boca Juniors.

En el centro de la ciudad se encuentra la Plaza de Mayo, el corazón político y religioso del país. La plaza está rodeada por el edificio del antiguo Cabildo, la Casa de Gobierno (llamada Casa Rosada) y la Catedral Metropolitana, donde se hallan los restos del libertador José de San Martín.

settlement

Cerca de ahí está la llamada Manzana de las Luces, cuya historia comenzó con la instalación° de los jesuitas en 1661, y donde se encuentra un centro cultural para muestras de artes plásticas, teatro y conferencias. Este conjunto de edificios cuenta con galerías subterráneas que conectan éstos y otros edificios de los alrededores; hoy en día es posible visitar algunos tramos recuperados°.

tramos... restored sections

Otro sitio histórico interesante es el Teatro Colón, uno de los más famosos del mundo, inaugurado en 1908 después de un proceso de construcción que duró veinte años. Su autoridad artística es indiscutible, tanto así que los argentinos aclaman° a excepcionales artistas con el famoso grito de "¡Al Colón!".

cheer

Si marchamos hacia el norte, encontramos uno de los barrios más elegantes de Buenos Aires: Recoleta. En esta moderna y distinguida zona de la ciudad abundan los cafés, las *boutiques* y las galerías de arte. También podemos dar una vuelta por el Cementerio de la Recoleta, un elaborado laberinto donde algunos mausoleos son réplicas de capillas, pirámides y templos griegos. Los personajes más célebres de la historia argentina, incluyendo a Eva Perón, se encuentran sepultados° aquí.

interred

En nuestra visita no debemos olvidar las paradas para comer. En la Avenida de Mayo está el Café Tortoni, el más antiguo de la ciudad. Su historia y tradición lo convierten en un punto imprescindible° en cualquier viaje a Buenos Aires. También se pueden visitar restaurantes modernos, como los de Puerto Madero, junto al río, o los ubicados en sectores como Las Cañitas, Soho o Palermo Hollywood, en el barrio Palermo.

must-see

Tomemos ahora un ferri para completar nuestro recorrido. En sólo una hora se puede cruzar el Río de la Plata desde Buenos Aires hasta Colonia del Sacramento, encantadora ciudad uruguaya de fascinante arquitectura colonial cuyo barrio histórico fue reconocido como Patrimonio de la Humanidad° por la UNESCO.

World Heritage Site

La herencia histórica y cultural de Colonia se aprecia en lugares como la Iglesia Matriz, la plaza de toros Real de San Carlos o la Puerta de la Ciudadela. Colonia es además un lugar muy concurrido por sus hermosos paisajes y costas. En temporada de verano, los visitantes alquilan carros de golf y ciclomotores° para hacer una ruta por sus sensacionales playas.

mopeds

De vuelta en Buenos Aires, otra parte esencial es su vida nocturna. En esta ciudad, las discotecas abren a partir de las dos de la madrugada y sus puertas no se cierran hasta el amanecer. Para quien quiera disfrutar de una experiencia única en el mundo, son imperdibles las milongas y las fiestas de tango que se celebran en salones esparcidos° por toda la ciudad.

spread

Buenos Aires, con sus atractivos, su historia, su cultura y su gente, seguirá seduciendo a los visitantes que encuentran aquí buenos recuerdos y aires nuevos. ∎

Fotos **p. 330:** *arriba, izq.* **Colonia;** *arriba, der.* **Caminito;** *abajo, izq.* **La Boca;** *abajo, der.* **Casa Rosada**

Análisis

1 **Comprensión** Contesta las preguntas con oraciones completas.

1. ¿Cómo se les llama a los habitantes de Buenos Aires?
2. ¿Por qué se dice que quienes viven en Buenos Aires tienen una rica identidad cultural?
3. ¿Dónde se encuentra el Obelisco?
4. ¿Por qué es famosa la calle-museo Caminito?
5. ¿Por qué es importante la Plaza de Mayo?
6. ¿De qué otra forma se llama la Casa de Gobierno de Argentina?
7. ¿Qué importancia tiene la Manzana de las Luces?
8. ¿Cuándo fue inaugurado el Teatro Colón y cuál es su importancia?
9. ¿Cómo es el Cementerio de la Recoleta? ¿Quiénes están sepultados allí?
10. ¿Por qué deben visitar los turistas el Café Tortoni?
11. ¿Qué reconocimiento recibe la ciudad de Colonia del Sacramento?
12. ¿Qué horario tienen las discotecas de Buenos Aires?

2 **Consejos** Tú eres porteño/a y te encuentras con algunos turistas que no saben adónde ir. Dales consejos de acuerdo con sus personalidades e intereses.

Mis amigas y yo somos estudiantes y tenemos 20 años. ¡Queremos divertirnos!

Mi esposo y yo somos profesores de historia. Nos encanta aprender cosas nuevas.

Mauricio y yo somos maestros de baile. Nos encanta salir a bailar.

3 **Dos tipos de viajeros** En grupos pequeños, háganse estas preguntas y descubran qué tipo de viajeros son. Después, hablen con la clase sobre las formas de viajar que conocen y decidan cuál proporciona la experiencia más auténtica y satisfactoria.

A. Cuanto más sepa de la ciudad, mejor.

- Antes de viajar a una ciudad, ¿te gusta conocer su historia? ¿Sus costumbres culinarias?
- ¿Compras un diccionario del idioma que se habla allí e intentas aprenderlo?
- ¿Compras mapas y memorizas calles, barrios y atracciones básicas?

B. Prefiero que la vida me sorprenda.

- ¿Te gusta llegar a una ciudad sin saber nada de ella y ver qué pasa?
- ¿Evitas las zonas turísticas y prefieres perderte entre la gente de allí?
- ¿Te gusta andar por las calles sin tener un itinerario fijo?

 PUEDO conversar sobre viajar.

Preparación

Sobre la autora

Juana de Ibarbourou (1892–1979) nació y murió en Uruguay, pero tuvo gran popularidad en todo el mundo hispano y llegó a conocerse como "Juana de América". Un estilo original, modernista y sencillo pero de gran profundidad se registra ya en sus primeros libros de poesía: *Las lenguas de diamante* (1919) y *El cántaro fresco* (1920). Luego su poesía fue evolucionando; pasó a escribir prosa y libros de índole religiosa y para niños. Se destacan sus poemarios, el libro de teatro para niños *Los sueños de Natacha* (1945), el de lecturas escolares *Ejemplario* (1928) y sus memorias de infancia *Chico Carlo* (1944), en el que aparece el relato "La mancha de humedad".

Vocabulario de la lectura		Vocabulario útil
atónito/a *astonished*	**filtrar** *to leak*	**la autoridad** *authority*
el despacho *office*	**el llanto** *crying*	**la creatividad** *creativity*
desvanecerse *to vanish*	**la mancha** *stain*	**el desconsuelo** *grief; distress*
el duende *elf*	**sollozar** *to sob*	
el empapelado *wallpaper*	**el tumulto** *turmoil*	**imaginativo/a** *imaginative*
enarbolar *to hoist*	**el umbral** *threshold*	**restringir** *to restrict*

1

Antónimos Empareja los antónimos.

_____ 1. aparecer   a. atónito

_____ 2. tranquilidad   b. desvanecerse

_____ 3. bajar   c. enarbolar

_____ 4. indiferente   d. desconsuelo

_____ 5. reírse   e. sollozar

_____ 6. alegría   f. tumulto

2

Imaginaciones Contesta las preguntas y comenta tus respuestas con un(a) compañero/a.

1. ¿Qué mundos, universos o espacios imaginarios conoces? ¿Cuál es tu favorito?

2. ¿Cuál es tu juego de computadora favorito? ¿Por qué?

3. ¿Qué superhéroe te gustaría ser? ¿Por qué? ¿Qué superpoder te parece más interesante o útil?

4. Cuando eras niño/a, ¿qué juego de fantasía (*make-believe game*) te gustaba más? ¿Por qué?

5. ¿Con qué cuento o historia para niños te has sentido más transportado/a?

3

Más o menos real No todos los seres fantásticos son iguales. En grupos de tres, organicen esta lista del "más real" al "menos real". Comenten sus decisiones y compártanlas con la clase.

- el ratón Pérez (*Tooth Fairy*)
- Papá Noel (*Santa Claus*)
- el hada madrina (*fairy godmother*)
- el hombre de la bolsa (*boogeyman*)
- los unicornios
- Pie Grande (*Bigfoot, Sasquatch*)

La mancha de humedad

Juana de Ibarbourou

Hace algunos años, en los pueblos del interior del país no se conocía el empapelado de las paredes. Era este un lujo reservado apenas
5 para alguna casa importante, como el despacho del Jefe de Policía o la sala de alguna vieja y rica dama de campanillas°. No existía el empapelado, pero sí la humedad sobre los muros pintados a la
10 cal°. Para descubrir cosas y soñar con ellas, da lo mismo. Frente a mi vieja camita de jacarandá, con un deforme manojo de rosas talladas a cuchillo en el remate del respaldo, las lluvias fueron filtrando, para
15 mi regalo, una gran mancha de diversos tonos amarillentos, rodeada de salpicaduras° irregulares capaces de suplir° las flores y los paisajes del papel más abigarrado. En esa mancha yo tuve todo cuanto quise:
20 descubrí las Islas de Coral, encontré el perfil de Barba Azul° y el rostro anguloso de Abraham Lincoln, libertador de esclavos, que reverenciaba mi abuelo; tuve el collar de lágrimas° de Arminda, el caballo de Blanca Flor y la gallina que pone los
25 huevos de oro; vi el tricornio de Napoleón, la cabra que amamantó a Desdichado de Brabante y montañas echando humo de las pipas de cristal que fuman sus gigantes o sus enanos. Todo lo que oía o adivinaba,
30 cobraba vida en mi mancha de humedad y me daba su tumulto o sus líneas.

important lady — campanillas°
lime — cal°
spatters — salpicaduras°
replace — suplir°
Bluebeard — Barba Azul°
tears — lágrimas°

Todo lo que oía o adivinaba, cobraba vida en mi mancha de humedad y me daba su tumulto o sus líneas.

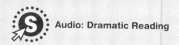

Cuando mi madre venía a despertarme todas las mañanas generalmente ya me encontraba con los ojos abiertos, haciendo mis descubrimientos maravillosos. Yo le decía con las pupilas brillantes, tomándole las manos:

—Mamita, mira aquel gran río que baja por la pared. ¡Cuántos árboles en sus orillas! Tal vez sea el Amazonas. Escucha, mamita, cómo chillan los monos y cómo gritan los guacamayos°.

macaws

Ella me miraba espantada°:

frightened

—¿Pero es que estás dormida con los ojos abiertos, mi tesoro? Oh, Dios mío, esta criatura no tiene bien su cabeza, Juan Luis.

Pero mi padre movía la suya entre dubitativo° y sonriente, y contestaba posando sobre mi corona de trenzas su ancha mano protectora:

hesitant

—No te preocupes, Isabel. Tiene mucha imaginación, eso es todo.

Y yo seguía viendo en la pared manchada por la humedad del invierno, cuanto apetecía mi imaginación: duendes y rosas, ríos y negros, mundos y cielos.

Y yo seguía viendo en la pared manchada por la humedad del invierno, cuanto apetecía mi imaginación.

Una tarde, sin embargo, me encontré dentro de mi cuarto a Yango, el pintor. Tenía un gran balde lleno de cal y un pincel° grueso como un puño° de hombre, que introducía en el balde y pasaba luego concienzudamente por la pared dejándola inmaculada. Fue esto en los primeros días de mi iniciación escolar. Regresaba del colegio, con mi cartera de charol llena de migajas° de biscochos y lápices despuntados. De pie en el umbral

paintbrush
fist

crumbs

del cuarto, contemplé un instante, atónita, casi sin respirar, la obra de Yango que para mí tenía toda la magnitud de un desastre. Mi mancha de humedad había desaparecido, y con ella mi universo. Ya no tendría más ríos ni selvas. Inflexible como la fatalidad, Yango me había desposeído de mi mundo. Algo, una sorda rebelión, empezó a fermentar en mi pecho como burbuja° que, creciendo, iba a ahogarme. Fue de incubación rápida cual las tormentas del trópico. Tirando al suelo mi cartera de escolar, me abalancé frenética hasta donde me alcanzaban los brazos, con los puños cerrados. Yango abrió una bocaza redonda como una "O" de gigantes, se quedó unos minutos enarbolando en el vacío su pincel que chorreaba° líquida cal y pudo preguntar por fin lleno de asombro:

bubble

dripped

—¿Qué le pasa a la niña? ¿Le duele un diente, tal vez?

Y yo, ciega y desesperada, gritaba como un rey que ha perdido sus estados:

—¡Ladrón! Eres un ladrón, Yango. No te lo perdonaré nunca. Ni a papá, ni a mamá que te lo mandaron. ¿Qué voy a hacer ahora cuando me despierte temprano o cuando tía Fernanda me obligue a dormir la siesta? Bruto, odioso, me has robado mis países llenos de gente y de animales. ¡Te odio, te odio; los odio a todos!

El buen hombre no podía comprender aquel chaparrón° de llanto y palabras irritadas. Yo me tiré de bruces° sobre la cama a sollozar tan desconsoladamente, como solo he llorado después cuando la vida, como Yango el pintor, me ha ido robando todos mis sueños. Tan desconsolada e inútilmente. Porque ninguna lágrima rescata el mundo que se pierde ni el sueño que se desvanece… ¡Ay, yo lo sé bien! ∎

(fig.) flood

de bruces *facedown*

Análisis

1 **Comprensión** Indica si las oraciones son ciertas o falsas. Corrige las falsas.

1. En la época del cuento, casi todas las casas del interior del país tienen empapelado.
2. Como las paredes están pintadas a la cal, en ellas se forman manchas de humedad.
3. Cuando mira las manchas, la narradora imagina siempre una misma historia.
4. Cuando le cuenta lo que ve a su madre, la mamá reacciona con una sonrisa.
5. Un día pintan la pared de la habitación de la narradora y cubren las manchas.
6. Cuando ve la pared pintada, la narradora se enoja.
7. Al final, la niña se calma y empieza a pensar de manera positiva.

2 **Roles de género** En parejas, examinen el diálogo entre el padre y la madre. Lean detenidamente cómo reacciona la madre ante lo que le dice la niña y cómo responde el padre. Luego saquen conclusiones sobre los roles de género a partir de estas preguntas.

- ¿Qué emociones y expresiones tienen la madre y el padre?
- ¿Qué gestos (miradas, movimientos) hacen ambos?
- ¿Cómo creen que se siente la niña ante la madre? ¿Y ante el padre?
- ¿Quién tiene la "autoridad" y por qué ustedes opinan eso?
- ¿Son estas representaciones "típicas" de los roles de género? ¿Por qué sí o no?

3 **El final** Lee el final del cuento otra vez. ¿Qué inferencias puedes hacer sobre la edad adulta de la narradora?

> Yo me tiré de bruces sobre la cama a sollozar tan desconsoladamente, como solo he llorado después cuando la vida, como Yango el pintor, me ha ido robando todos mis sueños. Tan desconsolada e inútilmente. Porque ninguna lágrima rescata el mundo que se pierde ni el sueño que se desvanece… ¡Ay, yo lo sé bien!

4 **Escribir** En un epílogo breve imagina lo que hizo la niña después, lo que hicieron los padres y cómo reaccionó ella. Usa la información del texto y tu imaginación.

Plan de redacción

Escribir un epílogo

1 **El desconsuelo** Imagina qué pasó por la mente de la niña luego de llorar en la cama. ¿Cuánto tiempo estuvo llorando? ¿Hubo algo que la calmó? ¿Salió de su habitación? ¿Protestó? ¿Hizo algo en la escuela al día siguiente?

2 **Los adultos reaccionan** Imagina un breve diálogo entre el padre y la madre. ¿Qué opinó la madre de la reacción de la niña? ¿Qué propuso hacer? ¿Y el padre? ¿Qué decidieron hacer (o no hacer)?

3 **El resultado** Al final de tu epílogo, comenta cómo reaccionó la niña ante lo que sus padres hicieron o no hicieron. ¿Cómo se sintió? ¿Qué conclusiones sacó de este episodio de su vida?

PUEDO hablar sobre los roles de género.

Las diversiones

 Vocabulary Tools

Los deportes

el/la aficionado/a *fan*
el alpinismo/andinismo *mountain climbing*
el/la atleta/deportista *athlete*
el boliche *bowling*
la carrera *race*
el club deportivo *sports club*
los deportes extremos *extreme sports*
el equipo *team*
el esquí alpino/de fondo *downhill/cross-country skiing*

apostar (o:ue) *to bet*
empatar *to tie (a game)*
ganar/perder (e:ie) un partido *to win/to lose a game*
gritar *to shout*
lastimar(se) *to injure (oneself)*
marcar (un gol/un punto) *to score (a goal/a point)*
silbar (a) *to whistle (at)*
vencer *to defeat*

El tiempo libre

el/la aguafiestas *party pooper*
el/la anfitrión/anfitriona *host/hostess*
el billar *billiards*
el boleto/la entrada *ticket*
las cartas/los naipes *(playing) cards*
la comedia *comedy*
el concierto *concert*
el conjunto/grupo musical *musical group, band*
los dardos *darts*
el espectáculo *show, performance*
el/la espectador(a) *spectator*
la feria *fair*
el juego de mesa *board game*
la lotería *lottery*
el/la músico/a *musician*
la obra de teatro *theater play*
el ocio *leisure*
el parque de atracciones *amusement park*
los ratos libres/el tiempo libre *free time*
el recreo *recreation*
el teatro *theater*

el videojuego *video game*

actuar *to act*
aplaudir *to applaud*
brindar *to toast (drink)*
celebrar *to celebrate*
charlar *to chat*
coleccionar *to collect*
conseguir (e:i) (entradas) *to get (tickets)*
correr la voz *to spread the word*
divertirse (e:ie) *to have a good time*
entretenerse *to amuse oneself*
estrenar (una película) *to release (a movie)*
festejar *to celebrate*
hacer cola *to wait in line*
reunirse (con) *to get together (with)*
salir (a comer/a tomar algo) *to go out (to eat/to have a drink)*
valer la pena *to be worth it*

aburrido/a *boring*
agotado/a *sold out*
animado/a *lively*
entretenido/a *entertaining*

Cortometraje

el afecto *affection*
la escena *scene*
el hipódromo *racetrack*
el lenguaje corporal *body language*
la travesía *journey*
el trámite *process*

alejarse *to move away*
estallar *to blow one's top*
explotar *to take advantage of*
sacar el tema *to bring up the subject*
sincerarse *to come clean*

aliviado/a *relieved*
decisivo/a *decisive*
divino/a *beautiful*
enloquecido/a *ecstatic*
insensible *insensitive*
parco/a *tight-lipped*
previo/a a *prior to*

Cultura

el amanecer *dawn*
la antigüedad *antique*
la capilla *chapel*
el destino *destination*
el diseño *design*
la madrugada *early morning*
la milonga *type of dance; tango club/event*
el recorrido *route, trip*

pasear *to go for a walk*
trasnochar *to stay up late/all night*

rodeado/a *surrounded*

Literatura

la autoridad *authority*
la creatividad *creativity*
el desconsuelo *grief; distress*
el despacho *office*
el duende *elf*
el empapelado *wallpaper*
el llanto *crying*
la mancha *stain*
el tumulto *turmoil*
el umbral *threshold*

desvanecerse *to vanish*
enarbolar *to hoist*
filtrar *to leak*
restringir *to restrict*
sollozar *to sob*

atónito/a *astonished*
imaginativo/a *imaginative*

Objetivos comunicativos: Repaso

PUEDO conversar sobre las diversiones.
• Indica qué haces en tus ratos libres.

PUEDO hablar sobre viajar.
• Indica adónde quieres viajar y explica por qué.

PUEDO especular sobre lo que habrá pasado.
• Haz cinco predicciones sobre el futuro. Utiliza el futuro perfecto con expresiones de tiempo.

PUEDO hablar sobre situaciones hipotéticas.
• Indica tres acciones que haces, harías o habrías hecho en ciertas situaciones. Utiliza **si**.

PUEDO investigar las culturas de Argentina y Uruguay.
• Describe algo que aprendiste de la cultura argentina o uruguaya.

Herencia y destino

En un mundo marcado por la diversidad y el multiculturalismo, ¿podemos evitar los conflictos derivados de las diferentes formas de pensar y de interpretar el mundo? ¿Qué valores de nuestros antepasados debemos conservar en esta sociedad? ¿Es la diversidad una amenaza para la identidad de las culturas o una fuente de nuevas perspectivas? ¿En qué tipo de mundo queremos vivir?

Objetivos comunicativos:
- Hacer predicciones sobre el futuro
- Opinar sobre la inmigración
- Hablar sobre los acontecimientos pasados, presentes y futuros
- Investigar la cultura española

342 CORTOMETRAJE

En el cortometraje *La boda*, la directora argentina **Marina Seresesky** expone con ternura y dramatismo las dificultades que atraviesa una mujer que desea, sobre todas las cosas, acompañar a su hija el día de su boda.

348 IMAGINA

¿Qué sabes de **España**? Aquí vas a conocer la diversidad cultural de este país. Tras explorar el país donde se originó el español, viajamos a **Machu Picchu**, el símbolo de la cultura inca.

367 CULTURA

¿Qué ocasiona que las personas emigren a otros países? En el artículo *España: emigración e inmigración* podrás conocer las razones que han motivado a algunos españoles a buscar su destino en otros países. Y también, las causas por las que muchos extranjeros consideran a España su hogar. Además, a través del videoclip **Cultura en pantalla** podrás visitar **Lavapiés: un barrio de inmigrantes en el corazón de Madrid.**

371 LITERATURA

En *Algo muy grave va a suceder en este pueblo*, **Gabriel García Márquez** muestra cómo un rumor o aun un inocente presentimiento pueden cambiar la vida de toda una comunidad.

345

350

Destino:
ESPAÑA

340 PARA EMPEZAR

354 ESTRUCTURAS

10.1 The passive voice

10.2 Negative and affirmative expressions

10.3 Summary of the indicative and the subjunctive

375 VOCABULARIO

Nuestro futuro

Vocabulary Tools

Las tendencias

la asimilación *assimilation*
la causa *cause*
la diversidad *diversity*
el/la emigrante *emigrant*
la frontera *border*

la herencia cultural *cultural heritage*
la humanidad *humankind*
los ideales *principles; ideals*
el idioma oficial *official language*
la inmigración *immigration*
la integración *integration*
la lengua materna *mother tongue*
el lujo *luxury*
la meta *goal*
la natalidad *birthrate*
la población *population*
el/la refugiado/a (de guerra/político/a)
   (war/political) refugee

———

adivinar *to guess*
anticipar *to anticipate; to expect*
asimilarse *to assimilate*
atraer *to attract*
aumentar *to grow*

disminuir *to decrease, to reduce,*
   to diminish
predecir (e:i) *to predict*
superarse *to better*
   oneself

———

bilingüe *bilingual*
(in)conformista *(non)conformist*
excluido/a *excluded*
monolingüe *monolingual*
previsto/a *foreseen*
solo/a *alone*

Problemas y soluciones

la amnistía *amnesty*
la añoranza *homesickness*
el caos *chaos*
el coraje *courage*
el daño *harm*
el diálogo *dialogue*

el entendimiento *understanding*
la incertidumbre *uncertainty*
la inestabilidad *instability*
el maltrato *abuse, mistreatment*
el nivel de vida *standard of living*
la polémica *controversy*
la superpoblación *overpopulation*

———

hacer un esfuerzo *to make an effort*
luchar *to fight*
prescindir (de) *to do without*
protestar *to protest*

Los cambios

adaptarse *to adapt*
alcanzar (un sueño/una meta) *to fulfill*
   (a dream); to reach (a goal)
dejar *to leave behind*
despedirse (e:i) *to say goodbye*

enriquecerse *to get rich*
establecerse *to establish oneself*
extrañar *to miss*
integrarse (a) *to become part (of); to fit in*
lograr *to attain, to achieve*
pertenecer *to belong*
rechazar *to reject*

Práctica

1

No pertenece

A. Indica cuál de las cuatro opciones no está relacionada con la palabra principal.

1. **predecir**
   a. anticipar   b. luchar   c. adivinar   d. prever

2. **meta**
   a. lujo   b. fin   c. propósito   d. objetivo

3. **polémica**
   a. entendimiento   b. controversia   c. debate   d. discusión

4. **humanidad**
   a. mundo   b. gente   c. seres humanos   d. maltrato

5. **despedirse**
   a. decir adiós   b. atraer   c. salir   d. separarse

6. **coraje**
   a. héroe   b. valentía   c. valor   d. cobardía

B. Ahora, escribe seis oraciones usando las palabras que escogiste en la parte A.

2

Contexto Escoge la palabra que mejor se ajuste al contexto de cada oración.

adaptarse	coraje	lograr	prescindir
añoranza	emigrante	monolingüe	rechazar

1. Sabe vivir bajo cualquier tipo de circunstancias.
2. No me dieron el puesto de trabajo porque sólo hablaba una lengua.
3. Dijo "no" a catorce propuestas buenísimas; no le convenció ninguna.
4. Me fui de mi país para encontrar trabajo, no por razones políticas.
5. Durante la recesión tuvimos que cortar gastos; dejamos de salir a comer.
6. En esta época del año siempre se pone melancólica. ¡Vive tan lejos de casa!

3

¿Dónde y cómo te ves en diez años?

A. Haz un esfuerzo e imagínate con diez años más. Escribe una descripción utilizando las preguntas como guía. Añade todos los detalles que quieras. ¡Es tu futuro!

- ¿Has alcanzado tus metas? ¿Qué has logrado? ¿Lo anticipaste?
- ¿Tuviste que prescindir de algo para alcanzar tus sueños?
- ¿Vives en el país donde naciste o en un país extranjero?
- ¿Vives adaptado/a a las circunstancias o te sientes excluido/a? ¿Por qué?
- ¿Rechazaste algo importante? ¿Dejaste algo atrás?
- ¿Te has enriquecido? ¿Cuál es tu nivel de vida?
- ¿Extrañas algo? ¿Eres feliz o quieres volver atrás?

B. Ahora, compártelo con un(a) compañero/a y responde a sus preguntas.

PUEDO hacer predicciones sobre el futuro.

Practice more at vhlcentral.com.

Preparación

Vocabulario del corto

el bocata *sandwich*
la cabina *phone booth*
la comadre *best friend*
la cuota *installment*

entregar *to hand over*
la laca *hair spray*
el saldo *balance*
el tono *volume (of sound)*

Vocabulario útil

anhelar *to long for*
el encargo *order*
la lejanía *distance*
realizarse *to come true*

EXPRESIONES

clavar *to do something accurately*

como un flan *shaking like a leaf*

meterse en un lío *to get into trouble*

no me pegan *don't match*

por todo lo alto *in style*

tú mismo(a) *it's up to you*

y punto *and that's that*

1

Un golpe de suerte Completa las oraciones con palabras y expresiones del vocabulario del cortometraje.

1. Camilo estaba _____ mientras esperaba a la novia en la iglesia. Estaba muy nervioso.
2. El profesor me pidió que bajara _____ de la voz durante la clase de español.
3. Jimena se va a graduar la próxima semana, así que lo vamos a celebrar _____.
4. Necesito _____ el examen de historia. No puedo reprobar otra vez.
5. Sólo me falta la última _____ para pagar el televisor que le quiero regalar a mi padre.
6. María Luisa es _____ de Laura; siempre la ha apoyado.
7. Mi _____ llegó esta tarde. ¡Lo he esperado por días!

2

Qué mala suerte En parejas, conversen sobre todas las cosas que pueden pasar durante los preparativos de una boda. Usen las palabras de vocabulario del cortometraje.

Modelo La madrina de la novia olvidó los anillos.

3 **Fotogramas** En parejas, observen los fotogramas y contesten las preguntas.

1. Identifica el personaje que aparece en todos los fotogramas.
   ¿Qué crees que le sucede?
2. ¿Cómo cambia la expresión de la mujer a lo largo de la secuencia?
3. ¿Qué relación podría tener la mujer con los demás personajes?
4. ¿Cuál crees que puede ser la historia que se cuenta en el cortometraje?

4 **Niveles de generosidad** En parejas, comenten qué sacrificios personales serían capaces de hacer por un amigo, un conocido y un desconocido. Consideren las siguientes situaciones:

- Vas de prisa por una carretera rural y ves a un anciano tratando de cambiar la rueda.
- Un compañero de escuela te pide quinientos dólares para pagar una deuda.
- Tu mejor amigo/a está locamente enamorado/a de un(a) chico/a que te gusta a ti.

5 **¡Qué será, será...!** En parejas, imaginen si dentro de veinte años estarán casados o solteros, y comenten cuáles creen que son las ventajas y las desventajas del matrimonio.

6 **Familias en movimiento** En grupos, lean las opiniones sobre la migración y coméntenlas.

> **"El exiliado mira hacia el pasado [...]. El emigrante mira hacia el futuro".** ISABEL ALLENDE

> **"El enemigo viene en limusina, no en patera (*raft*)".** PABLO HÁSEL

> **" Europa no debería tener tanto miedo de la inmigración: todas las grandes culturas surgieron a partir de formas de mestizaje".** GÜNTER GRASS

Video

ARGUMENTO *Mirta está dispuesta a sacrificarlo todo por ir a la boda de su hija.*

JEFA: Mi amor, entiéndeme. Si yo tuviera que cambiar los turnos por cada boda o cumpleaños de los hijos de ustedes... oye, aquí no trabajaría nadie, nunca.

LUISA: ¡Baja el tono, que te va a oír!
MIRTA: ¡Que es la boda de mi niña!
LUISA: Pero ¿qué vas a hacer sin trabajo?
MIRTA: Ya me las arreglaré.

(Mirta va a recoger su vestido.)

MIRTA: No tengo el dinero aquí conmigo, pero mañana a primera hora lo tiene usted aquí sobre la mesa.
DEPENDIENTA: Ya, pero si no me trae el dinero, no se lo puedo entregar.

MIRTA: Mira, lo que pasa es que llevo un día negro. Y no tengo dinero para pagarte.
PELUQUERA: Vamos a ver. Aquí, un bocata, un chupito y un poquitín de laca no se le niega a nadie. Así que siéntate.

LUISA: ¡Ay, qué guapas! ¡Venga foto!
MIRTA: No, no, no, que no hay tiempo.
LUISA: ¿*Cheese*? ¡Guapísimas!

Análisis

1

Comprensión Contesta las preguntas con oraciones completas.

1. ¿Por qué Mirta deja su trabajo?
2. ¿Qué pasa cuando Mirta va a recoger su vestido?
3. ¿Cómo ayuda Yoli a Mirta?
4. ¿Para qué va Mirta a la peluquería?
5. ¿Qué pasa después de que Mirta le dice a la peluquera que no puede pagarle?
6. ¿Quién es Ushimi?
7. ¿Por qué está contrariada (*cross*) Mirta cuando Yoli va a buscarla a su casa?
8. ¿Dónde se celebra la boda de la hija de Mirta?
9. ¿Cómo celebra Mirta la boda de su hija?

2

Interpretar En parejas, contesten las preguntas.

1. ¿Por qué Mirta decide sacrificar su trabajo?
2. ¿Por qué Luisa le dice a Mirta que "la cosa no está para ponerse orgullosa"?
3. ¿Por qué crees que la jefa de Mirta no intenta buscar una solución al problema?
4. ¿A qué se refiere Mirta cuando le dice a la dependienta que tiene "un pequeño problemita de liquidez"?
5. ¿Tiene marido Mirta? ¿Cómo lo sabes?
6. ¿Por qué se asustan Yoli y Mirta cuando deja de sonar el piano?
7. ¿A qué se refiere la peluquera cuando le dice a Mirta que "un bocata, un chupito y un poquitín de laca no se le niega a nadie"?
8. ¿Por qué avisa Tere, la vecina de Mirta, que llegó la policía?

3

"Si no me trae el dinero..." A Mirta sólo le quedan dos cuotas para pagar su vestido, pero la dependienta no se lo da. ¿Qué habrías hecho tú si fueras la dependienta? ¿Por qué?

4

Mediadora Imagina que eres Luisa y estás presente cuando la jefa obliga a Mirta a trabajar durante la boda de su hija. En vez de quedarte callada, decides ayudar a tu amiga. En parejas, escriban un diálogo entre Luisa y la jefa.

Jefa

Luisa

Mirta

5

¡Vaya boda! En parejas, lean las siguientes dos opiniones sobre la película. Elijan una y defiéndanla.

A. No entiendo la decisión de Mirta. Perdió su trabajo y gastó mucho dinero para hablar cinco minutos por teléfono. ¡Qué tontería!

B. Mirta sólo podía celebrar la boda de su hija de esa manera. ¡Fue un gesto precioso!

6

Prioridades Al final de la película, Mirta le dice a su hija que su deseo siempre fue que se casara. En grupos, comenten qué opinan al respecto, respondiendo las siguientes preguntas:

1. ¿Por qué creen que era tan importante para Mirta que su hija se casara?

2. ¿Creen que Mirta habría actuado igual si hubiera tenido un hijo en lugar de una hija? ¿Por qué?

3. ¿Creen que el matrimonio significa lo mismo en todas las culturas? ¿Por qué?

4. ¿Significa el matrimonio lo mismo para los hombres que para las mujeres? ¿Por qué?

7

Tú mandas En parejas, elijan una de estas situaciones e improvisen un diálogo. Utilicen seis palabras o expresiones de la lista. Después, representen el diálogo delante de la clase.

la comadre	el encargo	saldo
como un flan	entregar	tono
el coraje	meterse en un lío	tú mismo(a)
la cuota	por todo lo alto	y punto

A

Eres el/la dueño/a de una compañía de limpieza. Le preguntas a la jefa por una de las empleadas y ella te dice que ya no viene más porque ha encontrado otro trabajo. Tú sabes que la jefa ha despedido injustamente a la empleada.

B

Una semana antes de la boda de tu hijo/a, tus amigos/as te sorprenden con un regalo inesperado: un billete de avión a La Habana, donde vive tu hijo/a. No tienes papeles de residencia del país donde vives (España) y sabes que si te marchas, ya no podrás volver.

PUEDO opinar sobre el matrimonio.

Practice more at
vhlcentral.com.

Audio: Reading

IMAGINA ESPAÑA

Confluencia de civilizaciones

A lo largo de los siglos, España ha sido un territorio atractivo para civilizaciones e imperios en expansión por su ubicación estratégica. Miles de kilómetros de costas están bañados por el **océano Atlántico** y por el **mar Mediterráneo**. Su superficie ocupa la mayor parte de la **península ibérica**, pero además se incluyen dentro de su territorio las **islas Baleares**, las **islas Canarias** y las ciudades de la costa africana **Ceuta** y **Melilla**. A todas estas tierras llegaron los celtas, los íberos, los romanos, los visigodos, los judíos y los moros del norte de **África**, entre otros grupos humanos, y todos ellos han dejado su huella[1] en la cultura española. Su legado[2] es notable en la arquitectura, en el paisaje, en las costumbres, en las comidas, en el idioma y en las celebraciones actuales.

Un recorrido por sus ciudades y pueblos nos ofrece toda la magia de su patrimonio[3] histórico. De los romanos, quedan acueductos, puentes y teatros. De los visigodos, los arcos con forma de herradura[4] que desde la península pasaron a **Oriente**. De los ocho siglos de ocupación de los moros en la península, aún se aprecian monumentos arquitectónicos, como la **Alhambra** de **Granada** y la **Mezquita de Córdoba**. Los moros, además, sirvieron de enlace entre las culturas de Oriente y Occidente, y dejaron una riquísima herencia, no sólo en las artes —como es el caso de la influencia árabe en el flamenco—, sino también en las ciencias. El álgebra y los conocimientos cartográficos, geográficos y astronómicos pasaron, a través de España, a formar parte de la cultura occidental.

Hoy, el turismo es una de las bases de la economía

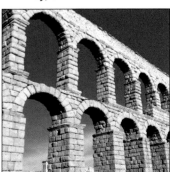
Acueducto de Segovia, España

La Alhambra de Granada, España

española. La amplia oferta cultural y turística atrae anualmente a unos 80 millones de turistas, un número significativo si se tiene en cuenta que la población total del país es de 47 millones de habitantes. Hay quienes siguen los pasos de **Hemingway**, quien vio una España de toreros y de historias de amor y de muerte. Otros buscan la diversión, fácil de encontrar en las fiestas que se ofrecen en toda su geografía y, claro está, en establecimientos públicos que cierran a altas horas de la madrugada. Algunos prefieren relajarse en la playa o tomar un baño de sol en la costa mediterránea. Y no hay que olvidar a los que disfrutan de los extraordinarios museos que se encuentran en ciudades como **Barcelona**, **Madrid** y **Bilbao**.

España es el tercer país del mundo en número de sitios declarados **Patrimonio de la Humanidad**, y en los últimos años se han aumentado las medidas para preservarlos. Los organismos oficiales intentan promover una oferta más cultural, que enseñe a los visitantes la realidad histórica del país. Pero independientemente de lo que busque el visitante, siempre disfrutará de la diversidad de un país que por milenios ha sido considerado uno de los centros culturales del mundo.

[1] mark [2] legacy [3] heritage [4] horseshoe

Signos vitales

En **España** no sólo se habla español. Además de muchos dialectos, hay varias lenguas cooficiales: el **euskera**, de origen desconocido y que se habla en el **País Vasco**; el **gallego**, que se habla en **Galicia**, al norte de **Portugal**; el **catalán** y el **aranés**, que se hablan en **Cataluña** y en otras comunidades autónomas; el **valenciano**, que se habla en **Valencia**.

¡Visitemos España!

Antoni Gaudí Mezclados, a veces escondidos[1], a veces dominando la ciudad, en **Barcelona** se hallan[2] los edificios

más emblemáticos del modernismo europeo. Enamoran por igual a los expertos en arquitectura y al paseante[3] menos entendido en la materia. Su creador fue el arquitecto catalán **Antoni Gaudí** (1852–1926), quien fue enterrado con grandes honores entre los muros[4] de su obra maestra: **la Sagrada Familia**.

Las cuevas de Sacromonte
En **Granada**, al sur de España, hay una montaña llena de cuevas[5] en las que los gitanos[6], siglo tras siglo, han establecido sus viviendas. Allí pervivió[7] la tradición de las **zambras**, del árabe *zámra*, que significa "celebración

espontánea de música y baile". Hoy en día, las **cuevas de Sacromonte** ofrecen espectáculos gitanos de flamenco que los amantes de este estilo musical y los curiosos pueden disfrutar.

Ibiza Situada en el **Mediterráneo**, **Ibiza** es una de las cinco **islas Baleares**. Antiguo paraíso jipi, es uno de los sitios donde

todavía persiste la costumbre de la vida relajada. La capital, también llamada **Ibiza**, está construida en una montaña. Entre los mejores lugares de Ibiza está la **playa d'en Bossa**, reconocida por sus famosas discotecas Space y Ushuaïa, y donde se presentan los mejores DJ del mundo.

Museo del Prado Conocido como uno de los mejores museos de arte del mundo, el **Museo Nacional del Prado** en **Madrid** es también uno de los más grandes. Su fama se debe a su amplia colección de pinturas, conformada por unas 8.600 obras. El museo aloja[8]

obras de artistas como **El Greco**, **Goya** y **Rembrandt**, pero, sin duda, la obra más famosa del museo es *Las meninas* de **Velázquez**. Además de guardar y exhibir importantes piezas de arte, el museo tiene otras formas de conectarse con la comunidad. Por ejemplo, los profesores pueden asistir a cursos en los que aprenden la manera de utilizar el museo como herramienta didáctica.

[1] *hidden* [2] *are found* [3] *visitor* [4] *walls* [5] *caves* [6] *Romani* [7] *survived* [8] *houses*

El español de España

chaval(a)	niño/a; *kid*
colega	amigo/a; *buddy, pal*
jersey	suéter; *sweater*
lavabo	baño; *bathroom*
majo/a	guapo/a; simpático/a; *good-looking; friendly*
móvil	(teléfono) celular; *cell phone*
ordenador	computadora; *computer*
patatas	papas; *potatoes*
piso	apartamento; *apartment*
tío/a	chico/a; *guy, girl*

Expresiones

¡Vale!	¡De acuerdo!; *OK!*
¡Venga!	¡Vamos!; ¡De acuerdo!; *Come on!; OK!*

Palabras españolas de origen árabe

aceite *oil;* **aceituna** *olive;* **ajedrez** *chess;* **albañil** *mason;* **albaricoque** *apricot;* **alcachofa** *artichoke;* **alcalde** *mayor;* **alcoba** *bedroom;* **alfombra** *carpet;* **almacén** *store;* **almohada** *pillow;* **alquiler** *rent;* **limón** *lemon;* **naranja** *orange*

GALERÍA DE CREADORES

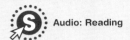 Audio: Reading

ARQUITECTURA Santiago Calatrava

Es uno de los arquitectos españoles más reconocidos en el mundo. Nació en Valencia, donde terminó la carrera de Arquitectura, y en 1981 se doctoró en Ingeniería civil en Zurich. Allí estableció su estudio y empezó a trabajar por toda Europa en proyectos que combinan la arquitectura y la ingeniería. El color blanco está presente en todas sus creaciones, las cuales imitan no sólo el ojo humano, un par de manos, un árbol, una columna vertebral, sino también sus movimientos. Algunas de sus grandes obras incluyen el Puente James Joyce, en Dublín, Irlanda; el Auditorio de Tenerife, España; y en los Estados Unidos, el pabellón Quadracci en el Museo de Arte de Milwaukee, en Wisconsin, y el Oculus, nueva estación de intercambio del sistema de transporte de Nueva York, en el World Trade Center. En esta imagen podemos apreciar el Hemisférico (izquierda) y el Palacio de las Artes Reina Sofía (derecha), en Valencia, España.

CINE Isabel Coixet

Isabel Coixet es una directora de cine española que afirma ganarse la vida no con el cine, sino con la publicidad. Nació en Barcelona en 1960 y, aunque es de nacionalidad española, prefiere escribir sus guiones en inglés y rodar fuera de España. En 2008 dirigió *Elegía*, basada en la novela *The Dying Animal* de Philip Roth, con un elenco estelar que incluye a Penélope Cruz y Ben Kingsley. Además, dirigió *Aprendiendo a conducir* (2014), película ganadora del Festival de Málaga, declarada fuera de concurso, y *Nadie quiere la noche* (2015), ganadora de cuatro premios Goya en varias categorías.

MÚSICA Enrique Iglesias

Aunque es hijo del famoso cantante español Julio Iglesias, Enrique nunca presumió (*showed off*) de su apellido. A los 16 años decidió que quería cantar, pero salió en busca de oportunidades bajo un seudónimo. Una vez que tuvo su primer contrato en sus manos, les informó a sus padres sobre su vocación por la música. Hoy es un cantante de música pop, productor discográfico y compositor latino muy famoso y exitoso. Domina las listas Billboard de latinos y cada uno de sus discos ha logrado convertirse en Disco de Oro, Platino y Multiplatino en diferentes países. Radicado en Miami, sus giras llegan a todo el mundo. Ha cantado junto con grandes artistas, tanto en español como en inglés.

LITERATURA Ana María Matute

Ana María Matute (1925–2014) tenía diez años cuando estalló (*broke out*) la Guerra Civil Española y para escapar de la realidad escribió una revista, *Shibyl*. Escribió de forma constante novelas, cuentos y obras juveniles, en los que están presentes los problemas de la infancia y la adolescencia. A pesar de escribir durante el franquismo, no dudó en criticar, sutilmente, la violencia y la hipocresía de la España de la época. Con la novela *Los hijos muertos* (1958) ganó el Premio Nacional de Literatura. Sus obras más recientes son *Paraíso inhabitado* (2008) y su novela póstuma *Demonios familiares* (2014). Fue miembro de la Real Academia Española. En 2007 recibió el Premio Nacional de las Letras Españolas y en 2010 el Premio Cervantes de Literatura.

¿Qué aprendiste?

1

Cierto o falso Indica si estas afirmaciones son ciertas o falsas. Corrige las falsas.

1. Ceuta y Melilla están en la costa española.
2. Los visigodos estuvieron en la península ibérica por ocho siglos.
3. El euskera se habla en el País Vasco.
4. El arquitecto Antoni Gaudí está enterrado en la Sagrada Familia.
5. Ana María Matute es una directora de cine española.
6. Enrique Iglesias es cantante, productor y compositor.

2

Preguntas Contesta las preguntas.

1. ¿Qué construyeron los romanos en España?
2. ¿Cuántos turistas visitan España cada año?
3. ¿Qué conocimientos científicos trajeron los moros a España?
4. ¿Quiénes establecieron sus viviendas en las cuevas de Sacromonte?
5. ¿Quién diseñó el Oculus, la nueva estación en el World Trade Center de Nueva York?
6. ¿Qué artista de la Galería te interesa más? ¿Por qué?

3

La gira española En parejas, imaginen que trabajan para una agencia de turismo y tienen que organizar una gira por España.

A. Elijan un tema para la gira: arte y arquitectura, gastronomía y costumbres, o herencia cultural. Luego, completen el itinerario a partir de la información de la sección **Imagina**.

Día 1. Breve paseo:	*Desde la Alhambra de Granada hasta la Mezquita de Córdoba*
Día 2. Visita imperdible:	
Días 3–5. Actividades centrales de la gira:	
Día 6. Un recorrido tras los pasos de:	
Día 7. Celebración de despedida:	

Practice more at
vhlcentral.com.

B. Comparen sus itinerarios con los del resto de la clase. ¿Qué diferencias encontraron? ¿Cuál resultó más original? ¿Cuál de todas las giras preferirían?

PROYECTO

La arquitectura de España

Imagina que eres un(a) arquitecto/a famoso/a y que vas a construir un edificio nuevo e importante en España. Investiga toda la información que necesites en Internet. Después:

- Decide qué tipo de edificio te gustaría crear y en qué ciudad española lo construirías.
- Recopila fotos de diferentes edificios y estructuras importantes en varios lugares de España. Busca un mapa de España, o dibuja uno, e indica dónde están estas estructuras.
- Presenta esta información a tus compañeros de clase y prepara un bosquejo de tu propio edificio, incorporando características de las estructuras que encuentres.

PUEDO investigar la cultura española.

Machu Picchu: encanto y misterio

Este episodio de **Flash cultura** te lleva a conocer las ruinas de Machu Picchu en Perú para descubrir sus misterios y saber qué piensan de ellas los visitantes de todo el mundo.

Vocabulario

el borde *brink*
la bruma *mist*
la ciudadela *citadel*
la cordillera *mountain range*
el depósito *warehouse*
evitar *to prevent*
la intrepidez *fearlessness*
tallado/a *carved*

1

Preparación ¿Te interesan las antiguas civilizaciones? ¿Te parece que es mejor visitar un lugar histórico que leer sobre él? ¿Estarías dispuesto/a a hacer un viaje de aventura a un país lejano? ¿Qué cosas pueden ser difíciles o peligrosas en un viaje así?

2

Comprensión Indica si estas afirmaciones son ciertas o falsas. Después, corrige las falsas.

1. Machu Picchu se encuentra en un lugar muy accesible a los turistas.

2. Se sabe que Miguel Ángel vivió en la ciudadela.

3. Cada una de las piedras de Machu Picchu fue cuidadosamente tallada.

4. Las terrazas servían como almacén de alimentos.

5. La ubicación geográfica de Machu Picchu evitó que la ciudadela fuera invadida por la conquista española.

3

Expansión En parejas, contesten estas preguntas.

1. Si visitaran las ruinas, ¿contratarían un(a) guía local? ¿Les parece que sería importante conversar con un(a) heredero/a de la cultura andina? ¿Por qué?

2. A Machu Picchu se puede llegar a pie o, en mucho menos tiempo, en tren. ¿Qué opción elegirían? ¿Por qué?

3. ¿Qué les atrae más de Machu Picchu: el misterio, el entorno de la naturaleza, la maravilla de su construcción o su importancia histórica? Expliquen su elección.

PUEDO hablar sobre una visita a Machu Picchu.

Corresponsal: Omar Fuentes
País: Perú

Un lugar remoto, sagrado y misterioso que fue descubierto apenas hace cien años.

Para cuando los españoles obtuvieron el control de Perú en 1532, todos los habitantes de Machu Picchu habían desaparecido.

Esta cultura quechua hizo muchas grandes obras y, actualmente, podemos ver esta maravilla del mundo que es Machu Picchu.

Practice more at **vhlcentral.com**.

Tutorial

10.1

The passive voice

*La foto **fue tomada** por la comadre.*

TALLER DE CONSULTA

The following grammar topic is covered in the **Manual de gramática, Lección 10.**

10.4 *Pero* vs. *sino*, **p. 412**

Passive statements may also be expressed with the passive **se**. See **7.3, p. 256.**

To review irregular past participles, see **7.1, p. 251.**

- In the active voice (**la voz activa**), a person or thing (agent) performs an action on an object (recipient). The agent is emphasized as the subject of the sentence. Statements in the active voice usually follow the pattern [*agent*] + [*verb*] + [*recipient*].

AGENT = SUBJECT	VERB	RECIPIENT
El policía	**vigila**	**la frontera.**
The police officer	*guards*	*the border.*
El departamento de inmigración	**ha detenido**	**a diez personas.**
The department of immigration	*has detained*	*ten people.*

- In the passive voice (**la voz pasiva**), the recipient of the action becomes the subject of the sentence. Passive statements emphasize the thing that was done or the person that was acted upon. They follow the pattern [*recipient*] + **ser** + [*past participle*] + **por** + [*agent*].

RECIPIENT = SUBJECT	*SER* + PAST PARTICIPLE	*POR* + AGENT
La frontera	**es vigilada**	**por el policía.**
The border	*is guarded*	*by the police officer.*
Diez personas	**han sido detenidas**	**por el departamento de inmigración.**
Ten people	*have been detained*	*by the department of immigration.*

- Note that singular forms of **ser** (**es, ha sido, fue,** etc.) are used with singular recipients, and plural forms (**son, han sido, fueron,** etc.) are used with plural recipients.

   La manifestación **es organizada** por un grupo de activistas.
   The demonstration is organized by a group of activists.

   Los dos candidatos **fueron rechazados** por el comité.
   The two candidates were rejected by the committee.

- In addition, the past participle must agree in number and gender with the recipient(s).

   La **disminución** de empleos fue **prevista** por el Secretario de Economía.
   The decline in jobs was predicted by the Treasury Secretary.

   Los **problemas** han sido **resueltos** por el jefe.
   The problems have been resolved by the boss.

- Note that **por** + [*agent*] may be omitted if the agent is unknown or not specified.

   Las metas fueron alcanzadas.
   The goals were reached.

   El maltrato no ha sido eliminado.
   Abuse has not been eradicated.

 Practice more at **vhlcentral.com.**

Práctica y comunicación

1

Cambio de país Completa las oraciones en voz pasiva con la forma adecuada del participio pasado.

1. Una fiesta fue _____ (organizar) por sus familiares para despedir a la familia Villar.

2. En el aeropuerto, sus pasaportes y visas fueron _____ (revisar) por los agentes de aduana.

3. Su equipaje fue _____ (examinar) antes de subir al avión.

4. Ya en los Estados Unidos, los jóvenes de la familia fueron _____ (admitir) en las escuelas de la comunidad.

5. Los hijos de los Villar ya no son _____ (considerar) extranjeros.

6. Cuando volvieron a visitar Argentina, los Villar fueron _____ (recibir) en el aeropuerto por todos sus familiares.

2

El artículo Lee las notas que tomó una periodista sobre un caso de robo y escribe el artículo utilizando la voz pasiva.

> **Notas sobre el caso**
>
> • Hace 25 años:
> asaltaron el Museo de Bellas Artes
> robaron seis cuadros muy famosos, destruyeron varios
> marcos antiguos en un pasillo, dañaron una estatua,
> golpearon a los dos guardias de seguridad, lastimaron
> con una navaja al cuidador
> • El mes pasado:
> un detective descubrió los seis cuadros en París
> dos meses antes, un empresario de Taiwán los vendió
> a una galería francesa
> • Ayer:
> la policía allanó *(raided)* las propiedades del empresario
> en Taipéi, encontró las otras obras de arte robadas,
> no atrapó al sospechoso
> • Ahora:
> la aseguradora del museo investiga pistas de los
> posibles ladrones
> Ella afirma: "considerarán el robo resuelto cuando
> atrapen a los culpables"

3

Titulares En parejas, elijan uno de los siguientes titulares y escriban un breve artículo para el periódico de su universidad. Utilizando la voz pasiva y las palabras de la lista, expliquen dónde y cómo fue el evento, quiénes participaron y qué consecuencias tuvo.

Hallan planeta habitado en el espacio		
descubrir	amenaza	investigar
establecer	extraterrestre	nave espacial

Entrega de premios a las mejores películas del año		
dedicar	ganador(a)	presentar
inspirar	principiante	triunfo

Encuentran la cura de la obesidad		
aliviar	avance	enfermedad
lograr	científico/a	recompensar

PUEDO describir un evento.

Tutorial

10.2

Negative and affirmative expressions

*Ay, yo lo siento, pero **no** puedo cambiar **nada.***

- Negative words (**palabras negativas**) deny something's existence or contradict statements.

Affirmative words	Negative words
algo *something; anything*	**nada** *nothing; not anything*
alguien *someone; somebody; anyone*	**nadie** *no one; nobody; not anyone*
alguno/a(s), algún *some; any*	**ninguno/a, ningún** *no; none; not any*
o. . . o *either. . . or*	**ni. . . ni** *neither. . . nor*
siempre *always*	**nunca, jamás** *never; not ever*
también *also; too*	**tampoco** *neither; not either*

¿Dejaste **algo** en la mesa?
Did you leave something on the table?

No, **no** dejé **nada**.
No, I didn't leave anything.

Siempre he tratado de mantener el diálogo con ustedes.
I have always tried to maintain a dialogue with you.

¡Mentira! Usted **no** ha hecho **ningún** esfuerzo.
That's a lie! You have not made any effort.

- In Spanish, double negatives are perfectly acceptable. Most negative statements use the pattern **no** + [*verb*] + [*negative word*]. When the negative word precedes the verb, **no** is omitted.

No lo extraño **nunca**.
I never miss him.

Nunca lo extraño.
I never miss him.

Su opinión **no** le importa a **nadie**.
His opinion doesn't matter to anyone.

A **nadie** le importa su opinión.
Nobody cares about his opinion.

- Once one negative word appears in an English sentence, no other negative word may be used. In Spanish, however, once a negative word is used, all other elements must be expressed in the negative, if possible.

No le digas **nada** a **nadie**.
Don't say anything to anyone.

No quiero **ni** pasta **ni** pizza.
I don't want pasta or pizza.

- The personal **a** is used before negative and affirmative words that refer to people when they are the direct object of the verb.

  Nadie me comprende. ¿Por qué será?
  No one understands me. Why is that?

  Porque tú no comprendes **a nadie**.
  Because you don't understand anybody.

  Algunos profesores de economía defienden la globalización.
  Some economics professors defend globalization.

  Pues, yo no conozco **a ninguno** que la defienda.
  Well, I don't know any who defends it.

- Before a masculine singular noun, **alguno** and **ninguno** are shortened to **algún** and **ningún.**

  ¿Han sufrido **algún** daño?
  Have they suffered any harm?

  No hemos comprado **ningún** artículo de lujo últimamente.
  We haven't bought any luxury items lately.

- **Tampoco** means *neither* or *not either.* It is the opposite of **también.**

  ¿No quieren hacer un esfuerzo para solucionar la crisis? Pues yo **tampoco.**
  They don't want to make an effort to resolve the crisis? Well, I don't either.

  Mi hermano es muy idealista, y yo **también.**
  My brother is very idealistic, and so am I.

- The conjunction **o. . . o** (*either. . . or*) is used when there is a choice to be made between two options. **Ni. . . ni** (*neither. . . nor*) is used to negate both options.

  Debo hablar **o** con el gerente **o** con la dueña.
  I have to speak with either the manager or the owner.

  No me interesa **ni** la política **ni** la economía.
  I am interested neither in politics nor in economics.

- The conjunction **ni siquiera** (*not even*) is used to add emphasis.

  Ni siquiera se despidieron antes de salir.
  They didn't even say goodbye before they left.

  Nada pudo lograr que se solucionara el conflicto, **ni siquiera** la visita del ministro.
  Nothing could lead them to settle the conflict, not even the visit from the minister.

Ni siquiera pude pagar el vestido.

¡ATENCIÓN!

Cualquiera can be used to mean *any, anyone, whoever, whatever,* or *whichever.* When used before a singular noun (masculine or feminine), the **–a** is dropped.

Cualquiera haría lo mismo.
Anyone would do the same.

Llegarán en cualquier momento.
They will arrive at any moment.

¡ATENCIÓN!

In the conjunction **o... o**, the first **o** can be omitted.

Debo hablar con el gerente o con la dueña.

In the conjunction **ni... ni**, the first **ni** can be omitted when it comes after the verb.

No me interesa la política ni la economía.

However, when the first **ni** goes before the verb, **no... ni** can be used instead of **ni... ni.**

La inmigración no/ni ha subido ni ha bajado.

Práctica

1

Completar Completa la conversación usando expresiones negativas y afirmativas. Ten en cuenta que vas a usar una expresión dos veces.

alguna	ni. . . ni	nunca	también
nadie	ningún	o. . . o	tampoco

ANA Pablo, ¿(1) _____ vez has probado las tapas españolas?

PABLO No, (2) _____ he probado la comida española.

ANA ¿De veras? ¿No has probado (3) _____ la tortilla de patata (4) _____ la paella?

PABLO No, no he comido (5) _____ plato español. (6) _____ conozco los ingredientes típicos de la cocina española.

ANA Entonces tenemos que salir a comer. ¿Conoces el Café Toro?

PABLO No, no conozco (7) _____ restaurante con ese nombre.

ANA (8) _____ lo conoce. Es nuevo, pero es muy bueno. A mí me viene bien que vayamos (9) _____ el lunes (10) _____ el jueves que viene.

PABLO El jueves (11) _____ me viene bien.

Nota CULTURAL

Las **tapas**, pequeñas porciones de comida que se sirven como aperitivo, son un plato típico de la cocina española. Existen varias versiones sobre su origen. Una de las más famosas cuenta que se originaron en la **Edad Media**, cuando, por una orden real, se obligó a las posadas (*inns*) a servir el vino acompañado de comida. Hoy día, las tapas son un plato de fama internacional. Las más comunes son las de **aceitunas** (*olives*), **queso, jamón serrano, chorizo** y **mariscos** (*shellfish*).

2

Viajar Imagina que eres un(a) viajero/a un poco especial y estás hablando de lo que no te gusta hacer en los viajes. Transforma las oraciones afirmativas en negativas usando las expresiones negativas correspondientes. Sigue el modelo.

Modelo Siempre como la comida del país.
Nunca como la comida del país.

1. Cuando voy de viaje, siempre compro algunos regalos típicos.
2. A mí también me gusta visitar todos los lugares turísticos.
3. Yo siempre hablo el idioma del país con todo el mundo.
4. Normalmente, o alquilo un carro o alquilo una motocicleta.
5. Siempre intento visitar a algún conocido de mi familia.
6. Cada vez que visito un lugar nuevo, siempre hago algunos amigos.

3

La fiesta En parejas, imaginen que están en una fiesta, pero sólo escuchan parte de lo que la gente conversa. Escriban respuestas a estas oraciones, usando las expresiones indicadas.

1. —Podrías visitar a la abuela mañana, ¿no? (ni... ni)
2. —Sé que le mentiste al profesor sobre el examen. (jamás)
3. —¿Qué ocurrió con el dinero que faltaba? (nadie... nada)
4. —Ella decidió visitar el lugar del accidente. (nunca)
5. —No creo que despidan a otro empleado esta semana. (tampoco)
6. —¿Me das una tapa de jamón? (ninguno/a)

Comunicación

4

Opiniones En grupos de cuatro, hablen sobre estas opiniones. Cada miembro del equipo da su opinión y el resto responde si está de acuerdo o no. Usen expresiones negativas y afirmativas.

- Cada persona debe quedarse a vivir en su propio país.
- Los inmigrantes benefician la economía del país.
- La sociedad es responsable de integrar a los nuevos inmigrantes.
- Los inmigrantes deben aprender el idioma del país y no deben hablar su propio idioma nunca.
- Es responsabilidad de los gobiernos proporcionar los recursos justos y necesarios para que sus ciudadanos no se vean obligados a emigrar.
- Todo el mundo debería ser libre de vivir y trabajar donde quisiera.
- Nada es más difícil que vivir en un país extranjero por obligación.
- El inmigrante siempre piensa en regresar algún día a su patria.
- Nunca se puede decir: "jamás viviría en otro país", porque nunca se sabe.

5

Escena

A. En parejas, escriban una conversación entre un(a) hijo/a adolescente y sus padres, usando expresiones negativas y afirmativas.

Modelo		
	HIJA	¿Por qué siempre desconfían de mí?
		No me gusta que nunca crean lo que les digo.
		No soy ninguna mentirosa y mis amigos tampoco lo son.
		No tienen ninguna razón para preocuparse.
	MAMÁ	Sí, hija, muy bien, pero recuerda que...
	HIJA	Por última vez, ¿puedo ir...?
	PAPÁ	...

B. Ahora, representen la conversación que escribieron ante la clase.

PUEDO opinar sobre la inmigración.

Practice more at
vhlcentral.com.

Tutorial

10.3 Summary of the indicative and the subjunctive

The indicative

*¿A las seis? Entonces ya no nos **da** tiempo de nada.*

TALLER DE CONSULTA

To review indicative verb forms, see:

Present
1.1, pp. 18–19

Present perfect
7.1, pp. 250–251

Preterite
2.1, pp. 56–57

Past perfect
8.1, p. 286

Imperfect
2.2, pp. 60–61

Future perfect
9.1, p. 320

Future
5.1, pp. 174–175

Conditional perfect
9.2, p. 322

Conditional
5.2, pp. 178–179

- This chart shows when each of the indicative verb tenses is typically used.

PRESENT	*timeless events:*	La gente **quiere** vivir en paz.
	habitual events that still occur:	Mi madre **sale** del trabajo a las cinco.
	events happening right now:	Ellos **están** enojados.
	future events expected to happen:	Te **llamo** este fin de semana.
PRETERITE	*actions or states beginning/ending at a definite point in the past:*	Ayer **firmamos** el contrato.
IMPERFECT	*past events without focus on beginning, end, or completeness:*	Yo **leía** mientras ella **estudiaba.**
	habitual past actions:	Ana siempre **iba** al mismo restaurante.
	mental, physical, and emotional states:	Mi abuelo **era** alto y fuerte.
FUTURE	*future events:*	**Iré** a Madrid en dos semanas.
	probability about the present:	¿**Estará** en su oficina ahora?
CONDITIONAL	*what would happen:*	Él **lucharía** por sus ideales.
	future events in past-tense narration:	Me dijo que lo **haría** él mismo.
	conjecture about the past:	¿Qué hora **sería** cuando regresaron?
PRESENT PERFECT	*what has occurred:*	**Han cruzado** la frontera.
PAST PERFECT	*what had occurred:*	Lo **habían hablado** hacía tiempo.
FUTURE PERFECT	*what will have occurred:*	Para la próxima semana, ya **se habrá estrenado** la película.
CONDITIONAL PERFECT	*what would have occurred:*	Juan **habría sido** un gran atleta.

The subjunctive

... yo os aviso cuando todo **esté** *tranquilo.*

TALLER DE CONSULTA

To review subjunctive verb forms, see:

Present subjunctive 3.1, pp. 96–98

Past subjunctive 6.2, pp. 216–217

Present perfect subjunctive 7.2, p. 254

Past perfect subjunctive 8.2, p. 288

To review commands, see **3.3, pp. 106–107.**

- The subjunctive is used mainly in multiple-clause sentences. This chart explains when each of the subjunctive verb tenses is appropriate.

PRESENT	*main clause is in the present:*	Quiero que **hagas** un esfuerzo.
	main clause is in the future:	Ganará las elecciones a menos que **cometa** algún error.
PAST	*main clause is in the past:*	Esperaba que **vinieras.**
	hypothetical statements about the present:	Si **tuviéramos** boletos, iríamos al concierto.
PRESENT PERFECT	*main clause is in the present while subordinate clause is in the past:*	¡Es imposible que te **hayan despedido** de tu trabajo!
PAST PERFECT	*main clause is in the past and subordinate clause refers to earlier event:*	Me molestó que mi madre me **hubiera despertado** tan temprano.
	hypothetical statements about the past:	Si me **hubieras llamado,** habría salido contigo anoche.

Present subjunctive

Es necesario que **hagamos** un esfuerzo para superarnos.
It's necessary that we make an effort to better ourselves.

Past subjunctive

Yo no creí que **rechazaran** el plan.

I didn't believe that they would reject the plan.

Past perfect subjunctive

Nos sorprendió que **hubieras alcanzado** tus sueños.
It surprised us that you had fulfilled your dreams.

Present perfect subjunctive

Me parece increíble que **hayas aprendido** tan rápido tu nuevo idioma.
I am impressed that you have learned your new language so fast.

TALLER DE CONSULTA

To review the uses of the subjunctive, see:

Subjunctive in noun clauses 3.1, pp. 96–98

Subjunctive in adjective clauses 4.1, pp. 136–137

Subjunctive in adverbial clauses 6.1, pp. 212–213

Si **clauses 9.3, pp. 324–325**

¡ATENCIÓN!

Ojalá (que) is always followed by the subjunctive.

Ojalá (que) se mejore pronto.

Impersonal expressions of will, emotion, or uncertainty are followed by the subjunctive unless there is no change of subject.

Es terrible que tú fumes.

Es terrible fumar.

The subjunctive vs. the indicative

- This chart contrasts the uses of the subjunctive with those of the indicative (or infinitive).

Subjunctive	Indicative (or infinitive)
after expressions of will and influence when there are two different subjects: Quieren que **vuelvas** temprano.	*after expressions of will and influence when there is only one subject (infinitive):* Quieren **volver** temprano.
after expressions of emotion when there are two different subjects: La profesora tenía miedo de que sus estudiantes no **aprobaran** el examen.	*after expressions of emotion when there is only one subject (infinitive):* Los estudiantes tenían miedo de no **aprobar** el examen.
after expressions of doubt, disbelief, or denial when there are two different subjects: Es imposible que Beto **haya salido** por esa puerta.	*after expressions of doubt, disbelief, or denial when there is only one subject (infinitive):* Es imposible **salir** por esa puerta; siempre está cerrada.
when the person or thing in the main clause is uncertain or indefinite: Buscan un empleado que **haya estudiado** administración de empresas.	*when the person or thing in the main clause is certain or definite (indicative):* Contrataron a un empleado que **estudió** administración de empresas.
*after **a menos que, antes (de) que, con tal (de) que, en caso (de) que, para que,** and **sin que** when there are two different subjects:* El abogado hizo todo lo posible para que su cliente no **fuera** a la cárcel.	*after **antes de, con tal de, en caso de, para,** and **sin** when there is no change in subject (infinitive):* El abogado hizo todo lo posible para **defender** a su cliente.
*after the conjunctions **cuando, después (de) que, en cuanto, hasta que,** and **tan pronto como** when they refer to future actions:* Compraré otro teléfono celular cuando me **ofrezcan** un plan adecuado a mis necesidades.	*after the conjunctions **cuando, después (de) que, en cuanto, hasta que,** and **tan pronto como** when they do not refer to future actions (indicative):* Compré otro teléfono celular cuando me **ofrecieron** un plan adecuado a mis necesidades.
*after **si** in hypothetical or contrary-to-fact statements about the present:* Si **tuviera** tiempo, iría al cine.	*after **si** in hypothetical statements about possible or probable future events (indicative):* Si **tengo** tiempo, iré al cine.
*after **si** in hypothetical or contrary-to-fact statements about the past:* Si **hubiera tenido** tiempo, habría ido al cine.	*after **si** in statements that express habitual past actions (indicative):* Si **tenía** tiempo, siempre iba al cine.

Práctica

1
🔗

Biografía Elige la forma correcta de cada verbo para completar el párrafo sobre la vida de Letizia Ortiz.

Letizia Ortiz (1) _____ (nacía/nació) en 1972, en Oviedo. (2) _____ (Estudió/Estudiaba) periodismo en la Universidad Complutense de Madrid. Desde que (3) _____ (terminaba/terminó), (4) _____ (ha tenido/tiene) varios puestos importantes. Cuando la reina Letizia y el rey Felipe (5) _____ (se conocían/se conocieron), ella (6) _____ (trabajó/trabajaba) como periodista de TVE y por aquella época (7) _____ (era/fue) una de las figuras del canal. Desde hace unos días, la reina Letizia y el rey Felipe (8) _____ (estarán/están) en México y (9) _____ (anunciaban/han anunciado) que (10) _____ (viajan/viajarán) a otros países de Latinoamérica como representantes de la Corona española.

2
🔗

Completar Completa las oraciones usando el verbo en subjuntivo o en indicativo.

1. Quiero que se _____ (terminar) los problemas con los inmigrantes.
2. Me gustaría que mis hijos _____ (tener) más tiempo para leer los diarios que escribió mi abuelo al emigrar.
3. El profesor me recomendó que yo _____ (preservar) mi herencia cultural.
4. Me molestaba que ella _____ (hablar) de esa manera sobre los inmigrantes.
5. Mi abuela hizo todo lo posible para que todos nosotros _____ (visitar) su país de origen.
6. Cada día _____ (llegar) al país muchos nuevos inmigrantes llenos de sueños.
7. La situación _____ (cambiar) en los últimos años porque los españoles ya no emigran tanto como en el pasado.
8. Te aconsejo que _____ (estudiar) la historia de la inmigración de tu país; es un tema muy interesante.

3
👥

Pensamientos En parejas, escriban oraciones sobre lo que pensaban hace diez años y lo que piensan en la actualidad. Usen las diferentes formas del subjuntivo, del indicativo y del infinitivo, y las palabras y expresiones de la lista. Sean creativos/as.

Modelo Era una lástima que a mis padres no les gustara mi música.

buscar	es/era imposible	matrimonio	salir
comprar	es/era una lástima	ojalá	televisión
desear	humanidad	playa	tener miedo
dudar	matemáticas	querer	viajar

Nota
CULTURAL

Letizia Ortiz Rocasolano, conocida hoy día como la **Reina de España**, nació en **Oviedo** el 15 de septiembre de 1972. Periodista de profesión, empezó a formar parte de la monarquía al contraer matrimonio con el **príncipe Felipe de Borbón**. Debido a la incompatibilidad de los puestos, tras la boda tuvo que abandonar su carrera profesional para ocuparse de las tareas que le exige su nuevo rango en la realeza española.

4

Estudios Juliana ha llegado a España con la intención de estudiar allí.

A. Escribe oraciones siguiendo el modelo para hablar de sus planes. Usa el subjuntivo cuando sea necesario.

> **Modelo** **tan pronto como / tener dinero**
> Va a estudiar en la universidad tan pronto como tenga dinero.

1. con tal (de) que / estudiar psicología
2. en cuanto / tomar los exámenes de ingreso
3. cuando / encontrar un apartamento cerca de la universidad
4. hasta / terminar sus estudios
5. para / encontrar un buen trabajo en el futuro

B. Ahora, en parejas, utilicen las oraciones que han formado para escribir un diálogo entre Juliana y su madre. Juliana le explica cuáles son sus planes.

5

El bisabuelo En parejas, imaginen que su bisabuelo, de origen mexicano, emigró a España en 1890. Escriban una hoja de su diario contando cómo fue su llegada a ese país. Usen el indicativo o el subjuntivo y algunas de las palabras de la lista.

amigo/a	carpintero	esperanza	puerto (*harbor*)
anuncio	cartas	esposa	tormenta
barco	casa	familiares	trabajo
caballo	dinero	hijo/a	viento

23 de diciembre de 1890

Hoy fue un día muy particular.
Después de un pesado viaje
de muchos días...

Comunicación

6

¿Quién es? En parejas, escojan una persona famosa. Escriban una lista de los acontecimientos de su vida (pasados, presentes y los que puedan ocurrir en el futuro). Cuando hayan terminado, lean en voz alta la lista de los acontecimientos. El resto de la clase tendrá que adivinar de quién se trata.

7

Los cincuenta Mañana Manuel va a cumplir 50 años. Por ello, Manuel ha estado pensando en todo lo que le hubiera gustado hacer pero que nunca hizo. En parejas, miren el dibujo y hablen sobre lo que habría hecho Manuel si hubiera podido. Luego, inventen tres cosas que hizo, pero de las que se arrepiente.

8

Tu vida Primero, completa el cuadro con algunos acontecimientos de tu vida y con los planes que tienes para el futuro. Luego, cuéntale a un(a) compañero/a los eventos de tu vida y tus planes.

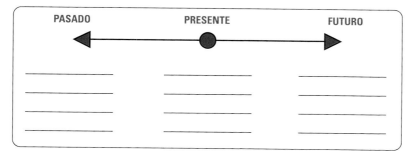

9

Cuando se acabe Imagina Se acerca el final de este libro de español. En grupos de cuatro, hablen sobre sus deseos, esperanzas y planes relacionados con el español que han aprendido. Usen el **presente**, el **futuro**, el **condicional** y el **subjuntivo**, según sea necesario.

Modelo Me gustaría encontrar un trabajo en el que pudiera hablar español. / Quiero pasar seis meses en un país donde se hable español.

PUEDO hablar sobre los acontecimientos pasados, presentes y futuros.

Síntesis

¡El español avanza a pasos de gigante!

A pesar de que se esperaba que las generaciones de hispanos nacidas en los Estados Unidos abandonaran la lengua materna, el español sigue en crecimiento. El idioma español se expande rápidamente en los Estados Unidos.

Hasta hace poco, los estudios indicaban que las lenguas maternas de los inmigrantes tendían a reducirse o a desaparecer a lo largo de las generaciones. De hecho, el español desapareció en varios países durante el siglo XX. Así ocurrió en Micronesia, en Guam y en otras islas del Pacífico, y también en las Filipinas, donde prácticamente ha desaparecido. Pero, a pesar de la previsión de que el uso del español disminuiría en estos años, el U.S. Census Bureau estima que habrá 138 millones de hispanohablantes en los Estados Unidos en el año 2050. Cerca de uno de cada tres habitantes hablará español.

En la actualidad, más de 58 millones de habitantes de los Estados Unidos son hispanohablantes. En este país, el español es, después del inglés, la lengua más hablada, y es el idioma que más se enseña en las escuelas y universidades. ■

1

Opiniones En grupos pequeños, lean estas reacciones al artículo. Túrnense para dar sus opiniones sobre cada afirmación. Luego, presenten sus ideas a la clase.

- "Algún día, el español reemplazará al inglés en el mundo. Pero, en la actualidad, los inmigrantes no hablan bien ni el español ni el inglés. El bilingüismo debe ser apoyado desde la educación".

- "Nadie puede saber lo que ocurrirá en el futuro con la población. Lo más probable es que, con el tiempo, los inmigrantes se adapten y hablen cada vez más inglés".

- "Si el español se impone, el país podría perder su identidad lingüística. Hay que proteger el inglés antes de que sea demasiado tarde: ninguna medida preventiva está de más".

2

Consecuencias En parejas, hablen sobre las consecuencias de la inmigración hispanohablante en los Estados Unidos. Escriban una lista en la que describan los beneficios y los riesgos de este fenómeno. Usen el subjuntivo y expresiones negativas y afirmativas. Luego, debatan sus ideas con la clase.

PUEDO debatir la inmigración hispanohablante en los Estados Unidos.

Preparación

Vocabulario de la lectura

el acento *accent*

convertirse (e:ie) en (algo) *to turn into (something)*

la convivencia *coexistence*

de hecho *in fact*

el/la exiliado/a político/a *political exile*

la falta (de) *lack (of)*

el hogar *home*

la homogeneidad *homogeneity*

la mejora *improvement*

por delante *ahead (of)*

proveniente de *(coming) from*

la razón *reason*

surgir *to emerge, to arise*

Vocabulario útil

acomodarse *to adapt*

cómodo/a *comfortable*

echar de menos *to miss*

heterogéneo/a *heterogeneous*

la limpieza étnica *ethnic cleansing*

la persecución *persecution*

semejante *similar*

los valores *values*

1

Vocabulario Completa cada frase con la palabra o expresión adecuada. Luego, usa tres de estas palabras para formar oraciones.

1. Me fui de mi país por la censura. Ahora soy _____.
   a. exiliado político   b. astronauta   c. abogado

2. Mi casa es más que una casa porque me siento cómodo y feliz allí. Mi casa es mi _____.
   a. hogar   b. mejora   c. democracia

3. Vivo con mis hermanos y mis hermanas. Me gusta la _____ en familia.
   a. bancarrota   b. convivencia   c. crisis

4. Somos todos iguales en esta ciudad. Las casas tienen el mismo estilo, la gente lleva la misma ropa. Hay mucha _____.
   a. pobreza   b. homogeneidad   c. madurez

5. Llegué a este país y tuve que aprender el idioma. Ahora lo hablo pero con _____.
   a. vejez   b. Internet   c. acento

2

A pensar En grupos de cuatro, expresen sus opiniones sobre los siguientes temas.

1. Algunas personas deciden irse de sus países de origen voluntariamente. Otras personas, como los exiliados políticos, se ven forzadas a irse de su país. ¿A cuál de estos dos grupos crees que le resulta más difícil adaptarse a la nueva cultura?

2. En caso de tener que dejar tu país, ¿qué crees que echarías de menos?

3. Con la llegada de inmigrantes, la diversidad cultural crece. Describe una de tus experiencias con la diversidad.

3

Éxodos En grupos de cuatro, hablen de los grandes movimientos migratorios.

- Escriban una lista de movimientos migratorios que se han producido a lo largo de la historia. ¿Qué circunstancias llevaron a estos grupos a emigrar?

- Hagan otra lista con los movimientos migratorios actuales. ¿Por qué emigran estos grupos?

- Teniendo en cuenta las tendencias migratorias, ¿cómo será el panorama sociocultural a finales del siglo XXI?

- Compartan sus listas y visión para el futuro con la clase.

España:
emigración e inmigración

Desde finales del siglo XIX hasta bien entrado el siglo XX, muchos españoles tuvieron que abandonar su país. Unos lo hicieron por razones económicas; otros, por razones políticas. Primero, surgió la 5 corriente de españoles que se iban a "hacer la América", siendo las islas caribeñas uno de sus destinos de preferencia. Éstos volvían a veces a sus pueblos con pequeñas fortunas acumuladas. Pocos años después, 10 el aura mítica que rodeaba a los que se iban en busca de aventura se desvaneció para dar paso a otra clase de emigrante: el exiliado político.

El inicio de la Guerra Civil en 1936 obligó a muchos a abandonar a sus familias y hogares para salvar la vida. Políticos, artistas e intelectuales huyeron y encontraron un nuevo hogar en otros países. México, Argentina y Venezuela fueron algunos de los países que dieron refugio y esperanza a miles de españoles. Hoy en día, sin embargo, ese proceso se ha invertido y el flujo° migratorio cruza el océano Atlántico en sentido inverso, de Hispanoamérica a España.

flow

Hace tan sólo unos cincuenta años, un paseo por cualquier ciudad española nos mostraba una ciudadanía inmersa en la homogeneidad. Bajo el régimen dictatorial de Francisco Franco, todos los que vivían en España parecían comer los mismos platos, vestir las mismas ropas y practicar la misma religión. La falta de libertad de expresión también llevaba a pensar que tenían la misma ideología.

Tras la muerte de Franco en 1975, se inició en el país un proceso de modernización y de apertura° política y económica que ha tenido como resultado un cambio drástico, no sólo en la realidad de la sociedad española, sino también en su semblante°. En la actualidad, un paseo por las ciudades nos ofrece un panorama considerablemente diferente. Restaurantes argentinos, peruanos, cubanos y mexicanos forman parte del paisaje urbano. La gente por las calles habla con acentos extranjeros y, sin embargo, camina con la seguridad del que sabe que está en casa. Y el palmito, la yuca, las frutas tropicales y el cilantro son sólo algunos de los productos que hasta hace poco eran desconocidos y que ahora se encuentran tanto en pequeñas tiendas como en supermercados.

opening

appearance

En las últimas décadas, España ha pasado de ser un país de emigrantes, en el que los ciudadanos tenían que ir a buscar trabajo al extranjero, a ser el nuevo hogar de muchos. La mejora económica ha tenido los efectos que, en décadas o incluso siglos anteriores, ya se habían vivido en otros países como

De Franco a la democracia

Los casi cuarenta años de dictadura de Francisco Franco terminaron el día de su muerte en 1975. La pacífica transición española a la democracia causó gran admiración internacional. De hecho, España ha servido de modelo para muchos países que posteriormente se han visto en las mismas circunstancias. El mérito se debe al gran consenso social y político al que llegaron tanto la sociedad civil como los poderes políticos y militares.

los Estados Unidos. Casi seis millones de extranjeros viven en España. Muchos llegan de Marruecos, por la cercanía con África, pero hay un gran número de inmigrantes provenientes de Ecuador, Colombia y Venezuela. A pesar de las dificultades vividas tanto por los españoles como por los recién llegados, existen ciertos beneficios mutuos. Gracias a la inmigración, España ha dejado de ser el país de menor crecimiento en población del mundo occidental. Los beneficios también se ven en los países de origen, ya que el dinero que envían los inmigrantes a sus familias se ha convertido en una de las principales fuentes de ingreso en los países de origen.

En el siglo XXI, el país se halla° frente al reto de tener sus puertas abiertas a los inmigrantes. El cambio ya se percibe y la diversidad cultural se respira por muchas zonas de la geografía española, pero todavía hay mucho trabajo por delante. También hay que, a partir de la tolerancia y el respeto, crear una sociedad mejor para todos. Hagamos que este siglo en el que vivimos sea el siglo de la pluralidad, el intercambio cultural y la convivencia. ■

finds itself

Análisis

1

Comprensión Contesta las preguntas con oraciones completas.

1. ¿Cuáles son las dos razones por las que muchos españoles dejaron su país entre finales del siglo XIX y bien entrado el siglo XX?

2. ¿Qué ocurrió en el año 1936 en España?

3. ¿Quiénes eran los exiliados políticos que salieron de España durante el gobierno de Franco?

4. ¿Por qué se dice que había homogeneidad entre los españoles durante el gobierno de Franco?

5. ¿Cómo es España hoy en día?

6. ¿Cómo ha cambiado la situación migratoria de España en las últimas décadas?

2

Análisis En parejas, contesten estas preguntas y expliquen sus respuestas.

1. ¿Creen que los países tienen el deber de aceptar inmigrantes? ¿Por qué?

2. Muchos de los nuevos inmigrantes vienen de Hispanoamérica y hablan un español distinto al de España. ¿Creen que los inmigrantes adaptarán su forma de hablar? ¿Deberían hacerlo?

3. ¿Es posible que España vuelva a tener una sociedad homogénea? ¿Por qué?

3

Diversidad En grupos de cuatro, hablen sobre cómo la diversidad cultural se ve reflejada en los siguientes ámbitos de sus vidas.

- Compañeros de clase/trabajo
- Idiomas que se hablan
- Los productos que consumes
- Los restaurantes de tu ciudad o pueblo
- Tus amigos y tu familia
- Tus vecinos

4

Citas

A. En grupos de cuatro, expliquen lo que significan para ustedes estas citas.

> "Mi patria son mis amigos".
> *Alfredo Bryce Echenique*

> "Nadie es patria, todos lo somos".
> *Jorge Luis Borges*

B. Organicen un debate con toda la clase. Formen tres grupos, cada uno de los cuales deberá defender una de estas opiniones.

- La patria es la tierra en la que uno nació.
- La patria es la tierra de nuestros antepasados.
- La patria es la tierra que uno elige.

Practice more at vhlcentral.com.

PUEDO hablar sobre la emigración y la inmigración en España.

Preparación

Sobre el autor

Nacido en 1927 en Aracataca, Colombia, **Gabriel García Márquez** fue criado por sus abuelos entre mitos y leyendas que serían la base de su futura obra narrativa. Abandonó sus estudios de derecho para dedicarse al periodismo. Como corresponsal en Italia, viajó por toda Europa. Vivió en diferentes lugares y escribió guiones cinematográficos (*screenplays*), cuentos y novelas. En 1967 publicó su novela más famosa, *Cien años de soledad.* Tras su muerte en 2014, se le recuerda como uno de los narradores contemporáneos más influyentes de la literatura en español. En 1982 se le concedió el Premio Nobel de Literatura. En el prefacio de su autobiografía, *Vivir para contarla* (2002), García Márquez señala: "La vida no es la que uno vivió, sino la que uno recuerda y cómo la recuerda para contarla".

Vocabulario de la lectura

amanecer *to wake up*
burlarse (de) *to mock*
el/la carnicero/a *butcher*
la certeza *certainty*
la desgracia *misfortune, tragedy*
esparcir *to spread*

la preocupación *concern*
el presagio *omen*
el presentimiento *premonition*
el/la tonto/a *fool*

Vocabulario útil

afligirse *to be distressed*
la duda *doubt*
el miedo *fear*
rumorearse *to be rumored*
el sentido común *common sense*
supersticioso/a *superstitious*

---

1 **Vocabulario** Busca en la lista del vocabulario un sinónimo para cada palabra.

1. despertarse _____
2. presentimiento _____
3. difundir _____
4. inquietud _____
5. reírse (de) _____
6. estúpido _____

2 **¿Eres supersticioso/a?** Haz el test para saber si eres supersticioso/a o no. Luego, en parejas, comparen sus respuestas y díganle a su compañero/a si es sensato/a (*sensible*) o supersticioso/a.

1. **Frente a ti hay una escalera (*ladder*) apoyada contra la pared.**
   a. Pasas por debajo sin pensarlo dos veces.
   b. Cruzas la calle.

2. **Un pariente te cuenta que soñó que algo malo te sucedía.**
   a. Le preguntas por qué mejor no sueña con los números ganadores de la lotería.
   b. Te quedas todo el día en casa para evitar cualquier riesgo.

3. **Accidentalmente rompes un espejo.**
   a. Echas todo a la basura y sales a comprar otro.
   b. Sales a buscar un trébol (*clover*) de cuatro hojas (*leaves*).

4. **Ves un gato negro.**
   a. Te paras para acariciarlo.
   b. Te alejas de él lo más posible.

5. **Te regalan un paraguas (*umbrella*) para tu cumpleaños.**
   a. Lo abres para ver lo bonito que es.
   b. No lo abres hasta estar fuera de casa.

6. **Para que te vaya bien en la vida, piensas que lo mejor es:**
   a. pensar en lo positivo y ser optimista.
   b. tener contigo tu amuleto de la buena suerte y leer tu horóscopo.

Resultados

Mayoría de A: Sensato/a Eres inteligente y sensato/a; para ti no existen las malas señales y te burlas de las supersticiones.
Mayoría de B: Supersticioso/a Les das tanto valor a los malos presagios que el miedo determina tus acciones.

Practice more at
vhlcentral.com.

ALGO MUY GRAVE VA A SUCEDER EN ESTE PUEBLO

Gabriel García Márquez

tirar. . . *make a rebound shot (in billiards)*

magínese un pueblo muy pequeño donde hay una señora vieja que tiene dos hijos, uno de 17 y una hija de 14. Está sirviéndoles el desayuno a sus hijos y se le advierte una expresión muy preocupada. Los hijos le preguntan qué le pasa y ella responde: "No sé. Pero he amanecido con el presentimiento de que
5 algo muy grave va a sucederle a este pueblo". El hijo se va a jugar al billar y, en el momento en que va a tirar una carambola° sencillísima, el adversario le dice: "Te apuesto un peso a que no la haces". Todos se ríen; él se ríe. Tira la carambola y no la hace. Paga su peso y le preguntan: "Pero qué pasó, si era una carambola sencilla". Contesta: "Es cierto, pero me ha quedado la preocupación de una
10 cosa que me dijo mi mamá esta mañana sobre algo grave que va a suceder a este pueblo". Todos se ríen de él y el que se ha ganado el peso regresa a su casa, donde está su mamá o una nieta o, en fin, cualquier pariente. Feliz con su peso, dice: "Le gané este peso a Dámaso en la forma más sencilla porque es un tonto".
—¿Y por qué es un tonto?

Audio: Dramatic Reading

15 Dice: "Hombre, porque no pudo hacer una carambola sencillísima estorbado° por la idea de que su mamá amaneció hoy con la certeza de que algo muy grave iba a suceder en este pueblo".

disturbed

20 Entonces le dice su madre: "No te burles de los presentimientos de los viejos porque a veces salen°".

they are fulfilled

La pariente lo oye y va a comprar carne. 25 Ella dice al carnicero: "Véndame una libra° de carne"; y, en el momento en que se la están cortando, agrega:

pound

30 "Mejor véndame dos, porque andan diciendo que algo grave va a pasar y lo mejor es estar preparado". El carnicero despacha° su 35 carne y, cuando llega otra señora a comprar una libra de carne, le dice: "Lleve dos porque hasta aquí llega 40 la gente diciendo que algo muy grave va a pasar, y se están preparando y andan comprando cosas". Entonces, la vieja responde: "Tengo varios hijos, mire, mejor déme cuatro libras". Se lleva las 45 cuatro libras; y para no hacer largo el cuento, diré que el carnicero en media hora agota° la carne, mata otra vaca, se vende toda y se va esparciendo el rumor. Llega el momento en que todo el mundo, 50 en el pueblo, está esperando que pase algo. Se paralizan las actividades y, de pronto a las dos de la tarde, hace calor como siempre. Alguien dice: "¿Se ha dado cuenta el calor que está haciendo?".

serves

runs out of

55 "Pero si en este pueblo siempre ha hecho calor." (Tanto calor que es el pueblo donde los músicos tenían instrumentos remendados° con brea° y tocaban siempre a la sombra° porque, si 60 tocaban al sol, se les caían los pedazos.)

mended/tar

shade

Pero he amanecido con el presentimiento de que algo muy grave va a sucederle a este pueblo.

"Sin embargo —dice uno— nunca a esta hora ha hecho tanto calor."

"Pero a las dos de la tarde es cuando hay más calor."

"Sí, pero no tanto calor como ahora." 65

Al pueblo desierto, a la plaza desierta, baja de pronto un pajarito y se corre la voz: "Hay un pajarito en la plaza". Y viene todo el 70 mundo, espantado°, a ver el pajarito.

frightened

"Pero, señores, siempre ha habido pajaritos que bajan." 75

"Sí, pero nunca a esta hora."

Llega un momento de tal tensión para los habitantes del pueblo, 80 que todos están desesperados por irse y no tienen el valor de hacerlo.

"Yo sí soy muy macho —grita uno—. 85 Yo me voy."

Agarra° sus muebles, sus hijos, sus animales, los mete en una carreta y atraviesa° la calle central donde está el pobre pueblo viéndolo. Hasta 90 el momento en que dicen: "Si éste se atreve° a irse, pues nosotros también nos vamos", y empiezan a desmantelar literalmente el pueblo. Se llevan las cosas, los animales, todo. 95

He grabs

he crosses

dares

Y uno de los últimos que abandona el pueblo dice: "Que no venga la desgracia a caer sobre lo que queda de nuestra casa", y entonces la incendia y otros incendian también sus casas. 100

Huyen en un tremendo y verdadero pánico, como en un éxodo de guerra, y en medio de ellos va la señora que tuvo el presagio, clamando: "Yo dije que algo muy grave iba a pasar, y me dijeron que 105 estaba loca." ∎

(Este cuento fue narrado verbalmente —y grabado— en un congreso de escritores por Gabriel García Márquez "para que vean cómo cambia cuando lo escriba" y fue publicado por la revista mexicana El Cuento.)

Análisis

1 Comprensión Contesta las preguntas con oraciones completas.

1. ¿Cuál es el presentimiento de la señora? ¿A quién se lo cuenta?
2. ¿Quién es Dámaso?
3. ¿Por qué pierde la apuesta?
4. ¿Por qué dice el que gana la apuesta que Dámaso es un tonto?
5. ¿Qué pasa en la carnicería?
6. Al ver el calor que hace y los pájaros que bajan, ¿qué hacen los habitantes del pueblo?

2 Interpretar En parejas, contesten estas preguntas y expliquen sus respuestas.

1. Un personaje señala: "No te burles de los presentimientos de los viejos porque a veces salen". ¿Se cumple finalmente el presagio de la señora? ¿Cómo? ¿Por qué?
2. Este cuento carece de (*lacks*) descripciones de los personajes, incluso de sus nombres, con una excepción. ¿Por qué creen que sólo Dámaso tiene nombre? ¿De qué manera es un personaje clave?
3. ¿Podría desarrollarse este cuento en cualquier lugar del mundo? ¿Es importante que tenga lugar en un pueblo pequeño? ¿En un pueblo de Latinoamérica?
4. ¿Quién es responsable del pánico? ¿Dámaso, la madre, el carnicero? ¿Por qué?

3 Refranes En parejas, lean los refranes y expliquen de qué se trata cada uno. Luego, digan cómo se relacionan con el cuento.

> **Todo es según el color del cristal con que se mira.**

> **No hay peor ciego que el que no quiere ver.**

> **Cuando el río suena, agua lleva.**

4 Escribir Imagina que eres psíquico/a. Has tenido visiones de una catástrofe inminente y convocas una conferencia de prensa. Sigue el plan de redacción para escribir tu declaración. Usa las estructuras que aprendiste en esta lección.

Plan de redacción

Conferencia de prensa

1 Información Describe detalladamente lo que va a ocurrir, dónde y cuándo. Cuenta cómo obtuviste la información.

2 Interpretación Explica de qué manera va a afectar este hecho a la población y advierte del peligro.

3 Conclusión Indica de qué manera se puede prevenir la situación.

Practice more at
vhlcentral.com.

PUEDO conversar sobre las supersticiones.

Nuestro futuro

 Vocabulary Tools

Las tendencias

la asimilación *assimilation*
la causa *cause*
la diversidad *diversity*
el/la emigrante *emigrant*
la frontera *border*
la herencia cultural *cultural heritage*
la humanidad *humankind*
los ideales *principles; ideals*
el idioma oficial *official language*
la inmigración *immigration*
la integración *integration*
la lengua materna *mother tongue*
el lujo *luxury*
la meta *goal*
la natalidad *birthrate*
la población *population*
el/la refugiado/a (de guerra/político/a)
  (war/political) refugee

adivinar *to guess*
anticipar *to anticipate; to expect*
asimilarse *to assimilate*
atraer *to attract*
aumentar *to grow*
disminuir *to decrease, to reduce, to diminish*
predecir (e:i) *to predict*
superarse *to better oneself*

bilingüe *bilingual*
(in)conformista *(non)conformist*
excluido/a *excluded*
monolingüe *monolingual*
previsto/a *foreseen*
solo/a *alone*

Problemas y soluciones

la amnistía *amnesty*
la añoranza *homesickness*
el caos *chaos*
el coraje *courage*
el daño *harm*
el diálogo *dialogue*
el entendimiento *understanding*
la incertidumbre *uncertainty*
la inestabilidad *instability*
el maltrato *abuse, mistreatment*
el nivel de vida *standard of living*

la polémica *controversy*
la superpoblación *overpopulation*

hacer un esfuerzo *to make an effort*
luchar *to fight*
prescindir (de) *to do without*
protestar *to protest*

Los cambios

adaptarse *to adapt*
alcanzar (un sueño/una meta)
  to fulfill (a dream); to reach (a goal)
dejar *to leave behind*
despedirse (e:i) *to say goodbye*
enriquecerse *to get rich*
establecerse *to establish oneself*
extrañar *to miss*
integrarse (a) *to become part (of); to fit in*
lograr *to attain, to achieve*
pertenecer *to belong*
rechazar *to reject*

Cortometraje

el bocata *sandwich*
la cabina *phone booth*
la comadre *best friend*
la cuota *installment*
el encargo *order*
la laca *hair spray*
la lejanía *distance*
el saldo *balance*
el tono *volume (of sound)*

anhelar *to long for*
entregar *to hand over*
realizarse *to come true*

Cultura

el acento *accent*
la convivencia *coexistence*
el/la exiliado/a político/a *political exile*
la falta (de) *lack (of)*
el hogar *home*
la homogeneidad *homogeneity*
la limpieza étnica *ethnic cleansing*
la mejora *improvement*
la persecución *persecution*

la razón *reason*
los valores *values*

acomodarse *to adapt*
convertirse (e:ie) en (algo) *to turn
  into (something)*
echar de menos *to miss*
surgir *to emerge, to arise*

cómodo/a *comfortable*
heterogéneo/a *heterogeneous*
proveniente de *(coming) from*
semejante *similar*

de hecho *in fact*
por delante *ahead (of)*

Literatura

el/la carnicero/a *butcher*
la certeza *certainty*
la desgracia *misfortune, tragedy*
la duda *doubt*
el miedo *fear*
la preocupación *concern*
el presagio *omen*
el presentimiento *premonition*
el sentido común *common sense*
el/la tonto/a *fool*

afligirse *to be distressed*
amanecer *to wake up*
burlarse (de) *to mock*
esparcir *to spread*
rumorearse *to be rumored*

supersticioso/a *superstitious*

Objetivos comunicativos: Repaso

PUEDO hacer predicciones sobre el futuro.
- Haz cinco predicciones para ti mismo/a, tu familia, tus amigos/as y/o el mundo en veinte años.

PUEDO opinar sobre la inmigración.
- Da tus opiniones sobre la inmigración. Utiliza expresiones negativas y afirmativas.

PUEDO hablar sobre los acontecimientos pasados, presentes y futuros.
- Cuenta algunos acontecimientos de la vida de un(a) amigo/a o un(a) pariente y los planes que tiene para el futuro.

PUEDO investigar la cultura española.
- Describe algo que aprendiste de España.

Manual de gramática

páginas 377–413

Verb conjugation tables

páginas 414–424

Vocabulary

Español-Inglés
páginas 425–444
English-Spanish
páginas 445–464

Index

páginas 465–466

Credits

páginas 467–470

MANUAL de GRAMÁTICA

Supplementary Grammar Coverage
for Imagina

The **Manual de gramática** is an invaluable tool for both instructors and students of intermediate Spanish. It contains additional grammar concepts not covered within the core lessons of **Imagina**, as well as practice activities. For each lesson in **Imagina**, up to two additional grammar topics are offered with corresponding practice.

These concepts are correlated to the grammar points in **Estructuras** by means of the **Taller de consulta** sidebars, which provide the exact page numbers where additional concepts are taught or reviewed in the **Manual**.

This special supplement allows for great flexibility in planning and tailoring your course to suit the needs of whole classes and/or individual students. It also serves as a useful and convenient reference tool for students who wish to review previously learned material.

Contenido

Lección 1

1.4 Nouns and articles **380**
1.5 Adjectives **382**

Lección 2

2.4 Progressive forms **384**
2.5 Telling time **386**

Lección 3

3.4 Possessive adjectives and pronouns **388**
3.5 Demonstrative adjectives and pronouns **390**

Lección 4

4.4 *To become:* **hacerse, ponerse, volverse,** and **llegar a ser** **392**

Lección 5

5.4 Qué vs. **cuál** **394**
5.5 The neuter **lo** **396**

Lección 6

6.4 Adverbs **398**
6.5 Diminutives and augmentatives **400**

Lección 7

7.4 Past participles used as adjectives **402**
7.5 Time expressions with **hacer** **404**

Lección 8

8.4 Prepositions: **a, hacia,** and **con** **406**
8.5 Prepositions: **de, desde, en, entre, hasta,** and **sin** **408**

Lección 9

9.4 Transitional expressions. **410**

Lección 10

10.4 Pero vs. **sino** **412**

Tutorial

1.4 Nouns and articles

Nouns

- In Spanish, nouns (**sustantivos**) ending in **–o, –or, –l, –s,** and **–ma** are usually masculine, and nouns ending in **–a, –ora, –ión, –d,** and **–z** are usually feminine.

Masculine nouns	Feminine nouns
el amigo, el cuaderno	la amiga, la palabra
el escritor, el color	la escritora, la computadora
el control, el papel	la relación, la ilusión
el autobús, el paraguas	la amistad, la fidelidad
el problema, el tema	la luz, la paz

- Most nouns form the plural by adding **–s** to nouns ending in a vowel, and **–es** to nouns ending in a consonant. Nouns that end in **–z** change to **–c** before adding **–es.**

  el hombre → los hombres   la mujer → las mujeres

  la novia → las novias   el lápiz → los lápices

- If a singular noun ends in a stressed vowel, the plural form ends in **–es.** If the last syllable of a singular noun ending in **–s** is unstressed, the plural form does not change.

  el tabú → los tabúes   el lunes → los lunes

  el israelí → los israelíes   la crisis → las crisis

Articles

- Spanish definite and indefinite articles (**artículos definidos e indefinidos**) agree in gender and number with the nouns they modify.

	Definite articles		Indefinite articles	
	singular	**plural**	**singular**	**plural**
MASCULINE	el compañero	los compañeros	un compañero	unos compañeros
FEMININE	la compañera	las compañeras	una compañera	unas compañeras

- In Spanish, when an abstract noun is the subject of a sentence, a definite article is always used.

  El amor es eterno.   but   Para ser modelo, necesitas belleza y altura.
  Love is eternal.   *In order to be a model, you need beauty and height.*

- An indefinite article is not used before nouns that indicate profession or place of origin unless the noun is followed by an adjective.

  Juan García es profesor.   Juan García es **un** profesor excelente.
  Juan García is a professor.   *Juan García is an excellent professor.*

  Ana María es neoyorquina.   Ana María es **una** neoyorquina orgullosa.
  Ana María is a New Yorker.   *Ana María is a proud New Yorker.*

Práctica

1

Cambiar Escribe en plural las palabras que están en singular y viceversa.

1. la compañera _____
5. unas parejas _____
2. unos amigos _____
6. un corazón _____
3. el novio _____
7. las amistades _____
4. una crisis _____
8. el tabú _____

2

Un chiste Completa el chiste con los artículos apropiados. Recuerda que en algunos casos no debes usar ningún artículo.

(1) ____ pareja se va a casar. Él tiene 90 años. Ella tiene 85. Entran en (2) ____ farmacia y (3) ____ novio le pregunta al farmacéutico (*pharmacist*):

—¿Tiene (4) ____ remedios para (5) ____ corazón?

—Sí —contesta (6) ____ farmacéutico.

—¿Tiene (7) ____ remedios para (8) ____ presión y (9) ____ colesterol?

—Sí, también —contesta nuevamente (10) ____ farmacéutico.

—¿Y (11) ____ remedios para la artritis y (12) ____ reumatismo?

—Sí. Ésta es (13) ____ farmacia muy completa. Tenemos de todo.

Entonces (14) ____ novio mira a (15) ____ novia y le dice:

—Querida, ¿qué te parece si hacemos (16) ____ lista de regalos de bodas aquí?

3

La cita Completa el párrafo con la forma correcta de los artículos definidos e indefinidos.

Ayer tuve (1) _____ cita con Leonardo. Fuimos a (2) _____ restaurante muy romántico que está junto a (3) _____ bonito lago. Desde nuestra mesa, podíamos ver (4) _____ lago y (5) _____ barcos que navegaban por allí. Comimos (6) _____ platos muy originales. (7) _____ pescado que yo pedí estaba delicioso. Nos divertimos mucho, pero al salir tuvimos (8) _____ problema. Una de (9) _____ ruedas (*tires*) del coche estaba pinchada (*flat*). (10) _____ próxima semana tendremos nuestra segunda cita.

4

Escribir Escribe oraciones completas con estas palabras; utiliza los artículos definidos e indefinidos que correspondan y haz los cambios necesarios.

> **Modelo** Elisa – ser – buena periodista
> Elisa es una buena periodista.

1. mi madre – decir – amor – ser – eterno
2. ayer – astrólogo – predecir – desgracia
3. lunes pasado – (yo) comprar – flores – tía Juanita
4. capital – Venezuela – ser – Caracas
5. personas optimistas – soñar – mundo mejor
6. Rodrigo – ser – alma – fiesta

Tutorial

1.5 Adjectives

- Spanish adjectives (**adjetivos**) agree in gender and number with the nouns they modify. Most adjectives ending in **–e** or a consonant have the same masculine and feminine forms.

Adjectives

	singular	plural	singular	plural	singular	plural
MASCULINE	rojo	rojos	inteligente	inteligentes	difícil	difíciles
FEMININE	roja	rojas	inteligente	inteligentes	difícil	difíciles

- Descriptive adjectives generally follow the noun they modify. If a single adjective modifies more than one noun, the plural form is used. If at least one of the nouns is masculine, then the adjective is masculine.

un libro **apasionante**
an enthralling book

las parejas **contentas**
the happy couples

un suegro y una suegra **maravillosos**
a wonderful father-in-law and mother-in-law

la literatura y la cultura **ecuatorianas**
Ecuadorian literature and culture

- A few adjectives have shortened forms when they precede a masculine singular noun.

bueno → buen   alguno → algún   primero → primer

malo → mal   ninguno → ningún   tercero → tercer

- Some adjectives change their meaning depending on their position. When the adjective follows the noun, the meaning is more literal. When it precedes the noun, the meaning is more figurative.

	after the noun	before the noun
antiguo/a	el edificio **antiguo** *the ancient building*	mi **antiguo** novio *my old/former boyfriend*
cierto/a	una respuesta **cierta** *a correct answer*	una **cierta** actitud *a certain attitude*
grande	una ciudad **grande** *a big city*	un **gran** país *a great country*
mismo/a	el artículo **mismo** *the article itself*	el **mismo** problema *the same problem*
nuevo/a	un coche **nuevo** *a (brand) new car*	un **nuevo** profesor *a new/different professor*
pobre	los estudiantes **pobres** *the students who are poor*	los **pobres** estudiantes *the unfortunate students*
viejo/a	un libro **viejo** *an old book*	una **vieja** amiga *a long-time friend*

Práctica

1

Descripciones Completa cada oración con la forma correcta de los adjetivos.

1. Mi mejor amiga es _____ (guapo) y muy _____ (gracioso).

2. Los novios de mis hermanas son _____ (alto) y _____ (moreno).

3. Javier es _____ (bueno) compañero, pero es bastante _____ (malhumorado).

4. Mi prima Susana es _____ (tranquilo), pero mi primo Luis es _____ (celoso).

5. No sé por qué Marcos y Rosario son tan _____ (inseguro) y _____ (tímido).

6. Sandra, mi vecina, es una _____ (grande) amiga, pero ayer tuvimos una _____ (terrible) discusión.

2

La vida de Marina Completa cada oración con los cuatro adjetivos.

1. Marina busca una compañera de cuarto
_____
(tranquilo, ordenado, honesto, puntual)

2. Se lleva bien con las personas _____
(sincero, serio, alegre, trabajador)

3. Marina tiene unos padres _____
(maduro, simpático, inteligente, conservador)

4. Quiere ver programas de televisión más
_____
(emocionante, divertido, dramático, didáctico)

5. Marina tiene un novio _____
(irlandés, talentoso, nervioso, creativo)

Marina

3

Correo sentimental La revista *Ellas y ellos* tiene una sección de anuncios personales. Este anuncio recibió unas cien respuestas. Inserta la forma correcta de los adjetivos de la lista. Puedes utilizar el mismo adjetivo más de una vez.

| buen | gran | mal | ningún | tercer |
| bueno/a | grande | malo/a | ninguno/a | tercero/a |

Mi perrito y yo buscamos amor

Tengo cuarenta y tres años y estoy viudo desde hace tres años. Soy un (1) _____ hombre: tranquilo y trabajador. Me gustan las plantas y no tengo (2) _____ problema con mis vecinos. Cocino y plancho. Me gusta ir al cine y no me gusta el fútbol. Siempre estoy de (3) _____ humor. Vivo en un apartamento (4) _____, en el (5) _____ piso de un edificio en Montevideo. Sólo tengo un pequeño problema: mi perro. Algunos dicen que tiene (6) _____ carácter. Otros dicen que es un (7) _____ animal. Yo creo que él es (8) _____, pero se siente solo, como su dueño. Busco una señora viuda o soltera que también se sienta sola. ¡Si tiene una perrita, mejor!

Tutorial

2.4 Progressive forms

- The present progressive (**el presente progresivo**) narrates an action in progress. It is formed with the present tense of **estar** and the present participle (**el gerundio**) of the main verb.

Estoy sacando una foto.
I am taking a photo.

¿Qué **estás comiendo**?
What are you eating?

Están recorriendo la ciudad.
They are traveling around the city.

- The present participle of regular **–ar, –er,** and **–ir** verbs is formed as follows:

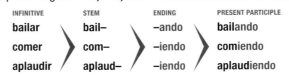

INFINITIVE	STEM	ENDING	PRESENT PARTICIPLE
bailar	bail–	–ando	bailando
comer	com–	–iendo	comiendo
aplaudir	aplaud–	–iendo	aplaudiendo

- **–Ir** verbs that change **o** to **u,** or **e** to **i** in the **Ud./él/ella** and **Uds./ellos/ellas** forms of the preterite have the same change in the present participle.

pedir → pidiendo   mentir → mintiendo   dormir → durmiendo

- When the stem of an **–er** or **–ir** verb ends in a vowel, the **–i–** of the present participle ending changes to **–y–**. The present participle of **ir** is **yendo**.

leer → leyendo   construir → construyendo   oír → oyendo

- Other tenses have progressive forms as well, though they are used less frequently than the present progressive. These tenses emphasize that an action was/will be in progress at a particular moment in time.

Estaba contestando la última pregunta cuando el profesor nos pidió los exámenes.
I was in the middle of answering the last question when the professor asked for our exams.

No vengas a las cuatro, todavía **estaremos trabajando**.
Don't come at four; we will still be working.

Luis cerró la puerta, pero su mamá le **siguió gritando**.
Luis shut the door, but his mother kept right on shouting at him.

- Progressive tenses often use other verbs, especially ones that convey motion or continuity like **andar, continuar, ir, llevar, seguir,** and **venir,** in place of **estar**.

> **anda diciendo** *he goes around saying*
>
> **continuarás trabajando** *you'll continue working*
>
> **van acostumbrándose** *they're getting more and more used to*
>
> **llevo un mes trabajando** *I have been working for a month*
>
> **siguieron hablando** *they kept talking*
>
> **venimos insistiendo** *we've been insisting*

Práctica

1

Una conversación telefónica Daniel es nuevo en la ciudad y no sabe cómo llegar al estadio de fútbol. Decide llamar a su exnovia Alicia para que le explique cómo encontrarlo. Completa el diálogo con la forma correcta del gerundio.

ALICIA Hola, ¿quién habla?

DANIEL Hola, Alicia, soy Daniel; estoy buscando el estadio de fútbol y necesito que me ayudes... Llevo (1) _____ (caminar) más de media hora por el centro y sigo perdido.

ALICIA ¿Dónde estás?

DANIEL No estoy muy seguro, no encuentro el nombre de la calle. Pero estoy (2) _____ (ver) un centro comercial a mi izquierda y más allá parece que están (3) _____ (construir) un estadio de fútbol. (4) _____ (hablar) de fútbol, ¿dónde tengo mis boletos? ¡He perdido mis entradas!

ALICIA Madre mía, ¡sigues (5) _____ (ser) un desastre...! Algún día te va a pasar algo serio.

DANIEL Siempre andas (6) _____ (pensar) lo peor.

ALICIA Y tú siempre estás (7) _____ (olvidarse) de todo.

DANIEL Ya estamos (8) _____ (discutir) otra vez.

2

Continuamos escribiendo Vuelve a escribir las oraciones usando los verbos **andar**, **ir**, **llevar**, **continuar**, **seguir** o **venir**.

1. Mariela se burla de su hermano y siempre piensa que no le hace daño.

2. José estudia medicina desde hace diez años, y en los últimos meses sus padres le insisten en que se dedique a otra cosa.

3. Se acerca la hora de poner manos a la obra al proyecto, aunque aparezcan problemas todo el tiempo.

4. Mi prima siempre habla mal de todo el mundo y hace años que le digo que deje de hacerlo. De todas formas, ella cree que no tiene importancia.

5. Hace seis años que ese hombre visita el museo todas las tardes, siempre para mirar el mismo cuadro.

6. Conversamos todo el tiempo mientras ellos se marchaban.

3

En diferentes tiempos Completa cada oración con el tiempo correcto del verbo.

1. Anoche, Carlos y Raúl _____ (estar) mirando una película.

2. Mientras tú estudiabas, nosotros _____ (andar) paseando por el parque.

3. Mañana a las diez, ¿tú _____ (estar) durmiendo?

4. Con un poco de tiempo, yo _____ (ir) acostumbrándome a la idea.

5. Ayer, Catalina _____ (estar) dando indicaciones a los turistas.

6. Eduardo _____ (venir) corriendo desde el parque cuando vio a Ana.

Tutorial

Telling time

- The verb **ser** is used to tell time in Spanish. The construction **es + la** is used with **una**, and **son + las** is used with all other hours.

> **¿Qué hora es?**
> *What time is it?*
>
> **Es la una.**
> *It is one o'clock.*
>
> **Son las tres.**
> *It is three o'clock.*

- The phrase **y +** [*minutes*] is used to tell time from the hour to the half hour. The phrase **menos +** [*minutes*] is used to tell time from the half hour to the hour, and is expressed by subtracting minutes from the *next* hour.

Son las once **y veinte**.   Es la una **menos cuarto**.   Son las doce **menos diez**.

- To ask at what time an event takes place, the phrase **¿A qué hora (...)?** is used. To state at what time something takes place, use the construction **a la(s) +** [*time*].

¿A qué hora es la fiesta?   La fiesta es **a las ocho**.
(At) what time is the party?   *The party is at eight.*

- The following expressions are used frequently for telling time.

Son las siete **en punto**.   Son las nueve **de la mañana**.
It's seven o'clock on the dot/sharp.   *It's 9 A.M./in the morning.*

Son las doce del mediodía./Es **(el) mediodía**.   Son las cuatro y cuarto **de la tarde**.
It's 12 P.M./It's noon.   *It's 4:15 P.M./in the afternoon.*

Son las doce de la noche./Es **(la) medianoche**.   Son las once y media **de la noche**.
It's 12 A.M./It's midnight.   *It's 11:30 P.M./at night.*

- The imperfect is generally used to tell time in the past. However, the preterite may be used to describe an action that occurred at a particular time.

¿Qué hora **era** cuando llegaste?   **Eran** las cuatro de la mañana.
What time was it when you arrived?   *It was four o'clock in the morning.*

¿A qué hora **fueron** al cine?   **Fuimos** a las nueve.
At what time did you go to the movies?   *We went at nine o'clock.*

Práctica

1

La hora Usando oraciones completas, escribe la hora que aparece en cada reloj.

1. _____   2. _____   3. _____

4. _____   5. _____   6. _____

2

En el cineclub Gabriela quiere ver una película en el cineclub de la universidad, pero necesita saber los horarios. Contesta las preguntas con oraciones completas usando las pistas (*clues*).

1. ¿A qué hora empieza *Relatos salvajes*? (12:05 P.M.)

_____

2. ¿A qué hora empieza *El secreto de sus ojos*? (1:15 P.M.)

_____

3. ¿A qué hora empieza *Roma*? (3:30 P.M.)

_____

4. ¿A qué hora empieza *Julieta*? (4:45 P.M.)

_____

5. ¿A qué hora empieza *Minari*? (8:20 P.M.)

_____

3

Coartada Quedaste involucrado/a en la investigación de un crimen y la policía te pide que expliques lo que hiciste durante todo el día de ayer. Explica qué tenías planeado hacer y a qué hora lo hiciste realmente. Sigue el modelo.

> **Modelo** **Cita con el médico – 11:30 A.M. (15 minutos de atraso)**
> Tenía cita con el médico a las once y media de la mañana, pero no pude llegar hasta las doce menos cuarto por culpa del tráfico.

1. Dejar el auto en el mecánico – 7 A.M. (30 minutos de atraso)
2. Desayunar con mi madre – 8:30 A.M. (1 hora de atraso)
3. Entregar los planos en la oficina – 11 A.M. (15 minutos de atraso)
4. Visita al museo de ciencias – 2 P.M. (1 hora y media de atraso)
5. Ir al cine con unos amigos – 5:30 P.M. (2 horas de atraso)
6. Recoger la ropa de la lavandería – 8:30 P.M. (¡Ya había cerrado!)

Tutorial

3.4 Possessive adjectives and pronouns

- Possessive adjectives (**adjetivos posesivos**) are used to express ownership or possession. Unlike English, Spanish has two types of possessive adjectives: the short, or unstressed, forms and the long, or stressed, forms. Both forms agree in gender, when applicable, and number with the object owned, and not with the owner.

Possessive adjectives

short forms (unstressed)		long forms (stressed)	
mi(s)	my	**mío/a(s)**	my/(of) mine
tu(s)	your	**tuyo/a(s)**	your/(of) yours
su(s)	your; his; her; its	**suyo/a(s)**	your/(of yours); his/(of) his; her/(of) hers; its/(of) its
nuestro(s)/a(s)	our	**nuestro/a(s)**	our/(of) ours
vuestro(s)/a(s)	your	**vuestro/a(s)**	your/(of) yours
su(s)	your; their	**suyo/a(s)**	your/(of) yours; their/(of) theirs

- Short possessive adjectives precede the nouns they modify.

En **mi** opinión, esa telenovela
es pésima.
*In my opinion, that soap opera
is awful.*

Nuestras revistas favoritas son
Vanidades y *Latina*.
Our favorite magazines are
Vanidades *and* Latina.

- Stressed possessive adjectives follow the nouns they modify. They are used for emphasis or to express the phrases *of mine, of yours,* etc. The nouns are usually preceded by a definite or indefinite article.

mi amigo → **un** amigo **mío**
my friend → a friend of mine

tus amigas → **las** amigas **tuyas**
your friends → friends of yours

- Because **su(s)** and **suyo(s)/a(s)** have multiple meanings (*your, his, her, its, their*), the construction [*article*] + [*noun*] + **de** + [*subject pronoun*] can be used to clarify meaning.

su casa
la casa suya
> la casa de él/ella — *his/her house*
> la casa de usted/ustedes — *your house*
> la casa de ellos/ellas — *their house*

- Possessive pronouns (**pronombres posesivos**) have the same forms as stressed possessive adjectives and are preceded by a definite article. Possessive pronouns agree in gender and number with the nouns they replace.

No encuentro mi **libro**.
¿Me prestas **el tuyo**?
*I can't find my book.
Can I borrow yours?*

Si la **fotógrafa** suya no llega,
la nuestra está disponible.
*If your photographer doesn't arrive,
ours is available.*

¡ATENCIÓN!

After the verb **ser**, stressed possessives are usually used without articles.

¿Es tuya la calculadora?
Is the calculator yours?

No, no es mía.
No, it is not mine.

¡ATENCIÓN!

The neuter form **lo** + [*singular stressed possessive*] is used to refer to abstract ideas or concepts such as *what is mine* and *what belongs to you*.

Quiero lo mío.
I want what is mine.

Práctica

1

¿De quién hablan? Completa los espacios con adjetivos posesivos.

1. La actriz Fernanda Luro habla sobre su esposo: "_____ esposo siempre me acompaña a los estrenos, aunque _____ agenda esté llena de compromisos".

2. Los integrantes del dúo Maite y Antonio comentan sobre su hijo: "_____ hijo empezó a cantar a los dos años".

3. El actor Saúl Mar habla de su exesposa, la modelo Serafina: "_____ ex ya no es tan guapa como antes, aunque _____ seguidores piensen lo contrario".

4. La famosa cantante Celia Rodríguez habla de la relación con sus padres: "_____ padres me apoyan muchísimo cuando estoy de gira".

2

¿Es tuyo...? Escribe preguntas con **ser** y contéstalas usando el pronombre posesivo que corresponda a la(s) persona(s) indicada(s). Sigue el modelo.

> **Modelo** tú / libro / yo
> —¿Es tuyo este libro?
> —Sí, es mío.

1. ustedes / revistas / nosotros

_____

_____

3. ella / computadora / ella

_____

_____

2. nosotros / periódicos / yo

_____

_____

4. tú / control remoto / ellos

_____

_____

3

Almuerzo Completa el diálogo con los posesivos adecuados. Cuando sea necesario, añade también el artículo definido correspondiente.

AGUSTÍN (1) _____ esposa es locutora de radio y tiene un programa para niños.

MANUEL (2) _____ es redactora en el periódico *El Financiero*.

JUAN Yo soy soltero y vivo con (3) _____ padres y (4) _____ hermano.

MANUEL (5) _____ películas favoritas son las de acción. ¿Y (6) _____?

JUAN A mí no me gusta el cine.

AGUSTÍN A mí tampoco, pero a (7) _____ esposa le gustan las películas clásicas. Afortunadamente, las ve con (8) _____ hermana.

JUAN (9) _____ pasatiempo favorito es la música.

MANUEL ¡Ahh! ¿Es (10) _____ la guitarra que vi en la oficina?

JUAN Sí, es (11) _____. Después del trabajo, nos reunimos en la casa de un amigo (12) _____ y tocamos un poco. A (13) _____ amigos y a mí nos gusta el rock. (14) _____ músicos preferidos son...

AGUSTÍN ¡No te molestes en nombrarlos! No sé nada de música.

MANUEL Parece que (15) _____ gustos son muy distintos.

Tutorial

3.5

Demonstrative adjectives and pronouns

- Demonstrative adjectives (**adjetivos demostrativos**) specify to which noun a speaker is referring. They precede the nouns they modify and agree in gender and number.

este anuncio	**esa** tira cómica	**aquellos** periódicos
this advertisement	*that comic strip*	*those newspapers (over there)*

Demonstrative adjectives

singular		plural		
masculine	feminine	masculine	feminine	
este	esta	estos	estas	*this; these*
ese	esa	esos	esas	*that; those*
aquel	aquella	aquellos	aquellas	*that; those (over there)*

- Spanish has three sets of demonstrative adjectives. Forms of **este** are used to point out things that are close to the speaker and the listener. Forms of **ese** modify nouns for things that are not close to the speaker, though they may be close to the listener. Forms of **aquel** refer to things that are far away from both the speaker and the listener.

No me gustan **estos** zapatos.   Prefiero **esos** zapatos.   **Aquel** coche es de Ana.

¡ATENCIÓN!

The **Real Academia** now recommends omitting the accent mark on demonstrative pronouns, but many Spanish speakers continue to use the accent mark to avoid ambiguity.

- Demonstrative pronouns (**pronombres demostrativos**) are identical to demonstrative adjectives, except that they traditionally carry an accent mark on the stressed vowel. They agree in gender and number with the nouns they replace.

¿Quieres comprar esta **radio**?	No, no quiero **ésta**. Quiero **ésa**.
Do you want to buy this radio?	*No, I don't want this one. I want that one.*
¿Leíste estos **libros**?	No leí **éstos**, pero sí leí **aquéllos**.
Did you read these books?	*I didn't read these, but I did read those (over there).*

- There are three neuter demonstrative pronouns: **esto, eso,** and **aquello**. These forms refer to unidentified or unspecified things, situations, or ideas. They do not vary in gender or number and they never carry an accent mark.

¿Qué es **esto**?	**Eso** es interesante.	**Aquello** es bonito.
What is this?	*That's interesting.*	*That's pretty.*

Práctica

1

La diva Responde negativamente las preguntas sobre la actriz. Usa las pistas entre paréntesis y las formas correctas de los adjetivos demostrativos.

Modelo ¿Llevó esta camisa? (vestido)
No, llevó este vestido.

1. ¿Se va a sentar en esa silla? (sofá)
_____

2. ¿Quiere probar estos sándwiches? (langosta)
_____

3. ¿Decidió hablar con ese reportero? (locutora)
_____

4. ¿Llevará aquel suéter? (chaqueta negra)
_____

2

En el centro comercial Completa las oraciones con los adjetivos y pronombres demostrativos que correspondan en cada caso.

1. Quiero comprar _____ teléfono celular que está a tu derecha.
2. No queremos _____ computadora que nos muestras, sino _____ de más atrás.
3. Hay rebajas en _____ libros y revistas que yo estoy mirando, pero no en _____ que tienes ahí.
4. Compra alguna de _____ camisetas que tienes a tu izquierda.
5. Yo voy a escoger _____ camiseta de aquí, que está a mitad de precio.
6. Antes de irnos, vamos a comer algo en _____ restaurante de la otra esquina.
7. ¡Me he quedado sin dinero! _____ no puede seguir así: debo ser más cuidadoso.
8. No vayas a _____ tienda de enfrente, que es muy cara; mejor pregunta en _____ de aquí al lado.

3

No y no Escribe un breve diálogo con estas palabras, utilizando los adjetivos y pronombres que se indican.

Modelo ustedes / querer comprar / libros (este/aquel)
—¿Ustedes quieren comprar estos libros o aquellos libros?
—No queremos comprar ni éstos ni aquéllos.

1. tú / querer probarse / zapatos (este/ese)
2. ella / preferir / asiento (este/aquel)
3. Daniel y Agustina / buscar / película (ese/este)
4. niños / leer / novela (este/aquel)
5. Carlos / vivir / departamento (este/ese)
6. nosotros / poder / ir / fiesta (este/ese)

 Presentation

To become: *hacerse, ponerse, volverse,* and *llegar a ser*

- Spanish has several verbs and phrases that mean *to become*. Many of these constructions make use of reflexive verbs.

- The construction **ponerse** + [*adjective*] expresses a change in mental, emotional, or physical state that is generally not long-lasting.

  > ¡No **te pongas histérico**!
  > *Don't get so worked up!*

  > La señora Urbina **se pone muy feliz** cuando su familia la visita.
  > *Mrs. Urbina gets so happy when her family comes to visit.*

- **Volverse** + [*adjective*] expresses a radical mental or psychological change. It often conveys a gradual or irreversible change in character. In English this is often expressed as *to have become* + [*adjective*].

  > ¿**Te has vuelto loca**?
  > *Have you gone mad?*

  > Durante los últimos años, mi primo **se ha vuelto insoportable**.
  > *In recent years, my cousin has become unbearable.*

- **Hacerse** can be followed by a noun or an adjective. It often implies a change that results from the subject's own efforts, such as changes in profession or social and political status.

  > El yerno de doña Lidia **se ha hecho bailarín** de tango.
  > *Doña Lidia's son-in-law has become a tango dancer.*

  > Mi bisabuelo **se hizo rico** a pesar de haber salido de su patria sin un solo centavo.
  > *My great-grandfather became wealthy despite having left his homeland without a penny in his pocket.*

- **Llegar a ser** may also be followed by a noun or an adjective. It indicates a change over time and does not imply the subject's voluntary effort.

  > Aquella novela **llegó a ser** un *best seller.*
  > *That novel became a best seller.*

- There are often reflexive verb equivalents for **ponerse** + [*adjective*]. Note that when used with object pronouns instead of reflexive pronouns, such verbs convey that another person or thing is imposing a mental, emotional, or physical state on someone else.

ponerse alegre → **alegrarse**	**ponerse deprimido/a** → **deprimirse**
ponerse furioso/a → **enfurecerse**	**ponerse triste** → **entristecerse**

  > La llegada de la primavera **me pone alegre / me alegra**.
  > *The arrival of spring makes me happy.*

  > Cuando pienso en la muerte, **me pongo triste / me entristezco**.
  > *When I think about death, I get sad.*

Práctica

1

Seleccionar Selecciona la opción correcta para cada frase.

1. Siempre (se pone – se vuelve) nervioso cuando está frente a sus suegros.

2. Antes mi hijo era sumiso, pero con el tiempo (se puso – se volvió) muy rebelde.

3. Nunca (se pone – se vuelve) triste cuando está con su familia.

4. Después de quedarse viudo, (se puso – se volvió) un hombre solitario.

2

Completar Completa las oraciones utilizando la forma correcta de **volverse, llegar a ser, hacerse y ponerse**.

1. Con los años, mi sobrino _____.

2. Tras la muerte de mi abuelo, sus pinturas _____.

3. Ángela antes era contadora, pero ahora _____.

4. Como no llegamos a tiempo con la entrega del proyecto, mi profesor _____.

5. A causa de problemas de salud, Eduardo _____.

6. Después de perder nuestro trabajo, nosotros _____.

7. Ana y Eva no se conocían antes del viaje. Desde entonces _____.

8. Cuando se casó su hija, Alberto _____.

3

Historias de familia Completa las oraciones con la forma correcta de las expresiones.

deprimirse | hacerse | llegar a ser | ponerse | volverse

1. Mi prima y su vecina _____ muy amigas.

2. Mi cuñado _____ el hombre más famoso de la ciudad.

3. Mi primo _____ loco después de ese viaje en el ascensor.

4. Mis sobrinas _____ muy tristes al despedirse.

Tutorial

5.4 *Qué* vs. *cuál*

- The interrogative words **¿qué?** and **¿cuál(es)?** can both mean *what/which*, but they are not interchangeable.

- **Qué** is used to ask for general information, explanations, or definitions.

  ¿**Qué** es la lluvia ácida?
  What is acid rain?

  ¿**Qué** dijo?
  What did she say?

- **Cuál(es)** is used to ask for specific information or to choose from a limited set of possibilities. When referring to more than one item, the plural form **cuáles** is used.

  ¿**Cuál** es el problema?
  What is the problem?

  ¿**Cuáles** son tus animales favoritos?
  What are your favorite animals?

  ¿**Cuál** de los dos prefieres,
  el desierto o el bosque?
  *Which of these (two) do you
  prefer, the desert or the forest?*

  ¿**Cuáles** escogieron, los rojos o
  los azules?
  *Which ones did they choose,
  the red or the blue?*

- Often, either **qué** or **cuál(es)** may be used in the same sentence, but the meaning is different.

  ¿**Qué** quieres comer
  de postre?
  *What do you want to eat
  for dessert?*

  Tengo una manzana y una naranja.
  ¿**Cuál** quieres comer de postre?
  *I have an apple and an orange. Which
  one do you want to eat for dessert?*

- **Cuál(es)** should not be used before nouns. **Qué** is used instead, regardless of the type of information requested.

  ¿**Qué** ideas tienen ustedes?
  What ideas do you have?

  ¿Peligro? ¿**Qué** peligro?
  Danger? What danger?

  ¿**Qué** regalo te gusta más?
  Which gift do you like better?

  ¿**Qué** libros leyeron este verano?
  Which books did you read this summer?

- **Qué** and **cuál(es)** are sometimes used in declarative sentences that imply a question or unknown information.

  No sé **qué** hacer.
  I don't know what to do.

  No sé **cuál** de los dos escoger.
  I don't know which of the two to choose.

  Elena quiere saber **qué** pasó ayer
  por la mañana.
  *Elena wants to know what
  happened yesterday morning.*

  Él me preguntó **cuál** de las dos
  películas prefería.
  *He asked me which of the two
  movies I preferred.*

- **Qué** is also used frequently in exclamations. In this case it means *What...!* or *How...!*

  Señor Acosta, ¡**qué** gusto verlo de nuevo!
  Mr. Acosta, what a pleasure to see you again!

  Mira esa luna llena, ¡**qué** bella!
  Look at that full moon. How beautiful!

  ¡**Qué** niño más irresponsable!
  What an irresponsible child!

  ¡**Qué** triste te ves!
  How sad you look!

Práctica

1

Elige Lee las preguntas y elige la opción correcta para cada una.

	¿Qué	¿Cuál	¿Cuáles	
1.	☐	☐	☐	... de los dos es tu conejo?
2.	☐	☐	☐	... tipo de ave te gusta más?
3.	☐	☐	☐	... es la deforestación?
4.	☐	☐	☐	... son los problemas que te preocupan más?
5.	☐	☐	☐	... es tu lugar favorito?
6.	☐	☐	☐	... parques están contaminados?
7.	☐	☐	☐	... usaron, las limpias o las contaminadas?

2

Completar Completa las preguntas con **¿qué?** o **¿cuál(es)?**, según el contexto.

1. ¿_____ de los dos paisajes es tu favorito?

2. ¿_____ piensas del calentamiento global?

3. ¿_____ son tus animales favoritos?

4. ¿_____ haces para proteger el medio ambiente?

5. ¿_____ problema ecológico es el más importante?

6. ¿_____ son tus ovejas, las blancas o las negras?

7. ¿_____ es tu opinión sobre la deforestación de nuestros bosques?

8. ¿_____ fuentes alternativas de energía usas?

9. ¿_____ son las especies que están en peligro de extinción?

3

Preguntas Usa **¿qué?** o **¿cuál(es)?** para escribir la pregunta correspondiente a cada respuesta.

1. _____

El animal que más me gusta es el león.

2. _____

Este fin de semana quiero disfrutar del mar y el sol.

3. _____

Mis pasatiempos favoritos son nadar y salir con mis amigos.

4. _____

Opino que la contaminación de los mares debe detenerse.

5. _____

Éstas son las botellas que vamos a reciclar.

6. _____

El plato favorito de Rosa es el pollo con papas.

Tutorial

5.5

The neuter *lo*

- The definite articles **el, la, los,** and **las** modify masculine or feminine nouns. The neuter article **lo** is used to refer to concepts that have no gender.

Me están volviendo loco.
*¡Eso es **lo** que pasa!*

- In Spanish, the construction **lo** + *[masculine singular adjective]* is used to express general characteristics and abstract ideas. The English equivalent of this construction is *the* + *[adjective]* + *thing*.

   Lo difícil es promover el desarrollo económico sin contaminar.
   The difficult thing is to promote economic development without polluting.

   Este río está muy contaminado; **lo bueno** es que los vecinos
   se han organizado para limpiarlo bien y salvar los peces.
   *This river is very polluted; the good thing is that the neighbors
   have organized themselves to clean it well and save the fish.*

- To express the idea of *the most* or *the least*, **más** and **menos** can be added after **lo**.
   Lo mejor and **lo peor** mean *the best/worst* (*thing*).

   Para proteger el medio ambiente, **lo más importante** es conservar los recursos.
   To protect the environment, the most important thing is to conserve resources.

   ¡Aún no te he contado **lo peor** del viaje!
   I still haven't told you about the worst part of the trip!

- The construction **lo** + *[adjective* or *adverb]* + **que** is used to express the English *how* + *[adjective]*. In these cases, the adjective agrees in number and gender with the noun it modifies.

lo + *[adjective]* + **que**	**lo** + *[adverb]* + **que**
¿No te das cuenta de **lo bella que** eres?	Recuerda **lo bien que** te fue en su clase.
Don't you realize how beautiful you are?	*Remember how well you did in his class.*

- **Lo que** is equivalent to the English *what, that, which*. It is used to refer to an abstract idea, or to a previously mentioned situation or concept.

   ¿Qué fue **lo que** más te gustó de tu viaje a Ecuador?
   What was the thing that you enjoyed most about your trip to Ecuador?

   Lo que más me gustó fue el paisaje.
   The thing I liked best was the scenery.

¡ATENCIÓN!

The phrase **lo** + *[adjective or
adverb]* + **que** may be replaced
by **qué** + *[adjective* or *adverb]*.

**No sabes *qué difícil* es hablar
con él.**
*You don't know how difficult it is
to talk to him.*

**Fíjense en *qué pronto*
agotaremos los recursos.**
*Just think about how soon
we'll use up our resources.*

Práctica

1

Completar Completa las oraciones con **lo** o **lo que**.

1. Las grandes empresas no quieren aceptar _____ les piden los ecologistas.

2. _____ más peligroso es la destrucción de la capa de ozono.

3. ¿Me cuentas _____ se decidió en la reunión del grupo de conservación de parques?

4. _____ malo es que no se puede ver el paisaje desde aquí.

5. _____ piden sus hijos es que deje de cazar animales.

6. _____ positivo del proyecto es que vamos a tener muchos más árboles en la ciudad.

7. _____ me gusta de este lugar es que se respira aire puro.

2

Opiniones Combina las frases para formar oraciones que contengan la estructura **lo** + [*adjetivo/adverbio*] + **que**.

> **Modelo** parecer mentira / qué poco te preocupas por el medio ambiente
> Parece mentira lo poco que te preocupas por el medio ambiente.

1. asombrarme / qué lejos está el centro de reciclaje

_____

2. sorprenderme / qué obediente es tu gato

_____

3. (yo) no poder creer / qué contaminado está el lago

_____

4. ser increíble / qué bien se vive en este pueblo

_____

5. ser una sorpresa / qué limpio conservan este bosque

_____

3

La mascota Julián se va de vacaciones y le ha pedido a su amigo Sergio que cuide de su mascota (*pet*). Usa frases de la lista para completar las recomendaciones que le da Julián a Sergio.

lo contaminado que	lo mejor	lo potable
lo interesante que	lo peor	lo que más
lo más		lo rápido que

1. _____ le gusta es tomar el sol.

2. _____ difícil es darle su ducha diaria.

3. Es increíble _____ es vivir con él.

4. _____ es cuando te trae el periódico por la mañana.

5. Ya verás _____ se hacen amigos.

6. _____ es que lo voy a extrañar mucho.

Tutorial

6.4 Adverbs

- Adverbs (**adverbios**) describe *how, when,* and *where* actions take place. They usually follow the verbs they modify and precede adjectives or other adverbs.

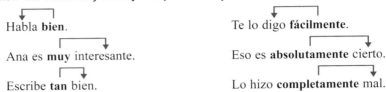

Habla **bien**.

Ana es **muy** interesante.

Escribe **tan** bien.

Te lo digo **fácilmente**.

Eso es **absolutamente** cierto.

Lo hizo **completamente** mal.

- Many Spanish adverbs are formed by adding the suffix **–mente** to the feminine singular form of an adjective. The **–mente** ending is equivalent to the English *–ly*.

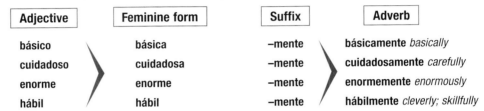

Adjective	Feminine form	Suffix	Adverb
básico	básica	–mente	**básicamente** *basically*
cuidadoso	cuidadosa	–mente	**cuidadosamente** *carefully*
enorme	enorme	–mente	**enormemente** *enormously*
hábil	hábil	–mente	**hábilmente** *cleverly; skillfully*

¡ATENCIÓN!

If an adjective has a written accent, it is kept when the suffix **–mente** is added. If an adjective does not have a written accent, no accent is added to the adverb ending in **–mente**.

- If two or more adverbs modify the same verb, only the final adverb uses the suffix **–mente**.

Se marchó **lenta** y **silenciosamente**.
He left slowly and silently.

Lo explicó **clara** y **cuidadosamente**.
She explained it clearly and carefully.

- The construction **con** + [*noun*] is often used instead of long adverbs that end in **–mente**.

cuidadosamente = **con cuidado**   frecuentemente = **con frecuencia**

- Here are some common adverbs and adverbial phrases:

a menudo *frequently; often*	**así** *like this; so*	**mañana** *tomorrow*
a tiempo *on time*	**ayer** *yesterday*	**más** *more*
a veces *sometimes*	**casi** *almost*	**menos** *less*
adentro *inside*	**de costumbre** *usually*	**muy** *very*
afuera *outside*	**de repente** *suddenly*	**por fin** *finally*
apenas *hardly; scarcely*	**de vez en cuando** *now and then*	**pronto** *soon*
aquí *here*		**tan** *so*

¡ATENCIÓN!

Some adverbs and adjectives have the same forms.

ADJ: **bastante dinero**
 enough money
ADV: **bastante difícil**
 rather difficult

ADJ: **poco tiempo**
 little time
ADV: **habla poco**
 speaks very little

A veces salimos a tomar un café.
Sometimes we go out for coffee.

Casi terminé el libro.
I almost finished the book.

- The adverbs **poco** and **bien** frequently modify adjectives. In these cases, **poco** is often the equivalent of the English prefix *un–*, while **bien** means *well, very, rather,* or *quite*.

La situación está **poco** clara.
The situation is unclear.

El plan estuvo **bien** pensado.
The plan was well thought out.

Práctica

1

Adverbios Escribe el adverbio que se deriva de cada adjetivo.

1. básico _____
2. feliz _____
3. fácil _____
4. inteligente _____
5. alegre _____

6. común _____
7. injusto _____
8. asombroso _____
9. insistente _____
10. silencioso _____

2

Instrucciones para ser feliz Completa cada oración de forma lógica con un adverbio derivado de un adjetivo de la lista.

cuidadoso	frecuente	malo	triste
enorme	inmediato	tranquilo	último

1. Tienes que amar a tu pareja _____.
2. Haz ejercicio _____.
3. Debes gastar el dinero _____.
4. Si eres injusto/a con alguien, debes pedir perdón _____.
5. Desayuna todas las mañanas _____.

3

Recomendaciones Los padres de Mario y Paola salieron de viaje por dos semanas. Lee las recomendaciones que les dejaron a los chicos pegadas en el refrigerador. Completa los espacios con un adverbio o expresión adverbial de la lista.

a menudo	adentro	así	mañana
a tiempo	afuera	de vez en cuando	tan

Lunes, 19 de octubre

1. Pasar la aspiradora _____. (¡Todos los días!)

2. Si llueve, poner los muebles del jardín _____.

3. Llegar a la escuela _____.

4. _____, llevar a Botitas al veterinario para su cita.

5. Dejar que el gato juegue _____ si no llueve.

6. Sólo ir _____ al centro comercial.

Tutorial

6.5

Diminutives and augmentatives

- Diminutives and augmentatives (**diminutivos y aumentativos**) are frequently used in conversational Spanish. They emphasize size or express shades of meaning like affection or ridicule. Diminutives and augmentatives are formed by adding a suffix to the root of nouns or adjectives (which agree in gender and number), and occasionally adverbs.

- The most common diminutive suffixes are forms of **–ito/a** and **–illo/a**.

  Huguillo, ¿me traes un **cafecito** con unos **panecillos**?
  Little Hugo, would you bring me a little cup of coffee with a few rolls?

  Ahorita, abuelita, se los preparo **rapidito**.
  Right away, Granny, I'll have them ready in a jiffy.

- Most words form the diminutive by adding **–ito/a** or **–illo/a**. For words ending in vowels (except **–e**), the last vowel is dropped before the suffix.

bajo → **baj**ito *very short; very quietly*	ventana → **ventan**illa *little window*
Miguel → **Miguel**ito *Mikey*	campana → **campan**illa *handbell*

- Most words that end in **–e, –n,** or **–r** use the forms **–cito/a** or **–cillo/a**. However, one-syllable words often use **–ecito/a** or **–ecillo/a**.

Carmen → **Carmen**cita *little Carmen*	pan → **pan**ecillo *roll*
amor → **amor**cito *sweetheart*	pez → **pec**ecito *little fish*

- The most common augmentative suffixes are forms of **–ón/–ona, –ote/–ota,** and **–azo/–aza**.

  Hijo, ¿por qué tienes ese **chichonazo** en la cabeza?
  Son, how'd you get that huge bump on your head?

  Le dije *panzón* al **gordote** de la otra cuadra, ¡y me dio un **golpetazo**!
  I said Fatty to the big fat guy from the next block, and he really socked me one!

- Most words form the augmentative by simply adding the suffix to the word. For words ending in vowels, the final vowel is usually dropped.

hombre → **hombr**ón *big man; tough guy*	casa → **cas**ona *big house; mansion*
perro → **perr**azo *big, scary dog*	palabra → **palabr**ota *swear word*

- Note that many feminine nouns become masculine in the augmentative when the suffix **–ón** is used, unless they refer specifically to someone's gender.

la silla → el **sill**ón *armchair*	la mujer → la **mujer**ona *big woman*
la mancha → el **manch**ón *large stain*	la soltera → la **solter**ona *spinster*

- In regions where diminutives and augmentatives are used heavily in conversational Spanish, double endings are frequently used for additional emphasis.

chico/a → **chiqu**ito/a → **chiquit**ito/a	grande → **grand**ote/a → **grandot**ote/a

- Some words change meaning completely when a suffix is added.

manzana → **manzan**illa	pera → **per**illa
apple *chamomile*	*pear* *goatee*

¡ATENCIÓN!

Diminutive and augmentative suffixes may vary from one region to another, and sometimes convey different meanings or connotations. For example, while **–ito/a** and **–illo/a** may both mean *small*, **–ito/a** may imply *cute, nice,* or *dear,* while **–illo** may be used lightly, disparagingly, or for things of little importance.

¡Ay, qué perrito más lindo!
Oh, what a cute little puppy!

¡Ay, qué perrillo más feo!
Oh, what an ugly little mutt!

¡ATENCIÓN!

Note the following spelling changes:

chico → chiquillo
amigo → amiguito
agua → agüita
luz → lucecita

¡ATENCIÓN!

The masculine suffix **–azo** can also mean *blow* or *shot*.

flecha → flechazo *arrow wound; love at first sight*
rodilla → rodillazo *a blow with the knee*

The letters **–t–** or **–et–** are occasionally added to the beginning of augmentative endings.

reggae → reggaetón
guapa → guapetona
golpe → golpetazo

¡ATENCIÓN!

For words ending in **–s** (singular or plural), diminutive and augmentative endings precede the final **–s**.

besos → besitos

Práctica

1

La carta Completa el párrafo con la forma indicada de cada palabra. Haz los cambios que creas necesarios.

> Querido (1) _____ (nieto, –ito):
>
> Cuando yo era (2) _____ (pequeño, –ito) como tú, jugaba siempre en la calle. Mi (3) _____ (abuela, –ita) me decía que no fuera con los (4) _____ (amigos, –ote) de mi hermano porque ellos eran mayores que yo y eran (5) _____ (hombres, –ón). Yo, entonces, era muy (6) _____ (cabeza, –ón) y nunca hacía lo que ella decía. Una tarde, estaba jugando al fútbol, y uno de ellos me dio un (7) _____ (rodilla, –azo) que me rompió la (8) _____ (nariz, –ota). Nunca más jugué con ellos y, desde entonces, sólo salí con mis (9) _____ (amigos, –ito). Espero que me vengas a visitar (10) _____ (pronto, –ito).
>
> Tu abuelo César

2

Completar Completa las oraciones con el aumentativo o el diminutivo que corresponda a la definición entre paréntesis.

1. ¿Por qué no les gusta a los profesores que los estudiantes digan _____ (palabras feas y desagradables)?
2. El _____ (perro pequeño) de mi novia es muy lindo y amistoso.
3. Ese abogado tiene una buena _____ (nariz grande) para adivinar los problemas de sus clientes.
4. Mis abuelos viven en una _____ (casa grande) muy vieja.
5. La cantante Samantha siempre lleva una _____ (flor pequeña) en el cabello.
6. El presidente del partido tiene una excelente _____ (cabeza grande) para memorizar sus discursos.
7. A mi _____ (hermana menor) le fascina ir a la playa y hacer excursiones en el campo.

3

¿Qué palabra es? Combina las palabras para formar diminutivos y aumentativos.

1. muy grande _____
2. lago pequeño _____
3. cuarto grande y amplio _____
4. sillas para niños _____
5. libro grande y grueso _____
6. gato bebé _____
7. hombre alto y fuerte _____
8. muy cerca _____
9. abuelo querido _____
10. soldados de juguete _____

Tutorial

7.4

Past participles used as adjectives

- Past participles are used with **haber** to form compound tenses, such as the present perfect and the past perfect, and with **ser** to express the passive voice. They are also frequently used as adjectives.

- When a past participle is used as an adjective, it agrees in number and gender with the noun it modifies.

un proyecto complicado
a complicated project

una oficina bien organizada
a well-organized office

los trabajadores destacados
the outstanding workers

las reuniones aburridas
the boring meetings

- Past participles are often used with the verb **estar** to express a state or condition that results from the action of another verb. They frequently express physical or emotional states.

Felicia, ¿**estás despierta?**
Felicia, are you awake?

No, **estoy dormida**.
No, I'm asleep.

Marco, **estoy enfadado**.
¿Por qué no depositaste los cheques?

Perdón, don Humberto.
Es que el banco ya **estaba cerrado**.

Marco, I'm furious.
Why didn't you deposit the checks?

I'm sorry, Don Humberto.
It's that the bank was already closed.

- Past participles may be used as adjectives with other verbs, as well.

Empezó a llover y **llegué empapada** a la reunión.
It started to rain and I arrived at the meeting soaking wet.

Ese libro **es** tan **aburrido**.
That book is so boring.

Después de las vacaciones, **nos sentimos descansados**.
After vacation, we felt rested.

¿Los documentos? Ya los **tengo corregidos**.
The documents? I already have them corrected.

—*Ey, pirata, ¿qué **haces despierto**?*

- Note that past participles are often used as adjectives to describe physical or emotional states.

aburrido/a	confundido/a	enojado/a	muerto/a
(des)cansado/a	enamorado/a	estresado/a	sorprendido/a

Práctica

1

Entrevista de trabajo Julieta trabaja en Recursos Humanos y está preparando sus preguntas para los candidatos que va a entrevistar para un puesto en la empresa. Completa cada pregunta de Julieta con el participio del verbo.

1. ¿Por qué crees que estás _____ (preparar) para este puesto?

2. ¿Estás _____ (informar) sobre nuestros productos?

3. ¿Te sientes _____ (sorprender) de todos los beneficios que ofrecemos?

4. ¿Por qué estás _____ (interesar) en este puesto en particular?

5. ¿Trajiste tu currículum _____ (escribir) en computadora?

6. ¿Cómo manejarás el estrés cuando ya estés _____ (contratar)?

2

¿Cómo están ellos? Mira las imágenes y relaciónalas con los verbos de la lista. Después completa cada frase usando **estar** + [*participio*].

aburrir	enamorar	esconder	preparar
cansar	enojar	lastimar	sorprender

1. Ellos _____

2. Juanito _____

3. Eva _____

4. Ellos _____

5. Marta _____

3

Dicho de otra forma Transforma las oraciones usando **estar** y el participio pasado del verbo correspondiente. Sigue el modelo.

Modelo **Envió las cartas.**
Las cartas están enviadas.

1. El enfermo se despertó.

2. Cubrieron todas las salidas.

3. No preparó el plan todavía.

4. Ya filmaron la película.

5. Por desgracia, rompieron su compromiso.

6. El bar abre sólo por la tarde.

7. Los dos se enamoraron profundamente.

8. Hizo su cama y guardó las cosas en su valija.

Tutorial

Time expressions with *hacer*

- In Spanish, the verb **hacer** is used to describe how long something has been happening or how long ago an event occurred.

	Time expressions with **hacer**
PRESENT	**Hace** + [*period of time*] + **que** + [*verb in present tense*]
	Hace tres semanas que busco trabajo.
	I've been looking for work for three weeks.
PRETERITE	**Hace** + [*period of time*] + **que** + [*verb in the preterite*]
	Hace seis meses que fueron a Bolivia.
	They went to Bolivia six months ago.
IMPERFECT	**Hacía** + [*period of time*] + **que** + [*verb in the imperfect*]
	Hacía treinta años que trabajaba con nosotros cuando por fin se jubiló.
	He had been working with us for thirty years when he finally retired.

- To express the duration of an event that continues into the present, Spanish uses the construction **hace** + [*period of time*] + **que** + [*present tense verb*]. Note that **hace** does not change form.

¿Cuánto tiempo **hace que vives** en Paraguay?
How long have you lived in Paraguay?

Hace siete años **que vivo** en Paraguay.
I've lived in Paraguay for seven years.

- To make a sentence negative, add **no** before the conjugated verb. Negative time expressions with **hacer** often translate as *since* in English.

¿**Hace** mucho tiempo que **no** le dan un aumento de sueldo?
Has it been a long time since they gave you a raise?

¡Uy, hace años que **no** me dan un aumento de sueldo!
It's been years since they gave me a raise!/ They haven't given me a raise in years!

- To tell how long ago an event occurred, use **hace** + [*period of time*] + **que** + [*preterite tense verb*].

¿Cuánto tiempo **hace que** te **despidieron**?
How long ago were you fired?

Hace cuatro días que me **despidieron**.
I was fired four days ago.

- **Hacer** is occasionally used in the imperfect to describe how long an event had been happening before another event occurred. Note that both **hacer** and the conjugated verb use the imperfect.

Hacía dos años que no estudiaba español cuando decidió tomar otra clase.
She hadn't studied Spanish for two years when she decided to take another class.

¡ATENCIÓN!

The construction [*present tense verb*] + **desde hace** + [*period of time*] may also be used. **Desde** can be omitted.

Estudia español (desde) hace un año. *He's been studying Spanish for a year.*

No come chocolate (desde) hace un mes. *It's been a month since he ate chocolate.*

¡ATENCIÓN!

Expressions of time with **hacer** can also be used without **que**.

¿Hace cuánto (tiempo) te despidieron?

Me despidieron hace cuatro días.

Práctica

1

Oraciones Escribe oraciones utilizando expresiones de tiempo con **hacer**. Usa el tiempo presente en las oraciones 1 a 3 y el pretérito en las oraciones 4 a 6.

> **Modelo**   Ana / hablar por teléfono / veinte minutos
> Hace veinte minutos que Ana habla por teléfono.

1. Roberto y Miguel / estudiar / tres horas

   _____

2. nosotros / estar enfermos / una semana

   _____

3. tú / trabajar en esta empresa / seis meses

   _____

4. Sergio / visitar Bolivia / un mes

   _____

5. yo / ir a Paraguay / un año

   _____

6. Esteban y Lisa / casarse / dos años

   _____

2

Minidiálogos Completa los minidiálogos con las palabras adecuadas.

1. **GRACIELA** ¿_____ tiempo hace que vives en esta ciudad?
   SUSANA Mmm... _____ dos años que _____ aquí.

2. **GUSTAVO** Hacía veinte años que Miguel _____ con nosotros cuando decidió jubilarse, ¿verdad?
   ARMANDO No, _____ quince años que trabajaba con nosotros cuando se jubiló.

3. **MARÍA** _____ a visitar a tu novia hace dos meses, ¿no?
   PEDRO Sí, _____ dos meses que fui a visitar a mi novia. ¡La extraño mucho!

4. **PACO** ¿Cuánto tiempo _____ que _____ español?
   ANA Estudio español _____ hace tres años.

3

Preguntas Responde a las preguntas con oraciones completas. Utiliza las palabras entre paréntesis.

1. ¿Cuánto tiempo hace que fuiste de vacaciones a la playa? (cinco años)

   _____

2. ¿Hace cuánto tiempo que estudias economía? (dos semanas)

   _____

3. ¿Cuánto tiempo hace que despidieron a Nicolás? (un mes)

   _____

4. ¿Cuánto tiempo hace que llegaron Irene y Natalia? (una hora)

   _____

5. ¿Hace cuánto tiempo que ustedes trabajan aquí? (cuatro días)

   _____

Tutorial

8.4

Prepositions: *a, hacia,* and *con*

- The preposition **a** can mean *to, at, for, upon, within, of, on, from,* or *by,* depending on the context. Sometimes it has no direct translation in English.

Fueron **al** cine.
They went to the movies.

Lucy estaba **a** mi derecha.
Lucy was on my right.

Terminó **a** las doce.
It ended at midnight.

Al llegar **a** casa, me sentí feliz.
Upon returning home, I felt happy.

- The preposition **a** introduces indirect objects.

Le mandó un mensaje de texto **a** su novio.
She sent a text message to her boyfriend.

Le prometió **a** María que saldrían el viernes.
He promised María they'd go out on Friday.

- When a direct object noun is a person (or a pet), it is preceded by the personal **a,** which has no equivalent in English. If the person in question is not specific, the personal **a** is omitted, except before the words **alguien, nadie, alguno/a,** and **ninguno/a.**

¿Viste **a** tus amigos?
Did you see your friends?

Necesitamos un buen ingeniero.
We need a good engineer.

No, no he visto **a** nadie.
No, I haven't seen anyone.

Conozco **a** una ingeniera excelente.
I know an excellent engineer.

- With movement, either literal or figurative, **hacia** means *toward* or *to.*

Él se dirige **hacia** Chile para ver el eclipse.
He is going to Chile to see the eclipse.

La actitud de René **hacia** él fue negativa.
René's attitude toward him was negative.

- With time, **hacia** means *approximately, around, about,* or *toward.*

Hacia la una de la mañana, vi una luz extraña en el cielo.
Around one o'clock in the morning, I saw a strange light in the sky.

Sus teorías se hicieron populares **hacia** la segunda mitad del siglo XX.
His theories became popular toward the second half of the twentieth century.

- The preposition **con** means *with.*

Trabajó **con** los mejores investigadores.
She worked with the best researchers.

Quiero una computadora **con** pantalla táctil.
I want a computer with a touch screen.

- **Con** can also mean *but, even though,* or *in spite of* when used to convey surprise at an apparent conflict between two known facts.

No han podido descubrir la cura.
They've been unable to discover a cure.

¡Con todo el dinero que reciben!
In spite of all the money they get!

¡ATENCIÓN!

Some verbs require **a** when used with an infinitive, such as **aprender a, ayudar a, comenzar a, enseñar a, ir a,** and **volver a.**

Aprendí a manejar.
I learned to drive.
Me ayudó a arreglar el coche.
He helped me fix the car.

A + [*infinitive*] can be used as a command.

¡A comer! *Let's eat!*
¡A dormir! *To bed!*

¡ATENCIÓN!

There is no accent mark on the **i** in the preposition **hacia.** The stress falls on the first **a.** The word **hacía** is a form of the verb **hacer.**

¡ATENCIÓN!

Spanish adverbs are often expressed with **con** + [*noun*].

con cuidado *carefully (with care)*
con cariño *affectionately (with affection)*

Note the following contractions:

con + mí = conmigo

con + ti = contigo

con + Ud./él/ella = consigo

con + Uds./ellos/ellas = consigo

It is never correct to say "con mí" or "con ti", but it is possible to use **con él mismo/con ella misma** instead of **consigo.**

Práctica

1

Unir Elige el elemento de la segunda columna que complete correctamente cada frase de la primera columna.

1. La clase de ciencias comenzará _____
2. El químico se negó _____
3. Trata de estar al día _____
4. Cuando terminó el experimento, caminó _____
5. Manchó la ropa _____
6. El reportero hizo reír _____
7. La actitud de Alberto _____

a. hacia la salida.
b. con las noticias.
c. con el café.
d. a la astrónoma.
e. hacia Eva fue muy positiva.
f. a realizar ese experimento.
g. hacia las nueve y media.

2

Completar Coloca la preposición **a** sólo cuando sea necesario.

1. Vio _____ la cámara digital que quiere comprar.
2. La astronauta salió _____ la calle.
3. Le presentó _____ la ingeniera el proyecto de construcción.
4. El periódico publicó _____ un artículo sobre el descubrimiento.
5. Vimos _____ un ovni anoche.
6. El matemático les dio un informe _____ los periodistas.
7. _____ la investigadora no le gusta levantarse temprano.
8. ¿Conoces _____ un buen restaurante cerca de aquí?

3

Oraciones Escribe oraciones completas con los elementos dados. En cada una debes usar **a, con** o **hacia** por lo menos una vez. Haz los cambios que creas necesarios.

1. estrella fugaz / estarse moviendo / ese planeta

_____

2. biólogo / hablar / jefe / laboratorio

_____

3. hace dos días / químico / salir / comer / bióloga

_____

4. nosotros / enseñarle / teoría / grupo

_____

5. yo / compartir / información / mis compañeros

_____

6. ayer / María / darle / contraseña / Manuel

_____

7. anoche / ovni / volar / bosque

_____

8. tú / escuchar / grabación / canciones que te gustan

_____

Tutorial

8.5

Prepositions: *de, desde, en, entre, hasta,* and *sin*

- **De** often corresponds to *of* or the possessive endings *'s/s'* in English.

Uses of de

Possession	Description	Material	Position	Origin	Contents
la superficie del sol	**la fórmula de larga duración**	**el recipiente de vidrio**	**la pantalla de enfrente**	**El científico es de Perú.**	**el vaso de agua destilada**
the sun's surface	*the long-lasting formula*	*the glass container*	*the facing screen*	*The scientist is from Peru.*	*the glass of distilled water*

- **Desde** expresses direction *(from)* and time *(since)*.

  El cohete viajó **desde** la Tierra a la Luna.
  The rocket traveled from the Earth to the Moon.

  No hemos oído de ellos **desde** el martes.
  We haven't heard from them since Tuesday.

- **En** corresponds to several English prepositions, such as *in, on, into, onto, by,* and *at.*

  El microscopio está **en** la mesa.
  The microscope is on the table.

  El profesor entró **en** la clase.
  The professor went into the classroom.

  Los resultados se encuentran **en** el cuaderno.
  The results can be found in the notebook.

  Luisa y Marta se encontraron **en** el museo.
  Luisa and Marta met at the museum.

- **Entre** generally corresponds to the English prepositions *between* and *among.*

  entre 1976 y 1982
  between 1976 and 1982

  entre ellos
  among themselves

- **Entre** is not followed by **ti** and **mí**, the usual pronouns that serve as objects of prepositions. Instead, the subject pronouns **tú** and **yo** are used.

  Entre tú y yo... *Between you and me . . .*

- **Hasta** corresponds to *as far as* in spatial relationships, *until* in time relationships, and *up to* for quantities. It can also be used as an adverb to mean *even* or *including.*

  Avanzaron **hasta** las murallas del palacio.
  They advanced as far as the palace walls.

  Hasta 1898, Cuba fue colonia de España.
  Until 1898, Cuba was a colony of Spain.

  Haremos **hasta** veinte experimentos.
  We'll do up to twenty experiments.

  Hasta el presidente quedó sorprendido.
  Even the president was surprised.

- **Sin** corresponds to *without* in English. It is often followed by a noun, but it can also be followed by the infinitive form of a verb.

  No veo nada **sin** los lentes.
  I can't see a thing without glasses.

  Lo hice **sin** pensar.
  I did it without thinking.

¡ATENCIÓN!

De is often used in prepositional phrases of location: **al lado de, a la derecha de, cerca de, debajo de, detrás de, encima de.**

¡ATENCIÓN!

Common phrases with **de**:

de nuevo *again*

de paso *on the way*

de pie *standing up*

de repente *suddenly*

de todos modos *in any case*

de vacaciones *on vacation*

de vuelta *back*

Cuando entró la jueza, todos se pusieron de pie.
When the judge entered, everyone stood up.

Common phrases with **en**:

en broma *as a joke*

en cambio *on the other hand*

en contra *against*

en fila *in a row*

en serio *seriously*

en tren *by train*

en vano *in vain*

No lo digo en broma; te estoy hablando en serio.
I don't mean this as a joke; I'm talking to you in all seriousness.

Práctica

1

Completar Completa cada oración con la opción correcta.

1. _____ la patente no podremos vender nuestro invento.
   a. En   b. Hasta   c. Sin

2. Una computadora como ésta puede costar _____ tres mil dólares.
   a. hasta   b. sin   c. en

3. ¿Estás segura de que el ovni va a aterrizar _____ nuestro jardín?
   a. de   b. en   c. sin

4. Nos vemos a las once en el laboratorio _____ biología.
   a. entre   b. de   c. desde

5. _____ mi ventana vi una estrella fugaz y pedí un deseo.
   a. Desde   b. En   c. Hasta

6. Este descubrimiento debe quedar sólo _____ tú y yo.
   a. entre   b. de   c. desde

2

Un artículo Completa el texto con las preposiciones **de, desde** o **en**.

(1) _____ la Tierra puedes ver hasta 3.000 estrellas. (2) _____ una noche clara también puedes ver una nube (3) _____ estrellas llamada Vía Láctea. Podrás descubrir rayos (*rays*) (4) _____ luz que se llaman estrellas fugaces. La estrella que está más cerca (5) _____ la Tierra es el Sol. (6) _____ el Sol hasta la Tierra hay unos 150 millones (7) _____ kilómetros.

¿Sabías que (8) _____ los inicios de la humanidad los hombres creían que el Sol era una pelota (9) _____ fuego? Los chinos, por ejemplo, pensaban que el Sol había salido (10) _____ la boca (11) _____ un dragón.

(12) _____ el Sol llegan a la Tierra diferentes tipos (13) _____ rayos. La capa (14) _____ ozono no deja pasar los rayos ultravioleta que son peligrosos para la salud (15) _____ personas, animales y plantas. Por eso, los agujeros (16) _____ la capa (17) _____ ozono se estudian constantemente (18) _____ los laboratorios científicos.

3

La hipótesis Completa las oraciones con las preposiciones **entre, hasta** o **sin**.

1. Hay varias hipótesis sobre el origen de los humanos en el continente americano. _____ ellas, la del antropólogo argentino Florentino Ameghino.

2. Ameghino decía que la especie humana se había originado en América. Hoy sabemos que Ameghino formuló esa idea _____ muchos fundamentos.

3. _____ ahora no se ha encontrado en América ningún fósil similar al del hombre de Neandertal.

4. _____ todos los esqueletos encontrados, no hay ninguno que se diferencie mucho del de los humanos modernos.

5. _____ embargo, sí se han encontrado restos (*remains*) de animales extintos desde hace cientos de miles de años.

6. _____ ellos están el mastodonte de Ecuador, un bisonte (*bison*) fósil y un elefante antiguo.

Presentation

9.4

Transitional expressions

- Transitional words and phrases express the connections between ideas and details.

Me puedo esperar sentado,
porque *si es por ella no me*
lo va a decir nunca.

- Many transitional words and phrases function to narrate time and sequence.

al final *at the end, in the end*	**hoy** *today*
al mismo tiempo *at the same time*	**luego** *then, next*
al principio *in the beginning*	**mañana** *tomorrow*
anteayer *the day before yesterday*	**mientras** *while*
antes (de) *before*	**pasado mañana** *the day after tomorrow*
ayer *yesterday*	**por fin** *finally*
después (de) *after, afterward*	**primero** *first*
entonces *then, at that time*	**segundo** *second*
finalmente *finally*	**siempre** *always*

- Several other transitional expressions compare or contrast ideas and details.

además *furthermore*	**ni... ni...** *neither. . . nor. . .*
al contrario *on the contrary*	**o... o...** *either. . . or. . .*
al mismo tiempo *at the same time*	**por otra parte/otro lado** *on the other hand*
aunque *although*	
con excepción de *with the exception of*	**por un lado... por el otro...** *on one hand. . . on the other. . .*
de la misma manera *similarly*	**por una parte... por la otra...** *on one hand. . . on the other. . .*
del mismo modo *similarly*	
igualmente *likewise*	**sin embargo** *however, yet*
mientras que *while, whereas*	**también** *also*

- Transitional expressions are also used to express cause-and-effect relationships.

así que *so; therefore*	**por consiguiente** *therefore*
como *since*	**por eso** *therefore*
como resultado (de) *as a result (of)*	**por esta razón** *for this reason*
dado que *since*	**por lo tanto** *therefore*
debido a *due to*	**porque** *because*

Práctica

1

Ordena los hechos Reconstruye el orden de los hechos asignando un número para cada uno. Ten en cuenta las expresiones de transición.

_____ a. Primero envié mi currículum por correo electrónico.

_____ b. Después de la entrevista, el gerente se despidió muy contento.

_____ c. Antes de la entrevista, tuve que escribir una carta de presentación.

_____ d. Al principio de la entrevista, el gerente de la empresa me pidió la carta y la leyó.

_____ e. Mañana empiezo a trabajar.

_____ f. Luego, el gerente me recibió en su oficina.

_____ g. Finalmente, el gerente alabó mi experiencia y mi disposición.

_____ h. Dos semanas después, me citaron para una entrevista con el gerente.

2

Escoge Completa las oraciones con una de las opciones.

1. Me gustan las actividades al aire libre, _____ (sin embargo / por eso) voy a esquiar todos los inviernos.

2. Eres aficionado al boliche y, _____ (por esta razón / por otra parte), te encanta leer.

3. Jugamos con todo el corazón y _____ (sin embargo / debido a eso) perdimos el partido.

4. Me lastimé el pie _____ (como resultado / con excepción) de la carrera.

5. Después de dos meses de búsqueda, _____ (como / por fin) conseguí entradas para el concierto.

6. Es un aguafiestas y _____ (mientras que / por lo tanto) no fue a la feria con nosotros.

7. Julia fue al teatro anoche, pero _____ (ni / además) se divirtió _____ (también / ni) aplaudió.

3

Completar Marcos acaba de regresar de un viaje por Argentina. Completa su relato con las expresiones de la lista. Puedes usar algunas expresiones más de una vez.

además	del mismo modo	por eso
al contrario	mientras que	por un lado
debido a eso	por el otro	sin embargo

Hoy estoy muy contento, (1) _____ ven en mi cara una sonrisa. ¡Hice un viaje maravilloso por Argentina! (2) _____, no fue estresante, (3) _____, descansé mucho. Mi paseo fue muy variado, (4) _____, pasé varios días en Buenos Aires y (5) _____, recorrí la pampa argentina, donde hice muchos amigos. Buenos Aires es una ciudad llena de historia, (6) _____ su carácter contemporáneo la mantiene entre las capitales más activas de Suramérica. (7) _____, todo lo que empieza tiene que acabar y mi viaje terminó antes de lo que esperaba, (8) _____, pienso volver el próximo año.

Presentation

10.4

Pero vs. *sino*

*Ay, yo lo siento, **pero** no puedo cambiar nada.*

*Seguro que ha quedado bien, **sino que** que tengo un pequeño problema de liquidez.*

- In Spanish, both **pero** and **sino** are used to introduce contradictions or qualifications, but the two words are not interchangeable.

- **Pero** means *but* (in the sense of *however*). It may be used after either affirmative or negative clauses.

  Votaré por este partido, **pero** no me gusta su candidato.
  I will vote for this party, but I don't like its candidate.

  Él no decía que era religioso, **pero** siempre iba a misa.
  He didn't say he was religious, but he always went to mass.

- **Sino** also means *but* (in the sense of *but rather* or *on the contrary*). It is used only after negative clauses. **Sino** introduces a contradicting idea that clarifies or qualifies the previous information.

  No me interesan las excusas, **sino** las soluciones.
  I'm not interested in excuses, but rather in solutions.

  La casa **no** está en el centro de la ciudad, **sino** en las afueras.
  The house is not in the center of the city, but rather in the outskirts.

- When **sino** is used before a conjugated verb, the conjunction **que** is added.

  No quiero que vayas a la fiesta, **sino que** hagas tu tarea.
  I don't want you to go to the party, but to do your homework instead.

  No iba a su casa, **sino que** se quedaba en la capital.
  She was not going home, but was staying in the capital instead.

- *Not only… but also* is expressed with the phrase **no sólo… sino (que) también/además**.

  No sólo quiero pastel, **sino que también** quiero helado.
  I not only want cake, but I also want ice cream.

- The phrase **pero tampoco** means *but neither* or *but not either*.

  No apoyan la globalización, **pero tampoco** son aislacionistas.
  They don't support globalization, but they're not isolationists either.

¡ATENCIÓN!

Pero también (*but also*) is used after affirmative clauses.

Pedro es inteligente, pero también es cabezón.
Pedro is smart, but he is also stubborn.

Práctica

1

Columnas Completa cada oración con la opción correcta de la segunda columna.

1. Sofía no quiere viajar mañana y Marta _____.

2. Mi compañero de cuarto no es de Madrid, _____ de Barcelona.

3. Mis padres querían que yo trabajara, _____ yo me fui de viaje a Europa.

4. No fui al partido de fútbol, _____ fui al concierto de rock.

a. pero

b. pero tampoco

c. sino

d. tampoco

2

Completar Completa cada oración con **no sólo, pero, sino (que)** o **tampoco**.

1. Las cartas no llegaron el miércoles, _____ el jueves.

2. Mis amigos no quieren ir al cine esta noche y yo _____.

3. No me gusta conducir por la noche, _____ te llevaré a la fiesta en mi carro.

4. Carlos no me llamaba por teléfono, _____ me enviaba correos electrónicos con frecuencia.

5. Yo _____ esperaba aprobar el examen, _____ también sacar una A.

6. Mis amigos no pensaban votar en las próximas elecciones, _____ yo los convencí para que lo hicieran.

7. Quiero aclarar que Juan no llegó temprano, _____ muy tarde.

3

El mundo de hoy Dos amigos están hablando sobre su visión del mundo contemporáneo. Uno es muy optimista y el otro es pesimista. Completa la conversación.

no sólo	sino
pero	sino que
pero tampoco	

TOMÁS El mundo de hoy es muy complejo, (1) _____ hay que reconocer que hemos avanzado mucho.

FELIPE Yo no estoy de acuerdo. Me da la sensación de que últimamente (2) _____ hemos avanzado poco, (3) _____ vamos para atrás.

TOMÁS ¡Cómo puedes decir eso, Felipe!

FELIPE El mundo no es (4) _____ consumismo en los países ricos y miseria en los países pobres.

TOMÁS Ése es un problema grave, (5) _____ creo que esa miseria ya existía antes. Acepto que tienes parte de razón, (6) _____ vas a negar que hay inventos que han mejorado nuestra calidad de vida.

FELIPE Bueno, reconozco que yo no podría vivir sin el teléfono, el automóvil o la electricidad.

TOMÁS Pues a eso me refería yo.

Verb conjugation tables

Below you will find the infinitive of verbs introduced as active vocabulary in **Imagina**, as well as other common verbs. Each verb is followed by a model verb conjugated on the same pattern. The number in parentheses indicates where in the verb tables, pages **416–424**, you can find the conjugated forms of the model verb. Many of these verbs can be used reflexively. To check the verb conjugation, use the tables on pages **416–424**. For placement of the reflexive pronouns, see page **424**.

abandonar like hablar (1)
abastecer (c:zc) like conocer (35)
abrazar (z:c) like cruzar (37)
abrigar (g:gu) like llegar (41)
abrir like vivir (3) *except* past participle is abierto
aburrir like vivir (3)
abusar like hablar (1)
acabar like hablar (1)
acarrear like hablar (1)
acercar (c:qu) like tocar (43)
acomodar like hablar (1)
acordar (o:ue) like contar (24)
acosar like hablar (1)
acostar (o:ue) like contar (24)
acostumbrar like hablar (1)
actuar like graduar (40)
adaptar like hablar (1)
adivinar like hablar (1)
adjuntar like hablar (1)
administrar like hablar (1)
afeitar like hablar (1)
afligir (g:j) like proteger (42) for consonant change only
agotar like hablar (1)
agradecer (c:zc) like conocer (35)
aguantar like hablar (1)
ahogar (g:gu) like llegar (41)
ahorrar like hablar (1)
alcanzar (z:c) like cruzar (37)
alejar like hablar (1)
aliviar like hablar (1)
amanecer (c:zc) like conocer (35)
amar like hablar (1)
amenazar (z:c) like cruzar (37)
andar like hablar (1) *except* preterite stem is anduv-
anhelar like hablar (1)
anticipar like hablar (1)
antojar like hablar (1)
aparcar (c:qu) like tocar (43)
aparecer (c:zc) like conocer (35)
apetecer (c:zc) like conocer (35)
aplaudir like vivir (3)
apostar (o:ue) like contar (24)
apoyar like hablar (1)
aprender like comer (2)

aprobar (o:ue) like contar (24)
aprovechar like hablar (1)
arreglar like hablar (1)
arrepentir (e:ie) like sentir (33)
arruinar like hablar (1)
ascender (e:ie) like entender (27)
asentar (e:ie) like pensar (30)
asimilar like hablar (1)
asistir like vivir (3)
asustar like hablar (1)
aterrizar (z:c) like cruzar (37)
atraer like traer (21)
aturdir like vivir (3)
aumentar like hablar (1)
ayudar like hablar (1)
bailar like hablar (1)
bajar like hablar (1)
bañar like hablar (1)
beber like comer (2)
besar like hablar (1)
borrar like hablar (1)
brindar like hablar (1)
burlar like hablar (1)
buscar (c:qu) like tocar (43)
caber (4)
caer (5)
calcular like hablar (1)
callar like hablar (1)
cambiar like hablar (1)
caminar like hablar (1)
capacitar like hablar (1)
casar like hablar (1)
castigar (g:gu) like llegar (41)
cazar (z:c) like cruzar (37)
ceder like comer (2)
celebrar like hablar (1)
cepillar like hablar (1)
cerrar (e:ie) like pensar (30)
chantajear like hablar (1)
charlar like hablar (1)
chillar like hablar (1)
chorear like hablar (1)
clonar like hablar (1)
cobrar like hablar (1)
coleccionar like hablar (1)
colocar (c:qu) like tocar (43)

comer (2)
compartir like vivir (3)
componer like poner (15)
comprar like hablar (1)
comprobar (o:ue) like contar (24)
conducir (c:zc) (6)
confiar like enviar (39)
conocer (c:zc) (35)
conseguir (e:i) (gu:g) like seguir (32)
conservar like hablar (1)
consolar (o:ue) like pensar (30)
construir (y) like destruir (38)
consumir like vivir (3)
contagiar like hablar (1)
contaminar like hablar (1)
contar (o:ue) (24)
contentar like hablar (1)
contratar like hablar (1)
contribuir (y) like destruir (38)
construir (y) like destruir (38)
convencer (c:z) like vencer (44)
conversar like hablar (1)
convertir (e:ie) like sentir (33)
convivir like vivir (3)
convocar (c:qu) like tocar (43)
cooperar like hablar (1)
coquetear like hablar (1)
correr like comer (2)
crear like hablar (1)
crecer (c:zc) like conocer (35)
creer (y) (36)
criar like enviar (39)
cruzar (z:c) (37)
cubrir like vivir (3) *except* past participle is cubierto
cuidar like hablar (1)
culpar like hablar (1)
curar like hablar (1)
dañar like hablar (1)
dar (7)
deber like comer (2)
decir (e:i) (8)
dedicar (c:qu) like tocar (43)
defender (e:ie) like entender (27)
dejar like hablar (1)
deleitar like hablar (1)

depositar like hablar (1)
derogar (g:gu) like llegar (41)
derretir (e:i) like pedir (29)
derrocar (c:qu) like tocar (43)
derrotar like hablar (1)
desafiar like enviar (39)
desaparecer (c:zc) like conocer (35)
desaprovechar like hablar (1)
desarrollar like hablar (1)
descargar (g:gu) like llegar (41)
desconfiar like enviar (39)
descubrir like vivir (3) *except* past participle is descubierto
despedir (e:i) like pedir (29)
despertar (e:ie) like pensar (30)
destacar (c:qu) like tocar (43)
destrozar (z:c) like cruzar (37)
destruir (y) (38)
desvanecer (c:zc) like conocer (35)
detener (e:ie) like tener (20)
difundir like vivir (3)
dirigir (g:j) like proteger (42) for consonant change only
discutir like vivir (3)
disfrutar like hablar (1)
disminuir (y) like destruir (38)
disponer like poner (15)
distinguir (gu:g) like extinguir (46)
distraer like traer (21)
divertir (e:ie) like sentir (33)
divorciar like hablar (1)
doblar like hablar (1)
dormir (o:ue) (25)
duchar like hablar (1)
echar like hablar (1)
ejercer (c:z) like vencer (44)
elegir (e:i) like pedir (29) *except* (g:j) before a and o
emigrar like hablar (1)
empatar like hablar (1)
empeorar like hablar (1)
empezar (e:ie) (z:c) (26)
enamorar like hablar (1)
enarbolar like hablar (1)
encabezar (z:c) like cruzar (37)
encarcelar like hablar (1)
endurecer (c:zc) like conocer (35)

engañar like hablar (1)
enojar like hablar (1)
enriquecer (c:zc) like conocer (35)
enrojecer (c:zc) like conocer (35)
ensayar like hablar (1)
enseñar like hablar (1)
entender (e:ie) (27)
enterar like hablar (1)
entregar (g:gu) like llegar (41)
entretener (e:ie) like tener (20)
entrevistar like hablar (1)
envejecer (z:zc) like conocer (35)
enviar (39)
escoger (g:j) like proteger (42)
esconder like comer (2)
escribir like vivir (3) *except* past participle is escrito
esparcir (c:z) (45)
espiar like enviar (39)
establecer (c:zc) like conocer (35)
estallar like hablar (1)
estar (9)
estrenar like hablar (1)
exigir (g:j) like proteger (42) for consonant change only
explorar like hablar (1)
explotar like hablar (1)
extinguir (gu:g) (46)
extrañar like hablar (1)
fabricar (c:qu) like tocar (43)
festejar like hablar (1)
fijar like hablar (1)
filtrar like hablar (1)
firmar like hablar (1)
fortalecer (c:zc) like conocer (35)
fundir like vivir (3)
ganar like hablar (1)
garantizar (z:c) like cruzar (37)
gastar like hablar (1)
gobernar (e:ie) like pensar (30)
golpear like hablar (1)
gozar (z:c) like cruzar (37)
grabar like hablar (1)
graduar (40)
gritar like hablar (1)
guardar like hablar (1)
guiar like enviar (39)
haber (10)
hablar (1)
hacer (11)
halagar (g:gu) like llegar (41)
heredar like hablar (1)
huir (y) like destruir (38)
impedir (e:i) like pedir (29)
incluir (y) like destruir (38)
indemnizar (z:c) like cruzar (37)
independizar (z:c) like cruzar (37)
indicar (c:qu) like tocar (43)
indignar like hablar (1)
influir (y) like destruir (38)

integrar like hablar (1)
intentar like hablar (1)
intoxicar (c:qu) like tocar (43)
inventar like hablar (1)
invertir (e:ie) like sentir (33)
investigar (g:gu) like llegar (41)
ir (12)
jubilar like hablar (1)
jugar (u:ue) (g:gu) (28)
juzgar (g:gu) like llegar (41)
lamentar like hablar (1)
lastimar like hablar (1)
lavar like hablar (1)
leer (y) like creer (36)
levantar like hablar (1)
ligar (g:gu) like llegar (41)
llegar (g:gu) (41)
llevar like hablar (1)
lograr like hablar (1)
luchar like hablar (1)
madrugar (g:gu) like llegar (41)
malcriar like enviar (39)
malgastar like hablar (1)
manipular like hablar (1)
manosear like hablar (1)
maquillar like hablar (1)
marcar (c:qu) like tocar (43)
marchar like hablar (1)
marear like hablar (1)
mejorar like hablar (1)
merecer (c:zc) like conocer (35)
mimar like hablar (1)
morir (o:ue) like dormir (25) *except* past participle is muerto
mudar like hablar (1)
obedecer (c:zc) like conocer (35)
ocultar like hablar (1)
odiar like hablar (1)
oír (y) (13)
olvidar like hablar (1)
opinar like hablar (1)
oponer like hablar (15)
otorgar (g:gu) like llegar (41)
parar like hablar (1)
parecer (c:zc) like conocer (35)
parquear like hablar (1)
partir like vivir (3)
pasar like hablar (1)
pasear like hablar (1)
pedir (e:i) (29)
pegar (g:gu) like llegar (41)
peinar like hablar (1)
pelear like hablar (1)
pensar (e:ie) (30)
perder (e:ie) like entender (27)
perjudicar (c:qu) like tocar (43)
permitir like vivir (3)
pertenecer (c:zc) like conocer (35)
planificar (c:qu) like tocar (43)
plantear like hablar (1)

poblar (o:ue) like contar (24)
poder (o:ue) (14)
poner (15)
predecir (e:i) like decir (8)
preguntar like hablar (1)
preocupar like hablar (1)
prescindir like vivir (3)
prestar like hablar (1)
prevenir (e:ie) like venir (22)
producir (c:zc) like conducir (6)
profundizar (z:c) like cruzar (37)
promover (o:ue) like volver (34) *except* past participle is regular
promulgar (g:gu) like llegar (41)
proponer like poner (15)
proteger (g:j) (42)
protestar like hablar (1)
publicar (c:qu) like tocar (43)
pulsar like hablar (1)
quedar like hablar (1)
quejar like hablar (1)
quemar like hablar (1)
querer (e:ie) (16)
quitar like hablar (1)
realizar (z:c) like cruzar (37)
rechazar (z:c) like cruzar (37)
recibir like vivir (3)
reciclar like hablar (1)
reconocer (c:zc) like conocer (35)
recorrer like comer (2)
reemplazar (z:c) like cruzar (37)
regañar like hablar (1)
regresar like hablar (1)
reír (e:i) (31)
relajar like hablar (1)
renunciar like hablar (1)
reprochar like hablar (1)
residir like vivir (3)
resolver (o:ue) like volver (34)
respetar like hablar (1)
respirar like hablar (1)
restringir (g:j) like proteger (42) for consonant change only
retroceder like comer (2)
reunir like vivir (3)
robar like hablar (1)
rodar (o:ue) like contar (24)
romper like comer (2) *except* past participle is roto
rumorear like hablar (1)
saber (17)
sacar (c:qu) like tocar (43)
salir (18)
salvar like hablar (1)
secar (c:qu) like tocar (43)
secuestrar like hablar (1)
seguir (e:i) (gu:g) (32)
sembrar (e:ie) like pensar (30)
sentir (e:ie) (33)
ser (19)

significar (c:qu) like tocar (43)
silbar like hablar (1)
simbolizar (z:c) like cruzar (37)
sincerar like hablar (1)
sobresalir like salir (18)
sobrevivir like vivir (3)
solicitar like hablar (1)
someter like comer (2)
soñar (o:ue) like contar (24)
soportar like hablar (1)
sorprender like comer (2)
subir like vivir (3)
suscribir like vivir (3) *except* past participle is suscrito
suceder like comer (2)
sumir like vivir (3)
superar like hablar (1)
suponer like poner (15)
surgir (g:j) like proteger (42) for consonant change only
sustituir (y) like destruir (38)
tapar like hablar (1)
tener (e:ie) (20)
tentar (e:ie) like pensar (30)
tocar (c:qu) (43)
tomar like hablar (1)
traducir (c:zc) like conducir (6)
traer (21)
transmitir like vivir (3)
trasnochar like hablar (1)
tratar like hablar (1)
urbanizar (z:c) like cruzar (37)
valer like tener (20) *except* no stem change, regular preterite and regular imperative
valorar like hablar (1)
vencer (c:z) (44)
vender like comer (2)
vengar (g:gu) like llegar (41)
venir (e:ie) (22)
ver (23)
verter (e:ie) like entender (27)
vestir (e:i) like pedir (29)
viajar like hablar (1)
vigilar like hablar (1)
vivir (3)
volar (o:ue) like contar (24)
volver (o:ue) (34)
votar like hablar (1)

VERB CONJUGATION TABLES

Regular verbs: simple tenses

	INDICATIVE					SUBJUNCTIVE		IMPERATIVE
Infinitive	**Present**	**Imperfect**	**Preterite**	**Future**	**Conditional**	**Present**	**Past**	
1 hablar	hablo	hablaba	hablé	hablaré	hablaría	hable	hablara	
	hablas	hablabas	hablaste	hablarás	hablarías	hables	hablaras	habla tú (no hables)
Participles:	habla	hablaba	habló	hablará	hablaría	hable	hablara	hable Ud.
hablando	hablamos	hablábamos	hablamos	hablaremos	hablaríamos	hablemos	habláramos	hablemos
hablado	habláis	hablabais	hablasteis	hablaréis	hablaríais	habléis	hablarais	hablad (no habléis)
	hablan	hablaban	hablaron	hablarán	hablarían	hablen	hablaran	hablen Uds.
2 comer	como	comía	comí	comeré	comería	coma	comiera	
	comes	comías	comiste	comerás	comerías	comas	comieras	come tú (no comas)
Participles:	come	comía	comió	comerá	comería	coma	comiera	coma Ud.
comiendo	comemos	comíamos	comimos	comeremos	comeríamos	comamos	comiéramos	comamos
comido	coméis	comíais	comisteis	comeréis	comeríais	comáis	comierais	comed (no comáis)
	comen	comían	comieron	comerán	comerían	coman	comieran	coman Uds.
3 vivir	vivo	vivía	viví	viviré	viviría	viva	viviera	
	vives	vivías	viviste	vivirás	vivirías	vivas	vivieras	vive tú (no vivas)
Participles:	vive	vivía	vivió	vivirá	viviría	viva	viviera	viva Ud.
viviendo	vivimos	vivíamos	vivimos	viviremos	viviríamos	vivamos	viviéramos	vivamos
vivido	vivís	vivíais	vivisteis	viviréis	viviríais	viváis	vivierais	vivid (no viváis)
	viven	vivían	vivieron	vivirán	vivirían	vivan	vivieran	vivan Uds.

All verbs: compound tenses

PERFECT TENSES											
INDICATIVE								SUBJUNCTIVE			
Present Perfect		**Past Perfect**		**Future Perfect**		**Conditional Perfect**		**Present Perfect**		**Past Perfect**	
he		había		habré		habría		haya		hubiera	
has		habías		habrás		habrías		hayas		hubieras	
ha	hablado	había	hablado	habrá	hablado	habría	hablado	haya	hablado	hubiera	hablado
hemos	comido	habíamos	comido	habremos	comido	habríamos	comido	hayamos	comido	hubiéramos	comido
habéis	vivido	habíais	vivido	habréis	vivido	habríais	vivido	hayáis	vivido	hubierais	vivido
han		habían		habrán		habrían		hayan		hubieran	

PROGRESSIVE TENSES

INDICATIVE				SUBJUNCTIVE	
Present Progressive	Past Progressive	Future Progressive	Conditional Progressive	Present Progressive	Past Progressive
estoy	estaba	estaré	estaría	esté	estuviera
estás	estabas	estarás	estarías	estés	estuvieras
está	estaba	estará	estaría	esté	estuviera
estamos hablando comiendo viviendo	estábamos hablando comiendo viviendo	estaremos hablando comiendo viviendo	estaríamos hablando comiendo viviendo	estemos hablando comiendo viviendo	estuviéramos hablando comiendo viviendo
estáis	estabais	estaréis	estaríais	estéis	estuvierais
están	estaban	estarán	estarían	estén	estuvieran

Irregular verbs

		INDICATIVE					SUBJUNCTIVE		IMPERATIVE
Infinitive	**Present**	**Imperfect**	**Preterite**	**Future**	**Conditional**	**Present**	**Past**	
4 caber	**quepo**	cabía	**cupe**	**cabré**	**cabría**	**quepa**	**cupiera**	
	cabes	cabías	**cupiste**	**cabrás**	**cabrías**	**quepas**	**cupieras**	cabe tú (no **quepas**)
Participles:	cabe	cabía	**cupo**	**cabrá**	**cabría**	**quepa**	**cupiera**	**quepa** Ud.
cabiendo	cabemos	cabíamos	**cupimos**	**cabremos**	**cabríamos**	**quepamos**	**cupiéramos**	**quepamos**
cabido	cabéis	cabíais	**cupisteis**	**cabréis**	**cabríais**	**quepáis**	**cupierais**	cabed (no **quepáis**)
	caben	cabían	**cupieron**	**cabrán**	**cabrían**	**quepan**	**cupieran**	**quepan** Uds.
5 caer	**caigo**	caía	caí	caeré	caería	**caiga**	**cayera**	
	caes	caías	**caíste**	caerás	caerías	**caigas**	**cayeras**	cae tú (no **caigas**)
Participles:	cae	caía	**cayó**	caerá	caería	**caiga**	**cayera**	**caiga** Ud.
cayendo	caemos	caíamos	**caímos**	caeremos	caeríamos	**caigamos**	**cayéramos**	**caigamos**
caído	caéis	caíais	**caísteis**	caeréis	caeríais	**caigáis**	**cayerais**	caed (no **caigáis**)
	caen	caían	**cayeron**	caerán	caerían	**caigan**	**cayeran**	**caigan** Uds.
6 conducir	**conduzco**	conducía	**conduje**	conduciré	conduciría	**conduzca**	**condujera**	
(c:zc)	conduces	conducías	**condujiste**	conducirás	conducirías	**conduzcas**	**condujeras**	conduce tú (no **conduzcas**)
	conduce	conducía	**condujo**	conducirá	conduciría	**conduzca**	**condujera**	**conduzca** Ud.
Participles:	conducimos	conducíamos	**condujimos**	conduciremos	conduciríamos	**conduz-camos**	**condujéra-mos**	**conduzcamos**
conduciendo	conducís	conducíais	**condujisteis**	conduciréis	conduciríais			conducid (no **conduzcáis**)
conducido	conducen	conducían	**condujeron**	conducirán	conducirían	**conduzcáis**	**condujerais**	**conduzcan** Uds.
						conduzcan	**condujeran**	

Infinitive	INDICATIVE					SUBJUNCTIVE		IMPERATIVE
	Present	Imperfect	Preterite	Future	Conditional	Present	Past	
7 dar	**doy**	daba	**di**	daré	daría	**dé**	**diera**	
	das	dabas	**diste**	darás	darías	des	**dieras**	da tú (no des)
Participles:	da	daba	**dio**	dará	daría	**dé**	**diera**	**dé** Ud.
dando	damos	dábamos	**dimos**	daremos	daríamos	demos	**diéramos**	demos
dado	**dais**	dabais	**disteis**	daréis	daríais	**deis**	**dierais**	dad (no **deis**)
	dan	daban	**dieron**	darán	darían	den	**dieran**	den Uds.
8 decir (e:i)	**digo**	decía	**dije**	**diré**	**diría**	diga	dijera	
	dices	decías	**dijiste**	**dirás**	**dirías**	digas	dijeras	**di** tú (no **digas**)
Participles:	**dice**	decía	**dijo**	**dirá**	**diría**	diga	dijera	**diga** Ud.
diciendo	decimos	decíamos	**dijimos**	**diremos**	**diríamos**	digamos	dijéramos	**digamos**
dicho	decís	decíais	**dijisteis**	**diréis**	**diríais**	digáis	dijerais	decid (no **digáis**)
	dicen	decían	**dijeron**	**dirán**	**dirían**	digan	dijeran	**digan** Uds.
9 estar	**estoy**	estaba	**estuve**	estaré	estaría	**esté**	**estuviera**	
	estás	estabas	**estuviste**	estarás	estarías	**estés**	**estuvieras**	**está** tú (no **estés**)
Participles:	**está**	estaba	**estuvo**	estará	estaría	**esté**	**estuviera**	**esté** Ud.
estando	estamos	estábamos	**estuvimos**	estaremos	estaríamos	estemos	**estuviéra-**	estemos
estado	estáis	estabais	**estuvisteis**	estaréis	estaríais	estéis	**mos**	estad (no estéis)
	están	estaban	**estuvieron**	estarán	estarían	**estén**	**estuvierais**	**estén** Uds.
							estuvieran	
10 haber	**he**	había	**hube**	**habré**	**habría**	haya	hubiera	
	has	habías	**hubiste**	**habrás**	**habrías**	hayas	hubieras	
Participles:	**ha**	había	**hubo**	**habrá**	**habría**	haya	hubiera	
habiendo	**hemos**	habíamos	**hubimos**	**habremos**	**habríamos**	hayamos	hubiéramos	
habido	habéis	habíais	**hubisteis**	**habréis**	**habríais**	hayáis	hubierais	
	han	habían	**hubieron**	**habrán**	**habrían**	hayan	hubieran	
11 hacer	**hago**	hacía	**hice**	**haré**	**haría**	haga	hiciera	
	haces	hacías	**hiciste**	**harás**	**harías**	hagas	hicieras	**haz** tú (no **hagas**)
Participles:	hace	hacía	**hizo**	**hará**	**haría**	haga	hiciera	**haga** Ud.
haciendo	hacemos	hacíamos	**hicimos**	**haremos**	**haríamos**	hagamos	hiciéramos	**hagamos**
hecho	hacéis	hacíais	**hicisteis**	**haréis**	**haríais**	hagáis	hicierais	haced (no **hagáis**)
	hacen	hacían	**hicieron**	**harán**	**harían**	hagan	hicieran	**hagan** Uds.
12 ir	**voy**	iba	**fui**	iré	iría	vaya	fuera	
	vas	ibas	**fuiste**	irás	irías	vayas	fueras	**ve** tú (no **vayas**)
Participles:	**va**	iba	**fue**	irá	iría	vaya	fuera	**vaya** Ud.
yendo	**vamos**	íbamos	**fuimos**	iremos	iríamos	vayamos	fuéramos	**vamos** (no **vayamos**)
ido	**vais**	ibais	**fuisteis**	iréis	iríais	vayáis	fuerais	id (no **vayáis**)
	van	iban	**fueron**	irán	irían	vayan	fueran	**vayan** Uds.
13 oír (y)	**oigo**	oía	**oí**	oiré	oiría	**oiga**	oyera	
	oyes	oías	**oíste**	oirás	oirías	**oigas**	oyeras	**oye** tú (no **oigas**)
Participles:	**oye**	oía	**oyó**	oirá	oiría	**oiga**	oyera	**oiga** Ud.
oyendo	**oímos**	oíamos	**oímos**	oiremos	oiríamos	**oigamos**	oyéramos	**oigamos**
oído	oís	oíais	**oísteis**	oiréis	oiríais	**oigáis**	oyerais	oíd (no **oigáis**)
	oyen	oían	**oyeron**	oirán	oirían	**oigan**	oyeran	**oigan** Uds.

		INDICATIVE					SUBJUNCTIVE		IMPERATIVE
Infinitive	Present	Imperfect	Preterite	Future	Conditional	Present	Past	
14 poder (o:ue)	**puedo**	podía	**pude**	podré	podría	**pueda**	**pudiera**	
	puedes	podías	**pudiste**	podrás	podrías	**puedas**	**pudieras**	**puede** tú (no **puedas**)
Participles:	**puede**	podía	**pudo**	podrá	podría	**pueda**	**pudiera**	**pueda** Ud.
pudiendo	podemos	podíamos	**pudimos**	podremos	podríamos	podamos	**pudiéramos**	podamos
podido	podéis	podíais	**pudisteis**	podréis	podríais	podáis	**pudierais**	poded (no podáis)
	pueden	podían	**pudieron**	podrán	podrían	**puedan**	**pudieran**	**puedan** Uds.
15 poner	**pongo**	ponía	**puse**	pondré	pondría	**ponga**	**pusiera**	
	pones	ponías	**pusiste**	pondrás	pondrías	**pongas**	**pusieras**	**pon** tú (no **pongas**)
Participles:	pone	ponía	**puso**	pondrá	pondría	**ponga**	**pusiera**	**ponga** Ud.
poniendo	ponemos	poníamos	**pusimos**	pondremos	pondríamos	**pongamos**	**pusiéramos**	**pongamos**
puesto	ponéis	poníais	**pusisteis**	pondréis	pondríais	**pongáis**	**pusierais**	poned (no **pongáis**)
	ponen	ponían	**pusieron**	pondrán	pondrían	**pongan**	**pusieran**	**pongan** Uds.
16 querer (e:ie)	**quiero**	quería	**quise**	querré	querría	**quiera**	**quisiera**	
	quieres	querías	**quisiste**	querrás	querrías	**quieras**	**quisieras**	**quiere** tú (no **quieras**)
Participles:	**quiere**	quería	**quiso**	querrá	querría	**quiera**	**quisiera**	**quiera** Ud.
queriendo	queremos	queríamos	**quisimos**	querremos	querríamos	queramos	**quisiéramos**	queramos
querido	queréis	queríais	**quisisteis**	querréis	querríais	queráis	**quisierais**	quered (no queráis)
	quieren	querían	**quisieron**	querrán	querrían	**quieran**	**quisieran**	**quieran** Uds.
17 saber	**sé**	sabía	**supe**	sabré	sabría	**sepa**	**supiera**	
	sabes	sabías	**supiste**	sabrás	sabrías	**sepas**	**supieras**	sabe tú (no **sepas**)
Participles:	sabe	sabía	**supo**	sabrá	sabría	**sepa**	**supiera**	**sepa** Ud.
sabiendo	sabemos	sabíamos	**supimos**	sabremos	sabríamos	**sepamos**	**supiéramos**	**sepamos**
sabido	sabéis	sabíais	**supisteis**	sabréis	sabríais	**sepáis**	**supierais**	sabed (no **sepáis**)
	saben	sabían	**supieron**	sabrán	sabrían	**sepan**	**supieran**	**sepan** Uds.
18 salir	**salgo**	salía	salí	**saldré**	**saldría**	**salga**	saliera	
	sales	salías	saliste	**saldrás**	**saldrías**	**salgas**	salieras	**sal** tú (no **salgas**)
Participles:	sale	salía	salió	**saldrá**	**saldría**	**salga**	saliera	**salga** Ud.
saliendo	salimos	salíamos	salimos	**saldremos**	**saldríamos**	**salgamos**	saliéramos	**salgamos**
salido	salís	salíais	salisteis	**saldréis**	**saldríais**	**salgáis**	salierais	salid (no **salgáis**)
	salen	salían	salieron	**saldrán**	**saldrían**	**salgan**	salieran	**salgan** Uds.
19 ser	**soy**	**era**	**fui**	seré	sería	**sea**	**fuera**	
	eres	**eras**	**fuiste**	serás	serías	**seas**	**fueras**	**sé** tú (no **seas**)
Participles:	**es**	**era**	**fue**	será	sería	**sea**	**fuera**	**sea** Ud.
siendo	**somos**	**éramos**	**fuimos**	seremos	seríamos	**seamos**	**fuéramos**	**seamos**
sido	**sois**	**erais**	**fuisteis**	seréis	seríais	**seáis**	**fuerais**	sed (no **seáis**)
	son	**eran**	**fueron**	serán	serían	**sean**	**fueran**	**sean** Uds.
20 tener (e:ie)	**tengo**	tenía	**tuve**	tendré	tendría	**tenga**	**tuviera**	
	tienes	tenías	**tuviste**	tendrás	tendrías	**tengas**	**tuvieras**	**ten** tú (no **tengas**)
Participles:	**tiene**	tenía	**tuvo**	tendrá	tendría	**tenga**	**tuviera**	**tenga** Ud.
teniendo	tenemos	teníamos	**tuvimos**	tendremos	tendríamos	**tengamos**	**tuviéramos**	**tengamos**
tenido	tenéis	teníais	**tuvisteis**	tendréis	tendríais	**tengáis**	**tuvierais**	tened (no **tengáis**)
	tienen	tenían	**tuvieron**	tendrán	tendrían	**tengan**	**tuvieran**	**tengan** Uds.

Infinitive	INDICATIVE					SUBJUNCTIVE		IMPERATIVE
	Present	Imperfect	Preterite	Future	Conditional	Present	Past	
21 traer	**traigo**	traía	**traje**	traeré	traería	**traiga**	**trajera**	
	traes	traías	**trajiste**	traerás	traerías	**traigas**	**trajeras**	trae tú (no **traigas**)
Participles:	trae	traía	**trajo**	traerá	traería	**traiga**	**trajera**	**traiga** Ud.
trayendo	traemos	traíamos	**trajimos**	traeremos	traeríamos	**traigamos**	**trajéramos**	**traigamos**
traído	traéis	traíais	**trajisteis**	traeréis	traeríais	**traigáis**	**trajerais**	traed (no **traigáis**)
	traen	traían	**trajeron**	traerán	traerían	**traigan**	**trajeran**	**traigan** Uds.
22 venir (e:ie)	**vengo**	venía	**vine**	**vendré**	**vendría**	**venga**	**viniera**	
	vienes	venías	**viniste**	**vendrás**	**vendrías**	**vengas**	**vinieras**	**ven** tú (no **vengas**)
Participles:	**viene**	venía	**vino**	**vendrá**	**vendría**	**venga**	**viniera**	**venga** Ud.
viniendo	venimos	veníamos	**vinimos**	**vendremos**	**vendríamos**	**vengamos**	**viniéramos**	**vengamos**
venido	venís	veníais	**vinisteis**	**vendréis**	**vendríais**	**vengáis**	**vinierais**	venid (no **vengáis**)
	vienen	venían	**vinieron**	**vendrán**	**vendrían**	**vengan**	**vinieran**	**vengan** Uds.
23 ver	**veo**	**veía**	**vi**	veré	vería	**vea**	viera	
	ves	**veías**	viste	verás	verías	**veas**	vieras	ve tú (no **veas**)
Participles:	ve	**veía**	**vio**	verá	vería	**vea**	viera	**vea** Ud.
viendo	vemos	**veíamos**	vimos	veremos	veríamos	**veamos**	viéramos	**veamos**
visto	**veis**	**veíais**	visteis	veréis	veríais	**veáis**	vierais	ved (no **veáis**)
	ven	**veían**	vieron	verán	verían	**vean**	vieran	**vean** Uds.

Stem-changing verbs

Infinitive	INDICATIVE					SUBJUNCTIVE		IMPERATIVE
	Present	Imperfect	Preterite	Future	Conditional	Present	Past	
24 contar (o:ue)	**cuento**	contaba	conté	contaré	contaría	**cuente**	contara	
	cuentas	contabas	contaste	contarás	contarías	**cuentes**	contaras	**cuenta** tú (no **cuentes**)
Participles:	**cuenta**	contaba	contó	contará	contaría	**cuente**	contara	**cuente** Ud.
contando	contamos	contábamos	contamos	contaremos	contaríamos	contemos	contáramos	contemos
contado	contáis	contabais	contasteis	contaréis	contaríais	contéis	contarais	contad (no contéis)
	cuentan	contaban	contaron	contarán	contarían	**cuenten**	contaran	**cuenten** Uds.
25 dormir (o:ue)	**duermo**	dormía	dormí	dormiré	dormiría	**duerma**	durmiera	
	duermes	dormías	dormiste	dormirás	dormirías	**duermas**	durmieras	**duerme** tú (no **duermas**)
Participles:	**duerme**	dormía	**durmió**	dormirá	dormiría	**duerma**	durmiera	**duerma** Ud.
durmiendo	dormimos	dormíamos	dormimos	dormiremos	dormiríamos	**durmamos**	**durmiéra-**	**durmamos**
dormido	dormís	dormíais	dormisteis	dormiréis	dormiríais	**durmáis**	**mos**	dormid (no **durmáis**)
	duermen	dormían	**durmieron**	dormirán	dormirían	**duerman**	durmierais	**duerman** Uds.
							durmieran	
26 empezar (e:ie) (z:c)	**empiezo**	empezaba	**empecé**	empezaré	empezaría	**empiece**	empezara	
	empiezas	empezabas	empezaste	empezarás	empezarías	**empieces**	empezaras	**empieza** tú (no **em-**
	empieza	empezaba	empezó	empezará	empezaría	**empiece**	empezara	**pieces**)
Participles:	empezamos	empezábamos	empezamos	empezaremos	empezaríamos	**empecemos**	empezáramos	**empiece** Ud.
empezando	empezáis	empezabais	empezasteis	empezaréis	empezaríais	**empecéis**	empezarais	**empecemos**
empezado	**empiezan**	empezaban	empezaron	empezarán	empezarían	**empiecen**	empezaran	empezad (no **empecéis**)
								empiecen Uds.

Infinitive	INDICATIVE					SUBJUNCTIVE		IMPERATIVE
	Present	Imperfect	Preterite	Future	Conditional	Present	Past	
27 **entender** (e:ie)	**entiendo**	entendía	entendí	entenderé	entendería	**entienda**	entendiera	
	entiendes	entendías	entendiste	entenderás	entenderías	**entiendas**	entendieras	**entiende** tú (no **entiendas**)
	entiende	entendía	entendió	entenderá	entendería	**entienda**	entendiera	**entienda** Ud.
Participles:	entendemos	entendíamos	entendimos	entenderemos	entenderíamos	entendamos	entendiéramos	entendamos
entendiendo	entendéis	entendíais	entendisteis	entenderéis	entenderíais	entendáis	entendierais	entended (no entendáis)
entendido	**entienden**	entendían	entendieron	entenderán	entenderían	**entiendan**	entendieran	**entiendan** Uds.
28 **jugar** (u:ue) (g:gu)	**juego**	jugaba	**jugué**	jugaré	jugaría	**juegue**	jugara	
	juegas	jugabas	jugaste	jugarás	jugarías	**juegues**	jugaras	**juega** tú (no **juegues**)
	juega	jugaba	jugó	jugará	jugaría	**juegue**	jugara	**juegue** Ud.
Participles:	jugamos	jugábamos	jugamos	jugaremos	jugaríamos	**juguemos**	jugáramos	**juguemos**
jugando	jugáis	jugabais	jugasteis	jugaréis	jugaríais	**juguéis**	jugarais	jugad (no **juguéis**)
jugado	**juegan**	jugaban	jugaron	jugarán	jugarían	**jueguen**	jugaran	**jueguen** Uds.
29 **pedir** (e:i)	**pido**	pedía	pedí	pediré	pediría	**pida**	**pidiera**	
	pides	pedías	pediste	pedirás	pedirías	**pidas**	**pidieras**	**pide** tú (no **pidas**)
Participles:	**pide**	pedía	**pidió**	pedirá	pediría	**pida**	**pidiera**	**pida** Ud.
pidiendo	pedimos	pedíamos	pedimos	pediremos	pediríamos	**pidamos**	**pidiéramos**	**pidamos**
pedido	pedís	pedíais	pedisteis	pediréis	pediríais	**pidáis**	**pidierais**	pedid (no **pidáis**)
	piden	pedían	**pidieron**	pedirán	pedirían	**pidan**	**pidieran**	**pidan** Uds.
30 **pensar** (e:ie)	**pienso**	pensaba	pensé	pensaré	pensaría	**piense**	pensara	
	piensas	pensabas	pensaste	pensarás	pensarías	**pienses**	pensaras	**piensa** tú (no **pienses**)
Participles:	**piensa**	pensaba	pensó	pensará	pensaría	**piense**	pensara	**piense** Ud.
pensando	pensamos	pensábamos	pensamos	pensaremos	pensaríamos	pensemos	pensáramos	pensemos
pensado	pensáis	pensabais	pensasteis	pensaréis	pensaríais	penséis	pensarais	pensad (no penséis)
	piensan	pensaban	pensaron	pensarán	pensarían	**piensen**	pensaran	**piensen** Uds.
31 **reír** (e:i)	**río**	reía	reí	reiré	reiría	**ría**	**riera**	
	ríes	reías	**reíste**	reirás	reirías	**rías**	**rieras**	**ríe** tú (no **rías**)
Participles:	**ríe**	reía	**rio**	reirá	reiría	**ría**	**riera**	**ría** Ud.
riendo	**reímos**	reíamos	**reímos**	reiremos	reiríamos	**riamos**	**riéramos**	**riamos**
reído	reís	reíais	**reísteis**	reiréis	reiríais	**riáis**	**rierais**	reíd (no **riáis**)
	ríen	reían	**rieron**	reirán	reirían	**rían**	**rieran**	**rían** Uds.
32 **seguir** (e:i) (gu:g)	**sigo**	seguía	seguí	seguiré	seguiría	**siga**	**siguiera**	
	sigues	seguías	seguiste	seguirás	seguirías	**sigas**	**siguieras**	**sigue** tú (no **sigas**)
	sigue	seguía	**siguió**	seguirá	seguiría	**siga**	**siguiera**	**siga** Ud.
Participles:	seguimos	seguíamos	seguimos	seguiremos	seguiríamos	**sigamos**	**siguiéramos**	**sigamos**
siguiendo	seguís	seguíais	seguisteis	seguiréis	seguiríais	**sigáis**	**siguierais**	seguid (no **sigáis**)
seguido	**siguen**	seguían	**siguieron**	seguirán	seguirían	**sigan**	**siguieran**	**sigan** Uds.
33 **sentir** (e:ie)	**siento**	sentía	sentí	sentiré	sentiría	**sienta**	**sintiera**	
	sientes	sentías	sentiste	sentirás	sentirías	**sientas**	**sintieras**	**siente** tú (no **sientas**)
Participles:	**siente**	sentía	**sintió**	sentirá	sentiría	**sienta**	**sintiera**	**sienta** Ud.
sintiendo	sentimos	sentíamos	sentimos	sentiremos	sentiríamos	**sintamos**	**sintiéramos**	**sintamos**
sentido	sentís	sentíais	sentisteis	sentiréis	sentiríais	**sintáis**	**sintierais**	sentid (no **sintáis**)
	sienten	sentían	**sintieron**	sentirán	sentirían	**sientan**	**sintieran**	**sientan** Uds.

			INDICATIVE			SUBJUNCTIVE		IMPERATIVE
Infinitive	Present	Imperfect	Preterite	Future	Conditional	Present	Past	
34 volver (o:ue)	**vuelvo**	volvía	volví	volveré	volvería	**vuelva**	volviera	
	vuelves	volvías	volviste	volverás	volverías	**vuelvas**	volvieras	**vuelve** tú (no **vuelvas**)
Participles:	**vuelve**	volvía	volvió	volverá	volvería	**vuelva**	volviera	**vuelva** Ud.
volviendo	volvemos	volvíamos	volvimos	volveremos	volveríamos	volvamos	volviéramos	volvamos
vuelto	volvéis	volvíais	volvisteis	volveréis	volveríais	volváis	volvierais	volved (no volváis)
	vuelven	volvían	volvieron	volverán	volverían	**vuelvan**	volvieran	**vuelvan** Uds.

Verbs with spelling changes only

			INDICATIVE			SUBJUNCTIVE		IMPERATIVE
Infinitive	Present	Imperfect	Preterite	Future	Conditional	Present	Past	
35 conocer	**conozco**	conocía	conocí	conoceré	conocería	**conozca**	conociera	
(c:zc)	conoces	conocías	conociste	conocerás	conocerías	**conozcas**	conocieras	conoce tú (no **conozcas**)
	conoce	conocía	conoció	conocerá	conocería	**conozca**	conociera	**conozca** Ud.
Participles:	conocemos	conocíamos	conocimos	conoceremos	conoceríamos	**conozcamos**	conociéramos	**conozcamos**
conociendo	conocéis	conocíais	conocisteis	conoceréis	conoceríais	**conozcáis**	conocierais	conoced (no **conozcáis**)
conocido	conocen	conocían	conocieron	conocerán	conocerían	**conozcan**	conocieran	**conozcan** Uds.
36 creer (y)	creo	creía	creí	creeré	creería	crea	**creyera**	
	crees	creías	**creíste**	creerás	creerías	creas	**creyeras**	cree tú (no creas)
Participles:	cree	creía	**creyó**	creerá	creería	crea	**creyera**	crea Ud.
creyendo	creemos	creíamos	**creímos**	creeremos	creeríamos	creamos	**creyéramos**	creamos
creído	creéis	creíais	**creísteis**	creeréis	creeríais	creáis	**creyerais**	creed (no creáis)
	creen	creían	**creyeron**	creerán	creerían	crean	**creyeran**	crean Uds.
37 cruzar (z:c)	cruzo	cruzaba	**crucé**	cruzaré	cruzaría	**cruce**	cruzara	
	cruzas	cruzabas	cruzaste	cruzarás	cruzarías	**cruces**	cruzaras	cruza tú (no **cruces**)
Participles:	cruza	cruzaba	cruzó	cruzará	cruzaría	**cruce**	cruzara	**cruce** Ud.
cruzando	cruzamos	cruzábamos	cruzamos	cruzaremos	cruzaríamos	**crucemos**	cruzáramos	**crucemos**
cruzado	cruzáis	cruzabais	cruzasteis	cruzaréis	cruzaríais	**crucéis**	cruzarais	cruzad (no **crucéis**)
	cruzan	cruzaban	cruzaron	cruzarán	cruzarían	**crucen**	cruzaran	**crucen** Uds.
38 destruir (y)	**destruyo**	destruía	destruí	destruiré	destruiría	**destruya**	**destruyera**	
	destruyes	destruías	destruiste	destruirás	destruirías	**destruyas**	**destruyeras**	**destruye** tú (no
Participles:	**destruye**	destruía	**destruyó**	destruirá	destruiría	**destruya**	**destruyera**	destruyas)
destruyendo	destruimos	destruíamos	destruimos	destruiremos	destruiríamos	**destruyamos**	**destruyéra-**	**destruya** Ud.
destruido	destruís	destruíais	destruisteis	destruiréis	destruiríais	**destruyáis**	mos	**destruyamos**
	destruyen	destruían	**destruyeron**	destruirán	destruirían	**destruyan**	**destruyerais**	destruid (no **destruyáis**)
							destruyeran	**destruyan** Uds.
39 enviar	**envío**	enviaba	envié	enviaré	enviaría	**envíe**	enviara	
	envías	enviabas	enviaste	enviarás	enviarías	**envíes**	enviaras	**envía** tú (no **envíes**)
	envía	enviaba	envió	enviará	enviaría	**envíe**	enviara	**envíe** Ud.
Participles:	enviamos	enviábamos	enviamos	enviaremos	enviaríamos	enviemos	enviáramos	enviemos
enviando	enviáis	enviabais	enviasteis	enviaréis	enviaríais	enviéis	enviarais	enviad (no enviéis)
enviado	**envían**	enviaban	enviaron	enviarán	enviarían	**envíen**	enviaran	**envíen** Uds.

		INDICATIVE				SUBJUNCTIVE		IMPERATIVE
Infinitive	Present	Imperfect	Preterite	Future	Conditional	Present	Past	
40 graduar	**gradúo**	graduaba	gradué	graduaré	graduaría	**gradúe**	graduara	
	gradúas	graduabas	graduaste	graduarás	graduarías	**gradúes**	graduaras	**gradúa** tú (no **gradúes**)
	gradúa	graduaba	graduó	graduará	graduaría	**gradúe**	graduara	**gradúe** Ud.
Participles:	graduamos	graduábamos	graduamos	graduaremos	graduaríamos	graduemos	graduáramos	graduemos
graduando	graduáis	graduabais	graduasteis	graduaréis	graduaríais	graduéis	graduarais	graduad (no graduéis)
graduado	**gradúan**	graduaban	graduaron	graduarán	graduarían	**gradúen**	graduaran	**gradúen** Uds.
41 llegar (g:gu)	llego	llegaba	**llegué**	llegaré	llegaría	**llegue**	llegara	
	llegas	llegabas	llegaste	llegarás	llegarías	**llegues**	llegaras	llega tú (no **llegues**)
Participles:	llega	llegaba	llegó	llegará	llegaría	**llegue**	llegara	**llegue** Ud.
llegando	llegamos	llegábamos	llegamos	llegaremos	llegaríamos	**lleguemos**	llegáramos	**lleguemos**
llegado	llegáis	llegabais	llegasteis	llegaréis	llegaríais	**lleguéis**	llegarais	llegad (no **lleguéis**)
	llegan	llegaban	llegaron	llegarán	llegarían	**lleguen**	llegaran	**lleguen** Uds.
42 proteger (g:j)	**protejo**	protegía	protegí	protegeré	protegería	**proteja**	protegiera	
	proteges	protegías	protegiste	protegerás	protegerías	**protejas**	protegieras	protege tú (no **protejas**)
Participles:	protege	protegía	protegió	protegerá	protegería	**proteja**	protegiera	**proteja** Ud.
protegiendo	protegemos	protegíamos	protegimos	protegeremos	protegeríamos	**protejamos**	protegiéramos	**protejamos**
protegido	protegéis	protegíais	protegisteis	protegeréis	protegeríais	**protejáis**	protegierais	proteged (no **protejáis**)
	protegen	protegían	protegieron	protegerán	protegerían	**protejan**	protegieran	**protejan** Uds.
43 tocar (c:qu)	toco	tocaba	**toqué**	tocaré	tocaría	**toque**	tocara	
	tocas	tocabas	tocaste	tocarás	tocarías	**toques**	tocaras	toca tú (no **toques**)
Participles:	toca	tocaba	tocó	tocará	tocaría	**toque**	tocara	**toque** Ud.
tocando	tocamos	tocábamos	tocamos	tocaremos	tocaríamos	**toquemos**	tocáramos	**toquemos**
tocado	tocáis	tocabais	tocasteis	tocaréis	tocaríais	**toquéis**	tocarais	tocad (no **toquéis**)
	tocan	tocaban	tocaron	tocarán	tocarían	**toquen**	tocaran	**toquen** Uds.
44 vencer (c:z)	**venzo**	vencía	vencí	venceré	vencería	**venza**	venciera	
	vences	vencías	venciste	vencerás	vencerías	**venzas**	vencieras	vence tú (no **venzas**)
Participles:	vence	vencía	venció	vencerá	vencería	**venza**	venciera	**venza** Ud.
venciendo	vencemos	vencíamos	vencimos	venceremos	venceríamos	**venzamos**	venciéramos	**venzamos**
vencido	vencéis	vencíais	vencisteis	venceréis	venceríais	**venzáis**	vencierais	venced (no **venzáis**)
	vencen	vencían	vencieron	vencerán	vencerían	**venzan**	vencieran	**venzan** Uds.
45 esparcir (c:z)	**esparzo**	esparcía	esparcí	esparciré	esparciría	**esparza**	esparciera	
	esparces	esparcías	esparciste	esparcirás	esparcirías	**esparzas**	esparcieras	esparce tú (no **esparzas**)
Participles:	esparce	esparcía	esparció	esparcirá	esparciría	**esparza**	esparciera	**esparza** Ud.
esparciendo	esparcimos	esparcíamos	esparcimos	esparciremos	esparciríamos	**esparzamos**	esparciéramos	**esparzamos**
esparcido	esparcís	esparcíais	esparcisteis	esparciréis	esparciríais	**esparzáis**	esparcierais	esparcid (no **esparzáis**)
	esparcen	esparcían	esparcieron	esparcirán	esparcirían	**esparzan**	esparcieran	**esparzan** Uds.
46 extinguir (gu:g)	**extingo**	extinguía	extinguí	extinguiré	extinguiría	**extinga**	extinguiera	
	extingues	extinguías	extinguiste	extinguirás	extinguirías	**extingas**	extinguieras	extingue tú (no **extingas**)
	extingue	extinguía	extinguió	extinguirá	extinguiría	**extinga**	extinguiera	**extinga** Ud.
Participles:	extinguimos	extinguíamos	extinguió	extinguiremos	extinguiríamos	**extingamos**	extinguiéramos	**extingamos**
extinguiendo	extinguís	extinguíais	extinguisteis	extinguiréis	extinguiríais	**extingáis**	extinguierais	extinguid (no **extingáis**)
extinguido	extinguen	extinguían	extinguieron	extinguirán	extinguirían	**extingan**	extinguieran	**extingan** Uds.

Reflexive verbs: simple tenses

- In all simple indicative and subjunctive tenses, the reflexive pronoun is placed before the verb. In the imperative, the reflexive pronoun is attached to the verb in affirmative commands, but precedes the verb in negative commands.

Infinitive	SIMPLE INDICATIVE TENSES	SIMPLE SUBJUNCTIVE TENSES	IMPERATIVE
casarse	me caso	me case	
	te casas	te cases	cásate tú (no te cases)
	se casa	se case	cásese Ud. (no se case)
	nos casamos	nos casemos	casémonos (no nos casemos)
	os casáis	os caséis	casaos (no os caséis)
	se casan	se casen	cásense Uds. (no se casen)

Reflexive verbs: compound tenses

- In all compound tenses, the reflexive pronoun is placed before the verb.

Infinitive	COMPOUND INDICATIVE TENSES	COMPOUND SUBJUNCTIVE TENSES
casarse	me he casado	me haya casado
	te has casado	te hayas casado
	se ha casado	se haya casado
	nos hemos casado	nos hayamos casado
	os habéis casado	os hayáis casado
	se han casado	se hayan casado

Vocabulary

This glossary contains the words and expressions listed on the **Vocabulario** page found at the end of each lesson in **Imagina**, as well as other useful vocabulary. A numeral following an entry indicates the lesson where the word or expression was introduced.

Note on alphabetization

For purposes of alphabetization, **ch** and **ll** are not treated as separate letters, but **ñ** follows **n**.

Abbreviations used in this glossary

adj.	adjective	*indef.*	indefinite	*poss.*	possessive
adv.	adverb	*interj.*	interjection	*p.p.*	past participle
art.	article	*i.o.*	indirect object	*prep.*	preposition
conj.	conjunction	*m.*	masculine	*pron.*	pronoun
def.	definite	*n.*	noun	*sing.*	singular
d.o.	direct object	*obj.*	object	*sub.*	subject
f.	feminine	*pej.*	pejorative	*v.*	verb
fam.	familiar	*pl.*	plural		
form.	formal				

Español-Inglés

A

a *prep.* at; to **1**
  a cabalidad *adv.* fully **4**
  a cucharadas in spoonfuls **5**
  a dieta on a diet
  a fin de *prep.* in order to **6**
  a la derecha to the right
  a la izquierda to the left
  a la plancha grilled
  a la(s) + *time* at + *time*
  a menos que *conj.* unless
  a menudo *adv.* often
  a nombre de in the name of
  a plazos in installments
  ¿A qué hora...?
    At what time...?
  a tiempo *adv.* on time
  a veces *adv.* sometimes
  a ver let's see
abandonar *v.* to leave **1**
abastecer *v.* to supply **7**
abierto/a *adj.* open
abogado/a *m., f.* lawyer **6**
abrazar(se) *v.* to hug; to embrace
  (each other)
abrazo *m.* hug
abrigarse *v.* to wear warm clothes **3**
abrigo *m.* coat
abril *m.* April
abrir *v.* to open
absorto/a *adj.* engrossed **5**
abuelo/a *m., f.* grandfather;
  grandmother

abuelos *pl.* grandparents
aburrido/a *adj.* bored; boring **9**
aburrir *v.* to bore
aburrirse *v.* to get bored
abusar *v.* to abuse **6**
abuso *m.* abuse **6**
acabar de (+ *inf.***)** *v.* to have just
  done something
acampar *v.* to camp
acarrear *v.* to haul; to carry **7**
accidente *m.* accident
acción *f.* action
    de acción action (genre)
aceite *m.* oil
acento *m.* accent **10**
acera *f.* sidewalk **2**
acomodarse *v.* to adapt **10**
acompañar *v.* to go with;
    to accompany
aconsejar *v.* to advise
acontecimiento *m.* event **3**
acordarse (de) (o:ue) *v.* to remember
acosar *v.* to harass **7**
acostarse (o:ue) *v.* to go to bed
acostumbrar *v.* to do as
    a custom/habit **2**
activista *m., f.* activist **6**
activo/a *adj.* active
actor *m.* actor **3**
actriz *f.* actress **3**
actualidad *f.* news; current events **3**
actualizado/a *adj.* up-to-date **3**
actuar *v.* to act **9**
adaptar(se) *v.* to adapt **10**
adelgazar *v.* to lose weight;
    to slim down

además (de) *adv.* furthermore;
  besides
adicional *adj.* additional
adiós *interj.* goodbye
adivinar *v.* to guess **10**
adjetivo *m.* adjective
adjuntar (un archivo) *v.* to attach
    (a file) **8**
administración *f.* **de empresas**
    business administration
administrar *v.* to manage, to run **7**
administrativo/a *adj.*
    administrative **7**
ADN *m.* DNA **8**
adolescencia *f.* adolescence **4**
adolescente *m., f.* adolescent **4**
¿adónde? *adv.* where (to)?
    (*destination*)
aduana *f.* customs
adulto/a *m., f.* adult **4**
aeróbico/a *adj.* aerobic
aeropuerto *m.* airport
afecto *m.* affection **9**
afectado/a *adj.* affected
afeitarse *v.* to shave
aficionado/a *adj.* fan **9**
afirmativo/a *adj.* affirmative
afligirse *v.* to be distressed **10**;
    to get upset **2**
afortunado/a *adj.* lucky **6**
afueras *f., pl.* suburbs **2**
agobiado/a *adj.* overwhelmed **1**
agosto *m.* August
agotado/a *adj.* exhausted **7**;
    adj. sold out **9**
agotar *v.* to use up **5**

agradable *adj.* pleasant
agradecer *v.* to thank **4**
agrio/a *adj.* sour **8**
agua *f.* water
  agua mineral mineral water
aguafiestas *m., f.* party pooper **9**
aguantar *v.* to put up with;
  to tolerate **5**
águila *f.* eagle **5**
agujero *m.* hole; pothole **2**
  agujero negro black hole **8**
ahogar(se) *v.* to suffocate; to drown;
  to stifle **5**
ahora *adv.* now
  ahora mismo right now
ahorrar *v.* to save (money) **7**
ahorros *m., pl.* savings **7**
aire *m.* air
ajedrez *m.* chess **4**
ajo *m.* garlic
al (*contraction of* **a + el**)
  al aire libre open-air; outdoors **5**
  al contado in cash
  (al) este (to the) east
  al fondo (de) at the end (of)
  al lado de next to; beside
  (al) norte (to the) north
  (al) oeste (to the) west
  (al) sur (to the) south
alcalde(sa) *m., f.* mayor **2**
alcanzar *v.* to be enough; to
  reach **8, 10**; to attain **8**
  alcanzar un sueño to fulfill
    a dream **10**
  alcanzar una meta to reach
    a goal **10**
alcoba *f.* bedroom
alcohol *m.* alcohol
alcohólico/a *adj.* alcoholic
alegrarse (de) *v.* to be happy
alegre *adj.* happy
alegría *f.* happiness
alejarse *v.* to move away **9**
alemán, alemana *adj.* German
alérgico/a *adj.* allergic
alfombra *f.* carpet; rug
algo *pron.* something; anything
algodón *m.* cotton
alguien *pron.* someone; somebody;
  anyone
algún; alguna; algunos/as *adj.* any;
  some
alguno/a(s) *pron.* any; some
alimentación *f.* diet
alimento *m.* food
aliviado/a *adj.* relieved **9**
aliviar *v.* to reduce; to relieve;
  to soothe **5**
  aliviar el estrés/la tensión
    to reduce stress/tension
allí *adv.* there
alma *f.* soul **1**
  el alma gemela soul mate **1**

almacén *m.* department store;
  warehouse **7**
almohada *f.* pillow
almorzar (o:ue) *v.* to have lunch
almuerzo *m.* lunch
alpinismo *m.* mountain climbing **9**
alquilar *v.* to rent
alquiler *m.* rent (payment)
alrededores *m., pl.* outskirts **2**
altillo *m.* attic
alto/a *adj.* tall
aluminio *m.* aluminum
amable *adj.* nice; friendly
amado/a *m., f.* beloved, sweetheart **1**
amanecer *m.* dawn **9**;
  v. to wake up **10**
amar(se) *v.* to love (each other) **1**
amargo/a *adj.* bitter **8**
amarillo/a *adj.* yellow
amenaza *f.* threat **6**
amenazar *v.* to threaten **5**
amigo/a *m., f.* friend
amistad *f.* friendship **1**
amnistía *f.* amnesty **10**
amor *m.* love
amorío *m.* love affair **4**
analfabeto/a *adj.* illiterate **6**
anaranjado/a *adj.* orange
anciano/a *m., f.* elderly person
andar *v.* **en patineta**
  to skateboard
andinismo *m.* mountain climbing **9**
anfitrión/anfitriona *m., f.*
  host/hostess **9**
anhelar *v.* to long for **10**
ánimo *m.* spirit, mood **1**
animado/a *adj.* lively **9**
animal *m.* animal
aniversario (de bodas) *m.*
  (wedding) anniversary
anoche *adv.* last night
ansioso/a *adj.* anxious **1**
anteayer *adv.* the day
  before yesterday
antepasado/a *m., f.* ancestor **4**
antes *adv.* before
  antes de *prep.* before
  antes (de) que *conj.* before
antibiótico *m.* antibiotic
anticipar *v.* to anticipate;
  to expect **10**
antídoto *m.* antidote **5**
antigüedad *f.* antique **9**
antipático/a *adj.* unfriendly **4**
antojarse *v.* to feel like **6**
anunciar *v.* to announce; to advertise
anuncio *m.* advertisement;
  commercial **3**
año *m.* year
  año pasado last year
añoranza *f.* homesickness **10**
apagar *v.* to turn off
aparato *m.* appliance
aparcar *v.* to park **2**

apartamento *m.* apartment
apellido *m.* last name
apenas *adv.* hardly; scarcely; just
apetecer *v.* to to feel like **4**
aplaudir *v.* to applaud **9**
aplicación *f.* app **8**
apodo *m.* nickname **4**
apostar (o:ue) *v.* to bet **9**
apoyar(se) *v.* to support
  (each other) **4**
apreciar *v.* to appreciate
aprender (a + *inf.***)** *v.* to learn
aprobar (o:ue) *v.* to approve
  aprobar una ley to pass a law **6**
aprovechar *v.* to take advantage of **7**
apurarse *v.* to hurry; to rush
aquel, aquella *adj.* that (over there)
aquél, aquélla *pron.* that (one)
  (over there)
aquello *neuter, pron.* that; that thing;
  that fact
aquellos/as *adj., pl.* those (over there)
aquéllos/as *pron., pl.* those (ones)
  (over there)
aquí *adv.* here
árbol *m.* tree **5**
  árbol genealógico family tree **4**
archivo *m.* file
arma *f.* weapon **6**
armada *f.* navy **6**
armario *m.* closet
arqueólogo/a *m., f.* archaeologist
arquitecto/a *m., f.* architect
arrancar *v.* to start (a car)
arreglar *v.* to fix; to arrange;
  to neaten; to straighten up
arrepentirse (e:ie) *v.* to regret **1**
arriba *adv.* up
arroba *f.* @ symbol **8**
arroz *m.* rice
arruinar *v.* to ruin **8**
arte *m.* art
artes *f., pl.* arts
artesanía *f.* craftsmanship; crafts
artículo *m.* article
artista *m., f.* artist
artístico/a *adj.* artistic
arveja *f.* pea
asado/a *adj.* roast
ascendencia *f.* heritage **4**
ascender (e:ie) *v.* to rise, to be
  promoted **7**
ascenso *m.* promotion **7**
ascensor *m.* elevator
asentarse (e:ie) *v.* to settle **4**
asesor(a) *m., f.* consultant, advisor **7**
así *adv.* like this; so (*in such a way*)
  así así so so
asiento *m.* seat **6**
asimilación *f.* assimilation **10**
asimilar(se) *v.* to assimilate **10**
asistente *m., f.* assistant **4**
asistir (a) *v.* to attend

aspiradora *f.* vacuum cleaner
aspirante *m., f.* candidate; applicant
aspirina *f.* aspirin
astronauta *m., f.* astronaut **8**
astrónomo/a *m., f.* astronomer **8**
asustar *v.* to scare **5**
aterrizar *v.* to land **8**
atleta *m., f.* athlete **9**
atónito/a *adj.* astonished **9**
atraer *v.* to attract **10**
atrasado/a *adj.* late; behind
    schedule **2**
atreverse *v.* to dare
atrevido/a *adj.* daring
atún *m.* tuna
aturdir *v.* to stun **6**
augurio *m.* omen; sign **5**
aumentar *v.* to grow **10**
    aumentar de peso to gain weight
aumento *m.* increase
    aumento de sueldo pay raise **7**
aunque *conj.* although
autobús *m.* bus
autoestima *f.* self-esteem **4**
auto(móvil) *m.* car
autopista *f.* highway
autoridad *f.* authority **9**
autosubvencionarse *v.* to cover one's
    own expenses **8**
avance *m.* advance; breakthrough **8**
avanzado/a *adj.* advanced **8**
ave *f.* bird **5**
avenida *f.* avenue **2**
aventura *f.* adventure
    de aventura adventure (genre)
avergonzado/a *adj.* embarrassed
avión *m.* airplane
¡Ay! *interj.* Oh!
ayer *adv.* yesterday
ayudar(se) *v.* to help (one another) **1**
ayuntamiento *m.* city hall **2**
azúcar *m.* sugar
azul *adj.* blue

B

bailar *v.* to dance
bailarín/bailarina *m., f.* dancer
baile *m.* dance
bajar *v.* to go down; to get off
    (a bus) **2**
bajo *m.* bass **3**
bajo/a *adj.* short (*in height*)
balcón *m.* balcony
ballena *f.* whale **5**
baloncesto *m.* basketball
banana *f.* banana
bancarrota *f.* bankruptcy **7**
banco *m.* bank
banda *f.* band
    banda sonora soundtrack **3**
bandera *f.* flag **6**
bañarse *v.* to take a bath

baño *m.* bathroom
barato/a *adj.* cheap
barco *m.* boat
barrer *v.* to sweep
    barrer el suelo to sweep the floor
barrio *m.* neighborhood **2**
barro *m.* mud; clay **8**
bastante *adv.* enough; rather
basura *f.* trash **5**
baúl *m.* trunk
beber *v.* to drink
bebida *f.* drink
    bebida alcohólica
        alcoholic beverage
béisbol *m.* baseball
bellas artes *f., pl.* fine arts
belleza *f.* beauty
beneficio *m.* benefit
besar(se) *v.* to kiss (each other) **1**
beso *m.* kiss
biblioteca *f.* library
bicicleta *f.* bicycle
bien *adv.* well
    bien educado/a *adj.*
        well-mannered **4**
bienestar *m.* well-being **2**
bienvenido/a(s) *adj.* welcome
bilingüe *adj.* bilingual **10**
billar *m.* billiards **9**
billete *m.* paper money; ticket
billón *m.* trillion
biología *f.* biology
biólogo/a *m., f.* biologist **8**
bioquímico/a *m., f.* biochemist **8**;
    adj. biochemical **8**
bisabuelo/a *m., f.* great-grandfather/
    grandmother **4**
bistec *m.* steak
blanco/a *adj.* white
blog *m.* blog **8**
bluejeans *m., pl.* jeans
blusa *f.* blouse
boca *f.* mouth
bocata *f.* sandwich **10**
boda *f.* wedding
boleto *m.* ticket **9**
boliche *m.* bowling **9**
bolsa *f.* purse, bag
    la bolsa de valores
        stock market **7**
bombero/a *m., f.* firefighter
bombilla *f.* light bulb **5**
bonito/a *adj.* pretty
boquiabierto/a *adj.* open-mouthed;
    astounded **6**
borracho/a *adj.* drunk **2**
borrador *m.* eraser
borrar *v.* to erase; to delete **8**
bosque *m.* forest **5**
    bosque tropical tropical forest;
        rain forest
bota *f.* boot
botella *f.* bottle
    botella de vino bottle of wine

brazo *m.* arm
brecha *f.* **generacional**
    generation gap **4**
brindar *v.* to toast (*drink*) **9**; to
    provide, to offer **5**
bucear *v.* to scuba dive
buen, bueno/a *adj.* good
    buena forma good shape
        (*physical*)
    Buenas noches. Good evening;
        Good night.
    Buenas tardes. Good afternoon.
    Buenos días. Good morning.
buey *m.* ox **7**
bulevar *m.* boulevard
burlarse (de) *v.* to mock **10**
buscador *m.* search engine **8**
buscar *v.* to look for
búsqueda *f.* search
buzón *m.* mailbox

C

caballo *m.* horse
cabaña *f.* cabin
caber *v.* to fit
    no cabe duda de there's no doubt
cabeza *f.* head
cabina *f.* phone booth **10**
cada *adj. m., f.* each
cadena *f.* network **3**
    cadena de mando chain of
        command **6**
caerse *v.* to fall (down)
café *m.* café; *m.* coffee; *adj.* brown
cafeína *f.* caffeine
cafetera *f.* coffee maker
cafetería *f.* cafeteria
caído/a *p.p.* fallen
caja *f.* cash register; box
cajero/a *m., f.* cashier **2**
    cajero automático *m.* ATM **7**
calcetín (calcetines) *m.* sock(s)
calculadora *f.* calculator
calcular *v.* to estimate **3**
calentamiento *m.* warming **5**
calentarse (e:ie) *v.* to warm up
calidad *f.* quality
    calidad de vida standard
        of living **1**
calle *f.* street **2**
calor *m.* heat
caloría *f.* calorie
cama *f.* bed
cámara *f.* camera
    cámara digital digital camera
camarero/a *m., f.* waiter/waitress
camarón *m.* shrimp
cambiar (de) *v.* to change
cambio *m.* change
    cambio de moneda
        currency exchange
caminar *v.* to walk
camino *m.* road

camión *m.* truck; bus
camisa *f.* shirt
camiseta *f.* t-shirt
campo *m.* countryside
canadiense *adj.* Canadian
canal *m.* (TV) channel
canción *f.* song
candidato/a *m., f.* candidate
cansado/a *adj.* tired
cantante *m., f.* singer **3**
cantar *v.* to sing
cantera *f.* quarry **7**
caos *m.* chaos **10**
capa *f.* **de ozono** ozone layer **5**
capacidad *f.* ability **7**
capacitar *v.* to prepare **8**
capaz *adj.* capable; competent **7**
capilla *f.* chapel **9**
capital *f.* capital city
capó *m.* hood
cara *f.* face
carácter *m.* character; personality **4**
característica *f.* characteristic **2**
caramelo *m.* caramel
cárcel *f.* prison; jail
cargo *m.* position **4**
cariñoso/a *adj.* affectionate **1**
carne *f.* meat
    carne de res beef
carnicería *f.* butcher shop
carnicero/a *m., f.* butcher **10**
caro/a *adj.* expensive
carpintero/a *m., f.* carpenter
carrera *f.* career; race **9**
carreta *f.* cart **7**
carretera *f.* highway; (main) road
carretilla *f.* wheelbarrow **7**
carro *m.* car
carta *f.* letter; (playing) card **9**
cartel *m.* poster
cartera *f.* wallet
cartero/a *m., f.* mail carrier
casa *f.* house; home
casado/a *adj.* married **1**
casarse (con) *v.* to get married (to) **1**
casi *adv.* almost
castigar *v.* to punish
castigo *m.* punishment **3**
catorce *adj.* fourteen
causa *f.* cause **10**
cazar *v.* to hunt **5**
cebolla *f.* onion
ceder *v.* to give up; to yield **6**
celebrar *v.* to celebrate **9**
celos *m., pl.* jealousy **1**
celoso/a *adj.* jealous **1**
célula *f.* cell **8**
celular *adj.* cellular
cena *f.* dinner
cenar *v.* to have dinner
censura *f.* censorship **3**
centro *m.* downtown
    centro comercial (shopping)
      mall **2**

cepillarse *v.* **los dientes/el pelo**
    to brush one's teeth/one's hair
cerámica *f.* pottery
cerca de *prep.* near
cerdo *m.* pork
cereales *m., pl.* cereal; grains
cero *m.* zero
cerrado/a *adj.* closed
cerrar (e:ie) *v.* to close
certeza *f.* certainty **10**
cerveza *f.* beer
césped *m.* grass
chamán/chamana *m., f.* shaman **5**
champán *m.* champagne
champiñón *m.* mushroom
champú *m.* shampoo
chantajear *v.* to blackmail **6**
chaqueta *f.* jacket
charlar *v.* to chat **3, 9**
chato/a *m., f.* sweetie **3**
chau *fam. interj.* bye
cheque *m.* (bank) check
chévere *adj., fam.* terrific;
    great; fantastic
chico/a *m., f.* boy/girl
chillar *v.* to scream **4**
chisme *m.* gossip **1**
chino/a *adj.* Chinese
chocar (con) *v.* to run into
chocolate *m.* chocolate
chompa *f.* sweater **3**
choque *m.* crash **2**
chorear *v.* to rob **6**
chuleta *f.* chop (*food*)
    chuleta de cerdo pork chop
ciberespacio *m.* cyberspace **8**
ciclismo *m.* cycling
cielo *m.* sky
cien(to) one hundred
ciencia *f.* science
    de ciencia ficción *f.* science
      fiction (genre)
científico/a *m., f.* scientist **8**
cierto/a *adj.* certain; true
    (No) es cierto. It's (not) certain.
cima *f.* top **4**
cinco *adj.* five
cincuenta *adj.* fifty
cine *m.* movie theater **2**; cinema;
    movies **3**
cinta caminadora *f.* treadmill
cinturón *m.* belt
circulación *f.* traffic
cita *f.* date; appointment
    cita a ciegas blind date **1**
ciudad *f.* city **2**
ciudadano/a *m., f.* citizen **2**
clase *f.* class
    clase de ejercicios aeróbicos
      aerobics class
clásico/a *adj.* classical
clave *f.* key **7, 8**
cliente/a *m., f.* customer
clínica *f.* clinic

clon *m.* clone
clonar *v.* to clone **8**
club deportivo *m.* sports club **9**
cobrar *v.* to charge; to be paid **7**
coche *m.* car
cocina *f.* kitchen; stove; cuisine **8**
cocinar *v.* to cook
cocinero/a *m., f.* cook; chef
cofre *m.* hood
cola *f.* line
coleccionar *v.* to collect **9**
colectivo *m.* bus **6**
colega *m., f.* buddy **4**
colesterol *m.* cholesterol **4**
colgar (o:ue) *v.* to hang up **3**
color *m.* color
comadre *f.* best friend **9**
combustible *m.* fuel **5**
comedia *f.* comedy **9**; play
comedor *m.* dining room
comenzar (e:ie) *v.* to begin
comer *v.* to eat
comercial *adj.* commercial;
    business-related
comida *f.* food; meal
comisaría *f.* police station **2**
como *adv.* like; as
¿cómo? *adv.* what?; how?
    ¿Cómo es...? What's... like?
    ¿Cómo está usted? *form.*
      How are you?
    ¿Cómo estás? *fam.* How are you?
    ¿Cómo se llama (usted)?
      form. What's your name?
    ¿Cómo te llamas (tú)? *fam.*
      What's your name?
cómoda *f.* chest of drawers
cómodo/a *adj.* comfortable **10**
compañero/a *m., f.* **de clase**
    classmate
compañero/a *m., f.* **de cuarto**
    roommate
compañía *f.* company; firm **7**
compartir *v.* to share **1**
complejo *m.* **de inferioridad/**
    superioridad inferiority/superiority
    complex **8**
compositor(a) *m., f.* composer
compra *f.* purchase **7**
comprar *v.* to buy
compras *f., pl.* purchases
    ir *v.* **de compras** go shopping
comprender *v.* to understand
comprensión *f.* understanding **4**
comprensivo/a *adj.* understanding
comprobar (o:ue) *v.* to check;
    to prove; to confirm **8**
comprometerse (con) *v.* to get
    engaged (to)
compromiso *m.* commitment;
    engagement **1**
computación *f.* computer science
computadora *f.* computer
    computadora portátil laptop **8**

comunicación *f.* communication
comunicarse (con) *v.*
  to communicate (with)
comunidad *f.* community
con *prep.* with
  con frecuencia *adv.* frequently
  Con permiso. Pardon me;
    Excuse me.
  con tal (de) que *conj.* provided
    (that)
concierto *m.* concert **9**
concurso *m.* game show; contest
condenado/a *adj.* condemned **8**
conducir *v.* to drive
conductor(a) *m., f.* driver **2**
confianza *f.* trust
confiar (en) *v.* to trust (in) **1**
confirmar *v.* to confirm
  confirmar una reservación
    to confirm a reservation
conformista *adj.* conformist **10**
confundido/a *adj.* confused
congelador *m.* freezer
congestionado/a *adj.* congested
conjunto musical *m.* musical group;
  band **9**
conmigo *pron.* with me
conocer *v.* to know; to be
  acquainted with
conocimiento *m.* knowledge
conseguir (e:i) *v.* to get **9**; to obtain
  conseguir entradas
    to get tickets **9**
consejero/a *m., f.* counselor; advisor
consejo *m.* advice
conservación *f.* conservation
conservador(a) *adj.* conservative **6**
conservar *v.* to conserve;
  to preserve **2, 5**
consolar (o:ue) *v.* to console **7**
construir *v.* to build **2**
consultorio *m.* doctor's office
consumir *v.* to consume
consumo *m.* **de energía**
  energy consumption **5**
contabilidad *f.* accounting
contador(a) *m., f.* accountant **7**
contagiar *v.* to infect **5**
contaminación *f.* pollution **5**
  contaminación del aire/del
    agua air/water pollution
contaminado/a *adj.* polluted
contaminar *v.* to pollute **5**
contar (o:ue) *v.* to count; to tell
  contar con *v.* to count on;
    to rely on **1**
contentarse (con) *v.* to be satisfied
  (with) **1**
contento/a *adj.* happy; content
contestar *v.* to answer
contigo *fam. pron.* with you
contraseña *f.* password **8**
contratar *v.* to hire **7**

contribuir *v.* to contribute **8**
control *m.* control
  control remoto remote control
controvertido/a *adj.* controversial
  3, 4
conversación *f.* conversation
conversar *v.* to converse; to talk **2**
convertirse (e:ie) en (algo)
  v. to become **4**; to turn into
  (something) **10**
convivencia *f.* coexistence **10**
convivir *v.* to live together;
  to coexist **2**
convocar *v.* to summon **6**
cooperar *v.* to cooperate **2**
copa *f.* wineglass
coquetear *v.* to flirt **1**
coraje *m.* courage **10**
corazón *m.* heart **1**
corbata *f.* tie
cordillera *f.* mountain range **5**
corrector *m.* **ortográfico**
  spell checker **8**
corredor(a) *m., f.* **de bolsa**
  stockbroker
correo *m.* mail; post office
  correo electrónico *m.* e-mail
correr *v.* to run
  correr la voz *v.* to spread the
    word **9**
cortar *v.* to cut
cortesía *f.* courtesy
cortinas *f., pl.* curtains
corto/a *adj.* short (*in length*)
  a corto plazo *adj.* short-term **7**
corto(metraje) *m.* short film
cosa *f.* thing
costa *f.* coast **5**
costar (o:ue) *v.* to cost
costumbre *f.* custom; habit **2**
cotidiano/a *adj.* everyday **2**
cráter *m.* crater
crear *v.* to create **8**
creatividad *f.* creativity **9**
crecer *v.* to grow (up)
crecimiento *m.* growth **3**
creencia *f.* belief **6**
creer (en) *v.* to believe (in)
creído/a *p.p.* believed
crema *f.* **de afeitar** shaving cream
crianza *f.* nurture **4**
criar *v.* to raise (children) **4**
crimen *m.* crime; murder
crisis económica *f.*
  economic crisis **7**
crítico/a *m., f.* **de cine** film critic **3**
crueldad *f.* cruelty **6**
cruzar *v.* to cross **2**
cuaderno *m.* notebook
cuadra *f.* city block **2**
¿cuál(es)? which?; which one(s)?
  ¿Cuál es la fecha de hoy?
    What is today's date?
cuadro *m.* picture

cuadros *m., pl.* plaid
cuando *conj.* when
¿cuándo? *adv.* when?
¿cuánto/a(s)? *pron.* how much/
  how many?
  ¿Cuánto cuesta...?
    How much does... cost?
  ¿Cuántos años tienes?
    How old are you?
cuarenta *adj.* forty
cuarto *m.* room
  cuarto de baño bathroom
cuarto/a *adj.* fourth
  menos cuarto quarter to (*time*)
  y cuarto quarter after (*time*)
cuatro *adj.* four
cuatrocientos/as *adj.* four hundred
cubierto/a *p.p.* covered
cubiertos *m., pl.* silverware
cubrir *v.* to cover **5**
cuchara *f.* spoon
cucharada *f.* spoonful **5**
  a cucharadas in spoonfuls **5**
cuchillo *m.* knife
cuello *m.* neck
cuenta *f.* bill; account
  cuenta corriente
    checking account **7**
  cuenta de ahorros
    savings account **7**
cuento *m.* short story
cuerpo *m.* body
cuidado *m.* care **2**
cuidadoso/a *adj.* careful **1**
cuidar *v.* to take care of **1**
culpar *v.* to blame **7**
cultura *f.* culture
cumpleaños *m., sing.* birthday
cumplir años *v.* to have
  a birthday
cuñado/a *m., f.* brother/sister-in law **4**
cuota *f.* installment **10**
curandero/a *m., f.* folk healer **5**
curar *v.* to cure **8**
currículum *m.* résumé
curso *m.* course

D

danza *f.* dance
dañar *v.* to damage; to break down
dañino/a *adj.* harmful **5**
daño *m.* harm **10**
dar *v.* to give
  dar un consejo *v.* to give advice
  dar un paseo *v.* to take a stroll **2**
  dar una vuelta *v.* to take
    a walk/ride **2**
  dar una vuelta en bicicleta/carro/
    motocicleta *v.* to take a bike/car/
    motorcycle ride **2**
  darse con *v.* to bump into; to
    run into (something)
  darse cuenta *v.* to realize

darse prisa *v.* to hurry; to rush
dardos *m., pl.* darts 9
de *prep.* of; from
  ¿De dónde eres? *fam.*
    Where are you from?
  ¿De dónde es (usted)? *form.*
    Where are you from?
  ¿de quién...? *sing.* whose...?
  ¿de quiénes...? *pl.* whose...?
  de aluminio (made) of aluminum
  de buen humor in a good mood
  de compras shopping
  de cuadros plaid
  de excursión hiking
  de hecho in fact 10
  de ida y vuelta roundtrip
  de la mañana in the morning; A.M.
  de la noche at night; P.M.
  de la tarde in the afternoon;
    in the early evening; P.M.
  de lunares polka-dotted
  de mal humor in a bad mood
  de moda in fashion
  De nada. You're welcome.
  de niño/a as a child
  de plástico (made) of plastic
  de rayas striped
  de repente suddenly
  de vez en cuando
    from time to time
  de vidrio (made) of glass
debajo de *prep.* below; under
deber *m.* responsibility; obligation
deber (+ *inf*.) *v.* should; must;
  ought to
debido a due to (the fact that)
débil *adj.* weak
decidido/a *adj.* determined 2
decidir (+ *inf*.) *v.* to decide
décimo/a *adj.* tenth
decir (e:i) *v.* to say; to tell
  decir la verdad to tell the truth
  decir mentiras to tell lies
  decir que to say that
decisivo/a *m., f* decisive 9
declarar *v.* to declare; to say
dedicarse a *v.* to devote oneself to 6
dedo *m.* finger
  dedo del pie toe
defender (e:ie) *v.* to defend 6
deforestación *f.* deforestation 5
dejar *v.* to let; to quit; to leave
  behind 10
  dejar a alguien *v.* to leave
    someone 1
  dejar de (+ *inf*.) *v.* to stop
    (*doing something*)
  dejar plantado/a *v.* to stand
    (someone) up 1
  dejar una propina *v.* to leave a tip
del (*contraction of* **de + el**) of the;
  from the
delante de *prep.* in front of
  por delante *adv.* ahead (of) 10

deleitar *v.* to delight 8
delgado/a *adj.* thin; slender
delicioso/a *adj.* delicious
demasiado *adv.* too much
democracia *f.* democracy 6
dentista *m., f.* dentist
dentro de (diez años) within (ten
  years); inside
dependiente/a *m., f.* clerk
deporte *m.* sport 9
  deportes extremos
    extreme sports 9
deportista *m.* sports person; athlete 9
deportivo/a *adj.* sports-related
depositar *v.* to deposit 7
deprimido/a *adj.* depressed 1
derecha *f.* right
  a la derecha de to the right of
derecho *adv.* straight (ahead)
derechos *m., pl.* rights 6
  derechos humanos
    human rights 6
derogar *v.* to abolish; to repeal 6
derrocar *v.* to overthrow 6
derrotar *v.* to defeat 6
desafiar *v.* to challenge
desafío *m.* challenge 8
desagradecido/a *adj.* ungrateful 4
desaparecer *v.* to disappear 5
desaparición *f.* disappearance 3
desaprovechar *v.* to waste; to
  misuse 7
desarrollar *v.* to develop
desarrollo *m.* development 5
desastre (natural) *m.*
  (natural) disaster
desayunar *v.* to have breakfast
desayuno *m.* breakfast
descafeinado/a *adj.* decaffeinated
descansar *v.* to rest
descargar *v.* to download 8
descompuesto/a *adj.* not working;
  out of order
desconfiar *v.* to be suspicious,
  to distrust
desconocido/a *m., f.* stranger 2
desconsiderado/a *adj.*
  inconsiderate 3
desconsuelo *m.* grief; distress 9
describir *v.* to describe
descrito/a *p.p.* described
descubierto/a *p.p.* discovered
descubrimiento *m.* discovery 8
descubrir *v.* to discover
desde *prep.* from
desear *v.* to wish; to desire
desechable *adj.* disposable 5
desempleado/a *adj.* unemployed 7
desempleo *m.* unemployment 7
desenlace *m.* ending; outcome 8
deseo *m.* desire 1
desesperación *f.* desperation 3
desesperado/a *m., f.* desperate
desgracia *f.* misfortune; tragedy 10

desierto *m.* desert 5
desigual *adj.* unequal 6
desigualdad *f.* inequality 6
desobediencia *f.* disobedience 6
  desobediencia civil
    civil disobedience 6
desordenado/a *adj.* disorderly
despacho *m.* office 9
despacio *adv.* slowly
desaparición *f.* disappearance
despedida *f.* farewell; goodbye
despedir (e:i) *v.* to fire 7
despedirse (de) (e:i) *v.* to say
  goodbye (to) 10
despejado/a *adj.* clear (*weather*),
  cloudless 5
despertador *m.* alarm clock
despertarse (e:ie) *v.* to wake up
desplazado/a *adj.* out of place 2
después *adv.* afterward; then
  después de *prep.* after
  después de que *conj.* after
destacado/a *adj.* prominent 3
destino *m.* destination 9
destreza *f.* skill 6
destrozar *v.* to destroy; to ruin 6
destruir *v.* to destroy 5
desvanecerse *v.* to vanish 9
detener *v.* to arrest 6
detrás de *prep.* behind
deuda *f.* debt 7
día *m.* day
  día de fiesta holiday
diálogo *m.* dialogue 10
diario *m.* diary; newspaper 3
diario/a *adj.* daily
dibujar *v.* to draw
dibujo *m.* drawing
  dibujos animados *m., pl.*
    cartoons
diccionario *m.* dictionary
dicho/a *p.p.* said
diciembre *m.* December
dictadura *f.* dictatorship 6
diecinueve *adj.* nineteen
dieciocho *adj.* eighteen
dieciséis *adj.* sixteen
diecisiete *adj.* seventeen
diente *m.* tooth
dieta *f.* diet
diez *adj.* ten
difícil *adj.* difficult; hard
difundir (noticias) *v.* to spread
  (news) 2
dignidad *f.* dignity 7
diligencia *f.* errand
dinero *m.* money
dirección *f.* address 2
  dirección electrónica
    e-mail address 8
director(a) *m., f.* director 3;
  (*musical*) conductor
dirigir *v.* to direct
discapacitado/a *adj.* disabled 6

discoteca *f.* dance club **2**
discriminación *f.* discrimination
discurso *m.* speech
discutir *v.* to argue **1**
diseñador(a) *m., f.* designer
diseño *m.* design **9**
disfrutar (de) *v.* to enjoy **2**; to reap the benefits (of)
disgustado/a *adj.* upset **1**
disminuir *v.* to decrease; to reduce; to diminish **10**
disponible *adj.* available **3**
dispuesto/a (a) *adj.* ready, willing (to) **7**
diversidad *f.* diversity **10**
diversión *f.* fun activity; entertainment; recreation
divertido/a *adj.* fun
divertirse (e:ie) *v.* to have fun; to have a good time **9**
divino/a *adj.* beautiful **9**
divorciado/a *adj.* divorced **1**
divorciarse (de) *v.* to get a divorce (from) **1**
divorcio *m.* divorce **1**
doblaje *m.* dubbing **3**
doblar *v.* to turn **2**
doble *adj.* double
doce *adj.* twelve
doctor(a) *m., f.* doctor
documental *m.* documentary **3**
documentos *m., pl.* **de viaje** travel documents
dolencia *f.* ailment **5**
doler (o:ue) *v.* to hurt
dolor *m.* ache; pain
dolor de cabeza *m.* headache
domingo *m.* Sunday
don/doña *title of respect used with a person's first name*
donde *adv.* where
¿dónde? where?
¿Dónde está...? Where is...?
dormir (o:ue) *v.* to sleep
dormirse (o:ue) *v.* to go to sleep; to fall asleep
dormitorio *m.* bedroom
dos *adj.* two
dos veces *adv.* twice; two times
doscientos/as *adj.* two hundred
drama *m.* drama; play
dramático/a *adj.* dramatic
dramaturgo/a *m., f.* playwright
droga *f.* drug
drogadicto/a *m., f.* drug addict
ducha *f.* shower
ducharse *v.* to take a shower
duda *f.* doubt **10**
dudar *v.* to doubt
duende *m.* elf **9**
dueño/a *m., f.* owner **7**
dulce *adj.* sweet **8**
dulces *m., pl.* sweets; candy

durante *prep.* during
durar *v.* to last

E

e *conj.* and (*used instead of* **y** *before words beginning with* **i** *and* **hi**)
echar *v.* to throw; to throw away **5**
echar (una carta) al buzón to put (a letter) in the mailbox; to mail
echar de menos to miss **10**
ecología *f.* ecology
economía *f.* economics
ecoturismo *m.* ecotourism
ecuatoriano/a *adj.* Ecuadorian
edad *f.* age
edad adulta adulthood **4**
edificio *m.* building **2**
edificio de apartamentos apartment building
editorial *f.* publisher **8**
(en) efectivo *adv., m.* (in) cash
efecto *m.* **invernadero** greenhouse effect **5**
efectos *m., pl.* **especiales** special effects **3**
eficacia *f.* efficiency **7**
egoísta *adj.* selfish **4**
ejecución *f.* execution **6**
ejecutivo(a) *m., f.* executive **7**
ejercer *v.* to exercise, to exert **6**
ejercer el poder to exercise/exert power **6**
ejercicio *m.* exercise
ejercicios aeróbicos aerobic exercises
ejercicios de estiramiento stretching exercises
ejército *m.* army **6**
el *m., sing., def. art.* the
él *sub. pron.* he; *obj. pron.* him
elecciones *f., pl.* election
electricista *m., f.* electrician
electrodoméstico *m.* electric appliance
elegante *adj.* elegant
elegir (e:i) *v.* to elect **6**
ella *sub. pron.* she; *obj. pron.* her
ellos/as *sub. pron.* they; *obj. pron.* them
elogiar *v.* to praise
embarazada *adj.* pregnant
emergencia *f.* emergency
emigrante *m., f.* emigrant **10**
emigrar *v.* to emigrate **1**
emitir *v.* to broadcast
emocionado/a *adj.* excited **1**
emocionante *adj.* exciting
empapelado *m.* wallpaper **9**
empatar *v.* to tie (a game) **9**
empeño *m.* effort; determination **6**
empeorar *v.* to get worse **5**

empezar (e:ie) *v.* to begin
empleado/a *m., f.* employee **7**
empleo *m.* job; employment
empresa company; firm **7**
empresa multinacional multinational company **7**
en *prep.* in; on; at
en casa at home
en caso (de) que *conj.* in case
en contra against **4**
en cuanto *conj.* as soon as
en directo live **3**
en efectivo in cash
en exceso in excess; too much
en línea online **8**
en punto on the dot; sharp (*time*)
en vivo live **3**
enamorado/a (de) *adj.* in love (with) **1**
enamorarse (de) *v.* to fall in love (with) **1**
encabezar *v.* to lead **6**
encantado/a *adj.* delighted; pleased to meet you
encantar *v.* to like very much; to love (*inanimate objects*)
enarbolar *v.* to hoist **9**
encarcelar *v.* to imprison **6**
encargado/a *m., f.* person in charge **5**
encargo *m.* order **10**
encarnación *f.* personification **4**
encima de *prep.* on top of
enclenque *m., f.* weakling **4**
encontrar (o:ue) *v.* to find
encuesta *f.* poll; survey
endurecer *v.* to harden **7**
energía *f.* energy **5**
energía eólica wind energy **5**
energía nuclear nuclear energy **5**
energía renovable renewable energy **5**
energía solar solar energy **5**
enero *m.* January
enfermarse *v.* to get sick
enfermedad *f.* illness
enfermero/a *m., f.* nurse
enfermo/a *adj.* sick
enfrente de *prep.* opposite; facing
engañar *v.* to cheat, to deceive **1**
engordar *v.* to gain weight
enhorabuena congratulations **1**
enlace *m.* link **8**
enloquecido/a *adj.* ecstatic **9**
enojado/a *adj.* angry **1**
enojarse (con) *v.* to get angry (with) **1**
enriquecerse *v.* to get rich **10**
ensalada *f.* salad
ensayar *v.* to rehearse **3**
enseguida *adv.* right away
enseñar *v.* to teach
ensuciar *v.* to get (*something*) dirty
entender (e:ie) *v.* to understand
entendimiento *m.* understanding **10**

enterarse (de) *v.* to become informed (about) **3**
entonces *adv.* then
entrada *f.* entrance; ticket **9**
entre *prep.* between; among
entrecano/a *adj.* graying **4**
entregar *v.* to hand over **10**
entremeses *m., pl.* appetizers
entrenador(a) *m., f.* trainer
entrenarse *v.* to train
entretener *v.* to entertain **3**
entretenerse *v.* to amuse oneself **9**
entretenido/a *adj.* entertaining **9**
entrevista *f.* interview
entrevistador(a) *m., f.* interviewer
entrevistar *v.* to interview **3**
envase *m.* container
envejecer *v.* to age **5**
enviar *v.* to send; to mail
envidioso/a *adj.* envious; jealous **8**
época *f.* season **1**
equilibrado/a *adj.* balanced
equipaje *m.* luggage
equipo *m.* team **9**
equitativo/a *adj.* equitable; fair **6**
equivocado/a *adj.* wrong
erosión *f.* erosion **5**
es he/she/it is
  Es bueno que... It's good that...
  es extraño it's strange
  Es importante que...
    It's important that...
  es imposible it's impossible
  es improbable it's improbable
  Es malo que... It's bad that...
  Es mejor que... It's better that...
  Es necesario que...
    It's necessary that...
  es obvio it's obvious
  es ridículo it's ridiculous
  es seguro it's certain
  es terrible it's terrible
  es triste it's sad
  Es urgente que...
    It's urgent that...
  es una lástima it's a shame
  es verdad it's true
esa(s) *f., adj.* that; those
ésa(s) *f., pron.* that (one); those (ones)
escalar *v.* to climb
  escalar montañas to climb mountains
escalera *f.* stairs
escalafón *m.* hierarchy; rank **4**
escándalo *m.* scandal **6**
escasez *f.* shortage **7**
escaso/a *adj.* scant; scarce **5**
escena *f.* scene **9**
escoger *v.* to choose
esconder *v.* to hide
escribir *v.* to write
  escribir a máquina to type **4**

escribir un mensaje electrónico to write an e-mail message
  escribir una carta to write a letter
  escribir una postal to write a postcard
escrito/a *p.p.* written
escritor(a) *m., f.* writer
escritorio *m.* desk
escuchar *v.* to listen to
  escuchar la radio to listen to the radio
  escuchar música to listen to music
escuela *f.* school
esculpir *v.* to sculpt
escultor(a) *m., f.* sculptor
escultura *f.* sculpture
ese *m., sing., adj.* that
ése *m., sing., pron.* that one
eso *neuter pron.* that; that thing
esos *m., pl., adj.* those
ésos *m., pl., pron.* those (ones)
espacio *m.* space **8**
España *f.* Spain
español *m.* Spanish (*language*)
español(a) *adj.* Spanish; Spaniard
esparcir *v.* to spread **10**
espárragos *m., pl.* asparagus
especialización *f.* major
especializado/a *adj.* specialized **8**
especie *f.* **en peligro (de extinción)** endangered species **5**
espectacular *adj.* spectacular
espectáculo *m.* show; performance **9**
espectador(a) *m., f.* spectator **9**
espejo *m.* mirror
esperanza *f.* hope
esperar *v.* to hope; to wish
  esperar (+ *inf.*) *v.* to wait (for); to hope
espiar *v.* to spy **6**
esposo/a *m., f.* husband/wife **4**
esquí *m.* skiing
  esquí acuático water skiing
  esquí alpino downhill skiing **9**
  esquí de fondo cross-country skiing **9**
esquiar *v.* to ski
esquina *f.* corner **2**
está he/she/it is; you are
  Está (muy) despejado. It's (very) clear. (*weather*)
  Está lloviendo. It's raining.
  Está nevando. It's snowing.
  Está (muy) nublado. It's (very) cloudy. (*weather*)
esta(s) *f., adj.* this; these
  esta noche tonight
ésta(s) *f., pron.* this (one); these (ones)
establecer (se) *v.* to start; to establish (oneself) **10**
estación *f.* station **2**; season

estación de autobuses bus station **2**
estación de bomberos fire station **2**
estación de policía police station **2**
estación de tren(es) train station **2**
estación del metro subway station
estacionamiento *m.* parking lot **2**
estacionar *v.* to park
estadio *m.* stadium **2**
estado civil *m.* marital status
Estados Unidos *m., pl.* (EE.UU.; E.U.) United States
estadounidense *adj.* from the United States
estallar *v.* to blow one's top **9**
estampilla *f.* stamp
estante *m.* bookcase; bookshelves
estantería *f.* bookcase **3**
estar *v.* to be
  estar a la/en venta *v.* to be for sale **7**
  estar a dieta to be on a diet
  estar aburrido/a to be bored
  estar afectado/a (por) to be affected (by)
  estar bajo presión to be under pressure **7**
  estar contaminado/a to be polluted
  estar de acuerdo to agree
  estar de moda to be in fashion
  estar de pie to stand **6**
  estar de vacaciones *f., pl.* to be on vacation
  estar disponible to be available **3**
  estar embarazada to be pregnant **10**
  estar en buena forma to be in good shape
  estar enfermo/a to be sick
  estar harto/a to be sick (of) **1**
  estar listo/a to be ready
  estar perdido/a to be lost **2**
  estar roto/a to be broken
  estar seguro/a to be sure
  estar torcido/a to be twisted; to be sprained
estatua *f.* statue
Este *m.* East
este *m., sing., adj.* this
éste *m., sing., pron.* this (one)
estilo *m.* style **3**
estirado/a *adj.* standoffish **4**
estiramiento *m.* stretching
esto *neuter pron.* this; this thing
estómago *m.* stomach
estornudar *v.* to sneeze
estos *m., pl., adj.* these
éstos *m., pl., pron.* these (ones)
estrella *f.* star **3**
  estrella de cine movie star **3**

estrella fugaz shooting star **8**
estrenar (una película) *v.* to release (a movie) **9**
estreno *m.* premiere; new movie **3**
estrés *m.* stress
estresado/a *adj.* stressed (out) **7**
estricto/a *adj.* strict **4**
estudiante *m., f.* student
estudiantil *adj.* student
estudiar *v.* to study
estufa *f.* stove
estupendo/a *adj.* stupendous
etapa *f.* stage
ético/a *adj.* ethical **8**
  poco ético/a unethical **8**
evitar *v.* to avoid
examen *m.* test; exam
  examen médico physical exam
excelente *adj.* excellent
excéntrico/a *adj.* eccentric **6**
exceso *m.* excess; too much
excluido/a *adj.* excluded **10**
excombatiente *m., f.* war veteran **7**
excursión *f.* hike; tour; excursion
excursionista *m., f.* hiker
excusa *f.* excuse **7**
exigente *adj.* demanding **4**
exigir *v.* to demand **7**
exiliado/a *m., f.* exile **10**
  exiliado/a político/a political exile **10**
éxito *m.* success **3**
exitoso/a *adj.* successful **7**
experiencia *f.* experience
experimento *m.* experiment **8**
explicar *v.* to explain
explorar *v.* to explore **8**
explotar *v.* to take advantage of **9**
expresión *f.* expression
extinción *f.* extinction
extinguirse *v.* to become extinct **5**
extranjero/a *adj.* foreign
extrañar *v.* to miss **10**
extraño/a *adj.* strange
extraterrestre *adj.* extraterrestrial; alien **8**

F

fábrica *f.* factory
fabricar *v.* to manufacture **8**
fabuloso/a *adj.* fabulous
facciones *f., pl.* features **2**
fácil *adj.* easy
factura *f.* bill **7**
falda *f.* skirt
fallecido/a *adj.* deceased
falso/a *adj.* insincere **1**
falta *f.* (de) lack (of) **10**
faltar *v.* to lack; to need
fama *f.* fame **3**
familia *f.* family
familiares *m., pl.* relatives **1**

famoso/a *adj.* famous
farmacia *f.* pharmacy
fascinar *v.* to fascinate
favorito/a *adj.* favorite
fe *f.* faith
febrero *m.* February
felicidad *f.* happiness **5**
  ¡Felicidades! Congratulations!
  ¡Felicitaciones! Congratulations!
feliz *adj.* happy
  ¡Feliz cumpleaños! Happy birthday!
fenomenal *adj.* great; phenomenal
feo/a *adj.* ugly
feria *f.* fair **9**
feriado *m.* holiday **6**
festejar *v.* to celebrate **9**
festival *m.* festival
fidelidad *f.* faithfulness **1**
fiebre *f.* fever
fiesta *f.* party
fijarse *v.* to pay attention **3**
fijo/a *adj.* fixed; set
fila *f.* line **2**
filtrar *v.* to leak **9**
fin *m.* end
  fin de semana weekend
finalmente *adv.* finally
financiero/a *adj.* financial **7**
finiquito *m.* severance package **7**
firmar *v.* to sign (*a document*)
física *f.* physics
físico/a *m., f.* physicist **8**
flan (de caramelo) *m.* baked (caramel) custard
flauta *f.* flute **3**
flexible *adj.* flexible
flor *f.* flower
foca *f.* seal **5**
folclórico/a *adj.* folk; folkloric
folleto *m.* brochure
forma *f.* shape
formulario *m.* form
fortalecer *v.* to strengthen **6**
fortalecerse *v.* to grow stronger **1**
foto(grafía) *f.* photograph
fotógrafo/a *m., f.* photographer **3**
fracaso *m.* failure **6**
francés, francesa *adj.* French
frasquito *m.* little bottle **5**
frecuentemente *adv.* frequently
frenos *m., pl.* brakes
fresco/a *adj.* cool
frijoles *m., pl.* beans
frío/a *adj.* cold
frito/a *adj.* fried
frontera *f.* border **10**
fruta *f.* fruit
frutería *f.* fruit store
fuego *m.* fire
fuente *f.* source **5**
fuera *adv.* outside
fuerte *adj.* strong

fuerza *f.* force **6**
fumar *v.* to smoke
funcionar *v.* to work; to function
fundirse *v.* to burn out **5**
fútbol *m.* soccer
fútbol americano *m.* football
futuro/a *adj.* future
  en el futuro in the future

G

gafas (de sol) *f., pl.* (sun)glasses
galaxia *f.* galaxy **8**
galleta *f.* cookie
ganancia *f.* profit
ganar *v.* to win **9**; to earn (money)
  ganar las elecciones to win an election **6**
  ganar un partido to win a game **9**
  ganarse la vida to earn a living **7**
ganga *f.* bargain
garaje *m.* garage; (mechanic's) repair shop
garganta *f.* throat
gasoducto *m.* gas pipeline **7**
gasolina *f.* gasoline
gasolinera *f.* gas station
gastar *v.* to spend (*money*) **7**
gato *m.* cat
gemelo/a *m., f.* twin **4**
gen *m.* gene **8**
género *m.* genre **3**
genética *f.* genetics **8**
genial *adj.* wonderful **1**
gente *f.* people **2**
geografía *f.* geography
gerente *m., f.* manager **7**
gimnasio *m.* gymnasium
gobernar (e:ie) *v.* to govern **6**
gobierno *m.* government **6**
golf *m.* golf
golpe *m.* blow, hit
  golpe de estado *coup d'état* **6**
golpear *v.* to beat (a drum) **3**
gordo/a *adj.* fat
gozar (de) *v.* to enjoy
grabar *v.* to record **3**
gracias *f., pl.* thank you; thanks
gracioso/a *adj.* funny **1**
graduarse (de/en) *v.* to graduate (from/in)
gran *adj.* great
grande *adj.* big; large
grasa *f.* fat
gratis *adj.* free of charge
grave *adj.* grave; serious
gravedad *f.* gravity **8**
gripe *f.* flu
gris *adj.* gray
gritar *v.* to scream; to shout **9**
grupo *m.* **musical** musical group, band **9**
guagua *f.* child **3**
guantes *m., pl.* gloves

guapo/a *adj.* handsome; good-looking
guardar *v.* to save (on a computer) **8**
guerra *f.* war **6**
  guerra civil civil war **6**
guía *m., f.* guide
guiar *v.* to guide
gustar *v.* to be pleasing to; to like
  Me gustaría... I would like...
gusto *m.* pleasure
  El gusto es mío. The pleasure is mine.
  Mucho gusto. Pleased to meet you.

H

haber (*auxiliar*) *v.* to have (done something)
habitación *f.* room
  habitación doble double room
  habitación individual single room
habitante *m., f.* inhabitant **2**
hablar *v.* to talk; to speak
hacer *v.* to do; to make
  Hace buen tiempo. The weather is good.
  Hace (mucho) calor. It's (very) hot. (*weather*)
  Hace fresco. It's cool. (*weather*)
  Hace (mucho) frío. It's (very) cold. (*weather*)
  Hace mal tiempo. The weather is bad.
  Hace (mucho) sol. It's (very) sunny.
  Hace (mucho) viento. It's (very) windy.
  hacer caso to obey **3**
  hacer cola to stand in line; to wait in line **9**
  hacer diligencias to run errands **2**
  hacer ejercicio to exercise
  hacer ejercicios aeróbicos to do aerobics
  hacer ejercicios de estiramiento to do stretching exercises
  hacer el papel (de) to play the role (of)
  hacer gimnasia to work out
  hacer juego (con) to match (with)
  hacer la cama to make the bed
  hacer las maletas to pack (one's) suitcases
  hacer quehaceres domésticos to do household chores
  hacer turismo to go sightseeing
  hacer un esfuerzo to make an effort **10**
  hacer un viaje to take a trip
  hacer una excursión to go on a hike; to go on a tour
hacia *prep.* toward
halagar *v.* to flatter **7**

hallazgo *m.* discovery **3**; finding **7**
hambre *f.* hunger
hamburguesa *f.* hamburger
hasta *prep.* until; toward
  Hasta la vista. See you later.
  Hasta luego. See you later.
  Hasta mañana. See you tomorrow.
  Hasta pronto. See you soon.
  hasta que *conj.* until
hay there is; there are
  Hay (mucha) niebla. It's (very) foggy.
  Hay que... It is necessary that...
  No hay de qué. You're welcome.
  No hay duda de... There's no doubt...
hecho *m.* fact **5**
hecho/a *p.p.* done
heladería *f.* ice cream shop
helado *m.* ice cream
helado/a *adj.* iced
heredar *v.* to inherit **4**
herencia *f.* heritage
  herencia cultural cultural heritage **10**
hermanastro/a *m., f.* stepbrother/stepsister **4**
hermano/a *m., f.* brother/sister
  hermano/a gemelo/a *m., f.* twin brother/sister **4**
  hermano/a mayor/menor *m., f.* older/younger brother/sister
hermoso/a *adj.* beautiful
herramienta *f.* tool **8**
heterogéneo/a *adj.* heterogeneous **10**
híbrido/a *adj.* hybrid **5**
hierba *f.* grass
hijastro/a *m., f.* stepson/stepdaughter
hijo/a *m., f.* son/daughter
  hijo/a único/a *m., f.* only child **4**
hipódromo *m.* racetrack **9**
hipoteca *f.* mortgage **7**
hiriente *adj.* hurtful **4**
historia *f.* history; story
hockey *m.* hockey
hogar *m.* home **10**
hoja *f.* leaf **5**
hola *interj.* hello; hi
hombre *m.* man
  hombre de negocios businessman **7**
homogeneidad *f.* homogeneity **10**
honrado/a *adj.* honest **4**
hora *f.* hour; the time
horario *m.* schedule **7**
  horario de trabajo work schedule **7**
horno *m.* oven
horóscopo *m.* horoscope **3**
horror *m.* horror
  de horror horror (genre)
horterada *f.* tacky thing **1**
hospital *m.* hospital
hotel *m.* hotel

hoy *adv.* today
  hoy día *adv.* nowadays
  Hoy es... Today is...
huelga *f.* strike (*labor*) **6**
hueso *m.* bone
huésped *m., f.* guest
huevo *m.* egg
huir *v.* to flee **6**
humanidad *f.* humankind **10**
humanidades *f., pl.* humanities
huracán *m.* hurricane **5**
huraño/a *adj.* unsociable **4**

I

ida *f.* one way (*travel*)
idea *f.* idea
ideales *m., pl.* principles; ideals **10**
idioma *m.* language
  idioma oficial official language **10**
iglesia *f.* church
igual *adj.* equal **6**
igualdad *f.* equality **6**
igualmente *adv.* likewise
imaginativo/a *adj.* imaginative **9**
impasible *adj.* impassively **2**
imparcial *adj.* impartial; unbiased **3**
impedir (e:i) *v.* to prevent **2**
impermeable *m.* raincoat
importante *adj.* important
importar *v.* to be important to; to matter
imposible *adj.* impossible
imprenta *f.* printer (*business*) **1, 8**
impresora *f.* printer (*machine*)
imprimir *v.* to print
improbable *adj.* improbable
impuesto *m.* tax **7**
inalámbrico/a *adj.* wireless **8**
incapaz *adj.* incapable; incompetent **7**
incendio *m.* fire **5**
incertidumbre *f.* uncertainty **10**
inconformista *m., f.* nonconformist **6**; *adj.* nonconformist **10**
increíble *adj.* incredible
indemnizar *v.* to compensate **6**
independizarse *v.* to become independent **4**
indicar *v.* **el camino** to give directions **1**
indignarse *v.* to be outraged **2**
indignidad *f.* indignity **7**
inesperado/a *adj.* unexpected **2**
inestabilidad *f.* instability **10**
infección *f.* infection
infidelidad *f.* unfaithfulness **1**
influencia *f.* influence **2**
influir *v.* to influence **6**
influyente *adj.* influential **3**
informar *v.* to inform
informática *f.* computer science **8**

informe *m.* report **6**
ingeniero/a *m., f.* engineer **8**
ingenuo/a *adj.* naïve **2**
inglés *m.* English (*language*)
inglés, inglesa *adj.* English
ingresos *m., pl.* income **8**
injusticia *f.* injustice **6**
injusto/a *adj.* unfair **6**
inmigración *f.* immigration **10**
inmigrante *m., f.* immigrant **1**
innovador(a) *adj.* innovative **8**
inodoro *m.* toilet
inolvidable *adj.* unforgettable **1**
inscrito/a *adj.* registered **4**
inseguridad *f.* insecurity; lack
  of safety **6**
inseguro/a *adj.* insecure **1**
insensible *adj.* insensitive **9**
insistir (en) *v.* to insist (on)
insoportable *adj.* unbearable **4**
inspector(a) de aduanas *m., f.*
  customs inspector
integración *f.* integration **10**
integrarse (a) *v.* to become part (of);
  to fit in **10**
inteligente *adj.* intelligent
intentar *v.* to try
intercambiar *v.* to exchange
interesante *adj.* interesting
interesar *v.* to be interesting to;
  to interest
internacional *adj.* international
Internet Internet **3**
intoxicar *v.* to poison **5**
intruso/a *m., f.* intruder **8**
inundación *f.* flood **5**
inventar *v.* to invent **8**
invento *m.* invention **8**
inversionista *m., f.* investor **7**
invertir (e:ie) *v.* to invest **7**
investigador(a) *m., f.* researcher **8**
investigar *v.* to research;
  to investigate **3**
invierno *m.* winter
invitado/a *m., f.* guest (*at a function*)
invitar *v.* to invite
inyección *f.* injection
ir *v.* to go
  ir a (+ inf.) to be going to
    do something
  ir de compras to go shopping
  ir de excursión (a las montañas)
    to go for a hike (in the mountains)
  ir de pesca to go fishing
  ir de vacaciones to go on vacation
  ir en autobús to go by bus
  ir en auto(móvil) to go by car
  ir en avión to go by plane
  ir en barco to go by boat
  ir en metro to go by subway
  ir en motocicleta to go
    by motorcycle
  ir en taxi to go by taxi
  ir en tren to go by train

irse *v.* to go away; to leave
italiano/a *adj.* Italian
izquierda *f.* left
  a la izquierda de to the left of

J

jabón *m.* soap
jamás *adv.* never; not ever
jamón *m.* ham
japonés, japonesa *adj.* Japanese
jardín *m.* garden; yard
jaula *f.* cage **7**
jefe/a *m., f.* boss
joven *adj.* young
joven *m., f.* young person
joyería *f.* jewelry store
jubilarse *v.* to retire (*from work*) **7**
juego *m.* game **9**
  juego de mesa board game **9**
jueves *m., sing.* Thursday
juez(a) *m., f.* judge **4, 6**
jugador(a) *m., f.* player
jugar (u:ue) *v.* to play
  jugar a las cartas *f., pl.*
    to play cards
jugo *m.* juice
  jugo de fruta fruit juice
juicio *m.* trial **6**
julio *m.* July
jungla *f.* jungle
junio *m.* June
juntos/as *adj.* together
justeza *f.* fairness **6**
justicia *f.* justice **6**
justo/a *adj.* just; fair **2, 6**
juventud *f.* youth **4**
juzgar *v.* to judge **6**

K

kilómetro *m.* kilometer

L

la *f., sing., def. art.* the; *f., sing., d.o.*
  pron. her, it; *form.* you
laboratorio *m.* laboratory
laca *f.* hair spray **10**
ladrón/ladrona *m., f.* thief **6**
lagarto *m.* lizard **5**
lago *m.* lake
lamentar *v.* regret; to be sorry
  about **4**
lámpara *f.* lamp
lana *f.* wool
langosta *f.* lobster
lápiz *m.* pencil
largo/a *adj.* long
  a largo plazo *adj.* long-term **7**
las *f., pl., def. art.* the; *f., pl., d.o.*
  pron. them; you
lástima *f.* shame

lastimar(se) *v.* to injure (oneself) **9**
  lastimarse el pie to injure
    one's foot
lata *f.* (*tin*) can
lavabo *m.* sink
lavadora *f.* washing machine
lavandería *f.* laundromat
lavaplatos *m., sing.* dishwasher
lavar *v.* to wash
  lavar (el suelo, los platos)
    to wash (the floor, the dishes)
lavarse *v.* to wash oneself
  lavarse la cara to wash one's face
  lavarse las manos to wash
    one's hands
lazo *m.* bond; tie **1**
  lazos familiares family ties **4**
Le presento a... *form.* I would
  like to introduce... to you.
lección *f.* lesson
leche *f.* milk
lechuga *f.* lettuce
leer *v.* to read
  leer el correo electrónico
    to read e-mail
  leer un periódico
    to read a newspaper
  leer una revista to read
    a magazine
leído/a *p.p.* read
lejanía *f.* distance **10**
lejos de *prep.* far from
lengua *f.* language
  lenguas extranjeras *f., pl.*
    foreign languages
  lengua materna
    mother tongue **10**
lenguaje corporal *m.* body language **9**
lentes de contacto *m., pl.*
  contact lenses
lentillas *f., pl.* contact lenses **8**
lento/a *adj.* slow
león *m.* lion **5**
les *pl., i.o. pron.* to/for them; you
letra *f.* lyrics **3**
letrero *m.* sign; billboard **2**
levantar *v.* to lift
  levantar pesas to lift weights
levantarse *v.* to get up
ley *f.* law **6**
liado/a *adj.* busy **1**
liberal *adj.* liberal **6**
libertad *f.* liberty; freedom **6**
  libertad de prensa freedom
    of the press **3**
libre *adj.* free
librería *f.* bookstore
libro *m.* book
licencia *f.* **de conducir**
  driver's license
ligar *v.* to flirt; to hook up **1**
limón *m.* lemon
limosna *f.* spare change **7**

limpiar *v.* to clean
  limpiar la casa to clean
    the house
limpieza *f.* cleaning
  limpieza étnica ethnic
    cleansing **10**
limpio/a *adj.* clean
listo/a *adj.* ready; smart
literatura *f.* literature
llamar *v.* to call
  llamar por teléfono to call
    on the phone
llamarse *v.* to be called; to be named
llanta *f.* tire
llanto *m.* crying **9**
llave *f.* key
llegada *f.* arrival
llegar *v.* to arrive
llenar *v.* to fill
  llenar el tanque to fill the tank
  llenar (un formulario) to fill
    out (a form)
lleno/a *adj.* full **2**
llevar *v.* to carry; to wear; to take
  llevar una vida sana to lead a
    healthy lifestyle
  llevarse bien/mal/fatal (con) to
    get along well/badly/terribly
    (with) **1**
llover (o:ue) *v.* to rain
  Llueve. It's raining.
lluvia *f.* rain **5**
lo *m., sing. d.o. pron.* him, it; *form.* you
  lo mejor the best (thing)
  lo peor the worst (thing)
  lo que that which; what
  Lo siento. I'm sorry.
lobo *m.* wolf **5**
loco/a *adj.* crazy
locutor(a) (de radio/televisión) *m., f.*
  (radio/TV) announcer **3**
lograr *v.* to attain; to achieve **10**
los *m., pl., def. art.* the; *m. pl., d.o.*
  pron. them; you
lotería *f.* lottery **9**
lucha *f.* struggle; fight **6**
luchar (contra/por) *v.* to fight;
  to struggle (against/for) **10**
lucidez *f.* lucidity; clarity **5**
luego *adv.* then; later
lugar *m.* place
lujo *m.* luxury **10**
luna *f.* moon **5**
lunares *m.* polka dots
lunes *m., sing.* Monday
luz *f.* light; electricity

M

madera *f.* wood **5**
madrastra *f.* stepmother **4**
madre *f.* mother
madrugada *f.* early morning **9**

madurez *f.* maturity; middle age
maduro/a *adj.* mature **1**
maestro/a *m., f.* teacher
magnífico/a *adj.* magnificent
maíz *m.* corn
mal, malo/a *adj.* bad
maleducado/a *adj.* ill-mannered **4**
malcriado/a *adj.* rude **3**
malcriar *v.* to spoil **4**
maleta *f.* suitcase
malgastar *v.* to waste **5**
maltrato *m.* abuse; mistreatment **10**
mamá *f.* mom
mancha *f.* stain **9**
manchado/a *adj.* stained **2**
mandar *v.* to order; to send; to mail
mandón/mandona *adj.* bossy **4**
manejar *v.* to drive
manera *f.* way
manifestación *f.* protest
manifestante *m., f.* demonstrator **6**
manipular *v.* to manipulate **7**
manjar *m.* delicacy **8**
mano *f.* hand
manosear *v.* to grope **6**
manta *f.* blanket
mantel *m.* tablecloth **6**
mantener *v.* to maintain
  mantenerse en forma to stay
    in shape
mantequilla *f.* butter
manzana *f.* apple
mañana *f.* morning; tomorrow
mapa *m.* map
maquillaje *m.* makeup
maquillarse *v.* to put on makeup
máquina *f.* machine **8**
mar *m.* sea **5**
maravilloso/a *adj.* marvelous
marcar (un gol/un punto) *v.* to score
  (a goal/a point) **9**
marcharse *v.* to leave
mareado/a *adj.* dizzy; nauseated
marearse *v.* to get carsick/seasick **6**
margarina *f.* margarine
mariscos *m., pl.* shellfish
marrón *adj.* brown
martes *m., sing.* Tuesday
marzo *m.* March
más *adj., adv.* more
  más de (+ *number*) more than
  más tarde later (on)
  más... que more... than
masaje *m.* massage
máscara *f.* **de soldadura** welding
  mask **5**
matemáticas *f., pl.* mathematics
matemático/a *m., f.* mathematician **8**
materia *f.* course
matriarcado *m.* matriarchy **2**
matrimonio *m.* marriage **1**
mayo *m.* May
mayonesa *f.* mayonnaise
mayor *adj.* older

el/la mayor *adj.* oldest
me *sing., d.o. pron.* me; *sing. i.o.*
  pron. to/for me
  Me gusta... I like...
  Me gustaría(n)... I would like...
  Me llamo... My name is...
mecánico/a *m., f.* mechanic
mecedora *f.* rocking chair **4**
mediano/a *adj.* medium
medianoche *f.* midnight
medias *f., pl.* pantyhose; stockings
medicamento *m.* medication **5**
medicina *f.* medicine
médico/a *m., f.* doctor; *adj.* medical
medio/a *adj.* half
  medio *m.* **ambiente** environment **5**
  y media thirty minutes past the
    hour (*time*)
  medio/a hermano/a *m., f.* half
    brother/sister **4**
mediodía *m.* noon
medios (de comunicación) *m., pl.*
  means of communication; media **3**
mejor *adj.* better
  el/la mejor *m., f.* the best
mejora *f.* improvement **10**
mejorar *v.* to improve **5**
melocotón *m.* peach
menor *adj.* younger
  el/la menor *m., f.* youngest
menos *adj., adv.* less
  menos cuarto..., menos quince...
    quarter to... (*time*)
  menos de (+ *number*) fewer than
  menos... que less... than
mensaje *m.* message **8**
  mensaje de texto text message **8**
  mensaje electrónico
    e-mail message **8**
mente *f.* mind **8**
mentira *f.* lie
mentiroso/a *adj.* lying **1**
menú *m.* menu
mercado *m.* market **7**
  mercado al aire libre
    open-air market
merecer *v.* to deserve **1**
merendar (e:ie) *v.* to snack; to have
  an afternoon snack
merienda *f.* afternoon snack
mes *m.* month
mesa *f.* table
mesero/a *m., f.* waiter/waitress
mesita *f.* end table
  mesita de noche nightstand
meta *f.* goal **10**
metro *m.* subway **2**
mexicano/a *adj.* Mexican
México *m.* Mexico
mezclar *v.* to mix
mí *pron., obj. of prep.* me
mi(s) *poss. adj.* my
miedo *m.* fear **10**
mientras *conj.* while

miércoles *m., sing.* Wednesday
mil *m.* one thousand
   mil millones billion
milla *f.* mile
millón *m.* million
millones (de) *m.* millions (of)
milonga *f.* type of dance; tango club, event **9**
mimar *v.* to pamper **4**
mineral *m.* mineral
minuto *m.* minute
mío/a(s) *poss.* my; (of) mine
mirada *f.* gaze
mirar *v.* to look (at); to watch
   mirar (la) televisión
     to watch television
mismo/a *adj.* same
mito *m.* myth **2**
mochila *f.* backpack
moda *f.* fashion
moderno/a *adj.* modern
molestar *v.* to bother; to annoy
monitor(a) *m., f.* trainer
mono *m.* monkey **5**
monolingüe *adj.* monolingual **10**
montaña *f.* mountain
montar *v.* **a caballo** to ride a horse
monumento *m.* monument
morado/a *adj.* purple
moreno/a *adj.* brunet(te)
morir (o:ue) *v.* to die
mostrador *m.* counter **2**
mostrar (o:ue) *v.* to show
motocicleta *f.* motorcycle
motor *m.* motor
muchacho/a *m., f.* boy; girl
mucho/a *adj.* a lot of; much; many
   (Muchas) gracias. Thank you
     (very much); Thanks (a lot).
   muchas veces *adv.* a lot; many times
   Mucho gusto. Pleased to meet you.
mudarse *v.* to move (from one house to another) **1, 4**
muebles *m., pl.* furniture
muela *f.* tooth
muerte *f.* death **4**
muerto/a *p.p.* died
mujer *f.* woman
   mujer de negocios
     businesswoman **7**
   mujer policía policewoman **2**
multa *f.* fine **2, 8**
mundial *adj.* worldwide
mundo *m.* world
municipal *adj.* municipal
músculo *m.* muscle
museo *m.* museum **2**
música *f.* music
musical *adj.* musical
músico/a *m., f.* musician **9**
muy *adv.* very
   (Muy) bien, gracias.
     (Very) well, thanks.

N

nacer *v.* to be born
nacimiento *m.* birth **4**
nacional *adj.* national
nacionalidad *f.* nationality
nada *pron.* nothing; not anything
nadar *v.* to swim
nadie *pron.* no one, nobody; not anyone
naipes *m., pl.* (playing) cards **9**
naranja *f.* orange
nariz *f.* nose
natación *f.* swimming
natalidad *f.* birthrate **10**
natural *adj.* natural
naturaleza *f.* nature
Navidad *f.* Christmas
necesario/a *adj.* necessary
necesitar (+ *inf.*) *v.* to need
negar (e:ie) *v.* to deny
negativo/a *adj.* negative
negocios *m., pl.* business; commerce
negro/a *adj.* black
nervioso/a *adj.* nervous
nevar (e:ie) *v.* to snow
   Nieva. It's snowing.
ni... ni neither... nor
niebla *f.* fog
nieto/a *m., f.* grandson/granddaughter **4**
nieve *f.* snow
ningún; ninguna; ningunos/as *adj.* no; not any
ninguno/a(s) *pron.* no; none; not any
niñato/a *m., f.* spoiled brat (Esp.) **4**
niñez *f.* childhood **4**
niño/a *m., f.* child **4**
nivel *m.* level
   nivel de vida standard of living **10**
no *adv.* no; not
   ¿no? right?
   No cabe duda de... There is no doubt...
   no es seguro it's not certain
   no es verdad it's not true
   no estar de acuerdo to disagree
   No estoy seguro. I'm not sure.
   no hay there is/are not
   No hay de qué. You're welcome.
   No hay duda de... There is no doubt...
   no más only **3**
   no muy bien not very well
   No sé. I don't know.
   no tener razón to be wrong
noche *f.* night
nombre *m.* name
   nombre de usuario user name **8**
Norte *m.* North
norteamericano/a *adj.* (North) American

nos *pl., d.o. pron.* us; *pl., i.o. pron.* to/for us
   Nos vemos. See you.
nosotros/as *sub. pron.* we; *obj. pron.* us
noticias (internacionales/locales/nacionales) *f., pl.* (international/local/national) news **3**
noticiero *m.* newscast
novecientos/as *adj.* nine hundred
novedad *f.* new development **8**
noveno/a *adj.* ninth
noventa *adj.* ninety
noviembre *m.* November
novio/a *m., f.* boyfriend/girlfriend
nube *f.* cloud
nublado/a *adj.* cloudy
   Está (muy) nublado. It's very cloudy.
nuclear *adj.* nuclear **5**
nuera *f.* daughter-in-law **4**
nuestro/a(s) *poss. adj.* our; of ours
nueve *adj.* nine
nuevo/a *adj.* new
número *m.* number
nunca *adv.* never; not ever
nutrición *f.* nutrition
nutricionista *m., f.* nutritionist

O

o *conj.* or
o... o *conj.* either... or
obedecer *v.* to obey
obra *f.* work (*of art, literature, music, etc.*)
   obra maestra masterpiece
   obra de teatro theater play **9**
obrero/a *m., f.* blue-collar worker **7**
obtener *v.* to obtain; to get
obvio/a *adj.* obvious
océano *m.* ocean
ochenta *adj.* eighty
ocho *adj.* eight
ochocientos/as *adj.* eight hundred
ocio *m.* leisure **9**
octavo/a *adj.* eighth
octubre *m.* October
ocultar *v.* to hide **4**
ocupación *f.* occupation
ocupado/a *adj.* busy
ocurrir *v.* to occur; to happen
odiar *v.* to hate **1**
Oeste *m.* West
oferta *f.* offer
oficina *f.* office
oficio *m.* trade
ofrecer *v.* to offer
oído *m.* (sense of) hearing; inner ear
oído/a *p.p.* heard
oír *v.* to hear
ojalá (que) *interj.* I hope (that); I wish (that)

ojo *m.* eye
olla *f.* **de barro** clay pot **8**
olor *m.* smell
olvidar *v.* to forget
olvido *m.* oblivion **1**
once *adj.* eleven
ópera *f.* opera
operación *f.* operation
opinar *v.* to express an opinion;
to think **3**
oprimido/a *adj.* oppressed **6**
óptica *f.* optical shop **5**
ordenado/a *adj.* orderly
ordinal *adj.* ordinal (*number*)
oreja *f.* (outer) ear
orgullo *m.* pride **6**
orgulloso/a *adj.* proud **1**
orquesta *f.* orchestra
ortografía *f.* spelling
ortográfico/a *adj.* spelling
os *fam., pl. d.o. pron.* you;
fam., pl. i.o. pron. to/for you
oscuridad *f.* darkness **5**
oso *m.* bear **5**
otoño *m.* autumn
otro/a *adj.* other; another
otra vez again
oyente *m., f.* listener **3**

P

paciencia *f.* patience
paciente *m., f.* patient
pacífico/a *adj.* peaceful **6**
pacifista *adj.* pacifist **6**
padrastro *m.* stepfather **4**
padre *m.* father
padres *m., pl.* parents
pagar *v.* to pay
pagar a plazos
to pay in installments
pagar al contado to pay in cash
pagar en efectivo to pay in cash
pagar la cuenta to pay the bill
página *f.* page
página principal home page
país *m.* country
paisaje *m.* landscape; scenery **5**
pájaro *m.* bird **5**
palabra *f.* word
paladar *m.* palate **8**
pan *m.* bread
pan tostado toasted bread
panadería *f.* bakery
pantalla *f.* screen **3**
pantalones *m., pl.* pants
pantalones cortos shorts
pantuflas *f., pl.* slippers
papa *f.* potato
papas fritas *f., pl.* fried potatoes;
French fries
papá *m.* dad
papás *m., pl.* parents
papel *m.* paper; role

papeles *m., pl.* documents **3**
papelera *f.* wastebasket
paquete *m.* package
par *m.* pair
par de zapatos pair of shoes
para *prep.* for; in order to; by;
used for; considering
para que *conj.* so that
parabrisas *m., sing.* windshield
parada *f.* stop **2**
parada de autobús bus stop **2**
parada de metro subway stop **2**
parado/a *adj.* on one's feet **6**
parar *v.* to stop **2**
parcial *adj.* biased **3**
parcialidad *f.* bias **3**
parco/a *adj.* tight-lipped **9**
parecer *v.* to seem
parecerse *v.* to resemble;
to look like **4, 2**
pared *f.* wall
pareja *f.* (married) couple; partner **1**
parentesco *m.* kinship; relationship **4**
pariente *m., f.* relative **4**
parque *m.* park **9**
parque de atracciones
amusement park **9**
parquear *v.* to park **3**
párrafo *m.* paragraph
partida *f.* **de nacimiento** birth
certificate **4**
partido *m.* game; match (*sports*)
partido político
political party **6**
pasado/a *adj.* last; past
pasaje *m.* ticket
pasaje de ida y vuelta
roundtrip ticket
pasajero/a *m., f.* passenger **2**;
adj. fleeting **1**
pasaporte *m.* passport
pasar *v.* to pass
pasar la aspiradora to vacuum
pasar por la aduana to go
through customs
pasar tiempo to spend time
pasarlo/la bien/mal *v.* to have a
good/bad time **2**
pasatiempo *m.* pastime; hobby
pasear *v.* to take a walk; to stroll;
to go for a walk **9**
pasear en bicicleta to ride
a bicycle
pasear por to walk around
pasillo *m.* hallway; aisle **6**
pasta *f.* **de dientes** toothpaste
pastel *m.* cake; pie
pastel de chocolate
chocolate cake
pastel de cumpleaños
birthday cake
pastelería *f.* pastry shop
pastilla *f.* pill; tablet

pata *f.* **de conejo** rabbit's foot **5**
patata *f.* potato
patatas fritas *f., pl.* fried
potatoes; French fries
patente *f.* patent **8**
patinar *v.* to skate
patineta *f.* skateboard
patio *m.* patio; yard
patria *f.* home country;
homeland **1, 4**
pavo *m.* turkey
paz *f.* peace **6**
peatón/peatona *m., f.* pedestrian **2**
pedazo *m.* piece **5**
pedazo de lata piece of junk **8**
pedir (e:i) *v.* to ask for; to request;
to order (*food*)
pedir prestado/a to borrow **7**
pedir un préstamo to apply
for a loan
pegar *v.* to hit **8**
peinarse *v.* to comb one's hair
pelear(se) *v.* to fight with (one
another); to quarrel **4, 6**
película *f.* movie **3**
peligro *m.* danger **5**
peligroso/a *adj.* dangerous
pelirrojo/a *adj.* red-haired
pelo *m.* hair
pelota *f.* ball
peluquería *f.* beauty salon
peluquero/a *m., f.* hairdresser
penicilina *f.* penicillin
pensar (e:ie) *v.* to think
pensar (+ inf.) *v.* to intend to;
to plan to (do something)
pensar en *v.* to think about
pensión *f.* boardinghouse
peor *adj.* worse
el/la peor *adj.* the worst
pequeño/a *adj.* small
pera *f.* pear
perder (e:ie) *v.* to lose **9**; to miss
perder las elecciones
to lose an election **6**
perder un partido
to lose a game **9**
pérdida *f.* loss
perdido/a *adj.* lost
Perdón. Pardon me.; Excuse me.
perdonar *v.* to forgive
perezoso/a *adj.* lazy **7**
perfecto/a *adj.* perfect
periódico *m.* newspaper **3**
periodismo *m.* journalism
periodista *m., f.* journalist **3**
perjudicar *v.* to harm **6**
permiso *m.* permission
permitir *v.* to allow **2**
pero *conj.* but
perro *m.* dog
persecución *f.* persecution **10**
persiana *f.* shutter **2**

persona *f.* person
personaje *m.* character
  personaje principal
    main character
pertenecer *v.* to belong **10**
pesadilla *f.* nightmare **7**
pesas *f., pl.* weights
pesca *f.* fishing
pescadería *f.* fish market
pescado *m.* fish (*cooked*)
pescador(a) *m., f.* fisherman/
  fisherwoman
pescar *v.* to fish
peso *m.* weight
petróleo *m.* oil **5**
pez *m.* fish (*live*) **5**
picante *adj.* spicy **8**
pícaro/a *adj.* mischievous; naughty **4**
pie *m.* foot
piedra *f.* stone
pierna *f.* leg
pimienta *f.* black pepper
pintar *v.* to paint
pintor(a) *m., f.* painter
pintura *f.* painting; picture
piña *f.* pineapple
piscina *f.* swimming pool
piso *m.* floor (*of a building*)
pista *f.* **de baile** dance floor **3**
pizarra *f.* (white)board
placer *m.* pleasure
planchar *v.* **la ropa** to iron the clothes
planeta *m.* planet **8**
planificar *v.* to plan
planta *f.* plant
  planta baja *f.* ground floor
plantear *v.* to propose, to suggest **6**
plástico *m.* plastic
plato *m.* dish (*in a meal*); plate
  plato principal main dish
playa *f.* beach
plaza *f.* city or town square **2**
plazos *m., pl.* periods; time
  a corto/largo plazo *adj.*
    short/long-term **7**
pluma *f.* pen
población *f.* population **10**
poblar *v.* to settle; to populate **2**
pobre *adj.* poor
pobreza *f.* poverty **7**
poco/a *adj.* little; few
poder (o:ue) *v.* to be able to; can
poder *m.* power **6**
poderoso/a *adj.* powerful
poema *m.* poem
poesía *f.* poetry
poeta *m., f.* poet
polémica *f.* controversy **10**
policía *f.* police (force);
  policewoman **2**; *m.* policeman **2**
política *f.* politics **6**
político/a *m., f.* politician **6**;
  adj. political **6**
pollo *m.* chicken

pollo asado roast chicken
poner *v.* to put; to place; to turn on
  (*electrical appliances*)
  poner la mesa to set the table
  poner una inyección to give
    an injection
ponerse (+ *adj.*) *v.* to become;
  to put on
  ponerse pesado/a to become
    annoying **1**
por *prep.* in exchange for; for;
  by; in; through; around; along;
  during; because of; on account of;
  on behalf of; in search of; by way
  of; by means of
  por aquí around here
  por delante *adv.* ahead (of) **10**
  por ejemplo for example
  por eso that's why; therefore
  por favor please
  por fin finally
  por la mañana in the morning
  por la noche at night
  por la tarde in the afternoon
  por lo menos at least
  ¿por qué? why?
  por su cuenta on his/her own **1**
  por teléfono by phone; on the phone
  por último finally
porque *conj.* because
portada *f.* front page; cover **3**
porvenir *m.* future **5**
posesivo/a *adj.* possessive
posible *adj.* possible
  (no) es posible it's (not) possible
postal *f.* postcard
postre *m.* dessert
potable *adj.* drinkable **5**
practicar *v.* to practice
  practicar deportes
    to play sports
práctico/a *adj.* useful; practical
precio (fijo) *m.* (fixed; set) price
predecir (e:i) *v.* to predict **10**
preferir (e:ie) *v.* to prefer
pregunta *f.* question
preguntar *v.* to ask (*a question*)
  preguntar el camino to ask
    for directions **2**
prejuicio social *m.* social
  prejudice **4**
premio *m.* prize; award
prender *v.* to turn on
prensa (sensacionalista) *f.*
  (tabloid) press **3**
preocupación *f.* concern **10**
preocupado/a (por) *adj.*
  worried (about) **1**
preocuparse (por) *v.* to worry (about)
preparado/a *adj.* ready; prepared **5**
preparar *v.* to prepare
preposición *f.* preposition
presagio *m.* omen **10**

prescindir (de) *v.* to do without **10**
presentación *f.* introduction
presentar *v.* to introduce; to present;
  to put on (*a performance*)
  Le presento a... I would like to
    introduce (*name*) to you (*form.*)
  Te presento a... I would like to
    introduce (*name*) to you (*fam.*)
presentimiento *m.* premonition **10**
presidente/a *m., f.* president **6**
presiones *f., pl.* pressures
preso/a *m., f.* prisoner **5**
prestado/a *adj.* borrowed
préstamo *m.* loan
prestar *v.* to lend; to loan **7**
presupuesto *m.* budget **7**
prevenir *v.* to prevent **5**
previo/a *adj.* **a** prior to **9**
previsto/a *adj.* foreseen **10**
primavera *f.* spring
primer, primero/a *adj.* first
primo/a *m., f.* cousin **4**
principal *adj.* main
principio *m.* principle **2**
prisa *f.* haste
  darse *v.* **prisa** to hurry; to rush
  tener *v.* **prisa** to be in a hurry **1**
probable *adj.* probable
  (no) es probable it's (not) probable
probar (o:ue) *v.* to taste; to try
probarse (o:ue) *v.* to try on
problema *m.* problem
profesión *f.* profession
profesor(a) *m., f.* teacher
profundizar *v.* to deepen **8**
programa *m.* program **3**
  programa (de computación)
    software **8**
  programa de concursos
    game show **3**
  programa de entrevistas
    talk show
  programa de telerrealidad
    reality show **3**
programador(a) *m., f.*
  computer programmer
prohibir *v.* to prohibit; to forbid
prometido/a *m., f.* fiancé(e) **1**
promulgar *v.* to enact (a law) **6**
pronombre *m.* pronoun
pronto *adv.* soon
propina *f.* tip
propietario/a *m., f.* owner **8**
propio/a *adj.* own **4**
propuesta *f.* proposal, offer **7**
protagonista *m., f.* protagonist
proteger *v.* to protect **5**
protegido/a *adj.* protected **5**
proteína *f.* protein
protesta *f.* complaint **2**
protestar *v.* to protest **10**
proveniente *adj.* **de** (coming)
  from **10**

VOCABULARY

próximo/a *adj.* next
prueba *f.* test; quiz
psicología *f.* psychology
psicólogo/a *m., f.* psychologist
publicar *v.* to publish **3**
publicidad *f.* advertising **3**
público *m.* audience; public **3**
pueblo *m.* town
puente *m.* bridge **2**
puerta *f.* door
puertorriqueño/a *adj.* Puerto Rican
pues *conj.* well
puesto *m.* position; job **7**
puesto/a *p.p.* put
pulmón *m.* lung **5**
pulsar *v.* to press **4**
puro/a *adj.* pure, clean **5**

Q

que *pron.* that; which; who
  ¡Qué…! How…!
  ¿qué? what?
  ¿Qué día es hoy? What day is it?
  ¿Qué hay de nuevo? What's new?
  ¿Qué hora es? What time is it?
  ¿Qué pasa? What's happening?;
    What's going on?
  ¿Qué tal...? How are you?;
    How is it going?; How is/are…?
  ¿Qué tiempo hace? How's
    the weather?
quedar *v.* to be left over; to fit
  (*clothing*); to be left behind;
  to be located; to arrange to meet **2**
quedarse *v.* to stay **2**
quehaceres domésticos *m., pl.*
  household chores
quejarse (de) *v.* to complain
  (about) **4, 7**
quemar *v.* to burn
querer(se) (e:ie) *v.* to want; to love
  (each other) **1**
queso *m.* cheese
quien(es) *pron.* who; whom; that
  ¿quién(es)? who?; whom?
  ¿Quién es...? Who is…?
química *f.* chemistry
químico/a *m., f.* chemist **8**; *adj.*
  chemical **8**
quince *adj.* fifteen
  menos quince quarter to (*time*)
  y quince quarter after (*time*)
quinientos/as *adj.* five hundred
quinto/a *adj.* fifth
quisiera *v.* I would like
quitar *v.* to remove
  quitar el polvo to dust
  quitar la mesa to clear the table
  quitarse *v.* to take off
quizás *adv.* maybe

R

racismo *m.* racism
radio *f.* radio **3**
radiografía *f.* X-ray
raíz *f.* root **4**
rápido *adv.* quickly
raro/a *adj.* strange **6**
rascacielos *m.* skyscraper **2**
rasgo *m.* feature; trait **3**
rato *m.* while
  ratos libres *m., pl.* free time **9**
  un rato a while **1**
ratón *m.* mouse
raya *f.* stripe
razón *f.* reason **10**
realizar *v.* to carry out
realizarse *v.* fulfill **4**;
  to come true **10**
rebaja *f.* sale
rebelde *adj.* rebellious **4**
recado *m.* (phone) message
recalentado/a *adj.* reheated **7**
receta *f.* prescription; recipe **8**
recetar *v.* to prescribe
rechazar *v.* to reject **10**;
  v. to turn down **2, 4**
recibir *v.* to receive
reciclaje *m.* recycling **5**
reciclar *v.* to recycle **5**
recién casado/a *m., f.* newlywed
recogedor *m.* dustpan **4**
recoger *v.* to pick up
recomendar (e:ie) *v.* to recommend
recompensa *f.* reward **7**
reconocer *v.* to recognize; to admit **7**
recordar (o:ue) *v.* to remember
recorrer *v.* to travel (around a city) **2**
recorrido *m.* route; trip **9**
recreo *m.* recreation **9**
recursos *m., pl.* resources **5**
  recurso natural
    natural resource
red *f.* network; the Web **8**
  red de apoyo support network **1**
redactor(a) *m., f.* editor **3**
reducir *v.* to reduce
reemplazar *v.* to replace **8**
refresco *m.* soft drink
refrigerador *m.* refrigerator
refugiado/a *m., f.* refugee **10**
  refugiado/a de guerra
    war refugee **10**
  refugiado/a político/a
    political refugee **10**
regalar *v.* to give (a gift)
regalo *m.* gift
regañar *v.* to scold **4**
regatear *v.* to bargain
región *f.* region; area
regla *f.* rule
regresar *v.* to return

regreso *m.* return
regular *adj.* so-so; OK
reído/a *p.p.* laughed
reírse (e:i) *v.* to laugh
relaciones *f., pl.* relationships
  relaciones exteriores
    foreign relations **6**
relajarse *v.* to relax **2**
relato *m.* short story **8**
reloj *m.* clock; watch
renovable *adj.* renewable **5**
renunciar *v.* to quit **7**
repartir *v.* to distribute; to hand out
repentino/a *adj.* sudden **2**
repetir (e:i) *v.* to repeat
reportaje *m.* (news) report **3**
reportero/a *m., f.* reporter **3**
represa *f.* dam **7**
representante *m., f.* representative
reprochar *v.* to blame **1**
rescatado/a *adj.* rescued **6**
reseña *f.* review **1**
resfriado *m.* cold (*illness*)
residencia estudiantil *f.* dormitory
residir *v.* to reside **2**
resolver (o:ue) *v.* to solve;
  to resolve **5**
respetar *v.* to respect **4**
respeto *m.* respect **7**
respirar *v.* to breathe **5**
respuesta *f.* answer
restaurante *m.* restaurant
restringir *v.* to restrict **9**
resuelto/a *p.p.* resolved
reto *m.* challenge **5**
retroceder *v.* to move backward **2**
reunión *f.* meeting **7**
reunirse (con) *v.* to get
  together (with) **9**
revisar *v.* to check
  revisar el aceite to check the oil
revista *f.* magazine **3**
revolucionario/a *adj.* revolutionary **8**
rico/a *adj.* rich; tasty; delicious
ridículo/a *adj.* ridiculous
riesgo *m.* risk **1**
río *m.* river **5**
riqueza *f.* wealth **7**
riquezas *f., pl.* riches **7**
ritmo *m.* rhythm **3**
rodar (o:ue) *v.* to shoot (a movie) **3**
rodeado/a *adj.* surrounded **9**
rodear *v.* to surround
rodilla *f.* knee
rogar (o:ue) *v.* to beg
rojo/a *adj.* red
romántico/a *adj.* romantic
romper *v.* to break
  romper con to break up with **1**
  romperse la pierna to break
    one's leg
rompimiento *m.* breakup **1**
ropa *f.* clothing; clothes

ropa interior underwear
rosado/a *adj.* pink
roto/a *p.p.* broken
rubio/a *adj.* blond(e)
ruido *m.* noise **9**
ruidoso/a *adj.* noisy **2**
rumorearse *v.* to be rumored **10**
ruso/a *adj.* Russian
rutina *f.* routine **5**
rutina diaria daily routine **5**

S

sábado *m.* Saturday
saber *v.* to know; to know how; to taste
saber a to taste like
sabio/a *adj.* wise **4**
sabor *m.* flavor **8**
sabroso/a *adj.* tasty; delicious
sacar *v.* to take out
sacar el tema to bring up the subject **9**
sacar fotos to take photos
sacar la basura to take out the trash
sacar(se) un diente to have a tooth removed
sacudir *v.* to dust
sacudir los muebles to dust the furniture
sal *f.* salt
sala *f.* living room; room
sala de emergencia(s) emergency room
salado/a *adj.* salty **8**
salario *m.* salary
salchicha *f.* sausage
saldo *m.* balance **10**
salida *f.* departure; exit
salir *v.* to leave; to go out **9**
salir (con) to go out (with); to date **1**
salir a comer algo to go out to eat **9**
salir a la venta to go on sale **3**
salir a tomar algo to go out to have a drink **9**
salir de to leave from
salir para to leave for (*a place*)
salmón *m.* salmon
salón *m.* **de belleza** beauty salon
salud *f.* health
saludable *adj.* healthy
saludar(se) *v.* to greet (each other)
saludo *m.* greeting
saludos a... greetings to...
salvar *v.* to save **3**
salvar la vida to save someone's life **3**
sandalia *f.* sandal
sandía *f.* watermelon
sándwich *m.* sandwich
sangre *f.* blood
sano/a *adj.* healthy

se *ref. pron.* himself; herself; itself; *form.* yourself; themselves; yourselves
secadora *f.* clothes dryer
secarse *v.* to dry oneself
sección de sociedad *f.* lifestyle section **3**
sección deportiva *f.* sports section **3**
seco/a *adj.* dry **5**
secretario/a *m., f.* secretary
secuencia *f.* sequence
secuestrar *v.* to kidnap; to hijack **6**
secuestro *m.* kidnapping **6**
sed *f.* thirst
seda *f.* silk
sedentario/a *adj.* sedentary
seguir (e:i) *v.* to follow; to continue
según according to
segundo/a *adj.* second
seguridad *f.* security; safety **6**
seguro/a *adj.* sure; safe; secure; confident **1**
seis *adj.* six
seiscientos/as *adj.* six hundred
selva *f.* jungle; rain forest **5**
selva tropical tropical rain forest **5**
semáforo *m.* traffic light **2**
semana *f.* week
fin *m.* **de semana** weekend
semana pasada last week
semejante *adj.* similar **10**
semestre *m.* semester
semilla *f.* seed **5**
sendero *m.* trail
sensible *adj.* sensitive **1**
sentarse (e:ie) *v.* to sit down
sentido *m.* sense
sentido común common sense **10**
sentimiento *m.* feeling **1**
sentir (e:ie) *v.* to be sorry; to regret
sentirse (e:ie) *v.* to feel **1**
señal *f.* sign **2**
señal de tráfico road sign **2**
señor (Sr.); don *m.* Mr.; sir
señora (Sra.); doña *f.* Mrs.; ma'am
señorita (Srta.) *f.* Miss
separado/a *adj.* separated **1**
separarse (de) *v.* to separate (from)
septiembre *m.* September
séptimo/a *adj.* seventh
sequía *f.* drought **5**
ser *v.* to be
ser aficionado/a (a) to be a fan (of)
ser alérgico/a (a) to be allergic (to)
ser gratis to be free of charge
ser parcial to be biased **3**
ser humano *m.* human being
serio/a *adj.* serious
serpiente *f.* snake **5**
servilleta *f.* napkin
servir (e:i) *v.* to serve; to help

sesenta *adj.* sixty
setecientos/as *adj.* seven hundred
setenta *adj.* seventy
sexismo *m.* sexism
sexo *m.* gender **4**
sexto/a *adj.* sixth
sí *adv.* yes
si *conj.* if
siempre *adv.* always
siete *adj.* seven
significar *v.* to mean **2**
silbar (a) *v.* to whistle (at) **9**
silla *f.* seat
sillón *m.* armchair
símbolo *m.* symbol **5**
similar *adj.* similar
simpático/a *adj.* nice; likeable
sin *prep.* without
sin duda without a doubt
sin embargo however
sin que *conj.* without
sincerarse *v.* to come clean **9**
sindicato *m.* labor union **7**
sinfín *m.* endless number **8**
sino *conj.* but (rather)
síntoma *m.* symptom
sitiado/a *adj.* under siege **7**
sitio *m.* **web** website **3**
situado/a *p.p.* located
smog *m.* smog **5**
sobre *m.* envelope; *prep.* on; over
sobresaliente *adj.* outstanding **8**
sobrevivir *v.* to survive **4**
sobrino/a *m., f.* nephew/niece **4**
socio/a *m., f.* partner; member **7**
sociología *f.* sociology
sofá *m.* couch; sofa
sol *m.* sun **5**
solar *adj.* solar
soldado *m., f.* soldier
soleado/a *adj.* sunny
soledad *f.* loneliness
solicitar *v.* to apply for **7**
solicitud (de trabajo) *f.* (job) application
sollozar *v.* to sob **9**
sólo *adv.* only
solo/a *adj.* alone **10**
soltero/a *adj.* single **1**
solución *f.* solution
sombrero *m.* hat
someterse a *v.* to undergo **8**
sonar (o:ue) *v.* to ring
sonreído/a *p.p.* smiled
sonreír (e:i) *v.* to smile
soñar (o:ue) *v.* to dream
soñar con to dream about **1**
sopa *f.* soup
sorprender *v.* to surprise
sorprendido/a *adj.* surprised **2**
sorpresa *f.* surprise
sospecha *f.* suspicion **3**
sospechar *v.* to suspect

sospechoso/a *adj.* suspicious **8**
sótano *m.* basement; cellar
su(s) *poss. adj.* his; her; its;
    form. your; their
subir *v.* to go up; to get on (a bus) **2**;
    to upload (*on a computer*) **8**
subtítulos *m., pl.* subtitles **3**
suburbio *m.* suburb **2**
suceder *v.* to happen
sucio/a *adj.* dirty
sudar *v.* to sweat
suegro/a *m., f.* father/mother-in-law **4**
suela *f.* sole **6**
sueldo *m.* salary; wage **7**
    sueldo mínimo minimum wage **7**
suelo *m.* floor; ground **3**
sueño *m.* dream **4**
suerte *f.* luck **6**
suéter *m.* sweater
sufrir *v.* to suffer
    sufrir muchas presiones
        to be under a lot of pressure
    sufrir una enfermedad
        to suffer an illness
sugerir (e:ie) *v.* to suggest
sumir *v.* to plunge, to sink **5**
sumiso/a *adj.* submissive **4**
superar *v.* to overcome; to exceed **4**
superarse *v.* to better oneself **10**
supermercado *m.* supermarket
superpoblación *f.* overpopulation **10**
supersticioso/a *adj.* superstitious **10**
supervivencia *f.* survival **8**
suponer *v.* to suppose
Sur *m.* South
surgir *v.* to emerge, to arise **10**
suscribirse (a) *v.* to subscribe (to) **3**
sustantivo *m.* noun
sustituir *v.* to substitute **8**
suyo(s)/a(s) *poss.* (of) his/her; (of)
    hers; (of) its; (of) his; *form.* your;
    (of) yours; (of) their

T

tableta *f.* tablet (computer) **8**
tacaño/a *adj.* stingy **1**
tal vez *adv.* maybe
talentoso/a *adj.* talented
taller *m.* workshop **5**
    taller *m.* **mecánico** garage;
        mechanic's repair shop
tamaño *m.* size
también *adv.* also; too
tambor *m.* drum **3**
tampoco *adv.* neither; not either
tan *adv.* so
    tan... como as... as
    tan pronto como *conj.* as soon as
tanque *m.* tank
tanto *adv.* so much
    tanto... como as much... as

tantos/as... como as many... as
tapar *v.* to cover **5**
tarde *adv.* late; *f.* afternoon
tarea *f.* homework
tarjeta *f.* card
    tarjeta de crédito credit card **7**
    tarjeta de débito debit card **7**
    tarjeta postal postcard
taxi *m.* taxi
taza *f.* cup
te *sing., fam., d.o. pron.* you;
    sing., fam., i.o. pron. to/for you
    Te presento a... *fam.* I would like
        to introduce... to you
    ¿Te gustaría? Would you like to?
    ¿Te gusta(n)... ? Do you like...?
té *m.* tea
    té helado iced tea
teatro *m.* theater **9**
techo *m.* ceiling
teclado *m.* keyboard
técnico/a *m., f.* technician
tejido *m.* weaving
teleadicto/a *m., f.* couch potato
teléfono celular *m.* cell phone **8**
telenovela *f.* soap opera **3**
telescopio *m.* telescope **8**
teletrabajo *m.* telecommuting
televidente *m., f.* television viewer **3**
televisión *f.* television
televisor *m.* television set
tembloroso/a *adj.* trembling **4**
temer *v.* to fear
temor *m.* fear **6**
temperatura *f.* temperature
tempestuoso/a *adj.* impulsive;
    stormy **1**
temporada *f.* season **3**
temprano *adv.* early
tenedor *m.* fork
tener *v.* to have
    tener... años to be... years old
    tener buena fama to have a
        good reputation **3**
    tener (mucho) calor to be (very) hot
    tener celos (de) to be jealous (of) **1**
    tener conexiones
        to have connections;
        to have influence **7**
    tener (mucho) cuidado to be
        (very) careful
    tener derecho a to have the right to **6**
    tener dolor to have pain
    tener éxito to be successful
    tener fiebre to have a fever
    tener (mucho) frío to be (very) cold
    tener ganas de (+ *inf.*) to feel
        like (doing something)
    tener (mucha) hambre *f.* to be
        (very) hungry
    tener mala fama to have
        a bad reputation **3**

    tener (mucho) miedo (de)
        to be (very) afraid (of);
        to be (very) scared (of)
    tener miedo (de) que to be
        afraid that
    tener (mucha) prisa to be in
        a (big) hurry **1**
    tener que (+ *inf.*) *v.* to have to
        (*do something*)
    tener razón *f.* to be right
    tener (mucha) sed *f.* to be
        (very) thirsty
    tener (mucho) sueño to be
        (very) sleepy
    tener (mucha) suerte to be
        (very) lucky
    tener tiempo to have time
    tener una cita to have a date;
        to have an appointment
    tener vergüenza (de) to be
        ashamed (of) **1**
tenis *m.* tennis
tensión *f.* tension
tentar (e:ie) *v.* to tempt **7**
teoría *f.* theory **8**
tercer, tercero/a *adj.* third
terminar *v.* to end; to finish
terremoto *m.* earthquake **5**
terrible *adj.* terrible
terrorismo *m.* terrorism **6**
terrorista *m., f.* terrorist **6**
ti *obj. of prep., fam.* you
tibio/a *adj.* warm **3**
tiempo *m.* time; weather
    tiempo libre free time **9**
tienda *f.* shop; store
    tienda de campaña tent
tierra *f.* land; earth; soil **5**
Tierra *f.* Earth **5**
tigre *m.* tiger **5**
timbre *m.* doorbell **6**
timidez *f.* shyness
tímido/a *adj.* shy **1**
tinto/a *adj.* red (wine)
tío/a *m., f.* uncle; aunt
    tío/a abuelo/a great
        uncle/aunt **4**
tira cómica *f.* comic strip **3**
titular *m.* headline **3**
título *m.* title
toalla *f.* towel
tobillo *m.* ankle
tocar *v.* to play (*a musical
    instrument*) **3**; to touch
tocho *m.* tome **8**
todavía *adv.* yet; still
todo *m.* everything
todo/a(s) *adj.* all; whole
    todos los días *adv.* every day
todos *m., pl.* all of us;
    everybody; everyone
tomar *v.* to take; to drink
    tomar clases *f., pl.* to take classes
    tomar el sol to sunbathe

tomar en cuenta to take into consideration **4**
tomar fotos *f., pl.* to take photos
tomar la temperatura to take someone's temperature
tomate *m.* tomato
tono *m.* volume of sound **10**
tonto/a *adj.* foolish; *m., f.* fool **10**
torcerse (o:ue) (el tobillo) *v.* to sprain (one's ankle)
torcido/a *adj.* twisted; sprained
tormenta *f.* storm
tornado *m.* tornado
torpe *adj.* clumsy **4**
tortuga *f.* **(marina)** (sea) turtle **5**
tos *f., sing.* cough
toser *v.* to cough
tostado/a *adj.* toasted
tostadora *f.* toaster
tóxico/a *adj.* toxic **5**
trabajador(a) *adj.* hard-working **7**
trabajar *v.* to work
trabajo *m.* job; work
traducir *v.* to translate
traer *v.* to bring
tráfico *m.* traffic **2**
tragedia *f.* tragedy
traído/a *p.p.* brought
traje *m.* suit
traje de baño bathing suit
trajín *m.* hustle and bustle **7**
trámite *m.* process **9**
trampa *f.* trap **6**
tranquilo/a *adj.* calm; quiet **1**
transmisión *f.* broadcast **3**
transmitir *v.* to broadcast **3**
transporte *m.* transportation **2**
transporte público public transportation **2**
tras *prep.* after **3**
trasnochar *v.* to stay up late/all night **9**
tratar de (+ *inf.*) *v.* to try (*to do something*)
trato *m.* treatment **2**
travesía *f.* voyage **9**
trece *adj.* thirteen
treinta *adj.* thirty
y treinta thirty minutes past the hour (*time*)
tren *m.* train
tres *adj.* three
trescientos/as *adj.* three hundred
tribunal *m.* court **6**
trimestre *m.* trimester; quarter
trinchera *f.* trench **7**
triste *adj.* sad
trotamundos *m., f.* globetrotter **1**
tú *fam. sub. pron.* you
tu(s) *fam. poss. adj.* your
tumulto *m.* turmoil **9**
turismo *m.* tourism
turista *m., f.* tourist

turístico/a *adj.* touristic
tuyo/a(s) *fam. poss. pron.* your; (of) yours

U

ubicado/a *adj.* located
último/a *adj.* last
umbral *m.* threshold **9**
un, uno/a *indef. art.* a; one
único/a *adj.* only
unido/a *adj.* close-knit **4**
universidad *f.* university; college
uno/a *m., f., sing. pron.* one
a la una at one o'clock
una vez once; one time
unos/as *m., f., pl., indef. art.* some; *pron.* some
urbanizar *v.* to urbanize **5**
urgente *adj.* urgent
usar *v.* to wear; to use
usted (Ud.) *form., sing.* you
ustedes (Uds.) *pl.* you
útil *adj.* useful
utilidad *f.* usefulness **5**
uva *f.* grape

V

vaca *f.* cow
vacaciones *f., pl.* vacation
vacío/a *adj.* empty **2**
valer *v.* **la pena** to be worth it **9**
valle *m.* valley
valorar *v.* to value **2**
valores *m., pl.* values **10**
vamos let's go
vanguardia *f.* vanguard **8**
varios/as *adj. m., f., pl.* various; several
vaso *m.* glass
vecino/a *m., f.* neighbor
veinte *adj.* twenty
veinticinco *adj.* twenty-five
veinticuatro *adj.* twenty-four
veintidós *adj.* twenty-two
veintinueve *adj.* twenty-nine
veintiocho *adj.* twenty-eight
veintiséis *adj.* twenty-six
veintisiete *adj.* twenty-seven
veintitrés *adj.* twenty-three
veintiún, veintiuno/a *adj.* twenty-one
vejez *f.* old age **4**
velocidad *f.* speed
velocidad máxima *f.* speed limit
vencer *v.* to defeat **9**
vendedor(a) *m., f.* salesman/ saleswoman **7**
vender *v.* to sell
venir *v.* to come
venta *f.* sale **7**
ventana *f.* window

ver *v.* to see
a ver let's see
ver películas *f., pl.* to see movies
verano *m.* summer
verbo *m.* verb
verdad *f.* truth
¿verdad? right?
verde *adj.* green
verduras *f., pl.* vegetables
vereda *f.* sidewalk (Arg.) **6**
vergüenza *f.* embarrassment
verter (e:ie) *v.* to pour **5**
vestido *m.* dress
vestirse (e:i) *v.* to get dressed
vez *f.* time
viajar *v.* to travel
viaje *m.* trip
viajero/a *m., f.* traveler
víctima *f.* victim **6**
victoria *f.* victory **6**
vida *f.* life
vida nocturna *f.* nightlife **2**
video *m.* video
video musical *m.* music video **3**
videoconferencia *f.* videoconference
videojuego *m.* video game **9**
vidrio *m.* glass
viejo/a *adj.* old
viento *m.* wind
viernes *m., sing.* Friday
vigilar *v.* to watch; to keep an eye on **3**
vinagre *m.* vinegar
vino *m.* wine
vino blanco *m.* white wine
vino tinto *m.* red wine
violencia *f.* violence **6**
visitar *v.* to visit
visitar monumentos *m., pl.* to visit monuments
visto/a *p.p.* seen
vitamina *f.* vitamin
viudo/a *adj.* widowed **1**
vivienda *f.* housing; home **2**
vivir *v.* to live
vivo/a *adj.* bright; lively; living
volante *m.* steering wheel
volar (o:ue) *v.* to fly
volcán *m.* volcano
vóleibol *m.* volleyball
voluntad *f.* will **1**
volver (o:ue) *v.* to return
vos *pron.* you
vosotros/as *fam., pl.* you
votar *v.* to vote **6**
vuelta *f.* return trip
vuelto/a *p.p.* returned
vuestro/a(s) *poss. adj.* your; *fam.* (of) yours

Y

y *conj.* and
    y cuarto quarter after (time)
    y media half past (time)
    y quince quarter after (time)
    y treinta thirty (minutes past the
      hour)
    ¿Y tú? *fam.* And you?
    ¿Y usted? *form.* And you?
ya *adv.* already
yacimiento *m.* deposit **7**
yerno *m.* son-in-law **4**
yo *sub. pron.* I
yogur *m.* yogurt

Z

zanahoria *f.* carrot
zapatería *f.* shoe store
zapatos *m., pl.* **de tenis** tennis
    shoes; sneakers

English-Spanish

a un/(a) *m., f., sing.; indef. art.*
@ (*symbol*) arroba *f.* **8**
ability capacidad *f.* **7**
able: be able to poder (o:ue) *v.*
abolish derogar *v.* **6**
abuse abusar *v.* **6**
abuse abuso *m.* **6**; maltrato *m.* **10**
accent acento *m.* **10**
accident accidente *m.*
accompany acompañar *v.*
account cuenta *f.*
　on account of por *prep.*
accountant contador(a) *m., f.* **7**
accounting contabilidad *f.*
ache dolor *m.*
achieve lograr *v.* **10**
acquainted: be acquainted with
　conocer *v.*
act actuar *v.* **9**
action (genre) de acción *f.*
active activo/a *adj.*
activist activista *m., f.* **6**
actor actor *m.* **3**
actress actriz *f.* **3**
adapt acomodarse *v.* **10**;
　adaptarse *v.* **10**
addict (drug) drogadicto/a *m., f.*
additional adicional *adj.*
address dirección *f.* **2**
adjective adjetivo *m.*
administrative administrativo/a *adj.* **7**
admit reconocer *v.* **7**
adolescence adolescencia *f.* **4**
adolescent adolescente *m., f.* **4**
adult adulto/a *m., f.* **4**
adulthood edad adulta *f.* **4**
advance avance *m.* **8**
advanced avanzado/a *adj.* **8**
adventure (genre) de aventura *f.*
advertise anunciar *v.*
advertisement anuncio *m.* **3**
advertising publicidad *f.* **3**
advice consejo *m.*
　give advice dar consejos
advise aconsejar *v.*
advisor consejero/a *m., f.*;
　asesor(a) *m., f.* **7**
aerobic aeróbico/a *adj.*
　aerobics class clase de
　　ejercicios aeróbicos
　to do aerobics hacer ejercicios
　　aeróbicos
affected afectado/a *adj.*
be affected (by) estar *v.*
　afectado (por)
affection afecto *m.* **9**
affectionate cariñoso/a *adj.* **1**
affirmative afirmativo/a *adj.*

afraid: be (very) afraid (of) tener
　(mucho) miedo (de)
　be afraid that tener miedo (de) que
after después de *prep.*; después de
　que *conj.*; tras *prep.* **3**
afternoon tarde *f.*
afterward después *adv.*
again otra vez
against en contra **4**
age edad *f.*; envejecer *v.* **5**
agree estar *v.* de acuerdo
agreement acuerdo *m.*
ahead (of) por delante *adv.* **10**
ailment dolencia *f.* **5**
air aire *m.*
　air pollution contaminación *f.*
　　del aire
airplane avión *m.*
airport aeropuerto *m.*
aisle pasillo *m.* **6**
alarm clock despertador *m.*
alcohol alcohol *m.*
alcoholic alcohólico/a *adj.*
alien extraterrestre *adj.* **8**
all todo(s)/a(s) *adj.*
allergic alérgico/a *adj.*
　be allergic (to) ser alérgico/a (a)
alleviate aliviar *v.*
allow permitir *v.* **2**
almost casi *adv.*
alone solo/a *adj.* **10**
along por *prep.*
already ya *adv.*
also también *adv.*
although aunque *conj.*
aluminum aluminio *m.*
　(made) of aluminum de aluminio
always siempre *adv.*
American (North)
　norteamericano/a *adj.*
amnesty amnistía *f.* **10**
among entre *prep.*
amuse oneself entretenerse *v.* **9**
amusement diversión *f.*
amusement park parque *m.*
　de atracciones **9**
ancestor antepasado/a *m., f.* **4**
and y, e (*before words beginning with*
　i *or* **hi**)
　And you? ¿Y tú? *fam.*;
　　¿Y usted? *form.*
angry enojado/a *adj.* **1**
　get angry (with) enojarse *v.* (con) **1**
animal animal *m.*
ankle tobillo *m.*
anniversary aniversario *m.*
　(wedding) anniversary
　　aniversario *m.* (de bodas)
announce anunciar *v.*
announcer (TV/radio) locutor(a) *m.,*
　f. (de televisión/radio) **3**
annoy molestar *v.*
annoying pesado/a *adj.* **1**
another otro/a *adj.*

answer contestar *v.*; respuesta *f.*
antibiotic antibiótico *m.*
anticipate anticipar *v.* **10**
antidote antídoto *m.* **5**
antique antigüedad *f.* **9**
anxious ansioso/a *adj.* **1**
any algún, alguno/a(s) *adj.*
anyone alguien *pron.*
anything algo *pron.*
apartment apartamento *m.*
apartment building edificio *m.*
　de apartamentos
app aplicación *f.* **8**
appear aparecer *v.*
appetizers entremeses *m., pl.*
applaud aplaudir *v.* **9**
apple manzana *f.*
appliance (electric) electrodoméstico *m.*
applicant aspirante *m., f.*
application solicitud *f.*
　job application solicitud de trabajo
apply (*for a job*) solicitar *v.* **7**
　apply for a loan pedir (e:i) *v.*
　　un préstamo
appointment cita *f.*
　have an appointment tener *v.*
　　una cita
appreciate apreciar *v.*
April abril *m.*
archaeologist arqueólogo/a *m., f.*
architect arquitecto/a *m., f.*
area región *f.*
argue discutir *v.* **1**
arise surgir *v.* **10**
arm brazo *m.*
armchair sillón *m.*
army ejército *m.* **6**
around por *prep.*
　around here por aquí
arrange arreglar *v.*
　arrange to meet quedar *v.* **2**
arrest detener *v.* **6**
arrival llegada *f.*
arrive llegar *v.*
art arte *m.*
　(fine) arts bellas artes *f., pl.*
article *m.* artículo
artist artista *m., f.*
artistic artístico/a *adj.*
arts artes *f., pl.*
as como
　as a child de niño/a
　as... as tan... como
　as many... as tantos/as... como
　as much... as tanto... como
　as soon as en cuanto *conj.*;
　　tan pronto como *conj.*
ask (*a question*) preguntar *v.*
　ask for pedir (e:i) *v.*
　ask for directions preguntar
　　v. el camino **2**
asparagus espárragos *m., pl.*
aspirin aspirina *f.*
assimilate asimilarse *v.* **10**
assimilation asimilación *f.* **10**
assistant asistente *m., f.* **4**

astonished atónito/a *adj.* **9**
astounded boquiabierto/a *adj.* **6**
astronaut astronauta *m., f.* **8**
astronomer astrónomo/a *m., f.* **8**
at a *prep.*; en *prep.*
  at + *time* a la(s) + *time*
  at home en casa
  at least por lo menos
  at night por la noche, de la noche
  at the end (of) al fondo (de)
  At what time...? ¿A qué hora...?
athlete atleta *m., f.*; deportista
  m., f. **9**
ATM cajero *m.* automático **7**
attach (a file) adjuntar
  (un archivo) *v.* **8**
attain alcanzar *v.* **8**; lograr *v.* **10**
attend asistir (a) *v.*
attic altillo *m.*
attract atraer *v.* **10**
audience público *m.* **3**
August agosto *m.*
aunt tía *f.* **4**
authority autoridad *f.* **9**
autumn otoño *m.*
available disponible *adj.* **3**
avenue avenida *f.* **2**
avoid evitar *v.*
award premio *m.*

B

backpack mochila *f.*
bad mal, malo/a *adj.*
  have a bad reputation tener *v.*
    mala fama **3**
  It's bad that... Es malo que...
bag bolsa *f.*
bakery panadería *f.*
balance *m.* saldo **10**
balanced equilibrado/a *adj.*
balcony balcón *m.*
ball pelota *f.*
banana banana *f.*
band banda *f.*; conjunto/grupo *m.*
  musical **9**
bank banco *m.*
bankruptcy bancarrota *f.* **7**
bargain ganga *f.*; regatear *v.*
baseball (*game*) béisbol *m.*
basement sótano *m.*
basketball (*game*) baloncesto *m.*
bass bajo *m.* **3**
bathe bañarse *v.*
bathing suit traje *m.* de baño
bathroom baño *m.*; cuarto de baño *m.*
be ser *v.*; estar *v.*
  be ashamed (of) tener vergüenza
    (de) **1**
  be available estar disponible **3**
  be biased ser parcial **3**
  be distressed afligirse **10**
  be for sale estar a la/en venta **7**

be jealous of tener celos (de) **1**
be located quedar **2**
be lost estar perdido/a **2**
be outraged indignarse *v.* **2**
be paid cobrar **7**
be promoted ascender (e:ie) *v.*
be rumored rumorearse **10**
be satisfied with contentarse
  v. con **1**
be sick (of) estar harto/a **1**
be under pressure estar
  bajo presión **7**
be worth it valer la pena **9**
be... years old tener... años
beach playa *f.*
beans frijoles *m., pl.*
bear oso *m.* **5**
beat (*a drum*) golpear *v.* **3**
beautiful hermoso/a *adj.*; divino/a
  adj. **9**
beauty belleza *f.*
  beauty salon peluquería *f.*;
    salón *m.* de belleza
because porque *conj.*
  because of por *prep.*
become (+ *adj.*) ponerse;
  convertirse *v.* en **4**
  become annoying ponerse *v.*
    pesado/a **1**
  become extinct extinguirse *v.* **5**
  become independent
    independizarse *v.* **4**
  become informed (about)
    enterarse (de) *v.* **3**
  become part (of) integrarse (a) *v.* **10**
bed cama *f.*
  go to bed acostarse (o:ue) *v.*
bedroom alcoba *f.*; dormitorio *m.*;
  recámara *f.*
beef carne de res *f.*
beer cerveza *f.*
before antes *adv.*; antes de *prep.*;
  antes (de) que *conj.*
beg rogar (o:ue) *v.*
begin comenzar (e:ie) *v.*;
  empezar (e:ie) *v.*
behind detrás de *prep.*
  behind schedule atrasado/a **2**
being (human) ser humano *m.*
belief creencia *f.* **6**
believe (in) creer *v.* (en)
believed creído/a *p.p.*
belong pertenecer *v.* **10**
below debajo de *prep.*
beloved amado/a *m., f.* **1**
belt cinturón *m.*
benefit beneficio *m.*
beside al lado de *prep.*
besides además (de) *adv.*
best mejor *adj.*
  the best el/la mejor *m., f.*;
    lo mejor *neuter*
  best friend *f.* comadre **10**
bet apostar (o:ue) *v.* **9**

better mejor *adj.*
  It's better that... Es mejor que...
better oneself superarse *v.* **10**
between entre *prep.*
beverage bebida *f.*
  alcoholic beverage
    bebida alcohólica *f.*
bias parcialidad *f.* **3**
biased parcial *adj.* **3**
bicycle bicicleta *f.*
big grande *adj.*
bilingual bilingüe *adj.* **10**
bill cuenta *f.*; factura *f.* **7**
billboard letrero *m.* **2**
billiards billar *m.* **9**
billion mil millones
biology biología *f.*
biochemical bioquímico/a *adj.* **8**
biochemist bioquímico/a *m., f.* **8**
biologist biólogo/a *m., f.* **8**
bird ave *f.*; pájaro *m.* **5**
birth nacimiento *m.* **4**
  birth certificate partida *f.* de
    nacimiento **4**
birthday cumpleaños *m., sing.*
  have a birthday cumplir *v.* años
birthrate natalidad *f.* **10**
bitter amargo/a *adj.* **8**
black negro/a *adj.*
  black hole agujero negro *m.* **8**
blackmail chantajear *v.* **6**
blame reprochar *v.* **1**; culpar *v.* **7**
blanket manta *f.*
block (city) cuadra *f.* **2**
blog blog *m.* **8**
blond(e) rubio/a *adj.*
blood sangre *f.*
blouse blusa *f.*
blow one's top estallar *v.* **9**
blue azul *adj. m., f.*
blue-collar worker obrero/a *m., f.* **7**
board game juego *m.* de mesa **9**
boardinghouse pensión *f.*
boat barco *m.*
body cuerpo *m.*
  body language lenguaje
    corporal *m.* **9**
bond lazo *m.* **1**
bone hueso *m.*
book libro *m.*
bookcase estante *m.*; estantería *f.* **3**
bookshelves estante *m.*
bookstore librería *f.*
boot bota *f.*
border frontera *f.* **10**
bore aburrir *v.*
bored aburrido/a *adj.*
  be bored estar *v.* aburrido/a
  get bored aburrirse *v.*
boring aburrido/a *adj.* **9**
born: be born nacer *v.*
borrow pedir (e:i) *v.* prestado/a **7**
borrowed prestado/a *adj.*
boss jefe/a *m., f.*

bossy mandón/mandona *adj.* **4**
bother molestar *v.*
bottle botella *f.*
  bottle of wine botella de vino
  little bottle frasquito *m.* **5**
bottom fondo *m.*
boulevard bulevar *m.*
bowling boliche *m.* **9**
box caja *f.*
boy chico *m.*; muchacho *m.*
boyfriend novio *m.*
brakes frenos *m., pl.*
bread pan *m.*
break romper *v.*
  break (one's leg) romperse
    (la pierna)
  break down dañar *v.*
  break up (with) romper (con) **1**
breakfast desayuno *m.*
  have breakfast desayunar *v.*
breakthrough avance *m.* **8**
breakup rompimiento *m.* **1**
breathe respirar *v.* **5**
bridge puente *m.* **2**
bring traer *v.*
broadcast transmisión *f.* **3**;
  transmitir *v.*; emitir *v.* **3**
brochure folleto *m.*
broken roto/a *adj.*
brother hermano *m.*
brother-in-law cuñado *m.* **4**
brought traído/a *p.p.*
brown café *adj.*; marrón *adj.*
brunet(te) moreno/a *adj.*
brush cepillarse *v.*
  brush one's hair cepillarse el pelo
  brush one's teeth cepillarse
    los dientes
buddy colega *m., f.* **4**
budget presupuesto *m.* **7**
build construir *v.* **2**
building edificio *m.* **2**
bump into (*something accidentally*)
  darse con; (*someone*) encontrarse *v.*
burn out fundirse *v.* **5**
bus autobús *m.*; colectivo *m.* **6**
  bus station estación *f.*
    de autobuses **2**
  bus stop parada *f.* de autobús **2**
business negocios *m., pl.*
  business-related comercial *adj.*
businessman hombre *m.*
  de negocios **7**
businesswoman mujer *f.*
  de negocios **7**
busy ocupado/a *adj.*; liado/a *adj.* **1**
but pero *conj.*; **(rather)** sino *conj.*
  (*in negative sentences*)
butcher carnicero/a *m., f.* **10**
butcher shop carnicería *f.*
butter mantequilla *f.*
buy comprar *v.*
by por *prep.*; para *prep.*
  by means of por *prep.*

by phone por teléfono
by plane en avión
by way of por *prep.*
bye chau *interj. fam.*

C

cabin cabaña *f.*
café café *m.*
cafeteria cafetería *f.*
caffeine cafeína *f.*
cage jaula *f.* **7**
cake pastel *m.*
  chocolate cake pastel
    de chocolate
calculator calculadora *f.*
call llamar *v.*
  be called llamarse *v.*
  call on the phone llamar
    por teléfono
calm tranquilo/a *adj.* **1**
calorie caloría *f.*
camera cámara *f.*
camp acampar *v.*
can (*tin*) lata *f.*
can poder (o:ue) *v.*
Canadian canadiense *adj.*
candidate aspirante *m., f.*;
  candidato/a *m., f.*
candy dulces *m., pl.*
capable capaz *adj.* **7**
capital city capital *f.*
car coche *m.*; carro *m.*;
  auto(móvil) *m.*
caramel caramelo *m.*
card tarjeta *f.*; (*playing*) carta *f.* **9**
care cuidado *m.* **2**
  take care of cuidar *v.* **1**
career carrera *f.*
careful cuidadoso/a *adj.* **1**
  be (very) careful tener *v.*
    (mucho) cuidado
carpenter carpintero/a *m., f.*
carpet alfombra *f.*
carrot zanahoria *f.*
carry llevar *v.*; acarrear *v.* **7**
cart carreta *f.* **7**
cartoons dibujos *m., pl.* animados
case: in case en caso (de)
  que *conj.*
cash (a check) cobrar *v.* (un cheque)
  cash (en) efectivo
  cash register caja *f.*
  pay in cash pagar *v.* al contado;
    pagar en efectivo
cashier cajero/a *m., f.* **2**
cat gato *m.*
cause causa *f.* **10**
ceiling techo *m.*
celebrate celebrar *v.* **9**; festejar *v.* **9**
celebration celebración *f.*
cell célula *f.* **8**
cell (phone) (teléfono) celular *m.* **8**

cellar sótano *m.*
censorship censura *f.* **3**
cereal cereales *m., pl.*
certain cierto/a *adj.*; seguro/a *adj.*
  it's (not) certain (no) es
    cierto/seguro
certainty certeza *f.* **10**
chain of command cadena *f.* de
  mando **6**
challenge reto *m.* **5**; desafío *m.* **8**;
  desafiar *v.*
champagne champán *m.*
change cambiar *v.* (de)
channel (*TV*) canal *m.*
chaos caos *m.* **10**
chapel capilla *f.* **9**
character (*fictional*) personaje *m.*;
  carácter *m.* **4**
  (main) character *m.* personaje
    (principal); protagonista *m., f.*
characteristic característica *f.* **2**
charge cobrar *v.* **7**
chat conversar *v.*; charlar *v.* **3, 9**
cheap (*inexpensive*) barato/a *adj.*
cheat engañar *v.* **1**
check comprobar (o:ue) *v.*; revisar *v.*;
  (*bank*) cheque *m.*
  check the oil revisar el aceite
checking account cuenta *f.* corriente **7**
cheese queso *m.*
chef cocinero/a *m., f.*
chemical químico/a *adj.* **8**
chemist químico/a *m., f.* **8**
chemistry química *f.*
chess ajedrez *m.* **4**
chest of drawers cómoda *f.*
chicken pollo *m.*
child niño/a *m., f.* **4**; guagua *f.* **3**
childhood niñez *f.* **4**
Chinese chino/a *adj.*
chocolate chocolate *m.*
  chocolate cake pastel *m.*
    de chocolate
cholesterol colesterol *m.*
choose escoger *v.*
chop (*food*) chuleta *f.*
Christmas Navidad *f.*
church iglesia *f.*
cinema cine *m.* **3**
citizen ciudadano/a *m., f.* **2**
city ciudad *f.* **2**
  city block cuadra *f.* **2**
  city hall ayuntamiento *m.* **2**
civil civil *adj.*
  civil disobedience
    desobediencia civil *f.* **6**
  civil war guerra civil *f.* **6**
clap aplaudir *v.* **9**
clarity lucidez *f.* **5**
class clase *f.*
  take classes tomar *v.* clases
classical clásico/a *adj.*
classmate compañero/a *m., f.*
  de clase

clay barro *m.* 8
  clay pot olla *f.* de barro 8
clean limpio/a *adj.*; puro/a *adj.* 5;
  limpiar *v.*
clean the house limpiar *v.* la casa
clear (*weather*) despejado/a *adj.* 5
  clear the table quitar *v.* la mesa
  It's (very) clear. (*weather*)
    Está (muy) despejado.
clerk dependiente/a *m., f.*
climb escalar
  climb mountains escalar montañas
climbing: mountain climbing
  alpinismo *m.*; andinismo *m.* 9
clinic clínica *f.*
clock reloj *m.*
clone clon *m.*; clonar *v.* 8
close cerrar (e:ie) *v.*
close-knit unido/a *adj.* 4
closed cerrado/a *adj.*
closet armario *m.*
clothes ropa *f.*
  clothes dryer secadora *f.*
clothing ropa *f.*
cloud nube *f.*
cloudless despejado/a *adj.* 5
cloudy nublado/a *adj.*
  It's (very) cloudy. Está
    (muy) nublado.
clumsy torpe *adj.* 4
coast costa *f.* 5
coat abrigo *m.*
coexist convivir *v.* 2
coexistence convivencia *f.* 10
coffee café *m.*
  coffee maker cafetera *f.*
cold frío *m.*; (*illness*) resfriado *m.*
  be (*feel*) **(very) cold** tener
    (mucho) frío
  It's (very) cold. (*weather*) Hace
    (mucho) frío.
collect coleccionar *v.* 9
college universidad *f.*
color color *m.*
comb one's hair peinarse *v.*
come venir *v.*
  come clean sincerarse *v.* 9
  come true realizarse *v.* 10
comedy comedia *f.* 9
comfortable cómodo/a *adj.* 10
comic strip tira cómica *f.* 3
coming from proveniente *adj.* de 10
commerce negocios *m., pl.*
commercial anuncio *m.* 3;
  comercial *adj.*
commitment compromiso *m.* 1
common común *adj.*
  common sense sentido *m.* común 10
communicate (with) comunicarse *v.* (con)
communication comunicación *f.*
  means of communication
    medios *m., pl.* de comunicación
community comunidad *f.*
company compañía *f.*; empresa *f.* 7

comparison comparación *f.*
compensate indemnizar *v.* 6
competent capaz *adj.* 7
complain (about) quejarse (de) *v.* 4, 7
complaint protesta *f.* 2
composer compositor(a) *m., f.*
computer computadora *f.*
  computer programmer
    programador(a) *m., f.*
  computer science computación *f.*;
    informática *f.* 8
concern preocupación *f.* 10
concert concierto *m.* 9
condemned condenado/a *adj.* 8
conductor (musical) director(a) *m., f.*
confident seguro/a *adj.* 1
confirm confirmar *v.*; comprobar
  (o:ue) *v.* 8
  confirm a reservation confirmar
    una reservación
conformist conformista *adj.* 10
confused confundido/a *adj.*
congested congestionado/a *adj.*
Congratulations! ¡Felicidades!;
  f., pl. ¡Felicitaciones!;
  enhorabuena *f.* 1
conservation conservación *f.*
conservative conservador(a) *adj.* 6
conserve conservar *v.*
console consolar (o:ue) *v.* 7
consultant asesor(a) *m., f.* 7
consume consumir *v.*
contact lenses lentillas *f., pl.* 8
container envase *m.*
contamination contaminación *f.*
content contento/a *adj.*
contest concurso *m.*
continue seguir (e:i) *v.*
contribute contribuir *v.* 8
controversial controvertido/a
  adj. 3, 4
controversy polémica *f.* 10
conversation conversación *f.*
cook cocinar *v.*; cocinero/a *m., f.*
cookie galleta *f.*
cool fresco/a *adj.*
  It's cool. (*weather*) Hace fresco.
cooperate cooperar *v.* 2
corn maíz *m.*
corner esquina *f.* 2
cost costar (o:ue) *v.*
cotton algodón *m.*
couch sofá *m.*
couch potato teleadicto/a *m., f.*
cough tos *f.*; toser *v.*
counselor consejero/a *m., f.*
count (on) contar (o:ue) *v.* (con) 1
counter mostrador *m.* 2
country (*nation*) país *m.*
countryside campo *m.*
coup d'état golpe *m.* de estado 6
couple pareja *f.* 1
courage coraje *m.* 10
course curso *m.*; materia *f.*

court tribunal *m.* 6
courtesy cortesía *f.*
cousin primo/a *m., f.* 4
cover portada *f.* 3; cubrir *v.* 5;
  tapar *v.* 5
  cover one's own expenses
    autosubvencionarse *v.* 8
covered cubierto/a *p.p.*
cow vaca *f.*
crafts artesanía *f.*
craftsmanship artesanía *f.*
crash choque *m.* 2
crater cráter *m.*
crazy loco/a *adj.*
create crear *v.* 8
creativity creatividad *f.* 9
credit crédito *m.*
  credit card tarjeta *f.* de crédito 7
crime crimen *m.*; delito *m.*
cross cruzar *v.* 2
cruelty crueldad *f.* 6
crying llanto *m.* 9
cuisine cocina *f.* 8
cultural cultural *adj.* 10
  cultural heritage
    herencia cultural *f.* 10
culture cultura *f.*
cup taza *f.*
cure curar *v.* 8
currency exchange cambio *m.*
  de moneda
current events actualidad *f.* 3
curtains cortinas *f., pl.*
custard (baked) flan *m.*
custom costumbre *f.* 2
customer cliente/a *m., f.*
customs aduana *f.*
  customs inspector inspector(a)
    m., f. de aduanas
cyberspace ciberespacio *m.* 8
cycling ciclismo *m.*

D

dad papá *m.*
daily diario/a *adj.*
  daily routine rutina *f.* diaria 5
dam represa *f.* 7
damage dañar *v.*
dance bailar *v.*; danza *f.*; baile *m.*
  dance club discoteca *f.* 2
  dance floor pista *f.* de baile 3
dancer bailarín/bailarina *m., f.*
danger peligro *m.* 5
dangerous peligroso/a *adj.*
dare atreverse *v.*
daring atrevido/a *adj.*
darkness oscuridad *f.* 5
darts dardos *m., pl.* 9
date (*appointment*) cita *f.* 1;
  (*calendar*) fecha *f.*; (*someone*) salir
  v. con (alguien)
  blind date cita a ciegas 1
  have a date tener una cita

daughter hija *f.*
daughter-in-law nuera *f.* 4
dawn amanecer *m.* 9
day día *m.*
    day before yesterday
      anteayer *adv.*
death muerte *f.* 4
debit card tarjeta *f.* de débito 7
debt deuda *f.* 7
decaffeinated descafeinado/a *adj.*
deceased fallecido/a *adj.*
deceive engañar *v.* 1
December diciembre *m.*
decide decidir *v.* (+ *inf.*)
decisive decisivo/a *adj.* 9
declare declarar *v.*
decrease disminuir *v.* 10
deepen profundizar *v.* 8
defeat derrotar *v.* 6; vencer *v.* 9
defend defender (e:ie) *v.* 6
deforestation deforestación *f.* 5
delete borrar *v.* 8
delicacy manjar *m.* 8
delicious delicioso/a *adj.*; rico/a *adj.*;
    sabroso/a *adj.*
delight deleitar *v.* 8
delighted encantado/a *adj.*
demand exigir *v.* 7
demanding exigente *adj.* 4
democracy democracia *f.* 6
demonstrator manifestante *m., f.* 6
dentist dentista *m., f.*
deny negar (e:ie) *v.*
    not to deny no dudar
department store almacén *m.* 7
departure salida *f.*
deposit depositar *v.* 7;
    yacimiento *m.* 7
depressed deprimido/a *adj.* 1
describe describir *v.*
described descrito/a *p.p.*
desert desierto *m.* 5
deserve merecer *v.* 1
design diseño *m.* 9
designer diseñador(a) *m., f.*
desire desear *v.*; deseo *m.* 1
desk escritorio *m.*
desperation desesperación *f.* 3
dessert postre *m.*
destination destino *m.* 9
destroy destruir *v.* 5; destrozar *v.* 6
determination empeño *m.* 6
determined decidido/a *adj.* 2
develop desarrollar *v.*
development desarrollo *m.* 5
devote oneself to dedicarse *v.* a 6
dialogue diálogo *m.* 10
diary diario *m.*
dictatorship dictadura *f.* 6
dictionary diccionario *m.*
die morir (o:ue) *v.*
died muerto/a *p.p.*

diet dieta *f.*; alimentación *f.*
    balanced diet dieta equilibrada
    be on a diet estar a dieta
difficult difícil *adj.*
digital camera cámara *f.* digital
dignity dignidad *f.* 7
diminish disminuir *v.* 10
dining room comedor *m.*
dinner cena *f.*
    have dinner cenar *v.*
direct dirigir *v.*
director director(a) *m., f.* 3
dirty sucio/a *adj.*
    get (something) dirty ensuciar *v.*
disabled discapacitado/a *adj.* 6
disagree no estar *v.* de acuerdo
disappear desaparecer *v.* 5
disappearance desaparición *f.* 3
disaster desastre *m.*
discover descubrir *v.*
discovered descubierto/a *p.p.*
discovery hallazgo *m.* 3;
    descubrimiento *m.* 8
discrimination discriminación *f.*
dish plato *m.*
    main dish *m.* plato principal
dishwasher lavaplatos *m., sing.*
disorderly desordenado/a *adj.*
disposable desechable *adj.* 5
distance *f.* lejanía 10
distress desconsuelo *m.* 9
distribute repartir *v.*
dive bucear *v.*
diversity diversidad *f.* 10
divorce divorcio *m.* 1
    get a divorce (from)
      divorciarse (de) *v.* 1
divorced divorciado/a *adj.* 1
dizzy mareado/a *adj.*
DNA ADN *m.* 8
do hacer *v.*
    do aerobics hacer
      (ejercicios) aeróbicos
    do as a custom/habit
      acostumbrar *v.* 2
    do household chores hacer
      quehaceres domésticos
    do stretching exercises hacer
      ejercicios de estiramiento
    (I) don't want to. No quiero.
    do without prescindir (de) *v.* 10
doctor doctor(a) *m., f.*; médico/a *m., f.*
documentary (*film*) documental *m.* 3
documents papeles *m., pl.* 3
dog perro *m.*
done hecho/a *p.p.*
door puerta *f.*
doorbell timbre *m.* 6
dormitory residencia *f.* estudiantil
double doble *adj.*
    double room habitación *f.* doble
doubt duda *f.* 10; dudar *v.*

    There is no doubt that...
      No cabe duda de...
      No hay duda de...
download descargar *v.* 8
downtown centro *m.*
drama drama *m.*
dramatic dramático/a *adj.*
draw dibujar *v.*
drawing dibujo *m.*
dream sueño *m.* 4; soñar (o:ue) *v.* 1
dress vestido *m.*
    get dressed vestirse (e:i) *v.*
drink beber *v.*; bebida *f.*; tomar *v.*
drinkable potable *adj.* 5
drive conducir *v.*; manejar *v.*
driver conductor(a) *m., f.* 2
drought sequía *f.* 5
drown ahogar(se) *v.* 5
drug droga *f.*
    drug addict drogadicto/a *m., f.*
drum tambor *m.* 3
drunk borracho/a *adj.* 2
dry seco/a *adj.* 5
dry oneself secarse *v.*
dubbing doblaje *m.* 3
during durante *prep.*; por *prep.*
dust sacudir *v.*; quitar *v.* el polvo
    dust the furniture sacudir
      los muebles
dustpan recogedor *m.* 4

E

each cada *adj.*
eagle águila *f.* 5
ear (*outer*) oreja *f.*
early temprano *adv.*
early morning madrugada *f.* 9
earn ganar *v.*
    earn a living ganarse *v.* la vida 7
earth tierra *f.* 5
Earth Tierra *f.* 5
earthquake terremoto *m.* 5
ease aliviar *v.*
east Este *m.*
    to the east al este
easy fácil *adj. m., f.*
eat comer *v.*
eccentric excéntrico/a *adj.* 6
ecology ecología *f.*
economic económico/a *adj.* 7
    economic crisis
      crisis *f.* económica 7
economics economía *f.*
ecotourism ecoturismo *m.*
ecstatic enloquecido/a *adj.* 9
Ecuador Ecuador *m.*
Ecuadorian ecuatoriano/a *adj.*
editor redactor(a) *m., f.* 3
effective eficaz *adj. m., f.*
effects (special)
    efectos *m., pl.* especiales 3
efficiency eficacia *f.* 7

effort esfuerzo *m.* **10**; empeño *m.* **6**
egg huevo *m.*
eight ocho *adj.*
eight hundred ochocientos/as *adj.*
eighteen dieciocho *adj.*
eighth octavo/a *adj.*
eighty ochenta *adj.*
either... or o... o *conj.*
elderly person anciano/a *m., f.*
elect elegir (e:i) *v.* **6**
election elecciones *f., pl.* **6**
electric appliance
    electrodoméstico *m.*
electrician electricista *m., f.*
electricity luz *f.*
elegant elegante *adj.*
elevator ascensor *m.*
eleven once *adj.*
elf duende *m.* **9**
e-mail correo *m.* electrónico
   e-mail address
      dirrección *f.* electrónica **8**
   e-mail message
      mensaje *m.* electrónico
   read e-mail leer *v.*
      el correo electrónico
embarrassed avergonzado/a *adj.*
embarrassment vergüenza *f.*
embrace (each other) abrazar(se) *v.*
emerge surgir *v.* **10**
emergency emergencia *f.*
   emergency room sala *f.*
      de emergencia
emigrant emigrante *m., f.* **10**
emigrate emigrar *v.* **1**
employee empleado/a *m., f.* **7**
employment empleo *m.*
empty vacío/a *adj.* **2**
enact (*a law*) promulgar *v.* **6**
end fin *m.*; terminar *v.*
   end table mesita *f.*
ending desenlace *m.*
endless number sinfín *m.* **8**
energy energía *f.* **5**
   energy consumption consumo *m.*
      de energía **5**
   nuclear energy energía nuclear **5**
   renewable energy
      energía renovable **5**
   solar energy energía solar **5**
   wind energy energía eólica **5**
engaged: get engaged (to)
   comprometerse (con) *v.*
engagement compromiso *m.* **1**
engineer ingeniero/a *m., f.* **8**
English (*language*) inglés *m.*; inglés,
   inglesa *adj.*
engrossed absorto/a *adj.* **5**
enjoy disfrutar (de) *v.* **2**; gozar (de) *v.*
enough bastante *adv.*
entertain entretener *v.* **3**
entertaining entretenido/a *adj.* **9**
entertainment diversión *f.*
entrance entrada *f.*

envelope sobre *m.*
envious envidioso/a *adj.* **8**
environment medio ambiente *m.* **5**
equal igual *adj.* **6**
equality igualdad *f.* **6**
equitable equitativo/a *adj.* **6**
erase borrar *v.* **8**
eraser borrador *m.*
erosion erosión *f.* **5**
errand diligencia *f.*
establish establecer *v.*
   establish oneself establecerse *v.* **10**
estimate calcular *v.* **3**
ethical ético/a *adj.* **8**
ethnic cleansing
   limpieza étnica *f.* **10**
ethnic group etnia *f.* **4**
event acontecimiento *m.* **3**
every day todos los días
everyday cotidiano/a *adj.* **2**
everybody todos *m., pl.*
everything todo *m.*
exam examen *m.*
exceed superar *v.* **4**
excellent excelente *adj.*
excess exceso *m.*
   in excess en exceso
exchange intercambiar *v.*
   in exchange for por
excited emocionado/a *adj.* **1**
exciting emocionante *adj.*
excluded excluido/a *adj.* **10**
excursion excursión *f.*
excuse disculpar *v.*; excusa *f.* **7**
Excuse me. (*May I?*) Con permiso.;
   (*I beg your pardon.*) Perdón.
execution ejecución *m.* **6**
executive ejecutivo/a *m., f.* **7**
exercise ejercicio *m*;
   hacer *v.* ejercicio
   exercise (power) ejercer
      (el poder) *v.* **6**
exert (power) ejercer *v.* (el poder) **6**
exhausted agotado/a *adj.* **7**
exile exiliado/a *m., f.* **10**
exit salida *f.*
expect anticipar *v.* **10**
expensive caro/a *adj.*
experience experiencia *f.*
experiment experimento *m.* **8**
explain explicar *v.*
explore explorar *v.* **8**
express (*an opinion*) opinar *v.* **3**
expression expresión *f.*
extinction extinción *f.*
extraterrestrial extraterrestre *adj.* **8**
extreme sports deportes extremos
   m., pl. **9**
eye ojo *m.*
   keep an eye on vigilar *v.* **3**

F

fabulous fabuloso/a *adj.*

face cara *f.*
facing enfrente de *prep.*
fact hecho *m.* **5**
   in fact de hecho
failure fracaso *m.* **6**
fair justo/a *adj.* **2**, **6**; equitativo/a
   adj. **6**; feria *f.* **9**
fairness justeza *f.* **6**
faith fe *f.*
faithfulness fidelidad *f.* **1**
fall (down) caerse *v.*
   fall asleep dormirse (o:ue) *v.*
   fall in love (with)
      enamorarse (de) *v.* **1**
   fall (season) otoño *m.*
fallen caído/a *p.p.*
fame fama *f.* **3**
family familia *f.*
   family ties lazos familiares
      m., pl. **2**
   family tree árbol *m.*
      genealógico **2**
famous famoso/a *adj.*
fan aficionado/a *adj.* **9**
   be a fan (of) ser aficionado/a (a)
fantastic chévere *adj.*
far from lejos de *prep.*
farewell despedida *f.*
fascinate fascinar *v.*
fashion moda *f.*
   be in fashion estar de moda
fast rápido/a *adj.*
fat gordo/a *adj.*; grasa *f.*
father padre *m.*
father-in-law suegro *m.* **4**
fault culpa *f.*
favorite favorito/a *adj.*
fear miedo *m.* **10**; temor *m.* **6**;
   temer *v.*
feat hazaña *f.* **9**
feature rasgo *m.* **3**; facciones *f., pl.* **2**
February febrero *m.*
feel sentir(se) (e:ie) *v.* **1**
   feel like (*doing something*) tener
      ganas de (+ *inf.*); apetecer **4**;
      antojarse *v.* **6**
feeling sentimiento *m.* **1**
festival festival *m.*
fever fiebre *f.*
   have a fever tener *v.* fiebre
few pocos/as *adj. pl.*
   fewer than menos de (+ *number*)
fiancé(e) *m., f.* prometido/a **1**
field: major field of study
   especialización *f.*
fifteen quince *adj.*
fifth quinto/a *adj.*
fifty cincuenta *adj.*
fight luchar *v.* **10**; pelear *v.* **6**;
   lucha *f.* **6**
   fight for/against luchar
      (por/contra) *v.*
   fight with (one another)
      pelear(se) *v.* **4**
figure (*number*) cifra *f.*

file archivo *m.*
fill llenar *v.*
   fill out (a form) llenar
     (un formulario)
   fill the tank llenar el tanque
film critic crítico/a *m., f.* de cine **3**
finally finalmente *adv.*; por último;
   por fin
financial financiero/a *adj.* **7**
find encontrar (o:ue) *v.*
finding hallazgo *m.* **7**
fine multa *f.* **2, 8**
fine arts bellas artes *f., pl.*
finger dedo *m.*
finish terminar *v.*
fire incendio *m.* **5**; despedir (e:i)
   v. **7**; fuego *m.*
   fire station estación *f.*
     de bomberos **2**
firefighter bombero/a *m., f.*
firm compañía *f.*; empresa *f.*
first primer *adj.*; primero/a *adj.*
fish (*food*) pescado *m.*; pescar *v.*;
   (*live*) pez *m.* **5**
   fish market pescadería *f.*
fisherman pescador *m.*
fisherwoman pescadora *f.*
fishing pesca *f.*
fit (*clothing*) quedar *v.*
   fit in integrarse (a) *v.* **10**
five cinco *adj.*
five hundred quinientos/as *adj.*
fix arreglar *v.*
fixed fijo/a *adj.*
flag bandera *f.* **6**
flatter halagar *v.* **7**
flavor sabor *m.* **8**
flee huir *v.* **6**
fleeting pasajero/a *adj.* **1**
flexible flexible *adj.*
flirt coquetear *v.* **1**; ligar *v.* **1**
flood inundación *f.* **5**
floor (*of a building*) piso *m.*; suelo *m.*
   dance floor pista *f.* de baile **3**
   ground floor planta *f.* baja
flower flor *f.*
flu gripe *f.*
flute flauta *f.* **3**
fly volar *v.*
fog niebla *f.*
folk folklórico/a *adj.*
folk healer curandero/a *m., f.* **5**
follow seguir (e:i) *v.*
food comida *f.*; alimento
fool tonto/a *m., f.* **10**
foolish tonto/a *adj.*
foot pie *m.*
football fútbol *m.* americano
for para *prep.*; por *prep.*
   for example por ejemplo
forbid prohibir *v.*
force fuerza *f.* **6**
foreign extranjero/a *adj.*

foreign languages
   lenguas extranjeras *f., pl.*
foreign relations
   relaciones exteriores *f., pl.* **6**
foreseen previsto/a *adj.* **10**
forest bosque *m.* **5**
forget olvidar *v.*
forgive perdonar *v.*
fork tenedor *m.*
form formulario *m.*
forty cuarenta *adj.*
four cuatro *adj.*
four hundred cuatrocientos/as *adj.*
fourteen catorce *adj.*
fourth cuarto/a *adj.*
free libre *adj. m., f.*
   be free (of charge) ser gratis
   free time tiempo libre;
     ratos libres **9**
freedom (of the press) libertad *f.*
   (de prensa) **3, 6**
freezer congelador *m.*
French francés, francesa *adj.*
   French fries papas *f., pl.*
     fritas; patatas *f., pl.* fritas
frequently frecuentemente *adv.*; con
   frecuencia *adv.*
Friday viernes *m., sing.*
fried frito/a *adj.*
friend amigo/a *m., f.*
friendly amable *adj.*
friendship amistad *f.* **1**
from de *prep.*; desde *prep.*;
   proveniente *adj.* de **10**
   from the United States
     estadounidense *adj.*
   from time to time de vez
     en cuando
front page portada *f.* **3**
fruit fruta *f.*
   fruit juice jugo *m.* de fruta
   fruit store frutería *f.*
fuel combustible *m.* **5**
fulfill (a dream) alcanzar (un sueño) *v.*
   10; realizarse *v.* **4**
full lleno/a *adj.* **2**
fully a cabalidad *adv.* **4**
fun divertido/a *adj.*
   fun activity diversión *f.*
   have fun divertirse (e:ie) *v.*
function funcionar *v.*
funny gracioso/a *adj.* **1**
furniture muebles *m., pl.*
furthermore además (de) *adv.*
future futuro *adj.*; porvenir *m.* **5**
   in the future en el futuro

G

gain weight aumentar *v.* de peso;
   engordar *v.*
galaxy galaxia *f.* **8**
game juego *m.*; (*match*) partido *m.*

game show programa *m.*
   de concursos **3**
garage garaje *m.*; taller (mecánico)
garden jardín *m.* **10**
garlic ajo *m.*
gas pipeline gasoducto *m.* **7**
gas station gasolinera *f.*
gasoline gasolina *f.*
gaze mirada *f.*
gender sexo *m.* **4**
gene gen *m.* **8**
generation gap brecha generacional *f.* **4**
genetics genética *f.* **8**
genre género *m.* **3**
geography geografía *f.*
German alemán, alemana *adj.*
get conseguir (e:i) *v.* **9**; obtener *v.*
   get along well/badly/terribly (with)
     llevarse bien/mal/fatal (con) **1**
   get angry enojarse *v.* **1**
   get bored aburrirse *v.*
   get carsick/seasick marearse *v.* **6**
   get off (a bus) bajar *v.* **2**
   get on (a bus) subir *v.* **2**
   get out of (a vehicle)
     bajar(se) de *v.*
   get rich enriquecerse *v.* **10**
   get tickets conseguir (e:i) *v.*
     entradas **9**
   get together (with) reunirse
     (con) *v.* **9**
   get up levantarse *v.*
   get upset afligirse *v.* **2**
   get worse empeorar *v.* **5**
gift regalo *m.*
girl chica *f.*; muchacha *f.*
girlfriend novia *f.*
give dar *v.*; (*as a gift*) regalar *v.*
   give directions indicar *v.* el camino **2**
   give up ceder *v.* **6**
glass (*drinking*) vaso *m.*; vidrio *m.*
   (made) of glass de vidrio
glasses gafas *f., pl.*
   sunglasses gafas *f., pl.* de sol
globetrotter trotamundos *m., f.* **1**
gloves guantes *m., pl.*
go ir *v.*
   go away irse
   go by boat ir en barco
   go by bus ir en autobús
   go by car ir en auto(móvil)
   go by motorcycle ir en moto(cicleta)
   go by taxi ir en taxi
   go down bajar *v.* **2**
   go for a walk pasear *v.* **9**
   go on a hike (in the mountains)
     ir de excursión (a las montañas)
   go on sale salir a la venta **3**
   go out salir *v.* **9**
   go out to eat salir a comer algo **9**
   go out to have a drink salir a
     tomar algo **9**
   go out (with) salir *v.* (con) **1**
   go up subir *v.* **2**

go with acompañar v.
Let's go. Vamos.
goal meta f. 10
going to: be going to (do something)
ir a (+ inf.)
golf golf m.
good buen, bueno/a adj.
Good afternoon. Buenas tardes.
Good evening. Buenas noches.
Good morning. Buenos días.
Good night. Buenas noches.
have a good reputation
tener v. buena fama 3
It's good that… Es bueno que…
goodbye adiós interj.
say goodbye (to)
despedirse (e:i) v. (de) 10
good-looking guapo/a adj.
gossip chisme m. 1
govern gobernar (e:ie) v. 6
government gobierno m. 6
graduate (from/in) graduarse v.
(de/en)
grains cereales m., pl.
granddaughter nieta f. 4
grandfather abuelo m.
grandmother abuela f.
grandparents abuelos m., pl.
grandson nieto m. 4
grape uva f.
grass hierba f.
grave grave adj.
gravity gravedad f. 8
gray gris adj. m., f.
graying entrecano/a adj. 4
great fenomenal adj.;
chévere adj.
great aunt tía abuela f. 4
great-grandfather bisabuelo m. 4
great-grandmother bisabuela f. 4
great uncle tío abuelo m. 4
green verde adj.
greenhouse effect
efecto invernadero m. 5
greet (each other) saludar(se) v.
greeting saludo m.
Greetings to… Saludos a…
grief desconsuelo m. 9
grilled (food) a la plancha
grope manosear v. 6
ground suelo m. 3
ground floor planta baja f.
grow (up) aumentar; crecer v. 10
growth crecimiento m. 3
guess adivinar v. 10
guest (at a house/hotel) huésped m., f.;
(invited to a function)
invitado/a m., f.
guide guía m., f.
gymnasium gimnasio m.

H

habit costumbre f. 2
hair pelo m.

hairdresser peluquero/a m., f.
hair spray f. laca 10
half medio/a adj.
half-brother/sister
medio/a hermano/a m., f. 4
half past… (time) … y media
hallway pasillo m.
ham jamón m.
hamburger hamburguesa f.
hand mano f.
hand over entregar v. 10
handsome guapo/a adj.
hang up colgar (o:ue) v. 3
happen ocurrir v.; suceder v.
happiness alegría f.; felicidad f. 5
happy alegre adj.; contento/a adj.;
feliz adj. m., f.
be happy alegrarse v. (de)
Happy birthday! ¡Feliz cumpleaños!
harass acosar v. 7
hard difícil adj.
harden endurecer v. 7
hard-working trabajador(a) adj. 7
hardly apenas adv.
harm daño m. 10; perjudicar v. 6
harmful dañino/a adj. 5
hat sombrero m.
hate odiar v. 1
haul acarrear v. 7
have tener
have a bad reputation tener v.
mala fama 3
have a bad time pasarlo/la v.
mal 2
have connections
tener conexiones 7
have a good reputation tener
buena fama 3
have a good time divertirse (e:ie) 9;
pasarlo/la bien 2
Have a good trip! ¡Buen viaje!
have influence tener conexiones 7
have the right to tener derecho a 6
have time tener tiempo
have to (do something) tener
que (+ inf.); deber (+ inf.)
have a tooth removed sacar(se)
un diente
he él m., sing., pron.
head cabeza f.
headache dolor m. de cabeza
headline titular m. 3
health salud f.
healthy saludable adj.; sano/a adj.
lead a healthy lifestyle llevar v.
una vida sana
hear oír v.
heard oído/a p.p.
hearing: sense of hearing oído m.
heart corazón m. 1
heat calor m.
Hello. Hola.
help ayudar v.; servir (e:i) v.
help one another ayudarse v. 1

her su(s) poss. adj.
(of) hers suyo(s)/a(s) poss.
her la f., sing., d.o. pron.
to/for her le sing., i.o. pron.
here aquí adv.
heritage ascendencia f. 4
heterogeneous heterogéneo/a adj. 10
Hi. Hola. interj.
hide esconder v.; ocultar v. 4
hierarchy escalafón m. 4
high alto/a adj.
highway autopista f.; carretera f.
hijack secuestrar v. 6
hike excursión f.
go on a hike hacer una
excursión; ir de excursión
hiker excursionista m., f.
hiking de excursión
him lo m., sing., d.o. pron.
him: to/for him le sing., i.o. pron.
hire contratar v. 7
his su(s) poss. adj.
(of) his suyo(s)/a(s) poss. pron.
historian historiador(a) m., f. 4
history historia f.
hit pegar v. 8
hobby pasatiempo m.
hockey hockey m.
hoist enarbolar v. 9
holiday día m. de fiesta; feriado m. 6
home casa f.; hogar m. 10; vivienda
f. 2
home page página f. principal
home country patria f. 1
homeland patria f. 4
homesickness añoranza f. 10
homework tarea f.
homogeneity homogeneidad f. 10
honest honrado/a adj. 4
hood capó m.; cofre m.
hook up ligar v. 1
hope esperar v. (+ inf.); esperanza f.
I hope (that) ojalá (que)
horoscope horóscopo m. 3
horror (genre) de horror m.
horse caballo m.
hospital hospital m.
host anfitrión m. 9
hostess anfitriona f. 9
hot: be (feel) (very) hot tener
(mucho) calor
It's (very) hot. Hace (mucho) calor.
hotel hotel m.
hour hora f.
house casa f.
household chores
quehaceres m., pl. domésticos
housing vivienda f. 2
How…! ¡Qué…!
how ¿cómo? adv.
How are you? ¿Cómo estás? fam.;
¿Cómo está usted? form.; ¿Qué tal?
How is it going? ¿Qué tal?
How is/are…? ¿Qué tal…?

How is the weather? ¿Qué tiempo hace?
How much/many? ¿Cuánto/a(s)?
How much does... cost? ¿Cuánto cuesta...?
How old are you? ¿Cuántos años tienes? *fam.*
however sin embargo
hug (each other) abrazar(se) *v.*
human humano/a *adj.*
  human being ser humano *m.*
  human rights derechos humanos *m., pl.* 6
humanities humanidades *f., pl.*
humankind humanidad *f.* 10
hundred cien, ciento *adj.; m.*
hunger hambre *f.*
hungry: be (very) hungry tener *v.* (mucha) hambre
hunt cazar *v.* 5
hurricane huracán *m.* 5
hurry apurarse *v.*; darse prisa *v.*
  be in a (big) hurry tener *v.* (mucha) prisa 1
hurt doler (o:ue) *v.*
hurtful hiriente *adj.* 4
husband esposo *m.* 4
hustle and bustle trajín *m.* 7
hybrid híbrido/a *adj.* 5

I

I yo *pron., sing.*
  I hope (that) Ojalá (que) *interj.*
  I wish (that) Ojalá (que) *interj.*
ice cream helado *m.*
  ice cream shop heladería *f.*
iced helado/a *adj.*
  iced tea té *m.* helado
idea idea *f.*
ideals ideales *m., pl.* 10
if si *conj.*
ill-mannered maleducado/a *adj.* 4
illiterate analfabeto/a *adj.* 6
illness enfermedad *f.*
imaginative imaginativo/a *adj.* 9
immigrant inmigrante *m., f.* 1
immigration inmigración *f.* 10
impartial imparcial *adj.* 3
impassively impasible *adj.* 2
important importante *adj.*
  be important to importar *v.*
  It's important that... Es importante que...
impossible imposible *adj.*
  it's impossible es imposible
imprison encarcelar *v.* 6
improbable improbable *adj.*
  it's improbable es improbable
improve mejorar *v.* 5
improvement mejora *f.* 10
impulsive tempestuoso/a *adj.* 1

in en *prep.*; por *prep.*
  in the afternoon de la tarde; por la tarde
  in a bad mood de mal humor
  in the direction of para *prep.*
  in the early evening de la tarde
  in fact de hecho *adv.* 10
  in front of delante de *prep.*
  in a good mood de buen humor
  in love enamorado/a *adj.* 1
  in the morning de la mañana; por la mañana
  in order to a fin de *prep.* 6
  in search of por *prep.*
  in spoonfuls a cucharadas 5
incapable incapaz *adj.* 7
income ingresos *m., pl.* 8
incompetent incapaz *adj.* 7
inconsiderate desconsiderado/a *adj.* 3
increase aumento *m.*
incredible increíble *adj.*
indignity indignidad *f.* 7
inequality desigualdad *f.* 6
infect contagiar *v.* 5
infection infección *f.*
inferiority complex complejo *m.* de inferioridad 8
influence influir *v.* 6
influence influencia *f.* 2
influential influyente *adj.* 3
inform informar *v.*
informed: become informed about enterarse (de) *v.* 3
inhabitant habitante *m., f.* 2
inherit heredar *v.* 4
injection inyección *f.*
  give an injection poner *v.* una inyección
injure (oneself) lastimar(se) *v.* 9
  injure (one's foot) lastimarse *v.* (el pie)
injustice injusticia *f.* 6
inner ear oído *m.*
innovative innovador(a) *adj.* 8
insecure inseguro/a *adj.* 1
insecurity inseguridad *f.* 6
insensitive insensible *adj.* 9
inside dentro *adv.*
insincere falso/a *adj.* 1
insist (on) insistir (en) *v.*
instability inestabilidad *f.* 10
installment *f.* cuota 10
installments: pay in installments pagar *v.* a plazos
instrument: play an instrument tocar *v.* (un instrumento) 3
integration integración *f.* 10
intelligent inteligente *adj.*
intend to pensar *v.* (+ *inf.*)
interest interesar *v.*
interesting interesante *adj.*
  be interesting to interesar *v.*
international internacional *adj.*

international news noticias *f.* internacionales 3
Internet Internet 3
interview entrevista (laboral) *f.*; entrevistar *v.* 3
interviewer entrevistador(a) *m., f.*
introduction presentación *f.*
  I would like to introduce (name) to you... Le presento a... *form.*; Te presento a... *fam.*
intruder intruso/a *m., f.* 8
invent inventar *v.* 8
invention invento *m.* 8
invest invertir (e:ie) *v.* 7
investigate investigar *v.* 3
investor inversionista *m., f.* 7
invite invitar *v.*
iron hierro *m.*
  iron (clothes) planchar *v.* (la ropa)
it lo/la *sing., d.o., pron.*
Italian italiano/a *adj.*
its su(s) *poss. adj.*; suyo(s)/a(s) *poss. pron.*

J

jacket chaqueta *f.*
January enero *m.*
Japanese japonés, japonesa *adj.*
jealous celoso/a *adj.* 1; envidioso/a *adj.* 8
  to be jealous (of) tener celos (de) 1
jealousy celos *m., pl.* 1
jeans bluejeans *m., pl.*
jewelry store joyería *f.*
job empleo *m.*; puesto *m.* 7; trabajo *m.*
  job application solicitud *f.* de trabajo
journalism periodismo *m.*
journalist periodista *m., f.* 3
journey travesía *f.* 9
joy alegría *f.*
joyful alegre *adj.*
judge juez(a) *m., f.* 4, 6; juzgar *v.* 6
juice jugo *m.*
July julio *m.*
June junio *m.*
jungle selva, jungla *f.*
just apenas *adv.*; justo/a *adj.* 2
  have just done something acabar de (+ *inf.*)
justice justicia *f.* 6

K

keep conservar *v.*
  keep an eye on vigilar *v.* 3
key llave *f.*; clave *f.* 7, 8
keyboard teclado *m.*
kidnap secuestrar *v.* 6
kidnapping secuestro *m.* 6

kilometer kilómetro *m.*
kinship parentesco *m.* 4
kiss beso *m.*; besar *v.* 1
kitchen cocina *f.*
knee rodilla *f.*
knife cuchillo *m.*
know saber *v.*; conocer *v.*
know how saber *v.*

L

labor union sindicato *m.* 7
laboratory laboratorio *m.*
lack faltar *v.*
  lack (of) falta *f.* (de) 10
  lack of safety inseguridad *f.* 6
lake lago *m.*
lamp lámpara *f.*
land tierra *f.* 5; aterrizar *v.* 8
landlord dueño/a *m., f.*
landscape paisaje *m.* 5
language lengua *f.*
  official language
    lengua *f.* oficial 10
laptop (computer)
  computadora *f.* portátil 8
large grande *adj.*
last durar *v.*; pasado/a *adj.*;
  último/a *adj.*
  last name apellido *m.*
  last night anoche *adv.*
  last week semana *f.* pasada
  last year año *m.* pasado
late atrasado/a *adj.* 2; tarde *adv.*
later (on) más tarde
  See you later. Hasta la vista.;
    Hasta luego.
laugh reírse (e:i) *v.*
laughed reído/a *p.p.*
laundromat lavandería *f.*
law ley *f.* 6
lawyer abogado/a *m., f.* 4, 6
lazy perezoso/a *adj.* 7
lead encabezar *v.* 6
leaf hoja *f.* 5
leak filtrar *v.* 9
learn aprender *v.* (a + *inf.*)
least, at por lo menos *adv.*
leave salir *v.*; irse *v.*; abandonar *v.* 1;
  marcharse *v.*
  leave a tip dejar una propina
  leave behind dejar *v.* 10
  leave for (*a place*) salir para
  leave from salir de
  leave someone dejar a alguien 1
left izquierda *f.*
  be left over quedar *v.*
  to the left of a la izquierda de
leg pierna *f.*
leisure ocio *m.* 9
lemon limón *m.*
lend prestar *v.* 7
less menos *adv.*
  less... than menos... que

less than menos de (+ *number*)
lesson lección *f.*
let dejar *v.*
let's see a ver
letter carta *f.*
lettuce lechuga *f.*
liberal liberal *adj.* 6
liberty libertad *f.*
library biblioteca *f.*
license (*driver's*) licencia *f.* de conducir
lie mentira *f.* 7
life vida *f.*
lifestyle: lead a healthy lifestyle
  llevar una vida sana
  lifestyle section sección *f.*
    de sociedad 3
lift levantar *v.*
  lift weights levantar pesas
light luz *f.*
  light bulb bombilla *f.* 5
  traffic light semáforo *m.* 2
like como *adv.*; gustar *v.*
  I like... Me gusta(n)...
  like this así *adv.*
  like very much encantar *v.*;
    fascinar *v.*
  Do you like...? ¿Te gusta(n)...?
likeable simpático/a *adj.*
likewise igualmente *adv.*
line cola (*queue*) *f.*; fila *f.* 2
link enlace *m.* 8
lion león *m.* 5
listen (to) escuchar *v.*
  listen to music escuchar música
  listen to the radio escuchar
    la radio
listener oyente *m., f.* 3
literature literatura *f.*
little (*quantity*) poco/a *adj*; poco *adv.*
live vivir *v.*; en directo/vivo 3
  live together convivir *v.* 2
lively animado/a *adj.* 9
living room sala *f.*
lizard lagarto *m.* 5
loan préstamo *m.*; prestar *v.*
lobster langosta *f.*
local: local news
  noticias *f., pl.* locales 3
located situado/a *adj.*;
  ubicado/a *adj.*
  be located quedar *v.* 2
loneliness soledad *f.*
long largo/a *adj.*
  long-term a largo plazo *adj.* 7
  to long for *v.* anhelar 10
look (at) mirar *v.*
  look down on despreciar *v.* 4
  look for buscar *v.*
  look like parecerse *v.* 2, 4
lose perder (e:ie) *v.* 9
  lose a game perder un partido 9
  lose an election perder
    las elecciones 6
  lose weight adelgazar

loss pérdida *f.*
lost perdido/a *adj.* 2
  be lost estar perdido/a 2
lot, a muchas veces *adv.*
lottery lotería *f.* 9
love (*another person*) querer (e:ie)
  v. 1; (*each other*) amarse *v.* 1;
  quererse (e:ie) *v.* 1; (*inanimate*
  objects) encantar *v.*; amor *m.*
  in love enamorado/a *adj.* 1
  love affair amorío *m.* 4
lucidity lucidez *f.* 5
luck suerte *f.* 6
lucky afortunado/a *adj.* 6
  be (very) lucky tener
    (mucha) suerte
luggage equipaje *m.*
lunch almuerzo *m.*
  have lunch almorzar (o:ue) *v.*
lung pulmón *m.* 5
luxury lujo *m.* 10
lying mentiroso/a *adj.* 1
lyrics letra *f.* 3

M

ma'am señora (Sra.) *f.*; doña *f.*
machine máquina *f.* 8
magazine revista *f.* 3
magnificent magnífico/a *adj.*
mail correo *m.*; enviar *v.*, mandar *v.*;
  echar una carta al buzón
  mail carrier cartero *m.*
mailbox buzón *m.*
main principal *adj.*
maintain mantener *v.*
major especialización *f.*
make hacer *v.*
  make an effort hacer
    un esfuerzo 10
  make the bed hacer la cama
makeup maquillaje *m.*
  put on makeup maquillarse *v.*
mall centro comercial *m.* 2
man hombre *m.*
manage administrar *v.* 7
manager gerente *m., f.* 7
manipulate manipular *v.* 7
manufacture fabricar *v.* 8
many mucho/a *adj.*
  many times muchas veces
map mapa *m.*
March marzo *m.*
margarine margarina *f.*
marital status estado *m.* civil
market mercado *m.* 7
  open-air market mercado al
    aire libre
marriage matrimonio *m.* 1
married casado/a *adj.* 1
  get married (to) casarse (con) *v.* 1
marry casar *v.*
marvelous maravilloso/a *adj.*
massage masaje *m.*

masterpiece obra maestra *f.*
match (*sports*) partido *m.*
match (with) hacer *v.* juego (con)
mathematician matemático/a *m., f.* **8**
mathematics matemáticas *f., pl.*
matriarchy matriarcado *m.* **2**
matter importar *v.*
mature maduro/a *adj.* **1**
maturity madurez *f.*
May mayo *m.*
maybe tal vez; quizás
mayonnaise mayonesa *f.*
mayor alcalde(sa) *m., f.* **2**
me me *sing., d.o. pron.*
　to/for me me *sing., i.o. pron.*
meal comida *f.*
mean significar *v.* **2**
means of communication
　medios *m., pl.* de comunicación
meat carne *f.*
mechanic mecánico/a *m., f.*
　mechanic's repair shop
　　taller mecánico
media medios *m., pl.*
　(de comunicación) **3**
medical médico/a *adj.*
medication medicamento *m.* **5**
medicine medicina *f.*
medium mediano/a *adj.*
meet (each other) encontrar(se) *v.*;
　conocerse(se) *v.*
meeting reunión *f.* **7**
member socio/a *m., f.* **7**
menu menú *m.*
message recado *m.*; mensaje *m.* **8**
　text message mensaje de texto **8**
Mexican mexicano/a *adj.*
Mexico México *m.*
middle age madurez *f.*
midnight medianoche *f.*
mile milla *f.*
milk leche *f.*
million millón *m.*
　million of millón de
mind mente *f.* **8**
mine mío/a(s) *poss.*
mineral mineral *m.*
　mineral water
　　agua *f.* mineral
minimum mínimo/a *adj.* **7**
　minimum wage
　　sueldo *m.* mínimo **7**
minute minuto *m.*
mirror espejo *m.*
mischievous pícaro/a *adj.* **4**
misfortune desgracia *f.* **10**
Miss señorita (Srta.) *f.*
miss perder (e:ie) *v*; echar *v.* de
　menos *v.* **10**; extrañar *v.* **10**
mistaken equivocado/a *adj.*
mistreatment maltrato *m.* **10**
misuse desaprovechar *v.* **7**
mix mezclar *v.*

mock burlarse (de) *v.* **10**
modern moderno/a *adj.*
mom mamá *f.*
Monday lunes *m., sing.*
money dinero *m.*
monkey mono *m.* **5**
monolingual monolingüe *adj.* **10**
month mes *m.*
monument monumento *m.*
mood ánimo *m.* **1**
moon luna *f.* **5**
more más
　more... than más... que
　more than más de (+ *number*)
morning mañana *f.*
mortgage hipoteca *f.* **7**
mother madre *f.*
　mother tongue lengua materna *f.* **10**
mother-in-law suegra *f.* **4**
motor motor *m.*
motorcycle motocicleta *f.*
mountain montaña *f.*
mountain range cordillera *f.* **5**
mouse ratón *m.*
mouth boca *f.*
move (*from one house to another*)
　mudarse *v.* **1, 4**
　move away alejarse *v.* **9**
　move backward retroceder *v.* **2**
movie película *f.* **3**
　movie star estrella *f.* de cine **3**
　movie theater cine *m.* **2**
　new movie estreno *m.* **3**
　shoot (a movie) rodar (o:ue) *v.* **3**
movies cine *m.* **3**
Mr. señor (Sr.) *m.*; don *m.*
Mrs. señora (Sra.) *f.*; doña *f.*
much mucho/a *adj.*
multinational multinacional *adj. m., f.* **7**
　multinational company
　　empresa *f.* multinacional **7**
municipal municipal *adj.*
murder crimen *m.*
muscle músculo *m.*
museum museo *m.* **2**
mushroom champiñón *m.*
music música *f.*
　music video video *m.* musical **3**
musical musical *adj.*
　musical group conjunto/grupo *m.*
　　musical **3**
musician músico/a *m., f.* **9**
must deber *v.* (+ *inf.*)
my mi(s) *poss. adj.*; mío/a(s) *poss pron.*
myth mito *m.* **2**

naïve ingenuo/a *adj.* **2**
name nombre *m.*
　be named llamarse *v.*
　in the name of a nombre de
　last name apellido *m.*

　My name is... Me llamo...
　user name nombre de usuario **8**
napkin servilleta *f.*
national nacional *adj.*
　national news noticias *f., pl.*
　　nacionales **3**
nationality nacionalidad *f.*
natural natural *adj.*
　natural disaster desastre *m.* natural
　natural resource recurso *m.* natural
nature naturaleza *f.*
naughty pícaro/a *adj.* **4**
nauseated mareado/a *adj.*
navy armada *f.* **6**
near cerca de *prep.*
neaten arreglar *v.*
necessary necesario/a *adj.*
　It is necessary that...
　　Hay que...
neck cuello *m.*
need faltar *v.*; necesitar *v.* (+ *inf.*)
negative negativo/a *adj.*
neighbor vecino/a *m., f.*
neighborhood barrio *m.* **2**
neither tampoco *adv.*
neither... nor ni... ni *conj.*
nephew sobrino *m.* **4**
nervous nervioso/a *adj.*
network cadena *f.* **3**; red *f.*
never nunca *adv.*; jamás *adv.*
new nuevo/a *adj.*
　new movie estreno *m.* **3**
　new development novedad *f.* **8**
newlywed recién casado/a *m., f.*
news noticias *f., pl.* **3**;
　actualidades *f., pl.*
　international news
　　noticias internacionales **3**
　local news noticias locales **3**
　national news
　　noticias nacionales **3**
　news report reportaje *m.* **3**
newscast noticiero *m.*
newspaper periódico *m.* **3**;
　diario *m.* **3**
next próximo/a *adj.*
　next to al lado de *prep.*
nice simpático/a *adj.*; amable *adj.*
nickname apodo *m.* **4**
niece sobrina *f.* **4**
night noche *f.*
nightlife vida *f.* nocturna **2**
nightmare pesadilla *f.* **7**
nightstand mesita *f.* de noche
nine nueve *adj.*
nine hundred novecientos/as *adj.*
nineteen diecinueve *adj.*
ninety noventa *adj.*
ninth noveno/a *adj.*
no no; ningún, ninguno/a(s) *adj.*
　no one nadie *pron.*
nobody nadie *pron.*
noise ruido *m.*
noisy ruidoso/a *adj.* **2**

nonconformist incomformista
  m., f. **6**; inconformista *adj.* **10**
none ninguno/a(s) *pron.*
noon mediodía *m.*
nor ni *conj.*
North Norte *m.*
  to the north al norte
nose nariz *f.*
not no *adv.*
  not any ningún, ninguno/a(s) *adj.*
  not anyone nadie *pron.*
  not anything nada *pron.*
  not either tampoco *adv.*
  not ever nunca *adv.*; jamás *adv.*
  not very well no muy bien
  not working descompuesto/a *adj.*
notebook cuaderno *m.*
nothing nada *pron.*
noun sustantivo *m.*
November noviembre *m.*
now ahora *adv.*
nowadays hoy día *adv.*
nuclear nuclear *adj. m., f.*
  nuclear energy energía *f.*
    nuclear **5**
number número *m.*
nurse enfermero/a *m., f.*
nurture crianza *f.* **4**
nutrition nutrición *f.*
nutritionist nutricionista *m., f.*

O

obey obedecer *v.*; hacer caso **3**
obligation deber *m.*
oblivion olvido *m.* **1**
obtain conseguir (e:i) *v.*; obtener *v.*
obvious obvio/a *adj.*
  it's obvious es obvio
occupation ocupación *f.*
occur ocurrir *v.*
October octubre *m.*
of de *prep.*
offer oferta *f.*; propuesta *f.* **7**; ofrecer *v.*;
  brindar *v.* **5**
office oficina *f.*; despacho *m.* **9**
  doctor's office consultorio *m.*
official oficial *adj.*
  official language lengua oficial *f.* **10**
often a menudo *adv.*
Oh! ¡Ay!
oil aceite *m.*; petróleo *m.* **5**
OK regular *adj.*
old viejo/a *adj.*
old age vejez *f.* **4**
older mayor *adj.*
  older brother, sister
    hermano/a mayor *m., f.*
oldest el/la mayor *adj.*
omen augurio *m.* **5**; presagio *m.* **10**
on en *prep.*; sobre *prep.*
  go on sale salir *v.* a la venta **3**
  keep an eye on vigilar *v.* **3**
  on behalf of por *prep.*
  on one's feet parado/a *adj.* **6**

on the dot en punto
on time a tiempo
on top of encima de *prep.*
once una vez
one un, uno/a *adj.; m., f.; sing. pron.*
  one hundred cien(to)
  one million un millón
  one thousand mil
onion cebolla *f.*
online en línea *adj.* **8**
only sólo *adv.*; único/a *adj.*;
  no más *adv.* **3**
  only child hijo/a único/a *m., f.* **4**
open abierto/a *adj.*; abrir *v.*
open-air al aire libre
open-mouthed boquiabierto/a *adj.* **6**
opera ópera *f.*
  soap opera telenovela *f.* **3**
operation operación *f.*
opinion opinión *f.*
  express an opinion opinar *v.* **3**
opposite enfrente de *prep.*
oppressed oprimido/a *adj.* **6**
optical shop óptica *f.* **5**
or o *conj.*
orange anaranjado/a *adj.*; naranja *f.*
orchestra orquesta *f.*
order mandar *v.*; (*food*) pedir (e:i) *v.*
  in order to para *prep.*
orderly ordenado/a *adj.*
ordinal (*numbers*) ordinal *adj.*
other otro/a *adj.*
ought to deber *v.* (+ *inf.*)
our nuestro/a(s) *poss. adj.; poss. pron.*
out of order descompuesto/a *adj.*
out of place desplazado/a *adj.* **2**
outcome desenlace *m.* **8**
outdoors al aire libre **5**
outskirts alrededores *m., pl.* **2**
outstanding sobresaliente *adj.* **8**
oven horno *m.*
over sobre *prep.*
overcome superar *v.* **4**
overpopulation superpoblación *f.* **10**
overthrow derrocar *v.* **6**
overwhelmed agobiado/a *adj.* **1**
owe (money) deber *v.* (dinero) **9**
own propio/a *adj.* **4**
  on his/her own por su cuenta **1**
owner dueño/a *m., f.* **7**; propietario/a *m.,
  f.* **8**
ox buey *m.* **7**
ozone layer capa *f.* de ozono **5**

P

pacifist pacifista *adj.* **6**
pack (one's suitcases) hacer *v.*
  las maletas
package paquete *m.*
page página *f.*
  front page portada *f.* **3**
pain dolor *m.*
  have pain tener *v.* dolor

paint pintar *v.*
painter pintor(a) *m., f.*
painting pintura *f.*
pair par *m.*
  pair of shoes par *m.* de zapatos
palate paladar *m.* **8**
pamper mimar *v.* **4**
pants pantalones *m., pl.*
pantyhose medias *f., pl.*
paper papel *m.*; (*report*) informe *m.*
Pardon me. (*May I?*) Con permiso.;
  (*Excuse me.*) Perdón.
parents padres *m., pl.*; papás *m., pl.*
park estacionar *v.*; aparcar *v.* **2**;
  parquear *v.* **3**; parque *m.*
parking lot estacionamiento *m.* **2**
partner (*one of a married couple*) pareja
  f. **1**; socio/a *m., f.* **7**
party fiesta *f.*
  party pooper aguafiestas *m., f.* **9**
pass pasar *v.*
  pass a law aprobar (o:ue)
    v. una ley **6**
passenger pasajero/a *m., f.* **2**
passport pasaporte *m.*
password contraseña *f.* **8**
past pasado/a *adj.*
pastime pasatiempo *m.*
pastry shop pastelería *f.*
patent patente *f.* **8**
patience paciencia *f.*
patient paciente *m., f.*
patio patio *m.*
pay pagar *v.*
  pay attention fijarse *v.* **3**
  pay the bill pagar la cuenta
  pay in cash pagar *v.* al contado;
    pagar en efectivo
  pay in installments pagar *v.*
    a plazos
  pay raise aumento *m.* de sueldo **7**
pea arveja *f.*
peace paz *f.* **6**
peaceful pacífico/a *adj.* **6**
peach melocotón *m.*
pear pera *f.*
pedestrian peatón/peatona *m., f.* **2**
pen pluma *f.*
pencil lápiz *m.*
penicillin penicilina *f.*
people gente *f.* **2**
pepper (black) pimienta *f.*
per por *prep.*
perfect perfecto/a *adj.*
performance espectáculo *m.* **9**
perhaps quizás; tal vez *adv.*
permission permiso *m.*
persecution persecución *f.* **10**
person persona *f.*
  person in charge
    encargado/a *m., f.* **5**
personality carácter *m.* **4**
personification encarnación *f.* **4**
pharmacy farmacia *f.*
phenomenal fenomenal *adj.*

phone booth cabina *f.* **10**
photograph foto(grafía) *f.*
photographer fotógrafo/a *m., f.* **3**
physical (exam) examen *m.* médico
physician doctor(a), médico/a *m., f.*
physicist físico/a *m., f.* **8**
physics física *f. sing.*
pick up recoger *v.*
picture cuadro *m.*; pintura *f.*
pie pastel *m.*
piece pedazo *m.* **5**
   piece of junk pedazo de lata **8**
pill (tablet) pastilla *f.*
pillow almohada *f.*
pineapple piña *f.*
pink rosado/a *adj.*
place lugar *m.*; poner *v.*
plaid de cuadros
planet planeta *m.* **8**
plant planta *f.*
plastic plástico *m.*
   (made) of plastic de plástico
plate plato *m.*
play obra *f.* de teatro **9**; drama *m.*;
   comedia *f.*; jugar (u:ue) *v.*; (*a*
   musical instrument) tocar *v.*; (*a*
   role) hacer el papel de; (*cards*)
   jugar a (las cartas); (*sports*)
   practicar deportes
   play an instrument tocar *v.* **3**
player jugador(a) *m., f.*
playing cards cartas *f., pl.* **9**; naipes
   m., pl. **9**
playwright dramaturgo/a *m., f.*
plead rogar (o:ue) *v.*
pleasant agradable *adj.*
please por favor
Pleased to meet you. Mucho gusto.;
   Encantado/a. *adj.*
pleasing: be pleasing to gustar *v.*
pleasure gusto *m.*; placer *m.*
   The pleasure is mine.
     El gusto es mío.
plunge sumir *v.* **5**
poem poema *m.*
poet poeta *m., f.*
poetry poesía *f.*
poison intoxicar *v.* **5**
police (force) policía *f.*
   police station comisaría *f.* **2**;
     estación *f.* de policía **2**
policeman policía *m.* **2**
policewoman (mujer) policía *f.* **2**
political político/a *adj.* **6**
   political exile exiliado/a político/a
     m., f. **10**
   political party partido político
     m. **6**
   political refugee
     refugiado/a político/a *m., f.* **10**
politician político/a *m., f.* **6**
politics política *f.* **6**
polka-dotted de lunares
poll encuesta *f.*

pollute contaminar *v.* **5**
polluted contaminado/a *adj.*
   be polluted estar contaminado/a
pollution contaminación *f.* **5**
pool piscina *f.*
poor pobre *adj.*
populate poblar *v.* **2**
population población *f.* **10**
pork cerdo *m.*
   pork chop chuleta *f.* de cerdo
position puesto *m.*; cargo *m.* **4**
possessive posesivo/a *adj.*
possible posible *adj.*
   it's (not) possible
     (no) es posible
post office correo *m.*
postcard postal *f.*
poster cartel *m.*
potato papa *f.*; patata *f.*
pothole agujero *m.* **2**
pottery cerámica *f.*
pour verter (e:ie) *v.* **5**
poverty pobreza *f.* **7**
power poder *m.* **6**
practical práctico/a *adj.*
practice entrenarse *v.*; practicar *v.*
predict predecir (e:i) *v.* **10**
prefer preferir (e:ie) *v.*
pregnant embarazada *adj.*
premiere estreno *m.* **3**
premonition presentimiento *m.* **10**
prepare preparar *v.*; capacitar *v.* **8**
prepared preparado/a *adj.* **5**
preposition preposición *f.*
prescribe (*medicine*) recetar *v.*
prescription receta *f.*
present regalo *m.*; presentar *v.*
preserve conservar *v.* **2, 5**
president presidente/a *m., f.* **6**
press prensa *f.* **3**; pulsar *v.* **4**
   freedom of the press
     libertad *f.* de prensa **3**
   tabloid press prensa
     sensacionalista **3**
pressure presión *f.*
   be under a lot of pressure sufrir
     muchas presiones
pretty bonito/a *adj.*
prevent prevenir *v.* **5**;
   impedir (e:i) *v.* **2**
price precio *m.*
   (fixed, set) price precio *m.* fijo
pride orgullo *m.* **6**
principle principio *m.* **2**
principles ideales *m., pl.* **10**
print imprimir *v.*
printer (*machine*) impresora *f.*;
   (*business*) imprenta *f.* **1, 8**
prior to previo/a a *adj.* **9**
prisoner preso/a *m., f.* **5**
prize premio *m.*
probable probable *adj.*
   it's (not) probable (no) es probable

problem problema *m.*
process trámite *m.* **9**
profession profesión *f.*
professor profesor(a) *m., f.*
profit ganancia *f.*
program programa *m.*
programmer programador(a) *m., f.*
prohibit prohibir *v.*
prominent destacado/a *adj.* **3**
promotion (*career*) ascenso *m.* **7**
pronoun pronombre *m.*
proposal propuesta *f.* **7**
propose plantear *v.* **6**
protect proteger *v.* **5**
protected protegido/a *adj.* **5**
protein proteína *f.*
protest protestar *v.* **10**;
   manifestación *f.*
proud orgulloso/a *adj.* **1**
prove comprobar (o:ue) *v.* **8**
provide brindar *v.* **5**
provided (that) con tal (de) que *conj.*
psychologist psicólogo/a *m., f.*
psychology psicología *f.*
public público *m.* **3**
   public transportation
     transporte *m.* público **2**
publish publicar *v.* **3**
publisher editorial *f.* **8**
Puerto Rican puertorriqueño/a *adj.*
pull tirar; sacar *v.*
   pull a tooth sacar una muela
punish castigar *v.*
punishment castigo *m.* **3**
purchase compra *f.* **7**
purchases compras *f., pl.*
pure puro/a *adj.* **5**
purple morado/a *adj.*
purse bolsa *f.*
put poner *v.*; puesto/a *p.p.*
   put (a letter) in the mailbox
     echar (una carta) al buzón
   put on (a performance) presentar *v.*
   put on (clothing) ponerse *v.*
   put on makeup maquillarse *v.*
   put up with aguantar *v.* **5**

Q

quality calidad *f.*
quarrel pelear *v.* **6**
quarry cantera *f.* **7**
quarter (*academic*) trimestre *m.*
   quarter after (*time*) y cuarto;
     y quince
   quarter to (*time*) menos cuarto;
     menos quince
question pregunta *f.*
quickly rápido *adv.*
quiet tranquilo/a *adj.*
quit dejar *v.*; renunciar *v.* **7**
quiz prueba *f.*

R

rabbit's foot pata de conejo *f.* **5**
race carrera *f.* **9**
racetrack hipódromo *m.* **9**
racism racismo *m.*
radio (*medium*) radio *f.* **3**
    radio (set) radio *m.*
    radio announcer locutor(a) *m., f.*
    de radio **3**
rain llover (o:ue) *v.*; lluvia *f.* **5**
    It's raining. Llueve.;
    Está lloviendo.
rain forest bosque *m.* tropical;
    selva *f.* **5**
    tropical rain forest
    selva tropical *f.* **5**
raincoat impermeable *m.*
raise (*salary*) aumento de sueldo
raise (*children*) criar *v.* **4**
rank escalafón *m.* **4**
rather bastante *adv.*
reach alcanzar *v.* **8**
    reach a goal alcanzar
    una meta **10**
read leer *v.*; leído/a *p.p.*
    read e-mail leer el correo
    electrónico
    read a magazine leer una revista
    read a newspaper
    leer un periódico
ready listo/a *adj.*; preparado/a *adj.* **5;**
    dispuesto/a (a) *adj.* **7**
reality: reality show programa *m.*
    de telerrealidad **3**
reap the benefits (of) *v.* disfrutar *v.* (de)
reason razón *f.* **10**
rebellious rebelde *adj.* **4**
receive recibir *v.*
recipe receta *f.* **8**
recognize reconocer *v.* **7**
recommend recomendar (e:ie) *v.*
record grabar *v.* **3**
recreation diversión *f.*; recreo *m.* **9**
recycle reciclar *v.* **5**
recycling reciclaje *m.* **5**
red rojo/a *adj.*
red-haired pelirrojo/a *adj.*
reduce reducir *v.*; disminuir *v.* **10**
    reduce stress/tension aliviar *v.*
    el estrés/la tensión
refrigerator refrigerador *m.*
refugee refugiado/a *m., f.* **10**
    political refugee
    refugiado/a político/a **10**
    war refugee refugiado/a
    de guerra **10**
region región *f.*
registered inscrito/a *adj.* **4**
regret arrepentirse (e:ie) *v.* **1;**

lamentar *v.* **4;** sentir (e:ie) *v.*
rehearse ensayar *v.* **3**
reheated recalentado/a *adj.* **7**
reject rechazar *v.* **10**
relationship parentesco *m.* **4**
relative pariente *m., f.* **4**
    relatives familiares *m., pl.* **1**
relax relajarse *v.* **2**
release (a movie) estrenar *v.*
    (una película) **9**
relieve aliviar *v.* **5**
relieved aliviado/a *adj.* **9**
rely (on) contar (o:ue) (con) *v.* **1**
remain quedarse *v.*
remember acordarse (o:ue) *v.* (de);
    recordar (o:ue) *v.*
remote control control remoto *m.*
renewable renovable *adj.* **5**
rent alquilar *v.*; (*payment*) alquiler *m.*
repeal derogar *v.* **6**
repeat repetir (e:i) *v.*
replace reemplazar *v.* **8**
report informe *m.* **6;** reportaje *m.*
    news report reportaje *m.* **3**
reporter reportero/a *m., f.* **3**
representative representante *m., f.*
reputation: have a good/bad
    reputation tener *v.* buena/mala
    fama **3**
request pedir (e:i) *v.*
rescued rescatado/a *adj.* **6**
research investigar *v.* **3**
researcher investigador(a) *m., f.* **8**
reservation reservación *f.*
reside residir *v.* **2**
resign (from) renunciar (a) *v.*
resolve resolver (o:ue) *v.* **5**
resolved resuelto/a *p.p.*
resources recursos *m., pl.* **5**
respect respetar *v.* **4;** respeto *m.* **7**
rest descansar *v.*
restaurant restaurante *m.*
restrict restringir *v.* **9**
résumé currículum *m.*
retire (from work) jubilarse *v.* **7**
returned vuelto/a *p.p.*
review reseña *f.* **1**
revolutionary revolucionario/a *adj.* **8**
reward recompensa *f.* **7**
rhythm ritmo *m.* **3**
rice arroz *m.*
rich rico/a *adj.*
riches riquezas *f., pl.* **7**
ride a bicycle pasear *v.* en bicicleta
ride a horse montar *v.* a caballo
ridiculous ridículo/a *adj.*
    it's ridiculous es ridículo
right derecha *f.*
    be right tener razón
    right? (*question tag*) ¿no?;
    ¿verdad?
    right away enseguida *adv.*
    right now ahora mismo

    to the right of a la derecha de
rights derechos *m., pl.*
ring sonar (o:ue) *v.*
rise ascender (e:ie) *v.* **7**
risk riesgo *m.* **1**
river río *m.* **5**
road camino *m.*
    road sign señal *f.* de tráfico **2**
roast asado/a *adj.*
    roast chicken pollo *m.* asado
rob chorear *v.* **6**
rocking chair mecedora *f.* **4**
romantic romántico/a *adj.*
room habitación *f.*; cuarto *m.*
    living room sala *f.*
roommate compañero/a *m., f.*
    de cuarto
root raíz *f.* **4**
roundtrip de ida y vuelta
    roundtrip ticket pasaje *m.* de
    ida y vuelta
route recorrido *m.* **9**
routine rutina *f.* **5**
rude malcriado/a *adj.* **3**
rug alfombra *f.*
ruin arruinar *v.* **8;** destrozar *v.* **6**
rule regla *f.*
run correr *v.*; administrar *v.* **7**
    run errands hacer diligencias **2**
    run into (*have an accident*)
    chocar (con) *v.*; (*meet*
    accidentally) encontrar(se)
    (o:ue) *v.*; (*run into some*
    thing) darse (con) *v.*
    run into (each other)
    encontrar(se) (o:ue) *v.*
rush apurarse *v.*, darse *v.* prisa
Russian ruso/a *adj.*

S

sad triste *adj.*
    it's sad es triste
safe seguro/a *adj.*
safety seguridad *f.* **6**
said dicho/a *p.p.*
salad ensalada *f.*
salary salario *m.*; sueldo *m.*
sale rebaja *f.*; venta *f.* **7**
    go on sale salir *v.* a la venta **3**
salesman vendedor *m.* **7**
saleswoman vendedora *f.* **7**
salmon salmón *m.*
salt sal *f.*
salty salado/a *adj.* **8**
same mismo/a *adj.*
sandal sandalia *f.*
sandwich sándwich *m.*; bocata *f.* **10**
satisfied: be satisfied with
    contentarse *v.* con **1**
Saturday sábado *m.*
sausage salchicha *f.*
save (*on a computer*) guardar *v.* **8**
    save (money) ahorrar *v.* **7**

save someone's life salvar *v.*
la vida **3**
savings ahorros *m., pl.* **7**
savings account cuenta *f.*
de ahorros **7**
say decir *v.*; declarar *v.*
say (that) decir (que) *v.*
say goodbye despedirse (e:i) *v.* **10**
say the answer decir la respuesta
scandal escándalo *m.* **6**
scant escaso/a *adj.* **5**
scarce escaso/a *adj.* **5**
scarcely apenas *adv.*
scare asustar *v.* **5**
scared: be (very) scared (of)
tener (mucho) miedo (de)
scene escena *f.* **9**
scenery paisaje *m.* **5**
schedule horario *m.*
school escuela *f.*
science *f.* ciencia
science fiction ciencia *f.* ficción
scientist científico/a *m., f.* **8**
scold regañar *v.* **4**
score (a goal/a point) marcar *v.* (un
gol/un punto) **9**
scream chillar *v.* **4**
screen pantalla *f.* **3**
scuba dive bucear *v.*
sculpt esculpir *v.*
sculptor escultor(a) *m., f.*
sculpture escultura *f.*
sea mar *m.* **5**
seal foca *f.* **5**
search engine buscador *m.* **8**
season temporada *f.* **3**; estación *f.*;
época *f.* **1**
seat asiento *m.* **6**
second segundo/a *adj.*
secretary secretario/a *m., f.*
secure seguro/a *adj.* **1**
security seguridad *f.* **6**
sedentary sedentario/a *adj.*
see ver *v.*
see movies ver películas
See you. Nos vemos.
See you later. Hasta la vista.;
Hasta luego.
See you soon. Hasta pronto.
See you tomorrow. Hasta mañana.
seed semilla *f.* **5**
seem parecer *v.*
seen visto/a *p.p.*
self-esteem autoestima *f.* **4**
selfish egoísta *adj.* **4**
sell vender *v.*
semester semestre *m.*
send enviar *v.*; mandar *v.*
sensitive sensible *adj.* **1**
separate (from) separarse *v.* (de)
separated separado/a *adj.* **1**
September septiembre *m.*
sequence secuencia *f.*
serious grave *adj.*

serve servir (e:i) *v.*
set (*fixed*) fijo *adj.*
set the table poner la mesa
settle poblar *v.* **2**; asentarse (e:ie)
v. **4**
seven siete *adj.*
seven hundred setecientos/as *adj.*
seventeen diecisiete *adj.*
seventh séptimo/a *adj.*
seventy setenta *adj.*
several varios/as *adj. pl.*
severance package finiquito *m.* **7**
sexism sexismo *m.*
shaman chamán/chamana *m., f.* **5**
shame (*pity*) lástima *f.*;
(*embarassment, remorse*)
vergüenza *f.*
it's a shame es una lástima
shampoo champú *m.*
shape forma *f.*
be in good shape estar en
buena forma
stay in shape mantenerse
en forma
share compartir *v.* **1**
sharp (*time*) en punto
shave afeitarse *v.*
shaving cream crema *f.* de afeitar
she ella *f., sing. pron.*
shellfish mariscos *m., pl.*
ship barco *m.*
shirt camisa *f.*
shoe zapato *m.*
shoe size número *m.*
shoe store zapatería *f.*
tennis shoes zapatos *m., pl.*
de tenis
shoot a movie rodar (o:ue) *v.* **3**
shop tienda *f.*
shopping, to go ir *v.* de compras
shopping mall centro *m.*
comercial **2**
short (*in height*) bajo/a *adj.*; (*in
length*) corto/a *adj.*
short film cortometraje *m.*
short story cuento *m.*; relato *m.* **8**
short-term a corto plazo *adj.* **7**
shortage escasez *f.* **7**
shorts pantalones cortos *m., pl.*
should (*do something*) deber *v.*
(+ *inf.*)
shout gritar *v.* **9**
show espectáculo *m.* **9**; mostrar
(o:ue) *v.*
game show programa *m.*
de concursos **3**; concurso *m.*
reality show programa *m.*
de telerrealidad **3**
shower ducha *f.*; ducharse *v.*
shrimp camarón *m.*
shutter persiana *f.* **2**
shy tímido/a *adj.* **1**
shyness timidez *f.*
siblings hermanos/as *pl.*

sick enfermo/a *adj.*
be sick estar enfermo/a
get sick enfermarse *v.*
be sick (of) estar harto/a *v.* **1**
sidewalk acera *f.* **2**; vereda *f.*
(Arg.) **6**
sign firmar *v.*; letrero *m.* **2**;
señal *f.* **2**; (*omen*) augurio *m.* **5**
silence silencio *m.*
silk seda *f.*
silly tonto/a *adj.*
similar semejante *adj.* **10**
since desde *prep.*
sing cantar *v.*
singer cantante *m., f.* **3**
single soltero/a *adj.* **1**
single room
habitación *f.* individual
sink lavabo *m.*; sumir *v.* **5**
sir señor (Sr.) *m.*; don *m.*
sister hermana *f.*
sister-in-law cuñada *f.* **4**
sit down sentarse (e:ie) *v.*
six seis *adj.*
six hundred seiscientos/as *adj.*
sixteen dieciséis *adj.*
sixth sexto/a *adj.*
sixty sesenta *adj.*
skate patinar *v.*
skateboard andar *v.* en patineta
ski esquiar *v.*
skiing esquí *m.* **9**
cross-country skiing esquí
de fondo **9**
downhill skiing esquí alpino **9**
water-skiing esquí acuático
skill destreza *f.* **6**
skirt falda *f.*
sky cielo *m.*
skyscraper rascacielos *m.* **2**
sleep dormir (o:ue) *v.*; sueño *m.*
go to sleep dormirse (o:ue) *v.*
sleepy: be (very) sleepy tener
(mucho) sueño
slender delgado/a *adj.*
slim down adelgazar *v.*
slippers pantuflas *f., pl.*
slow lento/a *adj.*
slowly despacio *adv.*
small pequeño/a *adj.*
smart listo/a *adj.*
smell olor *m.*
smile sonreír (e:i) *v.*
smog smog *m.* **5**
smoke fumar *v.*
snack merendar *v.*
afternoon snack merienda *f.*
have a snack merendar (e:ie) *v.*
snake serpiente *f.* **5**
sneakers los zapatos *m., pl.* de tenis
sneeze estornudar *v.*
snow nevar (e:ie) *v.*; nieve *f.*
snowing: It's snowing. Nieva.;
Está nevando.

so (*in such a way*) así *adv.*; tan *adv.*
  so much tanto *adv.*
  so-so regular *adj.*
  so that para que *conj.*
soap jabón *m.*
  soap opera telenovela *f.* **3**
sob sollozar *v.* **9**
soccer fútbol *m.*
social prejudice prejuicio social *m.* **4**
sociology sociología *f.*
sock(s) calcetín (calcetines) *m.*
sofa sofá *m.*
soft drink refresco *m.*
software programa *m.*
  (de computación) **8**
soil tierra *f.*
solar solar *adj. m., f.*
  solar energy energía *f.* solar **5**
sold out agotado/a *adj.* **9**
soldier soldado *m., f.*
sole suela *f.* **6**
solution solución *f.*
solve resolver (o:ue) *v.* **5**
some algún, alguno/a(s) *adj.*; unos/as
  pron. m., f., pl.; indef. art.
somebody alguien *pron.*
someone alguien *pron.*
something algo *pron.*
sometimes a veces *adv.*
son hijo *m.*
song canción *f.*
son-in-law yerno *m.* **4**
soon pronto *adv.*
  See you soon. Hasta pronto.
soothe aliviar *v.* **5**
sorry: be sorry sentir (e:ie) *v.*
  I'm sorry. Lo siento.
soul alma *f.* (*but:* el alma) **1**
  soul mate alma gemela **1**
soundtrack banda *f.* sonora **3**
soup sopa *f.*
sour agrio/a *adj.* **8**
source fuente *f.* **5**
South Sur *m.*
  to the south al sur
space espacio *m.* **8**
Spain España *f.*
Spanish (*language*) español *m.*;
  español(a) *adj.*
spare change limosna *f.* **7**
spare (free) time ratos libres
speak hablar *v.*
special: special effects
  efectos *m., pl.* especiales **3**
specialized especializado/a *adj.* **8**
species especie *f.* **5**
  endangered species especie en
   peligro (de extinción) **5**
spectacular espectacular *adj.*
spectator espectador(a) *m., f.* **9**
speech discurso *m.*
speed velocidad *f.*
  speed limit velocidad *f.* máxima

spell checker
  corrector *m.* ortográfico **8**
spelling ortografía *f.*; ortográfico/a *adj.*
spend (*money*) gastar *v.* **7**
spicy picante *adj.* **8**
spirit (*mood*) ánimo *m.* **1**
spoil malcriar *v.* **4**
spoiled brat niñato/a *m., f.* **4**
spoon (*table or large*) cuchara *f.*
spoonful cucharada *f.* **5**
  in spoonfuls a cucharadas **5**
sport deporte *m.*
  sports club club *m.* deportivo **9**
  sports-related deportivo/a *adj.*
  sports section
   sección *f.* deportiva **3**
spouse esposo/a *m., f.* **4**
sprain (one's ankle) torcerse
  (o:ue) *v.* (el tobillo)
sprained torcido/a *adj.*
spread esparcir *v.* **10**; difundir *v.* **2**
  spread news difundir *v.* **2**
  spread the word correr *v.* la voz **9**
spring primavera *f.*
spy espiar *v.* **6**
square plaza *f.* **2**
stadium estadio *m.* **2**
stage etapa *f.*
stain mancha *f.* **9**
stained manchado/a *adj.* **2**
stairs escalera *f.*
stairway escalera *f.*
stamp estampilla *f.*
stand estar *v.* de pie **6**
  stand in line hacer *v.* cola
  stand (someone) up
   dejar *v.* plantado/a **1**
standard of living nivel *m.* de vida
  f. **10**; calidad *f.* de vida *f.* **1**
standoffish estirado/a *adj.* **4**
star estrella *f.* **8**
  movie star estrella de cine **3**
  shooting star estrella fugaz **8**
start (*a vehicle*) arrancar *v.*;
  (*establish*) establecer *v.*
station estación *f.* **2**
  bus station estación *f.*
   de autobuses **2**
  fire station estación *f.*
   de bomberos **2**
  police station estación *f.*
   de policía **2**; comisaría *f.* **2**
  subway station estación *f.*
   del metro
  train station estación *f.* de trenes **2**
statue estatua *f.*
status: marital status
  estado *m.* civil
stay quedarse *v.* **2**
  stay in shape mantenerse
   en forma
  stay up late/all night trasnochar
   v. **9**
steak bistec *m.*

steering wheel volante *m.*
step etapa *f.*
stepbrother hermanastro *m.* **4**
stepdaughter hijastra *f.*
stepfather padrastro *m.* **4**
stepmother madrastra *f.* **4**
stepsister hermanastra *f.* **4**
stepson hijastro *m.*
still todavía *adv.*
stingy tacaño/a *adj.* **1**
stock market bolsa *f.* de valores **7**
stockbroker corredor(a) *m., f.*
  de bolsa
stockings medias *f., pl.*
stomach estómago *m.*
stone piedra *f.*
stop parar *v.* **2**
  stop (*doing something*) dejar de
   (+ *inf.*)
stop parada *f.* **2**
  bus stop parada *f.* de autobús **2**
  subway stop parada *f.* de metro **2**
store tienda *f.*
storm tormenta *f.*
stormy tempestuoso/a *adj.* **1**
story cuento *m.*; historia *f.*
stove cocina, estufa *f.*
straight derecho *adv.*
  straight (ahead) derecho
straighten up arreglar *v.*
strange extraño/a *adj.*; raro/a *adj.* **6**
  it's strange es extraño
stranger desconocido/a *m., f.* **2**
strawberry fresa *f.*
street calle *f.* **2**
strengthen fortalecer *v.* **6**
stress estrés *m.*
stressed (out) estresado/a *adj.* **7**
stretching estiramiento *m.*
  do stretching exercises hacer
   ejercicios *m., pl.* de estiramiento
strict estricto/a *adj.* **4**
strike (*labor*) huelga *f.* **6**
stripe raya *f.*
  striped de rayas
stroll pasear *v.*
strong fuerte *adj.*
  to grow stronger fortalecerse *v.* **1**
struggle lucha *f.* **6**
struggle (for/against) luchar *v.*
  (por/contra)
student estudiante *m., f.*;
  estudiantil *adj.*
study estudiar *v.*
stun aturdir *v.* **6**
stupendous estupendo/a *adj.*
style estilo *m.* **3**
submissive sumiso/a *adj.* **4**
subscribe (to) suscribirse (a) *v.* **3**
substitute sustituir *v.* **8**
subtitles subtítulos *m., pl.* **3**
suburb suburbio *m.* **2**
suburbs afueras *f., pl.* **2**
subway metro *m.* **2**

subway station estación *f.*
del metro
subway stop parada *f.* de metro **2**
success éxito *m.* **3**
successful exitoso/a *adj.* **7**
be successful tener éxito
sudden repentino/a *adj.* **2**
suddenly de repente *adv.*
suffer sufrir *v.*
suffer an illness sufrir
una enfermedad
suffocate ahogarse *v.* **5**
sugar azúcar *m.*
suggest sugerir (e:ie) *v.*; plantear *v.* **6**
suit traje *m.*
suitcase maleta *f.*
summer verano *m.*
summon convocar *v.* **6**
sun sol *m.* **5**
sunbathe tomar *v.* el sol
Sunday domingo *m.*
(sun)glasses gafas *f., pl.*
(oscuras/de sol)
sunny: It's (very) sunny. Hace
(mucho) sol.
superiority complex complejo *m.* de
superioridad **8**
supermarket supermercado *m.*
superstitious supersticioso/a *adj.* **10**
supply abastecer *v.* **7**
support apoyo *m.*
support (each other)
apoyar(se) *v.* **4**
support network red *f.*
de apoyo *m.* **1**
suppose suponer *v.*
sure seguro/a *adj.*
be sure estar seguro/a
surprise sorprender *v.*; sorpresa *f.*
surprised sorprendido/a *adj.* **2**
surrounded rodeado/a *adj.* **9**
survey encuesta *f.*
survival supervivencia *f.* **8**
survive sobrevivir *v.* **4**
suspect sospechar *v.*
suspicion sospecha *f.* **3**
suspicious sospechoso/a *adj.* **8**
sweat sudar *v.*
sweater suéter *m.*; chompa *f.* **3**
sweep the floor barrer *v.* el suelo
sweet dulce *adj.* **8**
sweetheart amado/a *m., f.* **1**
sweetie chato/a *m., f.* **3**
sweets dulces *m., pl.*
swim nadar *v.*
swimming natación *f.*
swimming pool piscina *f.*
symbol símbolo *m.* **5**
symptom síntoma *m.*

T

table mesa *f.*
tablecloth mantel *m.* **6**
tablespoon cuchara *f.*
tablet (*pill*) pastilla *f.*; (*computer*)
tableta *f.* **8**
tacky thing horterada *f.* **1**
take tomar *v.*; llevar *v.*
take advantage of
aprovechar *v.* **7**;
explotar *v.* **9**
take a bath bañarse *v.*
take a bike/car/motorcycle ride
dar *v.* una vuelta en bicicleta/
carro/motocicleta **2**
take care of cuidar *v.* **1**
take off quitarse *v.*
take out the trash sacar *v.*
la basura
take photos tomar *v.* fotos;
sacar *v.* fotos
take a shower ducharse *v.*
take someone's temperature
tomar *v.* la temperatura
take a stroll dar *v.* un paseo **2**
take a walk/ride dar *v.* una vuelta **2**
talented talentoso/a *adj.*
talk hablar *v.*; conversar *v.* **2**
talk show programa *m.*
de entrevistas
tall alto/a *adj.*
tank tanque *m.*
taste probar (o:ue) *v.*; saber *v.*
taste like saber a
tasty rico/a *adj.*; sabroso/a *adj.*
tax impuesto *m.* **7**
taxi taxi *m.*
tea té *m.*
teach enseñar *v.*
teacher profesor(a) *m., f.*;
maestro/a *m., f.*
team equipo *m.* **9**
technician técnico/a *m., f.*
telecommuting teletrabajo *m.*
telescope telescopio *m.* **8**
television televisión *f.*
television set televisor *m.*
television viewer televidente *m.,
f.* **3**
tell contar *v.*; decir *v.*
tell lies decir mentiras
tell the truth decir la verdad
temperature temperatura *f.*
tempt tentar (e:ie) *v.* **7**
ten diez *adj.*
tennis tenis *m.*
tennis shoes zapatos *m., pl.*
de tenis
tension tensión *f.*
tent tienda *f.* de campaña
tenth décimo/a *adj.*
terrible terrible *adj. m., f.*

it's terrible es terrible
terrific chévere *adj.*
terrorism terrorismo *m.* **6**
terrorist terrorista *m., f.* **6**
test prueba *f.*; examen *m.*
text message mensaje *m.* de texto **8**
thank agradecer *v.* **4**
Thank you. Gracias. *f., pl.*
Thank you (very much).
(Muchas) gracias.
that que; quien(es); lo que *pron.*
that (one) ése; ésa; eso *pron.*;
ese; esa *adj.*
that (*over there*) aquél, aquélla,
aquello *pron.*; aquel, aquella *adj.*
that which lo que
that's why por eso
the el *m.*, la *f. sing.*; los *m.*, las *f., pl.*
theater teatro *m.* **9**
theater play obra *f.* de teatro **9**
their su(s) *poss. adj.*;
suyo/a(s) *poss. pron.*
them los/las *pl., d.o. pron.*
to/for them les *pl., i.o. pron.*
then (*afterward*) después *adv.*; (*as a
result*) entonces *adv.*; (*next*) luego
adv.; pues *adv.*
theory teoría *f.* **8**
there allí *adv.*
There is/are... Hay...
There is/are not... No hay...
therefore por eso
these éstos; éstas *pron.*;
estos; estas *adj.*
they ellos *m.*, ellas *f. pron.*
thief ladrón/ladrona *m., f* **6**
thin delgado/a *adj.*
thing cosa *f.*
think opinar *v.* **3**; pensar (e:ie) *v.*;
(*believe*) creer *v.*
think about pensar en
third tercero/a *adj.*
thirst sed *f.*
thirsty: be (very) thirsty tener
(mucha) sed
thirteen trece *adj.*
thirty treinta *adj.*
thirty (*minutes past the hour*)
y treinta; y media
this este; esta *adj.*;
éste, ésta, esto *pron.*
those ésos; ésas *pron.*; esos; esas *adj.*
those (over there) aquéllos; aquéllas
pron.; aquellos; aquellas *adj.*
thousand mil *adj.*
threat amenaza *f.* **6**
threaten amenazar *v.* **5**
three tres
three hundred trescientos/as *adj.*
threshold umbral *m.* **9**
throat garganta *f.*
through por *prep.*
throw away echar *v.* **5**

Thursday jueves *m.*, *sing.*
thus (*in such a way*) así *adj.*
ticket boleto *m.*; entrada *f.* **9**;
    pasaje *m.*
tie (*clothing*) corbata *f.*; (*link*) lazo
    m. **1**; (*a game*) empatar *v.* **9**
tiger tigre *m.* **5**
tight-lipped parco/a *adj.* **9**
time vez *f.*; tiempo *m.*
    have a good/bad time pasarlo/la
      bien/mal **2**
    What time is it? ¿Qué hora es?
    (At) What time…? ¿A qué hora…?
times veces *f.*, *pl.*
    many times muchas veces
    two times dos veces
tip propina *f.*
tire llanta *f.*
tired cansado/a *adj.*
to a *prep.*
toast (*drink*) brindar *v.* **9**
toast pan *m.* tostado
toasted tostado/a *adj.*
    toasted bread pan tostado *m.*
toaster tostadora *f.*
today hoy *adv.*
    Today is… Hoy es…
toe dedo *m.* del pie
together juntos/as *adj.*
toilet inodoro *m.*
tolerate aguantar *v.* **5**
tomato tomate *m.*
tome tocho *m.* **8**
tomorrow mañana *f.*
    See you tomorrow. Hasta mañana.
tongue lengua *f.* **10**
    mother tongue lengua materna *f.* **10**
tonight esta noche *adv.*
too también *adv.*
    too much demasiado *adv.*;
      en exceso
tool herramienta *f.* **8**
tooth diente *m.*
toothpaste pasta *f.* de dientes
top cima *f.* **4**
tornado tornado *m.*
touch tocar *v.*
tour excursión *f.*
tourism turismo *m.*
tourist turista *m.*, *f.*; turístico/a *adj.*
toward hacia *prep.*; para *prep.*
towel toalla *f.*
town pueblo *m.*
toxic tóxico/a *adj.* **5**
trade oficio *m.*
traffic circulación *f.*; tráfico *m.* **2**
    traffic light semáforo *m.* **2**
tragedy desgracia *f.* **10**; tragedia *f.*
trail sendero *m.*
train entrenarse *v.*; tren *m.*
    train station estación *f.*
      de trenes *m.* **2**
trainer entrenador(a) *m.*, *f.*
trait rasgo *m.* **3**

translate traducir *v.*
transportation (public)
    transporte *m.* público **2**
trap trampa *f.* **6**
trash basura *f.* **5**
travel viajar *v.*
travel (*around a city*) recorrer *v.* **2**
traveler viajero/a *m.*, *f.*
treadmill cinta caminadora *f.*
treatment trato *m.* **2**
tree árbol *m.* **5**
trembling tembloroso/a *adj.* **4**
trench trinchera *f.* **7**
trial juicio *m.* **6**
trick engañar *v.*
trillion billón *m.*
trimester trimestre *m.*
trip viaje *m.*; recorrido *m.* **9**
    take a trip hacer un viaje
tropical forest bosque *m.* tropical
true cierto/a *adj.*
    it's (not) true (no) es verdad
trunk baúl *m.*
trust (in) confiar (en) *v.* **1**
truth verdad *f.*
try intentar *v.*; probar (o:ue) *v.*
    try (*to do something*) tratar de
      (+ *inf.*)
    try on probarse (o:ue) *v.*
t-shirt camiseta *f.*
Tuesday martes *m.*, *sing.*
tuna atún *m.*
turkey pavo *m.*
turmoil tumulto *m.* **9**
turn doblar *v.* **2**
    turn down rechazar *v.* **2**, **4**
    turn into (*something*) convertirse
      (e:ie) en (algo) *v.* **10**
    turn off (*electricity/appliance*)
      apagar *v.*
    turn on (*electricity/appliance*)
      poner *v.*; prender *v.*
turtle tortuga *f.* **5**
    sea turtle tortuga marina **5**
twelve doce *adj.*
twenty veinte *adj.*
twenty-eight veintiocho *adj.*
twenty-five veinticinco *adj.*
twenty-four veinticuatro *adj.*
twenty-nine veintinueve *adj.*
twenty-one veintiún *adj.*;
    veintiuno/a *adj.*
twenty-seven veintisiete *adj.*
twenty-six veintiséis *adj.*
twenty-three veintitrés *adj.*
twenty-two veintidós *adj.*
twice dos veces
twin gemelo/a *m.*, *f.*
    twin brother hermano gemelo
      m. **4**
    twin sister hermana gemela *f.* **4**
twisted torcido/a *adj.*
two dos *adj.*
    two hundred doscientos/as *adj.*

two times dos veces
type escribir *v.* a máquina **4**

U

ugly feo/a *adj.*
unbearable insoportable *adj.* **4**
unbiased imparcial *adj.* **3**
uncertainty incertidumbre *f.* **10**
uncle tío *m.* **4**
under bajo *adv.*; debajo de *prep.*
    under siege sitiado/a *adj.* **7**
undergo someterse a *v.* **8**
understand comprender *v.*; entender
    (e:ie) *v.*
understanding comprensión
    f. **4**; entendimiento *m.* **10**;
    comprensivo/a *adj.*
underwear ropa interior
unemployed desempleado/a *adj.* **7**
unemployment desempleo *m.* **7**
unequal desigual *adj.* **6**
unethical poco ético/a *adj.* **8**
unexpected inesperado/a *adj.* **2**
unfair injusto/a *adj.* **6**
unfaithfulness infidelidad *f.* **1**
unforgettable inolvidable *adj.* **1**
unfriendly antipático/a *adj.* **4**
ungrateful desagradecido/a *adj.* **4**
union unión *f.* **7**
    labor union sindicato *m.* **7**
United States Estados Unidos
    (EE.UU.) *m.*, *pl.*
university universidad *f.*
unless a menos que *conj.*
unmarried soltero/a *adj.*
unsociable huraño/a *adj.* **4**
until hasta *prep.*; hasta que *conj.*
up arriba *adv.*
    up-to-date actualizado/a *adj.* **3**
upload subir *v.* **8**
upset disgustado/a *adj.* **1**
urbanize urbanizar *v.* **5**
urgent urgente *adj.*
    It's urgent that… Es urgente que…
us nos *pl.*, *d.o. pron.*
    to/for us nos *pl.*, *i.o. pron.*
use usar *v.*
use up agotar *v.* **5**
used for para *prep.*
useful útil *adj.*; práctico/a *adj.*
usefulness utilidad *f.* **5**
user name nombre *m.* de usuario **8**

V

vacation vacaciones *f.*, *pl.*
    be on vacation estar
      de vacaciones
    go on vacation ir
      de vacaciones
vacuum pasar *v.* la aspiradora
    vacuum cleaner aspiradora *f.*
valley valle *m.*
value valorar *v.* **2**

values valores *m., pl.* **10**
vanguard vanguardia *f.* **8**
vanish desvanecerse *v.* **9**
various varios/as *adj. pl.*
vegetables verduras *pl., f.*
verb verbo *m.*
very muy *adv.*
victim víctima *f.* **6**
victory victoria *f.* **6**
video video *m.*
  music video video *m.* musical **3**
  video game videojuego *m.* **9**
videoconference
  videoconferencia *f.*
viewer: television viewer
  televidente *m., f.* **3**
vinegar vinagre *m.*
violence violencia *f.* **6**
visit visitar *v.*
  visit monuments
    visitar monumentos
vitamin vitamina *f.*
volcano volcán *m.*
volleyball vóleibol *m.*
volume of sound tono *m.* **10**
vote votar *v.* **6**

W

wage sueldo *m.* **7**
wait (for) esperar *v.* (+ *inf.*)
  wait in line hacer *v.* cola **9**
waiter/waitress camarero/a;
  mesero/a *m., f.*
wake up despertarse (e:ie) *v.*;
  amanecer *v.* **10**
walk caminar *v.*
  take a walk pasear *v.*; dar *v.* una
    vuelta **2**
  walk around pasear por
wall pared *f.*
wallet cartera *f.*
wallpaper empapelado *m.* **9**
want querer (e:ie) *v.* **1**
war guerra *f.* **6**
  war refugee refugiado/a
    de guerra **10**
  war veteran excombatiente
    m., f. **7**
warehouse almacén *m.* **7**
warm tibio/a *adj.* **3**
warm up calentarse (e:ie) *v.*
warming calentamiento *m.* **5**
wash lavar *v.*
  wash one's face/hands lavarse
    la cara/las manos
  wash (the floor, the dishes)
    lavar (el suelo, los platos)
  wash oneself lavarse *v.*
washing machine lavadora *f.*
waste malgastar *v.* **5**
wastebasket papelera *f.*
watch vigilar *v.* **3**; mirar *v.*; reloj *m.*
  watch television mirar
    (la) televisión
water agua *f.*

water pollution contaminación *f.*
  del agua
water-skiing esquí *m.* acuático
way manera *f.*
we nosotros(as) *m., f.*
weak débil *adj.*
weakling enclenque *m., f.* **4**
wealth riqueza *f.* **7**
weapon arma *f.* (*but:* el arma) **6**
wear llevar *v.*; usar *v.*
wear warm clothes abrigarse *v.* **3**
weather tiempo *m.*
  The weather is bad. Hace
    mal tiempo.
  The weather is good. Hace
    buen tiempo.
weaving tejido *m.*
Web red *f.* **8**
website sitio *m.* web **3**
wedding boda *f.*
Wednesday miércoles *m., sing.*
week semana *f.*
weekend fin *m.* de semana
weight peso *m.*
  lift weights levantar *v.* pesas *f., pl.*
welcome bienvenido(s)/a(s) *adj.*
welding mask máscara *f.* de
  soldadura **5**
well pues *adv.*; bien *adv.*
  (Very) well, thanks. (Muy)
    bien, gracias.
well-being bienestar *m.* **2**
well-mannered (bien) educado/a *adj.* **4**
West Oeste *m.*
  to the west al oeste
whale ballena *f.* **5**
what lo que *pron.*
what? ¿qué?
  At what time...? ¿A qué hora...?
  What day is it? ¿Qué día es hoy?
  What is today's date? ¿Cuál
    es la fecha de hoy?
  What time is it? ¿Qué hora es?
  What's going on? ¿Qué pasa?
  What's happening? ¿Qué pasa?
  What's. . . like? ¿Cómo es...?
  What's new? ¿Qué hay de nuevo?
  What's the weather like? ¿Qué
    tiempo hace?
  What's your name? ¿Cómo se
    llama usted? *form.*; ¿Cómo te
    llamas (tú)? *fam.*
wheelbarrow carretilla *f.* **7**
when cuando *conj.*
When? ¿Cuándo?
where donde
where (to)? (*destination*) ¿adónde?;
  (*location*) ¿dónde?
  Where are you from? ¿De dónde
    eres (tú)? *fam.*; ¿De dónde es
    (usted)? *form.*
  Where is...? ¿Dónde está...?
  (to) where? ¿adónde?
which que *pron.*; lo que *pron.*

which? ¿cuál?; ¿qué?
  which one(s)? ¿cuál(es)?
while mientras *conj.*; rato *m.* **1**
whistle (at) silbar (a) *v.* **9**
white blanco/a *adj.*
  white wine vino blanco
who que *pron.*; quien(es) *pron.*
who? ¿quién(es)?
Who is...? ¿Quién es...?
whole todo/a *adj.*
whom quien(es) *pron.*
whose? ¿de quién(es)?
why? ¿por qué?
widowed viudo/a *adj.* **1**
wife esposa *f.* **4**
will voluntad *f.* **1**
willing (to) dispuesto/a (a) *adj.* **7**
win ganar *v.* **9**
  win a game ganar un partido **9**
  win an election ganar
    las elecciones **6**
wind viento *m.*
window ventana *f.*
windshield parabrisas *m., sing.*
windy: It's (very) windy. Hace
  (mucho) viento.
wine vino *m.*
  red wine vino tinto
  white wine vino blanco
wineglass copa *f.*
winter invierno *m.*
wireless inalámbrico/a *adj.* **8**
wise sabio/a *adj.* **4**
wish desear *v.*; esperar *v.*
  I wish (that) ojalá (que)
with con *prep.*
  with me conmigo
  with you contigo *fam.*
within (ten years) dentro de (diez
  años) *prep.*
without sin *prep.*; sin que *conj.*
wolf lobo *m.* **5**
woman mujer *f.*
wonderful genial *adj.* **1**
wood madera *f.* **5**
wool lana *f.*
word palabra *f.*
work trabajar *v.*; funcionar *v.*; trabajo *m.*
  work (*of art, literature, music,*
    etc.) obra *f.*
  work out hacer gimnasia
  work schedule horario *m.*
    de trabajo **7**
workshop taller *m.* **5**
world mundo *m.*
worldwide mundial *adj.*
worried (about) preocupado/a (por)
  adj. **1**
worry (about) preocuparse *v.* (por)
worse peor *adj.*
worst el/la peor, lo peor
Would you like to...?

¿Te gustaría…? *fam.*
write escribir *v.*
  write a letter/postcard/e-mail
  message escribir un(a) carta/
  postal/mensaje electrónico
writer escritor(a) *m., f.*
written escrito/a *p.p.*
wrong equivocado/a *adj.*
  be wrong no tener razón

X

X-ray radiografía *f.*

Y

yard jardín *m.*; patio *m.*
year año *m.*
  be… years old tener… años
yellow amarillo/a *adj.*
yes sí *interj.*
yesterday ayer *adv.*
yet todavía *adv.*
yield ceder *v.* **6**
yogurt yogur *m.*
you tú *fam.*, usted (Ud.) *form. sing.*;
  vosotros/as *m., f. fam.*; ustedes
  (Uds.) *pl.*
  (to, for) you te *fam. sing.*; os *fam.*
    pl.; le *form. sing.*; les *pl.*
  you te *fam., sing.*; lo/la *form.,*
    sing.; os *fam., pl.*; los/las
    pl., d.o. pron.
You're welcome. De nada.; No hay
  de qué.
young joven *adj.*
  young person joven *m., f.*
  young woman señorita (Srta.) *f.*
younger menor *adj.*
younger: younger brother, sister
  hermano/a *m., f.* menor
youngest el/la menor *m., f.*
your su(s) *poss. adj. form.*
  your tu(s) *poss. adj. fam. sing.*
  your vuestro/a(s) *poss. adj.*
    fam. pl.
  your(s) suyo(s)/a(s)
    poss. pron. form.
  your(s) tuyo(s)/a(s) *poss.*
    fam. sing.
  your(s) vuestro(s)/a(s) *poss. fam.*
youth juventud *f.* **4**

Z

zero cero *m.*

Index

A

adjectives 382
  demonstrative 390
  past participles used as 402
  possessive 388
adverbs 398
affirmative and negative expressions
  356
augmentatives 400

Autores

Belli, Gioconda 153
Bornemann, Elsa 229
Cutillas, Ginés S. 115
García Márquez, Gabriel 371
Ibarbourou, Juana de 333
López, Nila 265
Neruda, Pablo 35
Orgambide, Pedro 299
Sabines, Jaime 191
Sarrias, Mercè 73

B

become 392

C

commands 106
comparatives and superlatives 220
conditional tense 178
  conditional perfect 322

Cortometrajes

Adiós mamá de Ariel Gordon 44
La boda de Marina Seresesky 342
Café para llevar de Patricia Font 6
El clon de Mateo Ramírez-
  Louit 274
Desconexión de Yecid Benavides
  84
Eclipse de Santi Planet 162
La jaula de Nacho Solana 238
Justo de Paula Romero Levit 200
No me ama de Martín Piroyanski
  308
Sin palabras de Bel Armenteros
  124

Cultura

Chile: dictadura y democracia
  225
Corriente latina 31
Delicias peruanas 295
España: emigración e inmigración
  367

Fin de semana en Buenos Aires
  329
Juchitán: La ciudad de las mujeres
  69
Recursos naturales: una salida al
  mundo 261
Ritmos del Caribe 111
La selva amazónica: biodiversidad
  curativa 187
Sonia Sotomayor: la niña que
  soñaba 149

D

demonstrative adjectives 390
demonstrative pronouns 390
diminutives 400

E

estar 22

F

Flash cultura

Un bosque tropical 173
El cine mexicano 95
De compras en Barcelona 135
Inventos argentinos 285
Machu Picchu: encanto
  y misterio 353
Lo mejor de Argentina 319
El metro del D.F. 55
El mundo del trabajo 249
Puerto Rico: ¿nación o
  estado? 211
Las relaciones personales 17
future tense 174
  future perfect 320

G

Galería de creadores

Allende, Isabel 208
Álvarez, Julia 14
Borges, Jorge Luis 316
Burgos, Julia de 93
Calatrava, Santiago 350
Cavour Aramayo, Ernesto 246
Coixet, Isabel 350
Dudamel, Gustavo 170
Ender, Erika 132
Escobar, Marisol 171
Ferré, Rosario 92
García Bernal, Gael 53
Guayasamín, Oswaldo 171
Guerra, Juan Luis 93
Iglesias, Enrique 351

Kahlo, Frida 52
Lam, Wifredo 92
Libertad, Tania 282
Littín, Miguel 209
Llosa, Claudia 283
Lomas Garza, Carmen 15
MATTA 209
Matute, Ana María 351
Miranda, Lin-Manuel 15
Morales, Armando 132
Parra, Violeta 208
Pastorutti, Soledad 316
Peri Rossi, Cristina 317
Plá, Josefina 247
Puente, Mauricio 133
Rivera, Diego 57
Roa Bastos, Augusto 246
Rodo Boulanger, Graciela 247
Rodríguez, Narciso 14
Santa Cruz, Los Hermanos 283
Shakira 170
Sosa, Julio 317
Springmühl Tejada, Isabella 133
Vargas Llosa, Mario 282
Venegas, Julieta 52
gustar and similar verbs 26

H

hacer
  with time expressions 404
hacerse 392

I

imperfect tense 60
  imperfect vs. the preterite 64
indicative, summary of 360
infinitive, uses of 290

L

Literatura

Belli, Gioconda *Las fiebres de
  la memoria* 153
Bornemann, Elsa *Caso Gaspar*
  229
Cutillas, Ginés S. *La
  desesperación de las letras* 115
García Márquez, Gabriel *Algo
  muy grave va a suceder en este
  pueblo* 371
Ibarbourou, Juana de *La mancha
  de humedad* 333
López, Nila *El carretillero* 265
Neruda, Pablo *Poema 20* 35
Orgambide, Pedro *La intrusa* 299
Sabines, Jaime *La Luna* 191

Sarrias, Mercè *Una lucha muy personal* 73
llegar a ser 392
lo 396

N

negative and affirmative expressions 356
neuter form **lo** 396
nouns and articles 380

O

object pronouns 102

P

Países
  Argentina 314
  Bolivia 244
  Chile 206
  Colombia 168
  Costa Rica 130
  Cuba 90
  Ecuador 168
  El Salvador 130
  España 348
  Estados Unidos, los 12
  Guatemala 130
  Honduras 130
  México 50
  Nicaragua 130
  Panamá 130
  Paraguay 244
  Perú 280
  Puerto Rico 90
  República Dominicana, la 90
  Uruguay 314
  Venezuela 168

Para empezar (theme-related vocabulary)
  activities 42, 306
  animals 160
  beliefs 198
  changes 340
  directions 42
  ecology 160
  economy 236
  family 122
  feelings 4
  future 340
  jobs 42, 82, 198, 236, 272
  laws and rights 198
  media 82
  movies and television 82
  nature 160
  pastimes 306
  personal relationships 4

personalities 4, 122
places in the city 42
politics 198
problems and solutions 340
science 272
security and threats 198
sports 306
stages of life 122
technology 272
universe 272
work 236
passive voice 354
past participles used as adjectives 402
past perfect tense 286
  past perfect subjunctive 288
perfect tenses
  conditional perfect 322
  future perfect 320
  past perfect 286
  past perfect subjunctive 288
  present perfect 250
  present perfect subjunctive 254
pero vs. **sino** 412
ponerse 392
por and **para** 144
possessive adjectives 388
possessive pronouns 388
prepositions 406, 408
present perfect tense 250
  present perfect subjunctive 254
present tense 18
preterite tense 56
  preterite vs. the imperfect 64
progressive forms 384
pronouns
  demonstrative 390
  object 102
  possessive 388
  relative 182

Q

questions, forming
  qué vs. **cuál** 394

R

reflexive verbs 140
relative pronouns 182

S

se constructions 256
ser 22
si clauses 324
subjunctive
  in adjective clauses 136
  in adverbial clauses 212
  in noun clauses 96

past 216
past perfect 288
present perfect 254
summary of 360
superlatives, comparatives and 220

T

telling time 386
  with **hacer** 404
transitional expressions 410

V

verb conjugation tables 414
verbs
  infinitives, uses of 290
  reflexive 140
volverse 392

Credits

Every effort has been made to trace the copyright holders of the works published herein. If proper copyright acknowledgment has not been made, please contact the publisher and we will correct the information in future printings.

Photography and Art Credits

All images © by Vista Higher Learning unless otherwise noted.

Cover: Samir Belhamra/EyeEm/Getty Images.

Master art: Randall Fung/Corbis.

Lesson 1: 2: Aldomurillo/iStockphoto; **3:** (b) J. Emilio Flores/Corbis Historical/Getty Images; **4:** (tl) Edyta Pawlowska/Fotolia; (tr) Pixland/Jupiterimages; (ml) Anne Loubet; (m) ImageShop/Corbis; (mr) FotoliaI/Fotolia; (br) Ant236/Fotolia; **12-13:** Colorblind/Corbis; **13:** (t) AO Images/PacificCoastNews/Newscom; (mt) Helga Esteb/Shutterstock; (mb) Noppasin Wongchum/123RF; (b) WDC Photos/Alamy; **14:** (l) Digital Catwalk/Retna/Photoshot/Newscom; (inset left) Jared Siskin/Getty Images; (r) From *In the Time of the Butterflies* by Julia Alvarez ©2010 by Julia Alvarez. Courtesy of Algonquin Books; (inset right) Peggy Peattie/ZUMA Press/Newscom; **15:** (t) *Earache Treatment* (1989), Carmen Lomas Garza. Alkyd and oil on canvas. 17 1/8 X 15 1/8 in. (43.4 X 38.3 cm). Hirshhorn Museum and Sculpture Garden, Smithsonian Institution, Museum Purchase, 1995. Photography by Ricardo Blanc; (b) EQRoy/Alamy; (inset) Timothy Hiatt/Getty Images; **16:** Philip Gould/Corbis Documentary/Getty Images; **21:** (l, r) Martín Bernetti; (m) José Blanco; **24:** Janet Dracksdorf; **25:** (tl) Ali Burafi; (tm) Janet Dracksdorf; (tr) José Blanco; (bl) Paola Rios-Schaaf; (bm) Oscar Artavia Solano; (br) Martín Bernetti; **27:** Shironosov/iStockphoto; **28:** (tl, tr, br) Martín Bernetti; (tm) James Carman/AGE Fotostock; (bl) Paula Díez; (bm) Reed Kaestner/Corbis; **32:** J. Emilio Flores/Corbis Historical/Getty Images; **33:** Aldo Murillo/iStockphoto; **35:** Jean-Regis Roustan/Getty Images; **36:** (foreground) Buchachon Petthanya/123RF; (background) Image Source/Corbis.

Lesson 2: 40: AzmanL/Getty Images; **41:** (b) Todd Coleman; **42:** (tl) Ferenc Szelepcsenyi/Fotolia; (tm) Lauren Krolick; (m) Paula Díez; (bl) Luis Sandoval Mandujano/iStockphoto; (bm) David R. Frazier Photolibrary, Inc/Alamy; (br) Stockbyte/Getty Images; **50-51:** (t) Wojtek Buss/AGE Fotostock; (m) Monica Rodríguez/Media Bakery; (b) Jui-Chi Chan/Alamy; **51:** (t) Diego Grandi/Alamy; (mt) Morenovel/Deposit Photos; (mb) Citlamugnoz/Shutterstock; (b) Glow Images/Getty Images; **52:** (l) *Autorretrato con mono* (1938), Frida Kahlo. Oil on Masonite. Oil on Masonite, support: 16 x 12 in; framed: 19 1/2 x 15 1/2 x 1 1/2 in. Albright-Knox Art Gallery/Tom Loonan/Art Resource, NY/©2017 Banco de México Diego Rivera Frida Kahlo Museums Trust, México, D.F./Artists Rights Society (ARS), New York; **52:** (r) Brayan López/Shutterstock; **53:** (t) Featureflash Photo Agency/Shutterstock; (b) Detail of *Batalla de los Aztecas y Españoles* (1929-1930), Diego Rivera. Fresco, 4.35 x 5.24 meters. Palace of Cortes, Cuernavaca, México. Schalkwijk/Art Resource, NY/©2021 Banco de México Diego Rivera Frida Kahlo Museums Trust, México, D.F./Artists Rights Society (ARS), New York; **54:** Carolina Zapata; **58:** Mark Lewis/Alamy; **61:** James W. Porter/Corbis/Getty Images; **62:** Angus McComiskey/Alamy; **70:** Todd Coleman; **71:** *Autorretrato como tehuana* (1943), Frida Kahlo. Oil on masonite, 76 x 61 cm. The Jacques and Natasha Gelman Collection of Mexican Art, México City, D.F., México. Erich Lessing/Art Resource, NY/©2021 Banco de México Diego Rivera Frida Kahlo Museums Trust, México, D.F./Artists Rights Society (ARS), New York; **73:** Courtesy of Mercè Rodríguez; **74:** Adan Pérez/EyeEm/Getty Images.

Lesson 3: 80: Franckreporter/iStockphoto; **81:** (b) Mario De Moya F/Shutterstock; **82:** (tl) Courtesy of Facebook ©2017; (tm) Tsian/Fotolia; (tr) José Blanco; (b) Pascal Pernix; **90-91:** (t) Addictive Stock Creatives/Alamy; (b) Richard Ellis/Alamy; **91:** (t) Franklin Hammond; (mt) Michele Falzone/Alamy; (mb) Mario De Moya F/Shutterstock; (b) Curioso.Photography/Alamy; **92:** (tl) *Vegetación Tropical* (1948), Wifredo Lam. Moderna Museet. Estocolmo, Suecia. ©2021 Artists Rights Society (ARS), New York/ADAGP, Paris; (tr) Alberto Cristofari/Contrasto/Redux; (b) Jacket cover from *La Casa de La Laguna* by Rosario Ferré. Used by permission of Vintage Books, a division of Penguin Random House LLC; **93:** (l) Marta Lavandier/AP/Shutterstock; (r) Courtesy of Ediciones de La Discreta S.L.; (inset) Miguelca/Shutterstock; **94:** GeorgiaFlash/Alamy; **99:** Hugh Burden/Masterfile; **104:** Alberto E. Tamargo/Sipa USA/Newscom; **110:** Goodshoot/Photononstop; **112:** (t) Patrik Giardino/Corbis/Getty Images; (bl) John Parra/Wire Image/Getty Images; (bm) Comstock/Corbis; (br) Lawrence Manning; **113:** (t) Pascal Pernix; (b) Ingram Publishing/Alamy; **115:** Photo courtesy of Oriol Miralles; **116:** Chris Knorr/Design Pics/Corbis.

Lesson 4: 120: Erik Isakson/Getty Images; **121:** (b) Astrid Stawiairz/Getty Images; **122:** Elena Ray/Fotolia; **123:** David Sacks/Getty Images; **130-131:** Galina Savina/Shutterstock; **131:** (t) Lucy Brown/Shutterstock; (mt) Kent Gilbert/AP Images; (mb) Alberto Lowe/Reuters; (b) Esteban Felix/AP Images; **132:** (t) Wilfredo Lee/AP Images; (b) *Dos peras en un paisaje* (1973), Armando Morales. Mary-Anne Martin Fine Art/©2021 Artists Rights Society (ARS), New York/ADAGP, Paris; **133:** (t) Leonardo Álvarez Hernandez/Getty Images; (inset) Astrid Stawiairz/Getty Images; (b) *Caserio* by Mauricio Puente, El Salvador. Photo courtesy of Mauricio R. Puente; **134:** Oneworldpicture/Deposit Photos; **137:** Oleg Gekman/123RF; **140:** (all) Martín Bernetti; **142:** (all) Paula Díez; **146:** Danny Lehman/Corbis Documentary/Getty Images; **147:** Martin Norris/Alamy; **149:** Win McNamee/Getty Images; **150:** (t) AFP/Getty Images; (b) White House Press Office/ZUMA Press/Newscom; **151:** Jared Wickerham/Getty Images; **153:** Agence Opale/Alamy; **154:** Andrzej Sowa/123RF.

Lesson 5: 158: Kris Ubach and Quim Roser/Getty Images; **159:** (b) Mathew Imaging/Getty Images; **160:** (tl) Corel/Corbis; (tm) Martín Bernetti; (tr) Janet Dracksdorf; (ml) Vrabelpeter1/Fotolia; (mr) Carsten Reisinger/Fotolia; (bl) Frank Burek/Corbis; (br) Anne Loubet; **168-169:** (t) Martín Bernetti; (b) Edwin de Jongh/123RF; **169:** (t) Martín Bernetti; (m) Paola Rios-Schaaf; (b) Daryl Benson/Masterfile; **170:** (l) Suljo/Deposit Photos; (inset) S_Burkley/Deposit Photos; (r) Mathew Imaging /Getty Images; **171:** (tl) *President Charles DeGaulle* (1967), Marisol Escobar. Mixed media: wood, plaster and mirror. Dimensions: 107 1/4 x 86 1/4 x 31 7/8 in. Smithsonian American Art Museum, Washington, DC/Art Resource, NY/Licensed by VAGA, New York, NY; **171:** (tr) Oscar White/Corbis Historical/Getty Images; (b) AP Images; **172:** Fotos 593/Fotolia; **177:** Szefei/Shutterstock; **179:** Medioimages/Photodisc/Getty Images; **188:** Amazon-Images/Alamy; **189:** Martín Bernetti; **190:** Corbis; **191:** Str/AP/Shutterstock; **192:** Scott Picunko/Illustration Source.

Lesson 6: 196: Reuters/Alamy; **197:** (b) Christophe Simon/AFP/Getty Images; **198:** (t) Gary Yim/Shutterstock; (m) Pressmaster/Deposit Photos; (b) Leo Ramírez/AFP/Getty Images; **203:** Photo 12/Alamy; **206-207:** (t) Hubert Stadler/Corbis Documentary/Getty Images; (bl) Lars Rosen Gunnilstram; (br) Christopher Pillitz/Getty Images; **207:** (t) Beyond Fotomedia GmbH/Alamy; (mt) Lauren Krolick; (mb) Martín Bernetti; (b) Lauren Krolick; **208:** (l) Patti McConville/Alamy; (inset) Christophe Simon/AFP/Getty Images; (b) El Mercurio de Chile/Newscom; **209:** (t) Album/Alamy; (m) *L'Etang de No.* (1958), MATTA. Oil on canvas, 293 x 200 cm. Musée National d'Art Moderne, Centre Georges Pompidou, Paris, France/CNAC/MNAM/Dist. RMN-Grand Palais/Art Resource, NY/©2021 Artists Rights Society (ARS), New York/ADAGP, Paris; (b) Marc Alex/AFP/Getty Images; **210:** Lauren Krolick; **215:** Prathan Chorruangsak/Shutterstock; **218:** Lauren Krolick; **222:** Martín Bernetti; **223:** (l) Ekaterina Pokrovsky/Fotolia; (r) Jorg Hackemann/Shutterstock; **226:** (l) Bettmann/Getty Images; (r) World History Archive/Newscom; **229:** Archivo Elsa Bornemann; **230:** Peter Finch/Getty Images.

Lesson 7: 234: Cecilie Arcurs/iStockphoto; **235:** (b) Courtesy of Ariel Plá; **236:** (tl) WavebreakMediaMicro/Fotolia; (tm) Kritchanut/Fotolia; (tr) Michaeljung/iStockphoto; (bl, br) Martín Bernetti; **244-245:** (t) Harald von Radebrecht/AGE Fotostock; **244:** (b) Richard Sowersby/Alamy; **245:** (t) Marcinm111/Deposit Photos; (mt) Sara_winter/Fotolia; (mb) J. Enrique Molina/Alamy; (b) Anders Ryman/Alamy; **246:** (l) Reuters/Alamy; (r) Jesus Umbria Digital Press Photos/Newscom; **247:** (b) *Altamar* (2000), Graciela Rodo Boulanger. Courtesy of Sandra Boulanger; (b) Courtesy of Ariel Plá; **248:** Arterra Picture Library/Alamy; **260:** (tl, bl) Paula Díez; (tm) Janet Dracksdorf; (tr) Rossy Llano; (br) AJR_images/Fotolia; (bm) Darío Eusse Tobón; **262:** Ken Welsh/AGE Fotostock; **265:** Nila López; **266:** George Oze/Alamy.

Lesson 8: 270: Ocean/Corbis; **271:** (b) Matyas Rehak/123RF; **272:** (tl) Luca di Filippo/iStockphoto; (tm) Ugurhan Betin/iStockphoto; (tr) Giovanni Benintende/Shutterstock; (b) Denys Prykhodov/Shutterstock; **275:** Alphaspirit/Shutterstock; **279:** (bl) L. Amica/Shutterstock; (bm) Clearviewstock/Fotolia; (br) Fuse/Getty Images; **280-281:** (t) Putt Sakdhnagool/Moment Open/Getty Images; **280:** (b) Hadynyah/Vetta/Getty Images; **281:** (t) Jarno González Zarraonandia/Shutterstock; (mt) Matyas Rehak/123RF; (mb) Photocech/Deposit Photos; (b) Martín Bernetti; **282:** (l) Manuel H De Leon/EPA/Newscom; (r) Maritza López; **283:** (l) Album/Alamy; (inset) Everett Collection Inc/Alamy; (r) Courtesy of Music MGP (Perú); **284:** Jgz/Fotolia; **292:** Martín Bernetti; **294:** Cristina Monaro/Forrest J. Ackerman Collection/Corbis Historical/Getty Images; **296:** Roberto Machado Noa/Getty Images; **297:** (t) Christian Vinces/Shutterstock; (b) Eagg13/123RF; **299:** Imagen del video *Flores para Pedro Orgambide*, de la Fundación Biblioteca Virtual Miguel de Cervantes; **300-301:** Image Source/Corbis.

Lesson 9: 304: Justin Lewis/The Image Bank/Getty Images; **305:** (b) Alexis Lloret/Alamy; **306:** (tl) Imag'In Pyrénées/Fotolia; (tm) Krzysiek/Fotolia; (tr) Martín Bernetti; (ml) FogStock LLC/Photolibrary; (mm) John James Wood/Photolibrary; (mr) Anne Loubet; (bl) Dmitri Mikitenko/Fotolia; (br) Gene Chutka/Getty Images; **310:** Martin Piroyansky; **314-315:** (t) Eduardo Rivero/Shutterstock; **314:** (b) José

Blanco; **315:** (t, mt) María Eugenia Corbo; (mb) Ali Burafi; (b) Andrés Stapff/Reuters; **316:** (l) Alexis Lloret/Alamy; (r) Horacio Villalobos/Corbis Historical/Getty Images; **317:** (t) MG/EFE/Newscom; (m) Álbum/Art Resource, NY; (b) Ali Burafi; **318:** María Eugenia Corbo; **321:** Janet Dracksdorf; **330:** (tl) Donyanedomam/Fotosearch LBRF/AGE Fotostock; (tr, bl) María Eugenia Corbo; (br) Janet Dracksdorf; **333:** Archive PL/Alamy; **334:** Sinlapachai Jaijumpa/Alamy; Yangphoto/Getty Images.

Lesson 10: 338: Compassionate Eye Foundation/Chris Ryan/Getty Images; **339:** (b) José Jordan/AFP/Getty Images; **340:** (tl) Tomás Bravo/Reuters; (tr) Paula Díez; (m) Tom Grill/Corbis; (b) Janet Dracksdorf; **348-349:** (t) Marco Cristofori/Corbis/Getty Images; **348:** (b) José Ignacio Soto/Fotolia; **349:** (t) Vladimir Sazonov/Fotolia; (mt) Marc Dozier/Hemis/Alamy; (mb) Lunamarina/Fotolia; (b) *Las Meninas* (1656), Diego Velásquez. Museo del Prado Madrid. Gianni Dagli Orti/REX/Shutterstock; **350:** (t) José Jordan/AFP/Getty Images; (b) Andy Kropa/Invision/AP Images; **351:** (t) S_bukley/Shutterstock; (b) Fernando Villar/EFE/Newscom; **352:** Diomedia/Alamy; **359:** SW Productions/Photodisc/Getty Images; **366:** Bloomberg/Getty Images; **368:** Mariaplr/Shutterstock; Digital Vision/Getty Images; **369:** Bettmann/Getty Images; **371:** Carlos Mario Lema Notimex/Newscom; **372:** EyeEm/Alamy.

End Matter: 383: Paula Díez; **390:** (all) Martín Bernetti; **396:** Martín Bernetti; **413:** Paula Díez.

Back Cover: Demaerre/iStockphoto.

Text Credits

36: Pablo Neruda "Poema 20", Veinte poemas de amor y una canción desesperada. © Pablo Neruda, 1924 and Fundación Pablo Neruda.; **74:** Mercè Sarrias Fornés; **116:** Ginés Cutillas; **154:** © Gioconda Belli c/o Schavelzon Graham Agencia Literaria, www.schavelzongraham.com; **192:** © 1997, Jaime Sabines © 1999, 2012, Josefa Rodríguez Zebadúa © 2020, Judith Sabines © 1997, 2012, 2014, 2016, Editorial Planeta Mexicana S.A de C.V. 2020, Latin American Rights Agency – Grupo Planeta; **230:** © Heirs of Elsa Bornemann c/o Schavelzon Graham Agencia Literaria, www.schavelzongraham.com; **266:** Nila Lopèz; **300:** Susana Fitere; **334:** Ediciones de la Banda Oriental; **372:** Gabriel García Márquez, "Algo muy grave va a suceder en este pueblo" from the speech "Cómo comencé a escribir" (1970), *YO NO VENGO A DECIR UN DISCURSO.* © Gabriel García Márquez, 2010 Herederos de Gabriel García Márquez.

Video Credits

8: Network Ireland Television; **32:** Univision; **46:** Instituto Mexicano de Cinematografía; **70:** Mariana Price; **86:** Yecid Benavides, Yecid Benavides Jr. and Johanan Benavides.; **112:** Noticias SIN; **126:** ECAM; **150:** Courtesy: Univision Communications, Inc.; **164:** Santi Planet; **188:** Agencia EFE; **202:** "JUSTO" producido por MARIANA OJUNIAN, escrito por CAROLINA PIERRI y dirigido por PAULA ROMERO LEVIT; **226:** © ANA INES CIBILS, MATHILDE BELLENGER/AFPTV/AFP; **240:** Nacho Solana; **262:** © Leticia Carbajal Diconca, Reza Nourmamode/AFPTV/AFP; **276:** Mateu Ramírez Louit; **296:** Chefs TV; **310:** Martin Piroyansky; **330:** Tango Films; **344:** Content Line/FeelSales; **368:** Iberoamerica TV/Edwin Gonzalez.